Das Vermächtnis der Feen

BRIGITTE ENDRES

Das Vermächtnis der Feen

Planet Girl

Bedenke stets des Wortes Macht,
und nutze es nie unbedacht!

1

Windy City

Ein scheuer Vogel ohne Laut
An dir vorbei die Flügel schlägt,
Und Wolke sich an Wolke baut
Wohin dein wilder Wunsch dich trägt?

HEDWIG LACHMANN
(1865–1918), dt. Lyrikerin

Der schwarze Hauch eines Schattens schnitt den Horizont ihres Blicks. Sie fuhr herum und starrte durch die gläserne Fassade aufs Rollfeld. Schon wieder! Was zum Teufel war das? Eine beunruhigende, schwer zu fassende Erregung durchrieselte sie. Nur ein Gefühl. Eine Ahnung, konturlos und unzugänglich im Abgrund ihres Bewusstseins.

»Josie!«

»Taddy!« Josie drängelte sich durch die Reisenden, die sich am Chicagoer Flughafen O'Hare mit Sack und Pack durch die Glastüren schoben. Sie hatte ihren Vater gleich entdeckt. Lang und hager, wie er war, überragte er die meisten Leute, die hinter der Absperrung auf ihre Freunde und Angehörigen warteten. Sie winkte ihm mit der freien Hand zu, während sie ihren Rollenkoffer hinter sich herzerrte. Sekunden später lagen sie sich in den Armen. Ach, wie tat es gut, Taddy wiederzuhaben! Sie grub ihren Kopf tief in sein Jackett und atmete glücklich den vertrauten Duft seines Rasierwassers ein. Sie hatten sich seit Monaten nicht gesehen.

Dr. Thaddäus Stark schob seine Tochter ein Stück von sich. »Lass dich ansehen, Josefinchen! – Du heiliger Bimbam, du bist vielleicht gewachsen!«

Josie zog die Augenbrauen hoch. »Wäre es dir lieber, ich würde schrumpfen?«

Taddy lachte. »Tatsache ist, dass du mir bald über den Kopf wächst.«

»Das fehlte noch! Ich will doch nicht als Leuchtturm herumlaufen!«

»Warum nicht? – Mit deinen feuerroten Haaren ...«

Es war schon dämmrig, als Taddy in dem goldmetallic glänzenden Buick, den ihm die Leihwagenfirma zu einem Superpreis, wie er fand, überlassen hatte, auf den Highway fuhr. Im nassen Asphalt spiegelte sich das orangefarbene Licht der Straßenbeleuchtung, es musste erst vor Kurzem geregnet haben.

Josie spähte gespannt aus dem Fenster. Vom Flugzeug aus hatte sie wegen einer dichten Wolkendecke nicht viel gesehen. Umso mehr staunte sie, als sich nun die Skyline der Stadt auftat. Wolkenkratzer reihte sich an Wolkenkratzer. Jetzt in der Dämmerung standen sie gegen den Abendhimmel wie schwarze Scherenschnitte, in denen Tausende Glühwürmchen blinkten.

»Wahnsinn!«, stieß Josie aus, während sie versuchte, aus der Entfernung abzuschätzen, wie viele Etagen so ein Hochhaus wohl besaß.

Taddy deutete nach vorn. »Das höchste dort, das mit den riesigen Antennen, ist der Sears Tower – einhundertdrei Stockwerke, wenn ich mir das richtig gemerkt habe.«

»Einhundertdrei Stockwerke! Und was, wenn der Lift streikt?« Josie runzelte die Stirn. »Wohnen wir auch in einem Hochhaus?«

»Wie man's nimmt, das Knickerbocker hat immerhin zehn Etagen. Auch nicht lustig, wenn der Lift kaputt ist.«

»Na super! Ist er oft kaputt?«

»Keine Angst!« Taddy lachte. »Es ist zwar ein altmodischer Kasten, aber die Lifte funktionieren.«

Das Knickerbocker-Hotel war tatsächlich ein altmodischer Kasten, dessen schmuddelig rote Ziegelfront mit hellen Simsen und Absätzen gegliedert war. Ein lang gezogener, einstmals blauer Baldachin überdachte den Weg vom Bürgersteig zu den beiden messinggerahmten Glastüren, durch die man in eine Halle kam, die sich den altertümlichen Charme längst vergangener Zeiten bewahrt hatte. Josie riss die Augen auf. Das hier würde ihrer Großmutter gefallen! Auf dem bunten Terrazzoboden leuchteten florale Muster. Aus stuckverzierten Inseln wuchsen gläserne Kronleuchter von der Decke herab, deren Licht von großflächigen antiken Spiegeln vielfach reflektiert wurde. Josies Vater blieb vor einem der drei Lifte stehen.

Von der Rezeption her winkte ihnen eine junge dunkelhäutige Frau zu. »Hi, Tad!«

Taddy deutete strahlend auf Josie. »Josie, my daughter!«

Die Frau lächelte. »Have fun!«

»Kennst du sie?«, erkundigte sich Josie. »Sie duzt dich!«

»Das ist Nancy. Hier spricht man sich schnell mit Vornamen an, das bedeutet nichts weiter.«

Als sich nun die Schiebetüren des Aufzugs öffneten, wuchtete er mit einem Stöhnen Josies Koffer hinein. »Sag mal, hast du sämtliche Harry-Potter-Bände da drin?«

Josie schüttelte den Kopf. »Harry Potter hab ich schon längst durch. Zurzeit ist Tolkien dran. – Und ...« Sie lächelte verlegen, »*Die unendliche Geschichte*. – Ich weiß, ich habe es schon x-mal gelesen, aber es ist nun mal mein Lieblingsbuch.«

Ihr Vater grinste. »Schleppst du das immer noch mit? Kannst du's nicht allmählich auswendig?«

Josie grinste zurück. »Fast.«

Der Lift öffnete sich zu einem scheinbar endlosen Gang. Josie folgte Taddy über den flauschigen grünen Teppich.

»Wir sind da!« Taddy setzte den Koffer ab und kramte einen Schlüssel aus der Hosentasche.

Neugierig trat Josie ein. Ihr Vater hatte ein Appartement gemietet. Es gab einen Wohnraum mit einem großen Sofa, ein Schlafzimmer, ein geräumiges Bad mit einer abgenutzten Badewanne und altmodischem Waschbecken sowie eine kleine Teeküche.

»Super!« Sie lief erwartungsvoll zum Fenster und drehte sich dann enttäuscht um. »Ach, den Michigan-See sieht man wohl nicht von hier?«

»Nein, Josefinchen, da muss ich passen. Ein Appartement mit Seeblick kann sich ein armer Wissenschaftler wie ich leider nicht leisten.« Taddy ließ demonstrativ die Schultern hängen. »Bleibst du trotzdem bei deinem alten Vater?«

»Ne, ich such mir einen jungen mit viel Geld!« Josie genoss es, endlich wieder mit Taddy herumfrotzeln zu können. »Hoffe, du kannst mich wenigstens ernähren. Ich bin am Verhungern, ich könnte definitiv einen Büffel verdrücken.«

»Büffel sind aus. Obwohl es vor ein paar hundert Jahren hier bestimmt noch von Büffeln gewimmelt hat. Aber ich erjage dir gern eine Pizza.« Gut gelaunt griff Dr. Stark zum Telefon und wählte einen Lieferdienst an.

»Für mich nur Mozzarella und Tomaten!«, zischte Josie ihm zu. Während er das Essen bestellte, betrachtete sie ihn zärtlich. Die Trennung war beiden nicht leichtgefallen. Josie dachte an den traurigen Abschied am Flughafen. Und jetzt arbeitete Taddy schon seit fast einem halben Jahr hier an der Chicagoer Universität als Biologe in einem Genforschungsprojekt. Damals erschien ihr die Zeit bis zu den Sommerferien endlos. Aber eigentlich war sie dann doch schnell vorbeigegangen. Zum Glück. Sie lächelte ihm zu, während er einem begriffsstutzigen Pizzeriaangestellten am anderen Ende der Leitung zum vierten Mal Zimmernummer und Namen buchstabierte. Seit Josies Mutter kurz nach der Geburt ihrer Tochter bei einem Autounfall ums Leben gekommen war, waren Taddy und Moma, Josies Großmutter, ihre Lieblingsmenschen, wie sie oft sagte. Ihre Großmutter hatte sie von klein auf großgezogen, und so hatte Josie sie Moma genannt, schließlich war sie ja auch beides: Mama und Oma.

Josie grinste ihren Vater glücklich an, als er endlich den Hörer auflegte und irgendetwas wie: »Der hat wohl Watte in den Ohren«, murmelte. Ja, es war schön, ihm wieder nahe zu sein! Andererseits – jetzt fehlte ihr Moma!

Nach einer Pizza, mit der man eine ganze Schulklasse hätte abfüttern können, saßen sie gemütlich auf dem Sofa und plauderten. Josie erzählte von daheim, wo seit einer Woche die Dachdecker zugange waren. Schon seit einiger Zeit hatte es durch das morsche Dach von Momas alter Villa geregnet.

»Schade, dass Dorothea nicht mitgekommen ist«, sagte Taddy.

»Wär sie ja gern, aber die Dachdecker waren bis zum Herbst ausgebucht. Moma wollte nicht noch einen Winter lang Töpfe und

Schüsseln aufstellen. Außerdem hat sie mit ihrem neuen Buch angefangen. Du weißt schon, dieser Fantasyroman, der in Irland spielt.«

Josies Vater nickte. Er kannte seine Schwiegermutter. Ein neues Buch bedeutete wochenlange Recherche und Planung. Sie nahm das sehr genau, sicher einer der Gründe, warum sie als Schriftstellerin so erfolgreich war.

»Und wie läuft's bei dir?«, erkundigte sich Josie, nachdem sie ihm alle Neuigkeiten aus der Heimat erzählt hatte.

Über Taddys Gesicht flog ein Leuchten. »Das Projekt ist wahnsinnig spannend. Echte Detektivarbeit! Wir suchen in der DNS nach Bausteinen, die noch unerforschte Erbkrankheiten anzeigen. Für eine DNS-Analyse braucht man heute ja nur noch ein bisschen Speichel.« Er hielt inne. »Du weißt noch, was die DNS ist?«

»Desoxyribonukleinsäure, zwei ineinander verschlungene Eiweißspiralen, die das Erbgut von Zellen enthalten. Hast du mir bestimmt schon hundert Mal erklärt.« Sie grinste. »Und ich hab's mir trotzdem gemerkt. Zufrieden, Herr Doktor?« Das unaussprechliche Wort sprudelte so fließend über ihre Lippen, dass ihr Vater schmunzelte.

»Sehr zufrieden. Und aus diesen DNS-Spiralen bestehen unsere Gene, die zur Hälfte von der Mutter und zur Hälfte vom Vater stammen. So weit klar?« Er sah seine Tochter prüfend an.

»Ich weiß.« Josie versuchte, ein Gähnen zu unterdrücken.

»Langweile ich dich?«

»Sorry, Taddy!« Josie sah ihn schuldbewusst an. »Ich bin bloß hundemüde.«

»Schluss jetzt!« Taddy sprang auf. »Ich halte hier Vorträge und du kannst kaum noch die Augen offen halten. – Wo möchtest du schlafen?«

»Definitiv Sofa!«, entschied Josie sofort. »Gewisse Leute hier schnarchen bekanntlich. – Gibt es dafür eigentlich auch ein Gen?«

»Josefinchen!« Taddy drohte ihr mit dem Finger.

Eine halbe Stunde später kuschelte sich Josie auf der ausgezogenen Schlafcouch in die Decke. Durch die Jalousie sickerte messinggelb das Licht der Straßenlaternen. Autos rumpelten über Kanaldeckel, ein Motorrad heulte auf. Irgendwo gluckerte eine Wasserleitung, ganz in der Ferne dudelte ein Radio – oder doch ein Fernseher? Wie viel ruhiger war es doch daheim! Ob sie bei all den ungewohnten Geräuschen gut schlafen würde? Herzhaft gähnend drehte sie sich um und schloss die Augen.

Sogleich tauchte sie in erste flüchtige Traumbilder. Unvermittelt schwebte etwas Schwarzes dazwischen. Josie schreckte hoch und blinzelte argwöhnisch in das halbdunkle Zimmer. Wieder nahm diese eigenartige Ahnung von ihr Besitz und begleitete sie in ihre Träume.

Sechs Uhr! Josie schielte unwillig auf den Wecker. Definitiv zu früh! Verdammt! Das kam sicher von der Zeitverschiebung. Sie drehte sich um und versuchte, sich an ihren Traum zu erinnern, fest entschlossen, ihn einfach weiterzuträumen. Aber wie jeden Morgen hatte er sich mit dem Aufwachen in eine winzige Motte verwandelt, die orientierungslos in ihrem Kopf herumschwirrte. Je mehr sie darüber nachgrübelte, desto wacher wurde sie. Eine Viertelstunde später gab sie es auf.

Sie blinzelte durch die Wimpern. Taddy schlief hundertprozentig noch. Er würde wohl erst gegen sieben aufstehen. Noch lag das graue Gespinst der Dämmerung über dem Raum, aber spätestens in einer halben Stunde würde es hell sein. Wirklich bescheuert, dass man den See nicht sehen konnte! Der Sonnenaufgang war sicher ein Erlebnis. Josie rappelte sich hoch und streckte sich. Für einen Augenblick saß sie unentschlossen im Bett. Ob das Gebäude eine Dachterrasse besaß? – Bestimmt! Mit einem Satz sprang sie auf. Wenig später schlich sie sich aus der Wohnung.

Der Lift spuckte sie in der zehnten Etage aus. Josie sah sich suchend um. Wie kam man bloß ganz nach oben? *Emergency-Exit* las sie über einer Metalltür. Dahinter verbarg sich ein grau getünchtes, wenig anheimelndes Treppenhaus. Beklommen beugte sie sich über das Geländer und ihr wurde fast schwindelig. Scheinbar endlos führten Stufen in die Tiefe. Sie reckte den Kopf nach oben. Weiter hoch ging es also auch! Mit großen Schritten nahm sie die letzten beiden Treppenabsätze und stand vor einer verrosteten Eisentür. Gespannt drückte sie die Klinke. – Glück gehabt! Offen!

Josie trat ins Freie. Die Luft war klar und schneidend, der Himmel weit und wolkenlos. Möwen kreischten. Nicht die Art Möwen, die sie von zu Hause kannte. Diese hier waren mindestens doppelt so groß. Sie ging ein paar Schritte über die graue Plattform, ließ Versorgungsschächte und Kamine hinter sich und blieb bezaubert an der Brüstung stehen. Der Ausflug hatte sich gelohnt! Wie ein unendlicher Spiegel aus Silberglas lag der See vor ihr. Wo der Horizont das Wasser berührte, glomm es verheißungsvoll. Nur Minuten später brannte der Himmelsrand in explodierendem Rot. Josie versank in Farbe und Licht. Erst als die Morgensonne wie ein vollreifer Granatapfel über dem See hing, fühlte sie, wie kühl es noch war. Die eisigen Finger der Kälte krochen unter ihre dünne Jacke. Sie zog sie gerade enger um sich, als ein Schatten knapp über ihren Kopf glitt. Josie duckte sich reflexartig und fuhr dann herum. Ein schwarzer Vogel landete auf einem der Kamine.

Josie atmete auf. Ein Vogel! Nur ein harmloser Vogel! Vorsichtig, um ihn nicht zu verscheuchen, wagte sie sich näher hin. Es war eine Amsel, eine Amsel mit einem auffälligen weißen Brustfleck. Sie blickte Josie aus schwarzen Tautropfenaugen unverwandt an und zwitscherte – nein, sang ein Lied, eine Melodie, die sich in purpurroten Wellen in das gläserne Licht des frühen Tages ergoss.

Aus den Tiefen ihres Unterbewusstseins blitzte etwas wie Erkennen auf. Fast gleichzeitig begann sich der Vogelkörper zu strecken. Der Schnabelkopf formte sich zu einem menschenähnlichen Gesicht, der helle Brustfleck gerann zu einem weißen Gewand und die Flügel verschmolzen zu einem schimmernd schwarzen Federmantel.

Josie schloss für einen Moment die Lider. Die feine Ader, die sich von ihrer Nasenwurzel zur Stirn zog, klopfte im rasenden Takt ihres Herzens. Die Amsel war ein Traumbild! Ja, jetzt erinnerte sie sich! Sie hatte von diesem geheimnisvollen Vogelwesen geträumt. Und nicht nur einmal! Träumte sie jetzt etwa immer noch? Als sie die Augen wieder aufschlug, saß nur noch der Vogel da. Gänsehaut überkam sie. Was bedeutete das alles? Spielte ihr der Jetlag einen Streich? Hatte sie Halluzinationen?

»Kschsch!« Sie klatschte in die Hände.

Aber die Amsel rührte sich nicht vom Fleck. Sie blieb sitzen, unbeeindruckt, ja überlegen, als fühle sie sich ganz Herr der Lage. Josie wirbelte herum und rannte zurück ins Treppenhaus.

»Ich hab mir schon Sorgen gemacht.« Taddy stand im Schlafanzug vor dem Badezimmer, als Josie die Wohnungstür öffnete. »Wo um Himmels willen warst du denn schon in aller Herrgottsfrühe?«

Josie blickte ihn geistesabwesend an. Noch immer saß ihr das Entsetzen wie eine Schraubzwinge im Nacken.

»Josefa?«

Josie fuhr zusammen. »Sorry. Ich – ich hab mir den Sonnenaufgang angesehen«, stotterte sie. »Oben auf dem Dach. Sieht toll aus! Der See und so ...«

Ihr Vater schüttelte vorwurfsvoll den Kopf. »Du hättest wenigstens einen Zettel hinlegen können!«

Josie presste schuldbewusst die Lippen zusammen. Während des ganzen Frühstücks ließ Josie das eigenartige Erlebnis auf dem Dach nicht los.

»Taddy?«, setzte sie an, während sie gedankenverloren Milch über ihre Flakes goss. »Gibt es eigentlich Amseln mit weißen Brustfedern?«

Dr. Stark sah seine Tochter erstaunt an. »Normalerweise nicht. Wieso?«

Josie erzählte ihm von dem ungewöhnlichen Vogel, der ihr auf der Dachterrasse begegnet war. Dass sie sich eingebildet hatte, in der Amsel einen kleinen Mann in einem Federmantel gesehen zu haben, behielt sie wohlweislich für sich. Taddy musste sie ja sonst für total übergeschnappt halten.

Taddy lächelte. »Ach so, na ja, Mutationen gibt es ab und zu. Die Natur spielt in allen Spezies mit den Genen. Wie sage ich immer? Gottes Tierpark ist groß!«

Josie nickte, obwohl sie nicht wirklich überzeugt war. Nicht dass sie Taddys logische Erklärung nicht nachvollziehen konnte – es war mehr ein Gefühl. Das beunruhigende Gefühl, dass die Amsel mehr war als nur eine zufällige Mutation. Holten sie ihre wirren Träume jetzt schon am helllichten Tag ein? Schnappte sie langsam über?

Nachdem ihr Vater sich auf den Weg zur Uni gemacht hatte, räumte Josie den Tisch ab und klappte die Schlafcouch zusammen. Anschließend stopfte sie die restlichen Sachen aus ihrem Koffer in die Schlafzimmerkommode. Als sie damit fertig war, sagte ihr ein Blick auf die Uhr, dass ein schier endlos langer Tag vor ihr lag, bis Taddy heimkommen würde. Sie schlug den zweiten Band von *Der Herr der Ringe* auf. Aber sosehr sie sich auch bemühte, sie konnte sich einfach nicht aufs Lesen konzentrieren. Immer wieder flatterte das Bild der Amsel über die Seiten. Als dann draußen auf dem Flur auch noch ein Staubsauger mit der Lautstärke eines Düsenjägers losbrüllte, legte sie das Buch zur Seite und schaltete den Fernseher ein. Genervt zappte sie sich durch die Kanäle. Werbung, ein Wrestlingkampf, Werbung, ein Western, eine Horrorserie. Lauter negativer Mist! Fiel denen denn außer Gewalt und Grusel gar nicht mehr ein? Sie mochte solche Geschichten nicht und auch in diesem Punkt war sie sich mit ihrer Großmutter einig.

»Eine Geschichte, die nicht gut ausgeht, ist eine schlechte Geschichte«, sagte Moma immer, wenn ihr ein Kritiker vorwarf, dass ihre Bücher stets ein glückliches Ende nahmen. »Das wirkliche Leben ist traurig genug. Wer Endzeitstimmung braucht, soll sich die Nachrichten ansehen. Hoffnung und Zuversicht – daran mangelt es der Welt. Und dagegen schreibe ich an!«

Mit einem Seufzen legte Josie die Fernbedienung weg. Das Programm hier war ebenso erbärmlich wie zu Hause. Blöd, dass Taddy arbeiten musste, ihr fiel ja schon jetzt die Decke auf den Kopf. Mürrisch griff sie nach dem Reiseführer, den ihr Vater für sie hingelegt hatte, und blätterte mit zunehmendem Interesse darin herum. Chicago war sicher toll. Aber konnte sie es wirklich wagen, allein in dieser fremden Millionenstadt herumzustreifen? Unschlüssig klemmte sie das Buch unter den Arm und verließ das Appartement, um zunächst das Hotel zu erkunden.

Als Josie aus dem Lift trat, winkte ihr Nancy an der Rezeption so begeistert zu, als begrüße sie eine alte Bekannte. Josie erwiderte ihren überfreundlichen Gruß mit einem verwunderten Lächeln. Einer der Gänge, die von der Halle abzweigten, führte zu einem Friseur, ein anderer zu einem Fitnessraum, in dem sich ein grau melierter Mann im Jogginganzug auf einem Stepper abrackerte. Einen Raum weiter lag das Businesscenter, ein fensterloses Zimmer, in dem drei Computer mit Internetanschluss bereitstanden. Momentan machte keiner der Hotelgäste von dem Angebot Gebrauch. Ausgezeichnet! So konnte sie ganz ungestört gleich eine E-Mail an Moma schreiben. Josie ging über den rot-grün geblümten Teppichboden zu einem der Mahagoni-Schreibtische und wählte sich ein. Bis auf die ungewohnte englische Tastatur, auf der die Umlaute fehlten, fand sie sich rasch zurecht. Sie beschrieb das Hotel und schwärmte von dem atemberaubenden Sonnenaufgang. Die eigenartige Amsel erwähnte sie nicht. Jetzt, Stunden später, schob Josie die Erscheinung auf den Jetlag und ihre lebhafte Fantasie.

Als sie wenig später wieder in der Halle stand, lockten sie die Sonnenstrahlen, die durch den Eingang auf den polierten Terrazzoboden fielen. Das Wetter war ja himmlisch! Entweder sie raffte sich auf und inspizierte die Umgebung auf eigene Faust oder sie vertrödelte diesen herrlichen Sommertag, bis Taddy heimkam, in den düsteren Gemäuern des alten Hotelkastens. Unschlüssig schlug sie den Führer auf. Das Bild eines Brunnens sprang ihr entgegen. »Der Buckingham-Brunnen im Grant Park«, las sie leise. Okay, das war vielleicht ein guter Anfang. Der Park schien nicht weit entfernt zu sein.

Sie gab sich einen Ruck und trat durch die Glastür ins Freie. Unter dem Baldachin blieb sie stehen und faltete den beigelegten Stadtplan auseinander. Das Hotel war in der Dearborn Street. Sie musste sich nach Osten halten, dann würde sie unweigerlich zu ihrem Ziel kommen.

Hier in der Gegend standen viele alte Häuser, wobei »alt« relativ war. Chicago war 1871 komplett abgebrannt. Angeblich, weil eine Kuh durch das Umstoßen einer Laterne eine Holzscheune in Brand gesetzt hatte. So hatte es Josie jedenfalls vorhin im Führer gelesen. Dass es in dieser Stadt der Wolkenkratzer jemals Kühe und Scheunen gegeben haben sollte, überstieg ihr Vorstellungsvermögen.

Der Tag hielt, was der Morgen versprochen hatte. Die Sommersonne strahlte, als wolle sie die Welt umarmen. Lärmend kreisten Möwen im Himmelblau. Weiter vorn erhob sich ziegelrot der Uhrenturm des alten Dearborn-Bahnhofs. Fast alle Häuser hier ragten zehn Stockwerke hoch, viele deutlich höher. Die Straßen waren breiter, die Autos größer als daheim. Der Wind wirbelte Josies kupferfarbenes Haar hoch. Alle Versuche, es hinter die Ohren zu klemmen, gingen ins Leere. Bestimmt sah sie aus wie ein Flammenwerfer. Jetzt wurde ihr klar, warum die Einwohner ihre Stadt »Windy City« nannten. Zehn Minuten später tauchte der Grant Park auf, ein breiter Grünstreifen, der sich, nur von einer Straße getrennt, am Seeufer entlangzog. Jogger trabten an ihr vorbei. Spaziergänger genossen den wolkenlosen Vormittag.

Vor dem Buckingham-Brunnen tummelten sich Scharen von Touristen und fotografierten. Josie ärgerte sich, dass sie ihr Handy daheim gelassen hatte. Moma hatte gemeint, mit einer deutschen Karte in den Staaten zu telefonieren, würde ein Heidengeld kosten. Dass es aber ziemlich gute Fotos machte und zurzeit ihre einzige Kamera war, daran hatten sie beide nicht gedacht. So versuchte Josie, sich alles ganz besonders gut einzuprägen.

Wie bei einer Hochzeitstorte stapelten sich drei Wasserbecken übereinander, aus denen unzählige Fontänen in die Höhe schossen. Josie hatte gelesen, dass der Brunnen stündlich einen fünfzig Meter hohen Wasserstrahl ausspuckte. Dieses Spektakel wollte sie sich nicht entgehen lassen. Sie setzte sich auf eine Bank und wartete. Hier in der Sonne ließ es sich aushalten. Sie schloss die Augen. Die Rosenrabatten verströmten lieblichen Duft, das Rauschen des Wassers vermengte sich mit dem entfernten Straßenlärm und dem Gesang der Vögel zu einer eigenwilligen Sinfonie. Fast unmerklich schlich sich eine bekannte Tonfolge dazwischen, die sie schließlich aufschrecken ließ.

Auf der Lehne dicht neben ihr balancierte in grazilen Bewegungen ein Vogel. Josie schnappte nach Luft. Verdammt! Schon wieder diese schwarze Amsel mit dem weißen Brustfleck! Wirklich nur die Amsel? Sie blinzelte. Aber diesmal schien sich die Gestalt des Vogels nicht zu verändern. Dafür trug die Amsel heute etwas im Schnabel, etwas, das in der Sonne geradezu magisch glitzerte. Wäre Josie fähig gewesen, sich zu rühren, hätte sie nur danach greifen müssen. Aber sie war wie gelähmt. Ihre Stirnader klopfte. Ihre Hände klebten. Warum verfolgte sie dieser geheimnisvolle Vogel? Drehte sie jetzt völlig durch? – Es gab Krankheiten, bei denen man sich verfolgt fühlte. Geisteskrankheiten.

Unversehens öffnete die Amsel den Schnabel. Mit einem Klack landete das Glitzerding auf der Bank. Und schon flatterte der Vo-

gel hoch, um sich mit geschmeidigen Flügelschlägen der Sonne entgegenzuschwingen. Josie versuchte, ihm nachzusehen, doch zwang sie das grelle Licht, den Kopf abzuwenden.

Als sie sie wieder öffnete, lag neben ihr ein kleiner Gegenstand. Verstört nahm sie ihn an sich und hielt eine feine Goldschmiedearbeit in Händen. Ein metallischer Stab, etwa so lang wie ihr kleiner Finger, der von einem Herz aus geschliffenem Glas oder Kristall gekrönt wurde. Flankiert wurde das Herz von zwei Drachenköpfen, die zu einer goldenen und einer silbernen Schlange gehörten, die sich gegenläufig um den Stab wanden. Ein Dorn auf der Rückseite diente offenbar der Befestigung an einem Kleidungsstück. Für eine Gürtelschnalle war das Schmuckstück zu klein. Wahrscheinlich war es eher eine Brosche.

Ein Donnern, dem ein gewaltiges Zischen folgte, riss ihre Aufmerksamkeit jäh an sich. Mit der Urgewalt eines Geysirs schnellte eine majestätische Fontäne in den Himmel. Unmittelbar darauf trieb der Wind eine wassergesättigte Wolke auf sie zu. Josie fuhr hoch und sprang instinktiv einige Schritte zurück.

»Ouch!« Wütendes Kläffen folgte.

Josie drehte sich erschrocken um.

Ein dunkel gekleidetes Mädchen mit kohlschwarzen Haaren, das mit zwei heftig an den Leinen zerrenden Hunden kämpfte, schimpfte mit schmerzverzerrter Grimasse vor sich hin. Ihre Worte, die dem Tonfall nach nicht eben freundlich klangen, verschluckte das Tosen der Fontäne. Josie wurde rot. Wie peinlich! Sie musste die Fremde ordentlich getreten haben!

»Sorry!«, murmelte sie, während sie die Hunde nicht aus den Augen ließ, denn der kräftige Boxer fletschte die Hauer und knurrte aggressiv.

Das Mädchen schien Mühe zu haben, ihn und einen großen Retriever zurückzuhalten. »Welcome!«, zischte es durch die Zähne.

Ohne den Blick zu heben, brummelte Josie eine weitere Entschuldigung und rannte zur gegenüberliegenden Seite des Brunnens, wo sie atemlos stehen blieb. In ihren Ohren dröhnte der mächtige Wasserstrahl, in ihren Gedanken das Erlebnis mit der Amsel und der mysteriösen Brosche.

Unschlüssig, was sie mit dem Schmuckstück anfangen sollte, steckte sie es fürs Erste an den Bund ihrer Jeans.

Als der Brunnen die Riesenfontäne wieder verschlungen hatte, schlug Josie einen Bogen durch den Park. Verdammt, was geschah da mit ihr? – Produzierte ihr Gehirn all diese verrückten Trugbilder? Sie tastete nach der Brosche. Sie war definitiv da! Hart und metallisch kalt. Ein Ding von dieser Welt. Josie schluckte. – Ein Ding von dieser Welt ...?

Als Taddy am frühen Abend nach Hause kam, war Josie längst von ihrem Erkundungsgang zurück. »Wie war dein Tag? Hast du dich sehr gelangweilt, so ganz allein?«, erkundigte er sich, mit der Besorgnis eines schlechten Gewissens.

»War okay, hab mir ein bisschen die Gegend angesehen«, antwortete Josie, während sie überlegte, ob sie Taddy die Sache mit der Brosche erzählen sollte. Schließlich rang sie sich doch dazu durch.

Josies Vater hörte sich die neue Amselgeschichte mit unverhohlener Skepsis an. Als Josie ihm die Brosche reichte, betrachtete er sie eingehend. Schließlich kratzte er sich am Hinterkopf. »Hübsch gemacht, sehr filigran. Sieht aus wie eine antike Fibel mit zwei Lindwürmern.«

Josie sah ihn fragend an.

»Eine Gewandspange. Eine antike Sicherheitsnadel, wenn du so willst. Wahrscheinlich eine Nachbildung.«

»Und die Schlangen sind Lindwürmer?«

»Denke schon, Drachen oder so etwas – Fabelwesen.« Nachdenklich drehte er Josies Fund um und um. »Wie die sich so um den Stab winden ... Sieht fast aus wie bei der DNS-Spirale.«

Josie lag eine spöttische Bemerkung auf der Zunge. Taddy sah einfach alles und jedes von seinem Fachgebiet aus, aber da gab ihr

Vater ihr das Schmuckstück schon zurück. »Und die soll diese komische Amsel fallen gelassen haben?«

»Genau, wie ich gesagt hab. Klack, und das Ding lag auf der Bank. Dann ist der Vogel weggeflogen.«

»Eine Amsel mit einem weißen Brustfleck«, murmelte Taddy. Einen Atemzug später warf er den Kopf zurück. »Alles klar! Eine Elster! Es kann nur eine Elster gewesen sein! Die sind schwarz-weiß. Und Elstern gibt's hier, ich hab auch schon auf dem Uni-Campus welche gesehen.« Damit leitete er einen längeren Vortrag über die Unterschiede zwischen Elstern und Amseln ein.

Josies Mund zuckte nervös. »Taddy! Ich weiß, wie Elstern aussehen!«

»Vielleicht ja doch nicht so genau.« Und schon öffnete er sein Notebook und präsentierte Josie kurz darauf Abbildungen von Elstern aus dem Internet. »Schau! Schwarz mit weißer Brust. Genau wie der Vogel, den du gesehen hast. Vielleicht war er ja eine besonders kleine Elster. Und die Biester stehlen. Die diebische Elster ist ja geradezu sprichwörtlich.«

Josie gab sich geschlagen. Es hatte gar keinen Sinn, mit Taddy weiter darüber zu debattieren. Für ihn war die Sache klar. Und nichts würde ihn vom Gegenteil überzeugen.

»Okay«, lenkte sie ein, um der Diskussion ein Ende zu bereiten. »Aber was soll ich jetzt mit der Fibel machen?«

»Na ja, ich denke, die kannst du behalten. Weiß der Himmel, wo der Vogel sie hat mitgehen lassen. In einer Stadt wie Chicago dürfte es wohl kaum möglich sein, den rechtmäßigen Besitzer zu finden.«

Josie nickte und steckte die Brosche an die Jeans zurück. Den rechtmäßigen Besitzer, dachte sie. Urplötzlich durchfuhr sie eine Gewissheit, die sie schaudern machte.

Der rechtmäßige Besitzer war sie.

Für das Wochenende hatte sich Dr. Stark vorgenommen, mit seiner Tochter Chicago zu entdecken. Er hatte selbst noch nicht viel gesehen, zu sehr hatte ihn seine Arbeit bisher in Anspruch genommen. Da es am Samstagmorgen nach Regen aussah, schlug er vor, das Art Institute, das ehrwürdige alte Kunstmuseum der Metropole, zu besuchen. Die Gemälde und Kunstgegenstände sowie die Gespräche mit ihrem Vater lenkten Josies Gedanken für ein paar Stunden weg von dem mysteriösen Vogel, der ihr so Kopfzerbrechen bereitete.

Am Sonntag, der sich schon am Vormittag als heißer Sommertag entpuppte, unternahmen sie eine kleine Tour entlang des Seeufers. Die Luft flirrte in der Hitze und spiegelte nicht vorhandene Wasserlachen auf den Asphalt. In dem klimatisierten Buick, den Taddy in gemütlichem Tempo über die Uferstraße steuerte, konnte man es gut aushalten, stieg man jedoch aus, knallte einem die Glut eines Pizzaofens entgegen. In einem verschlafenen Ort mit weiß gestrichenen Verandahäuschen legten sie eine Pause ein. Das kleine Terrassencafé, das ihnen gleich ins Auge gesprungen war, bot einen herrlichen Blick über den See. Wie ein blaues Satintuch lag er heute da, glatt und seidig glänzend. Vom Jachthafen wehte das helle Klimpern der Verklicker zu ihnen her. Es roch nach Sommer und frisch gebrühtem Kaffee.

Kaum hatte die Kellnerin Getränke und zwei mächtige Schoko-Muffins gebracht, flatterten zielstrebig drei Spatzen auf den Tisch. Es schien, als hätten sie genau auf diesen Moment gewartet. Ungeniert hüpften sie Richtung Teller. Josie und ihr Vater beobachteten sie amüsiert. Als aber einer von ihnen dem Gebäck schon gefährlich nahe kam, scheuchte ihn Taddy doch fort. »Weg da, du kleiner Fresssack!«

Nur wenig beeindruckt von der Drohgebärde flatterten die Piepmätze zwar kurz hoch, ließen sich aber sofort wieder nieder.

»Bestimmt verstehen die kein Deutsch!«, frotzelte Josie. »Probier's doch mal auf Englisch!«

»Die lassen sich nicht mal auf Chinesisch vertreiben.« Mit einem gutmütigen Grinsen trennte ihr Vater ein kleines Stück Kuchen ab und warf es den geflügelten Bettlern hin. Tschilpend und zankend teilten sie sich den Bissen.

Ein melodiöses Zwitschern ließ Josie versteinern. Auf der Lehne des freien Stuhls, ihr genau gegenüber, saß ein Vogel. Ein schwarzer Vogel. Eine Amsel. Die Amsel!

»Taddy!« Josies Pupillen weiteten sich. Sie deutete zitternd mit dem Finger.

Ihr Vater folgte ihrem Blick. »Was ist?«

»Die Amsel!«

»Amsel?« Taddy drehte sich stirnrunzelnd um.

»Du siehst sie nicht? Und du hörst auch nichts?« Josies Stimme bebte.

Dr. Stark schüttelte irritiert den Kopf.

Sie schloss für einen Moment die Augen. Das Abbild der Amsel auf ihrer Retina verwandelte sich zu dem seltsamen Vogelwesen, das sie schon auf der Dachterrasse gesehen hatte. Träumte sie? Was um Himmels willen war nur mit ihr los?

Die Melodie verstummte. Josie öffnete die Augen. Die Amsel war weg.

»Sie ist fort«, flüsterte sie tonlos.

»Etwa wieder diese Amsel mit dem weißen Brustfleck?« Die Stimme ihres Vaters klang beunruhigt. »Josefa!«

An diesem Abend lag Josie lange schlaflos in ihrem Bett. Obwohl sich im Zimmer die heiße Luft des Sommertags staute, hielt sie das Fenster geschlossen, aus Angst, der Gespenstervogel könne sie auch hier überraschen. Diese unheimliche Amsel, die Taddy ganz offenkundig nicht sehen konnte. Die Arme hinter dem Kopf verschränkt starrte sie auf den sanft brummenden Deckenventilator, dessen metallene Beschläge das Licht der Straßenlaternen auffingen und in gleichmäßigem Rhythmus an die Wände warfen. Ein seltsam bedrohliches Gefühl umklammerte ihren Brustkorb wie ein eisernes Band. Es lag etwas in der Luft. Irgendetwas ging vor, das sie nicht steuern konnte. Was, wenn sie jetzt völlig durchdrehte? Geisteskrankheiten brachen bestimmt nicht plötzlich, sondern schleichend aus. Dieser höchst beängstigende Gedanke rollte durch ihren Kopf wie Donnergrollen. Irgendetwas stimmte nicht mit ihr. Sie war sonderbar, irgendwie nicht normal. Aber war das nicht eigentlich schon immer so gewesen?

Oh ja, sie war definitiv sonderbar! Allein die Sache mit der Musik! Seit sie denken konnte, sah sie Musik in Farben und Formen vor sich, die im Rhythmus der Klänge durch den Raum schwebten. Das war schon mal alles andere als normal, auch wenn sie das lange geglaubt hatte, weil sie es ja nicht anders wusste. Außer Moma kannte sie keinen Menschen, der Musik in visuelle Eindrücke umsetzte. Moma und Taddy hatten ihr allerdings erzählt, dass auch Isa, ihre verstorbene Mum, Musik in Farben wahrgenommen hatte. Taddy sagte, so etwas nenne man *Synästhesie* und wahrscheinlich habe sie diese Fähigkeit von Moma und Mum geerbt. – Er betrachtete die Dinge gern von der genetischen Seite.

Synästhesie. Josie hatte sich das schwierige Wort gemerkt, weil sie es beruhigend fand, dass es ein Wort dafür gab. Ein Wort war etwas, an dem man sich festhalten konnte. Sie hatte keine Halluzinationen. Sie war einfach nur sensibler als andere. Sie war Synästhetikerin. Ihr Gehirn verknüpfte Musiktöne mit visuellen Empfindungen. Die Vorteile ihrer Supersensibilität hatte Josie jedoch nie sehen können, denn sie beschränkte sich nicht auf ihre Musikwahrnehmung. Von klein auf hatte sie sich gewünscht, wie andere Kinder zu sein. Aber das war sie nicht und deshalb fand sie auch so verdammt schwer Anschluss. Ihre feinen Antennen erspürten jede noch so kleine Unstimmigkeit, jede noch so versteckte Falschheit. Ja, sie roch sie geradezu. Buchstäblich. Sie erinnerte sich, dass sie sich schon als kleines Kind immer die Nase zugehalten hatte, wenn ihr eine bestimmte Kindergärtnerin zu nahe gekommen war. Wie oft hatte sie sich anhören müssen, sie wolle sich damit nur wichtigmachen. Aber das stimmte nicht! – Und auch das wusste nur Moma, die genauso empfand. Die Nase trog sie nie. Unangenehme Charakterzüge rochen unangenehm. Modrig, manchmal fast wie faulige Eier. Aber auch schlechte Laune stieg Josie in die Nase. Schon, wenn ein Lehrer das Klassenzimmer betrat, konnte sie sagen, wie er drauf war. Diese idiotische Überempfindlichkeit!

Und jetzt auch noch das ...!

Josie schloss die Augen und versuchte, zur Ruhe zu kommen. Aber ihre schwarzen Gedanken flatterten wie aufgescheuchte Fledermäuse durch ihr Gehirn, rastlos, unkontrollierbar. Dabei wünschte sie sich nichts mehr, als endlich einzuschlafen, abzutauchen ins Reich ihrer Träume, in ein Reich, in dem sie sich sicher fühlte.

Neben der wachen Josie gab es die träumende Josie, die sich Nacht für Nacht in einem wunderbaren Land bewegte, dessen Konturen sich verloren, sobald sie die Augen aufschlug – oft noch ganz beseelt von einem geheimnisvollen Gefühl von Glück und Geborgenheit, das leider kaum die wenigen Minuten bis zum Aufstehen andauerte. Ein Glücksgefühl, das die Alltags-Josie nur selten erlebte. Am ehesten noch, wenn sie sich in ihren Büchern vergrub. Sie war eine Einzelgängerin, die längst gelernt hatte, über ihre seltsamen Wahrnehmungen zu schweigen. Erstens verstand sie – von Moma mal abgesehen – ohnehin niemand und zweitens legte sie keinen Wert darauf, eine Zielscheibe für spitze Zungen abzugeben. Da sie sich nicht am allgemeinen Tratsch beteiligte und wenig Interesse für die Dinge zeigte, die Mädchen ihres Alters interessierten, empfanden die anderen sie wohl als etwas eigenartig, begegneten ihr zwar nicht ablehnend, wurden aber auch nicht recht warm mit ihr. Und Josie ging es umgekehrt genauso. Ihre Freunde waren ihre Bücher – oder besser die Figuren in den Büchern, die ihre Fantasie plastisch zum Leben erweckte. Figuren, die ihre Gedanken oft über lange Zeit begleiteten und von denen sie einige richtig lieb gewonnen hatte, so wie Atréju oder Fuchur, den

Glücksdrachen aus der *Unendlichen Geschichte*. Kein noch so gut gemachter Film konnte ihre inneren Bilder an Farbe und Lebendigkeit übertreffen.

Josie warf sich herum. Ihre lebhafte Fantasie ... Spielte sie ihr einen Streich, oder war sie jetzt tatsächlich auf dem besten Weg, durchzuknallen? Eine imaginäre Amsel! Das war definitiv alles andere als normal! Gehörte sie in die Klappsmühle? Gab es gegen so etwas Medikamente?

Josies Stirnader pulsierte. Sie schwitzte. Ihr Nachthemd klebte an ihr. Sie stieß die Decke weg und riss sie in einer beunruhigenden Anwandlung von Schutzlosigkeit sofort wieder hoch. Wenn sie doch wenigstens mit jemandem darüber reden könnte!

Taddy von ihren Ängsten zu erzählen, war sinnlos. Er würde eine Million logische Erklärungen finden. Das ersparte sie sich lieber. Sollte sie Moma anrufen? Aber am Telefon konnte man so etwas nicht gut besprechen. Sie würde sich nur Sorgen machen.

Josie knipste das Licht an und angelte nach der *Unendlichen Geschichte*. Vielleicht brachte sie ihr Lieblingsbuch auf andere Gedanken. Sie schlug es, wie so oft, irgendwo in der Mitte auf und verkroch sich in die Welt Phantásiens. Hier fühlte sie sich merkwürdig sicher und geborgen. Sie wusste, alles würde ein gutes Ende nehmen. Nach ein paar Seiten verschwammen die Buchstaben vor ihren Augen. Gähnend legte sie den Band aus der Hand, schaltete die Nachttischlampe aus und rollte sich wie ein kleines Tier zusammen. Bilder erschienen, Fetzen, unzusammenhängend und wirr. – Eine zarte, inzwischen wohlbekannte Melodie mischte sich purpurrot dazwischen und Josie schlief ein.

Als sie am nächsten Morgen aufwachte, zeigte der Wecker neun. Mist, Dad war bestimmt schon weg! Warum hatte er sie denn nicht geweckt? Sie tappte verschlafen in die Küche. Ein Zettel, auf den eine ungeschickte Hand ein Herz gezeichnet hatte, lag auf dem Tisch. »Josefinchen, wollte Dich nicht wecken. Mach Dir einen schönen Tag! Heute Abend gehen wir zusammen essen. Alles Liebe, Taddy.«

Josies Stimmung sank augenblicklich auf den Nullpunkt. Der lange Tag, der so ungeplant und unausgefüllt vor ihr lag, gähnte sie an wie ein Abgrund. Sie goss lustlos Milch über eine Handvoll Flakes. Doch schon nach wenigen Löffeln ließ sie den Rest stehen und zog sich an. Die Dunkelheit in dem jetzt noch im Schatten eines Nachbargebäudes liegenden Appartement erdrückte sie fast. Sie musste raus. Vielleicht hatte Moma ihr eine E-Mail geschrieben.

Beim Öffnen des Lifts lächelte ihr ein puertoricanisches Zimmermädchen entgegen. Josie lächelte gezwungen zurück und quetschte sich neben den Putzwagen. Unten im Foyer begrüßte Nancy sie mit einem professionell freundlichen How-are-you, das Josie ebenso freundlich und gleichlautend zurückgab, während sie dachte: Willst du das wirklich wissen? Miserabel! Hab mich lange nicht so mies gefühlt.

Auch heute war das Businesscenter menschenleer. Wahrscheinlich hatten die meisten Leute eigene Notebooks dabei, so wie Dad. Umso besser! Sie setzte sich an einen der Computerplätze, wählte sich ins Internet ein und steuerte erwartungsvoll ihr Postfach an. Moma hatte ihr tatsächlich geschrieben!

Liebe Josie,

hier herrscht Chaos. Das Dach ist halb abgedeckt und jetzt müssen sogar Sparren ausgewechselt werden. Total morsch. Stell Dir vor, gestern ist einer der Dachdecker fast durchgebrochen! Mir reichts!!! Sei bloß froh, dass Du nicht hier bist. – Aber Du fehlst mir natürlich.

Josie biss sich auf die Unterlippe. Moma fehlte ihr auch. Gerade heute!

Mit der Recherche für das neue Buch komme ich nur langsam voran. Kann ja bei dem Lärm nur am Abend arbeiten. Bin im Inter-

net auf einen Professor gestoßen, einen Kulturanthropologen in Irland, der sich ausgezeichnet mit den alten Mythen auskennt. Scheint ein netter älterer Herr zu sein. Stell Dir vor, er hat mich zu sich nach Galbridge eingeladen. Na ja, wenn das Dach fertig ist, bin ich sowieso urlaubsreif.

Soweit die Neuigkeiten von hier. Melde Dich mal und grüße Taddy von mir.

Es umarmt dich in Liebe
Deine Moma.

Josie setzte eben an, ihrer Großmutter zu antworten, als die Tür aufging. Sie drehte sich um und zuckte zusammen. Es war das schwarzhaarige Hundemädchen.

»Hi!« Josie lächelte unsicher.

Das Mädchen warf ihr einen misstrauischen Blick zu und blieb zögernd stehen. Draußen auf dem harten Terrazzo klapperten Absätze. Das Mädchen trat eilig ein und schloss die Tür hinter sich.

»Hi.« Es nestelte verlegen an einer Umhängetasche aus abgewetztem grünem Samt.

Josie musterte die Fremde. Sie war etwas größer als sie, aber wahrscheinlich nicht viel älter. Dicke Kajalstriche umrahmten ihre jadegrünen Augen. Das Top aus schwarzer Baumwollspitze, der lange bordürengesäumte, ebenfalls schwarze Rock, ihre ganze Aufmachung hatte etwas von Gothic, einem Stil, mit dem Josie nur wenig anfangen konnte. Für Sekunden starrten sie einander unverhohlen an.

Aus unerfindlichen Gründen kam es Josie für einen Moment vor, als kenne sie das Mädchen von irgendwoher. Aber außer der flüchtigen Begegnung neulich im Park konnten sie sich unmöglich schon begegnet sein. An wen erinnerte sie dieses Gesicht? Oder waren es nur ihre grünen Augen, die so sehr ihren eigenen glichen? Warum zum Teufel hatte sie nur das Gefühl, dass irgendetwas an dem Mädchen nicht stimmte. War es vielleicht die Schminke …?

Unvermittelt wurde die Tür aufgerissen.

»Du schon wieder!« Nancy funkelte das Mädchen wütend an. »Du hast hier nichts zu suchen! Das Businesscenter ist ausschließlich für Hotelgäste da.«

Ups!, dachte Josie, so sieht es also hinter der freundlichen Fassade aus.

Das Mädchen ließ die Vorhaltungen mit einem herausfordernden Blick an sich abperlen, was die Hotelangestellte sichtlich zur Weißglut brachte. Sie holte Luft. »Wenn ich dich wieder hier erwische, hol ich die Cops.«

»Entschuldigen Sie«, hörte sich Josie sagen, während sie mit einer befangenen Kopfbewegung auf das fremde Mädchen wies. »Sie ist eine Freundin von mir. Sie ist nur meinetwegen hier.«

Die Rezeptionsfrau verzog den Mund, als hätte sie in eine Zitrone gebissen. Einen zeitlosen Augenblick lang herrschte eiskaltes Schweigen, dann schnaubte sie etwas wie: »Raffiniertes Luder!«, wobei sie offenließ, welches der Mädchen sie meinte, und rauschte aus dem Zimmer.

Kaum war die Tür ins Schloss gefallen, hielt das dunkelhaarige Mädchen sich die Nase zu. »Gosh! Die verpestet vielleicht die Luft!«

Josie blickte sie verblüfft an. Definitiv – der unangenehm modrige Geruch schlechter Laune hing im Raum.

»Danke! Das war nett von dir.« Das Mädchen feixte. »Die Nummer eben hat den Tritt von neulich wieder wettgemacht.«

Es setzte sich neben Josie, raffte den Rock hoch und streckte das rechte Bein aus. Ein großer, blau schimmernder Fleck prangte auf seinem Schienbein.

Josie wurde rot.

Das Mädchen winkte ab. »Halb so wild! Tut längst nicht mehr weh.« Es zog den Rock wieder nach unten und grinste über Josies entsetztes Gesicht. »Ich bin übrigens Amy.«

»Ich heiße Josie.«

»Woher kommst du? Ich meine – dein Akzent.« Amy sah sie neugierig an.

»Deutschland«, sagte Josie. »Ich besuche hier meinen Dad.«

»Europa.« Amy nickte bewundernd. »Du sprichst gut Englisch.«

Josie lächelte verlegen. Aber sie freute sich über das Kompliment. Außerdem stimmte es, bisher hatte sie hier noch kaum Schwierigkeiten mit der Verständigung gehabt. Sicher auch ein Verdienst Momas, die neben Germanistik auch Anglistik studiert hatte, weshalb sie ihrer Enkelin schon früh aus englischen Bilderbüchern vorgelesen hatte.

»Waren das eigentlich deine Hunde neulich?«

Amy schüttelte den Kopf. »Gott bewahre! Das ist ein Job. Die Leute bezahlen mich dafür, dass ich mit ihren Hunden ausgehe. Die meisten arbeiten den ganzen Tag und die armen Viecher sind bis zum Abend allein.« Sie stand wieder auf. »Okay, ich mach jetzt vielleicht besser den Abgang.«

Josies Mundwinkel zuckten. Auch Amy schien zu zögern. Für einen Moment schwiegen sie.

»Ich muss noch zwei Hunde ausführen«, sagte Amy schließlich. »Hast du Lust mitzukommen?«

»Warum nicht?« Josie lächelte dankbar. Sie hatte heute ohnehin nichts vor und dieses schwarzhaarige Mädchen besaß etwas, das sie merkwürdig anzog.

Nancy blickte ihnen finster nach, als sie das Hotel verließen.

»Habt ihr keinen PC daheim?«, erkundigte sich Josie, während sie die Straße überquerten. »Ich meine – wegen der Sache mit dem Businesscenter.«

»Internet funktioniert momentan nicht«, antwortete Amy knapp und lenkte Josies Aufmerksamkeit mit einem Kopfnicken auf eine röhrende Harley Davidson, die von einem über und über tätowierten Muskelpaket gesteuert wurde. Unverkennbar wollte sie nicht weiter über das Thema sprechen.

Zwei Blöcke später betraten sie ein modernes Hochhaus, in des-

sen Foyer ein Portier den Eingang überwachte. Er schien Amy zu kennen, denn er winkte ihr zu.

»Warte hier!« Damit verschwand Amy in einem der Lifte, um kurz darauf mit zwei schwanzwedelnden Möpsen zurückzukehren.

»Wahnsinn!« Josie ging amüsiert in die Hocke. »Sind die mit den Schnauzen in einen Schraubstock geraten?«

Amy lachte. »Möglich. Sie sind so hässlich, dass sie fast schon wieder schön sind. Findest du nicht?« Damit reichte sie Josie eine Leine.

Nach ein paar Frotzeleien über die zwei wohlgenährten Vierbeiner machten sie sich auf den Weg. Auch heute zog es kräftig in der Windy City. Amy blieb stehen und bändigte ihr fliegendes schwarzes Haar mit einem Gummi. »Was macht dein Dad eigentlich hier?«, erkundigte sie sich.

Im Weitergehen erzählte ihr Josie von dem Genprojekt, an dem ihr Vater arbeitete. Als sie dann aber ihrerseits Fragen stellte, wich Amy wieder aus und ließ Josie deutlich spüren, dass sie nichts über ihre Familie preisgeben wollte. So gingen sie eine Weile schweigend nebeneinander her. Und obwohl sie rein gar nichts von diesem seltsamen Mädchen wusste, fühlte Josie eine Vertrautheit, die ihr unerklärlich war. Sie musterte ihre Weggefährtin verstohlen. Etwas Entschlossenes, Eigensinniges lag in diesem Gesicht und erneut glaubte sie, eine Ähnlichkeit zu erkennen. Eine Ähnlichkeit ...

Blödsinn! Sie verscheuchte den aufkeimenden Gedanken wie ein lästiges Hirngespinst. Was sie sich neuerdings alles einbildete!

Amy steuerte einen kleinen Park an, wilder und weniger gepflegt als der Grant Park. Sie näherten sich einem Skaterplatz. Aus den scheppernden Boxen eines Players von der Größe eines Handkoffers hämmerten rhythmische Bässe.

Josie zog eine gequälte Grimasse. Amy verdrehte die Augen und rannte blitzartig los, wobei ihr schwarzer Rock flatterte wie Krähenflügel. Der Mops hechelte widerstrebend hinter ihr her. Erst als sie den Skaterplatz weit hinter sich gelassen hatte, blieb sie völlig außer Atem stehen. Der Mops keuchte asthmatisch.

»Gosh!«, stöhnte sie heftig zwinkernd, als Josie sie eingeholt hatte. »Diese Musik schafft mich! Überall Zackenlinien! Das macht mich noch mal wahnsinnig!«

Josie starrte sie fassungslos an.

Amy winkte ab. »Ach was – das ist so ein Tick von mir. Das versteht keiner.«

»Ich weiß genau, was du meinst«, sagte Josie leise. »Ich seh die Zacken auch. Ich meine, es gibt superschöne Musik, orange und blau und so ... Und andere ...« Sie deutete zum Skaterplatz zurück, »macht einen fast verrückt.«

Amy blickte sie überrascht an. »Du auch? Außer Edna wüsste ich niemanden, der das kennt.«

»Edna?«

»Meine Großmutter.«

Über Amys Gesicht fiel ein Schleier, grau und wie von Blei gewebt.

Dog Park stand an der Gattertür, die Amy einige Minuten später aufstieß. Mann!, dachte Josie. Ein Hundespielplatz! Die Amis sind noch verrückter mit ihren Hunden als wir. Amy bückte sich und ließ ihren Mops von der Leine. Josie tat es ihr nach. Ein Pudel und ein Setter begrüßten die Neuankömmlinge freundlich. Nach ausgiebigem Beschnuppern kam Leben in die schwerfälligen Vierbeiner und kurz darauf tollten sie mit ihren neuen Freunden über den Platz.

Die Mädchen setzten sich auf eine Bank unter einer alten Weide und sahen dem Treiben zu.

»Warst du auch schon immer Synästhetikerin?«, fragte Josie nach einer Weile.

Amy sah sie verständnislos an. Josie wiederholte das schwierige

Wort, dessen englische Version sie nicht kannte, aber Amy schien sie nicht zu verstehen.

»Das mit den Farben und Tönen, meine ich. Moma, meine Großmutter, hat es auch. Mein Dad sagt, dass so was vererbbar ist.« Während Josie sprach, hob sie beiläufig das T-Shirt an, um die Drachenfibel, die sie an einer Gürtelschlaufe befestigt hatte, etwas nach unten zu schieben. Das Ding pikte sie schon die ganze Zeit.

Schlagartig wurde Amy kreidebleich. Wortlos, mit fliegenden Fingern kramte sie in ihrer Samttasche und zog etwas heraus.

Josie glaubte, ihren Augen nicht zu trauen. Es war das exakte Pendant zu ihrer Drachenfibel.

»The Blackbird!«, stieß Amy aus. »Gosh!«

»Die Amsel.« Josie starrte auf die Drachenköpfe, die in der Sonne blitzten.

»Niemand außer mir kann die Amsel sehen.« Amys Stimme klang, als hätte sie ein Reibeisen verschluckt.

»Ich, ich seh sie.« Josie stotterte vor Aufregung. »Sie hat einen weißen Brustfleck.« Obwohl die ganze Sache immer mysteriöser wurde, fiel eine zentnerschwere Last von ihr ab. Amy kannte die rätselhafte Amsel also auch und sie besaß die gleiche Fibel. Sie war nicht mehr allein mit dieser fantastischen Geschichte.

»Wann hast du die Amsel zum ersten Mal gesehen?« Amys Stimme klang belegt.

Josie versuchte, sich zu erinnern, aber in ihrem Kopf drehte sich alles. »Weiß nicht genau, Anfang Mai vielleicht.«

Amy blickte ins Leere. »Anfang Mai«, wiederholte sie heiser. »Edna. Mein Gott.« Mit einem Aufschluchzen warf sie die Hände vors Gesicht.

Josie sah sie bestürzt an. Von einem Moment auf den anderen schien Amy vollkommen abgetaucht zu sein. Josie wagte es nicht, sie anzusprechen. Irgendetwas Schreckliches musste passiert sein.

Um Beherrschung ringend hob Amy den Kopf und begann, mit leiser Stimme zu erzählen, während sich die furchtbaren Ereignisse der Nacht zum 1. Mai wie ein Horrorfilm vor ihr abspulten.

Der Wetterbericht hatte schon seit Tagen einen Tornado angekündigt. Das war nichts Besonderes, Tornados rasten fast jedes Jahr durch die Stadt. Kurz vor Mitternacht war sie aus einem Albtraum erwacht. Sie hatte sich schweißgebadet aufgesetzt, konnte sich aber nicht mehr erinnern, was genau sie geträumt hatte. Nur dass eine schaurige Stimme ihren Namen gerufen hatte, klang ihr noch wie ein düsteres Echo im Ohr. Jetzt, nachdem sie erwacht war, waberte nur mehr ein unheilvolles Gefühl durch ihr Bewusstsein. Das Licht der vom Sturm gebeutelten Straßenlaternen geisterte in wilden Sprüngen durch die Jalousien und ließ konfuse Streifenmuster an den Wänden aufblitzen und wieder verschwinden. Wie ein zorniger Drache fauchte das Unwetter durch die Häuserschluchten. Regen donnerte Schrotkugeln gleich gegen die Scheiben. Und dann hörte sie es wieder, dieses Rufen! Dieses gespenstische Rufen! War es nur der Sturm? – Natürlich war es nur der Sturm! Verärgert über ihre kindische Angst sprang sie aus dem Bett, um ins Wohnzimmer zu gehen. Sie trat eben durch die Tür, als die Sirenen losgingen.

»Mann, die lassen's ja heute krachen da oben!«, sagte sie zu ihrer Großmutter, die, ihr den Rücken zugewandt, am Schreibtisch saß, und aus dem Fenster in die tobende Finsternis starrte, während die Flamme einer Kerze im Luftstrom des zugigen Rahmens ungestüm flackerte. »Arbeitest du noch?«

Es war nicht ungewöhnlich, dass Edna um diese Zeit noch arbeitete. Vor einigen Jahren hatte sie ein Stück für ihre Laientheatergruppe geschrieben und dabei das Talent zum Schreiben entdeckt. Das allseitige Lob ermutigte sie, bei einem Drehbuchwettbewerb mitzumachen, bei dem sie überraschend den ersten Preis gewann. Seither schrieb sie Drehbücher. Eine Filmgesellschaft hatte bei ihr ein Script bestellt. Dark Fantasy, ein Genre, das ihr eigentlich nicht besonders lag. Aber sie hatte den Auftrag nicht abgelehnt, weil sie dringend Geld brauchten.

Edna presste die Hand an die Schläfe. »Ich versuche, wenigstens noch

eine von den Gruselszenen fertigzukriegen. Aber ich kann mich einfach nicht konzentrieren. Es liegt nicht nur am Wetter. Diese dunkle Stimmung, die bösartigen Charaktere – irgendwie ... Das ist einfach nichts für mich! Wir Menschen brauchen gerade heute hoffnungsvolle Geschichten und positive Vorbilder! Unsere Herzen schwingen doch mit allem, was wir hören und sehen! – Im Guten wie im Bösen. Durch die ausufernde Gewalt in den Medien wird die Welt ganz bestimmt nicht besser!« Sie wandte sich wieder ihrem Laptop zu. »Am liebsten würde ich den ganzen Kram hinschmeißen.«

Schnuppernd wie ein Hase, der Witterung aufnimmt, kauerte sich Amy in den ausgeleierten Sessel, den sie schon als kleines Kind besonders geliebt hatte. »Sag mal, was stinkt da eigentlich so?«

Edna fuhr herum, ihr Gesicht war mit einem Mal fahl, ja grau. »Dann riechst du es also auch!« Nach einer abwesenden Pause straffte sie sich. »Der Luftdruck ist stark gefallen. Wer weiß, was der Sturm alles vor sich hertreibt. Es braut sich etwas zusammen. Ich fühle es schon seit Tagen.«

Obwohl sie sich bemühte, Gelassenheit vorzutäuschen, entnahm Amy dem Zittern ihrer Stimme, dass etwas nicht in Ordnung war. Dass etwas ganz und gar nicht in Ordnung war! Es stimmte: Seit Tagen war Edna zerfahren und unkonzentriert gewesen, hatte über Kopfschmerzen und schlechte Träume geklagt.

»Bist du krank?«, fragte sie leise.

»Krank?« Ednas Mund trug ein fadenscheiniges Lächeln wie ein schlecht sitzendes Kleidungsstück. »Nein, es ist nur dieses Script ... Es war ein Fehler, den Auftrag anzunehmen.« Sie erhob sich und pustete die Kerze aus. »Zieh dir was über, Liebes! Wir gehen runter in die Halle. Vielleicht sollten wir den Sturm heute besser unter Menschen abwarten.«

Amy konnte sich nicht erinnern, jemals einen Tornado in der Eingangshalle verbracht zu haben. Eigentlich gehörte es zu den vorgeschriebenen Sicherheitsmaßnahmen, dass die Bewohner der oberen Stockwerke bei Tornados nach unten gingen, um Verletzungen durch berstende Fenster vorzubeugen. Doch an diese Vorschrift hielten sich die wenigsten. Amy hatte darüber nie groß nachgedacht, es war ja auch noch nie etwas pas-

siert. Der beunruhigende Gedanke umklammerte sie, dass Edna etwas ahnte, etwas, das sie lieber für sich behielt, um sie nicht zu erschrecken.

Ihre Großmutter hatte in ihrem Leben immer wieder Vorahnungen gehabt, die sich tatsächlich bewahrheiteten. Eine betraf Amy besonders. Damals, bei dem schrecklichen Unglück, bei dem ihre Eltern umgekommen waren, hatte Edna im Augenblick der Katastrophe einen unbeschreiblichen Schmerz gespürt, der ihr bis heute so gegenwärtig war, dass sie manchmal noch darüber sprach.

Bedrückt ging Amy in ihr Zimmer und schlüpfte in die Kleider. Das diffuse Angstgefühl ergriff zunehmend Besitz von ihr und schwoll mit der Kraft des Sturms, der sich ebenso wenig bändigen ließ.

Ehe sie die Wohnung verließen, schloss Edna sie in die Arme. »Merk dir eines, Liebes!«, sagte sie mit ernster Stimme. »Bedenke stets des Wortes Macht, und nutze es nie unbedacht! Und folge immer deinem Herzen!«

Damit entließ sie ihre Enkelin aus der Umarmung und öffnete die Tür. Warum drückte sich ihre Großmutter ausgerechnet jetzt so weihevoll und rätselhaft aus? Verwirrt folgte Amy ihr ins Treppenhaus. Bei einem Tornado mied man den Lift besser. Jederzeit konnte der Strom ausfallen und dann steckte man womöglich für Stunden fest. Die Sirenen schrillten wieder los. Draußen blitzte und donnerte es, das Unwetter musste genau über ihnen stehen. Selbst durch die dicken Wände des alten Gebäudes drang das Tosen, das Aufschlagen umherfliegender Gegenstände. Und wieder glaubte Amy, aus dem Getöse ihren Namen zu hören. Und wieder verwünschte sie ihre lebhafte Fantasie, die ihr diesen grausigen Streich spielte.

Sie waren schon im Erdgeschoss und wollten eben den Gang zur Halle betreten, als das Licht erlosch und ein wahrhaft höllisches Spektakel losbrach.

Mit einem wütenden Knall sprang die schwere Metalltür zur Straße auf. Ein tintenschwarzer Wasserfall peitschte ins Treppenhaus. Und mit ihm eine Wolke derart widerlich faulen Schwefelgestanks, dass Amy fast ohnmächtig wurde. Gewaltiges Lärmen, schauriges Gelächter und Hufgetrappel übertönten das Toben des Sturms. Mit einem Aufschrei versuchte Amy, die Klinke zu erreichen, als ihre Großmutter sie von der Tür weg-

riss und unsanft ins Treppenhaus stieß. Pitschnass und am ganzen Leib zitternd presste sich Amy an die Wand, während sich Edna mit aller Kraft, die ihr zierlicher Körper aufbringen konnte, gegen die Luft- und Wassermassen stemmte, um die Tür zu schließen. Mit einem unbeschreiblichen Dröhnen, das Amy in die Magengrube fuhr, fegte eine Bö herein, packte Edna, zielsicher und schnell, wie man eine Fliege fängt, und wirbelte sie mit sich fort.

»EDNAAAAAA!«

Amys Schrei versank im entsetzlichen Wüten des Tornados. Verzweifelt, ja wahnsinnig vor Angst klammerte sie sich am Türstock fest. »EDNAAAAAA!« Wieder und wieder brüllte sie den Namen ihrer Großmutter in die tobende Nacht, bis Sturm und Regenflut ihr den Atem nahmen und sich alles im Rachen der Dunkelheit verlor.

Der Wind säuselte durch das Sommergrün der Weide, die Hunde tobten ausgelassen über den Platz. Nur langsam fand Josie aus Amys Albtraum in diese freundliche Gegenwart zurück. Sie wischte sich die schweißnassen Hände an der Hose ab. »Wie furchtbar!«, murmelte sie.

Amy richtete sich gequält auf, als lasteten die schrecklichen Erinnerungen wie Felsgestein auf ihrem Rücken. Sie starrte ins Nichts. Tränen rannen über ihr Gesicht, stumme, schwarzgraue Kajaltränen.

Josie strich ihr schüchtern über die Schulter. Die zarte Berührung holte nun auch Amy zurück, sie atmete tief. Josie sah sie befangen an. Stumm kramte sie ein Taschentuch hervor und reichte es ihr.

Amy nahm es wortlos an und wischte sich über die Wangen.

Josie räusperte sich. »Aber ein Mensch kann sich doch nicht in Luft auflösen, einfach so – nicht mal durch einen Tornado. Du hast sie doch sicher gesucht.«

Amy nickte unglücklich. »Klar, aber du kannst dir das nicht vorstellen. Man hat die Hand nicht vor Augen gesehen. Ich hab mir die Seele aus dem Leib gebrüllt. Dann ist ein Nachbar mit einer Taschenlampe gekommen, mehr schon ein Flutlicht, du weißt schon, diese Riesendinger. Der hat alles abgeleuchtet, aber Edna war wie vom Erdboden verschluckt.« Amys Stimme bebte. »Ich – ich glaub, sie ist ...«, sie zögerte, »weggeflogen.«

»Wie Mary Poppins?« Josie sah sie zweifelnd an.

Amy zuckte niedergeschlagen mit den Schultern.

»Wahnsinn! – Was hast du dann denn bloß gemacht?«

»Es war die schlimmste Nacht meines Lebens. Die Nachbarn haben die Polizei geholt, aber die kam erst am nächsten Morgen. Die hatten ja alle Hände voll zu tun wegen dem Stromausfall. Super Gelegenheit einzubrechen, wenn die Alarmanlagen nicht funktionieren und die Leute ihre Wohnungen verlassen haben. Als sie Entwarnung gegeben haben, bin ich rauf in die Wohnung. Eine Frau aus dem zweiten Stock – ich kenn sie kaum – wollte unbedingt, dass ich bei ihr schlafe. War ja gut gemeint, aber ich wollte daheim sein, falls Edna wieder auftaucht. Hab sowieso kein Auge zugemacht. Am nächsten Tag haben die Cops alles aufgenommen und ich hab eine Vermisstenanzeige aufgegeben. Aber sie haben Edna bis heute nicht gefunden.«

»Dann bist du ganz allein?«, sagte Josie tonlos.

»Hast du mal von dem großen Eisenbahnunglück in Alabama gehört?« Josie schüttelte den Kopf. »Dreiundvierzig Tote, Mum und Dad wollten Dads Familie besuchen. Ich war noch ein Baby, Edna sollte die paar Tage auf mich aufpassen – daraus sind dann all die Jahre geworden.«

»Meine Mum ist auch tot, ein Autounfall, als ich noch ganz klein war«, sagte Josie. »Ich lebe auch bei meiner Großmutter. Ist das nicht eigenartig? All diese Parallelen.«

Amy nickte langsam. »Ja, es ist mehr als eigenartig. Und noch dazu haben wir dieselbe ausgefallene Augenfarbe. Dann das mit der Musik. Und vor allem die Sache mit der Amsel. – Ich glaube ...«

»Was glaubst du?«

»Die Amsel ist erst nach Ednas Verschwinden aufgetaucht. Ein paar Tage später saß sie plötzlich am Fenster und zwitscherte diese Melodie. Das fand ich schon seltsam, aber als sie mir dann die Brosche aufs Sims gelegt hat, dachte ich gleich …«

Josie rann es eiskalt über den Rücken. »Du meinst, Edna hat sie geschickt? – Aber was will die Amsel dann von mir? Ich kenne deine Großmutter doch gar nicht.«

»Weiß nicht. Edna hat manchmal Kontakt zu Dingen …« Amy schien nach Worten zu suchen. »Zu Dingen, die normale Leute nicht mitkriegen. Sie ist anders … Na ja, ich bin wohl auch irgendwie anders.«

Josie schob gedankenvoll eine Haarsträhne hinters Ohr. »Das kenn ich! Ich wünschte oft, ich wäre nicht so …«, sie suchte nach dem richtigen Wort, »… nicht so supersensibel. In der Schule finden sie mich wahrscheinlich definitiv uncool.«

»Geht mir genauso!« Amy verzog den Mund. »Schule!« Dann stand sie auf. »Ich muss jetzt die Hunde zurückbringen.«

Die Möpse zockelten, müde vom Herumtoben, hinter den Mädchen her. Sie waren schon in der Dearborn Street, als Amy ohne Ankündigung fluchtartig in eine Hofeinfahrt huschte. Josie folgte ihr verwundert. »Was ist?«

»Der Streifenwagen. Vorn an der Ampel!«

»Und?«

»Die dürfen mich auf keinen Fall sehen!«

»Wieso?« Josie sah sie erschrocken an.

Amy presste den Rücken an die Betonwand und spähte zur Straße. Eben fuhr der Wagen der Stadtpolizei vorbei. Mit einem Aufatmen zerrte sie ihren Mops hoch, der wie ein Mehlsack auf dem Asphalt lag. Sie warf Josie einen prüfenden Blick zu, als überlege sie, ob sie sich ihrer neuen Freundin anvertrauen sollte.

»Es ist so«, begann sie, während sie wieder auf den Gehweg traten. »Edna ist vermisst gemeldet und ich bin minderjährig. Das Jugendamt wollte mich unbedingt nach Prattville abschieben. Ein Bruder meines Dads lebt dort mit seiner Familie.«

»Und was wäre so schlimm daran?«, fragte Josie.

Amy blieb abrupt stehen. »Schlimm?« Sie verdrehte die Augen. »Gosh! Schlimm ist gar kein Ausdruck! Es wäre das absolut Oberletzte! Ich hatte in den Ferien mal das Vergnügen. Der fette Onkel Ken und Tante Heidi mit ihren fünf unausstehlichen Plagen! Alles Jungs. Wie die Orgelpfeifen. Einer frecher als der andere! Und dann noch diese Kleinstadt! Mann, ich bin in Chicago aufgewachsen!« Sie schüttelte sich, als müsste sie eine Kröte küssen. »No way! – Außerdem kann ich diese Heidi nicht ausstehen. Sie ist einfach grässlich. Quatscht einem ein Loch in den Kopf. Und nur Müll. Außerdem musste ich andauernd das Kindermädchen abgeben. Da pass ich lieber auf zwei Dutzend Pitbulls auf als auf einen von dieser Teufelsbrut.«

Josie verkniff sich ein Grinsen. Amy hatte sich richtig in Rage geredet. »Sind sie deine einzigen Verwandten?«

»Leider!«

»Und wenn du dich weigerst?«

»Und wenn ich mich weigere, bringen sie mich in ein Heim.« Amy kickte eine leere Zigarettenschachtel fort. »Ich kann nicht weg von hier. Ich muss da sein, wenn Edna wiederkommt. Wer so plötzlich verschwindet, kann doch auch ganz plötzlich wieder auftauchen.« Ihre Stimme vibrierte. »Oder?«

»Sicher.« Josie spürte, wie sehr Amy sich an diesen Strohhalm klammerte. »Aber heißt das, du wirst von der Polizei gesucht?«

»Fürchte, ja. In der Schule hab ich mich abgemeldet und behauptet, ich würde zu meinem Onkel ziehen, sie sollen das dem Jugendamt melden. Und Onkel Ken hab ich was von einem Heim erzählt. Eine ganze Weile ist das gut gegangen. Aber in letzter Zeit häufen sich die Anrufe – ich geh ja nicht ans Telefon. Aber die Jugendamtzicke ist inzwischen wahrscheinlich irgendwie auf den Schwindel gekommen. Ganz blöd sind die auch nicht.«

»Und du übernachtest trotzdem noch in der Wohnung?«

»Wo sonst? Edna würde bestimmt dorthin zurückkommen. Deshalb.«

»Aber ist das nicht riskant?«

»Es ist ein großes Haus, wir wohnen noch nicht lange dort. Die meisten Leute kennen mich gar nicht. Außerdem geh ich immer zu Fuß hoch, kein Mensch hier steigt freiwillig Treppen. Alle benutzen den Lift. Und ich pass natürlich höllisch auf, ob die Luft rein ist. Außerdem hab ich mein Outfit etwas verändert.«

Josie sah sie fragend an.

»Die dunklen Klamotten und so. Und die Schminke. Das macht älter.« Amy zupfte verlegen an ihren Haaren. »Schwarz ist nicht grade mein Naturlook.« Mit einem Grinsen zog sie Josie an einer Locke. »Eigentlich bin ich genauso ein Fuchs wie du. Vielleicht bist du mir deshalb gleich so ...«, sie hielt kurz inne, »sympathisch gewesen. Aber so kann ich mich im Viertel halbwegs sicher bewegen. Die suchen schließlich nach einer Rothaarigen.«

Schlagartig wusste Josie, was es war, das sie an Amy von Anfang an irritiert hatte. Die Haarfarbe passte nicht zu ihr.

»Auf die Idee bin ich durch das Drehbuch gekommen, an dem Edna zuletzt gearbeitet hat«, fuhr Amy fort. »Ich hab dir ja erzählt, dass sie an so einem Gruselstück schreibt.«

Josie starrte sie an. »Ich hab mir noch gedacht: witzig – weil meine Großmutter auch schreibt, allerdings Bücher.«

Amy blieb kurz stehen, weil ihr Mops andächtig an einer Hausecke schnüffelte. »Witzig? – Wenn du mich fragst, ist das schon eher unheimlich. Jedenfalls«, sagte sie, während sie den dicken Hund weiterzog, »die Hauptfigur in dem Film ist ein Gothic-Girl, das sich mit den Mächten der Finsternis beschäftigt, Bücher, Filme und so. Jedenfalls beschwört sie das Böse damit regelrecht herauf und dann soll das Mädchen auch noch einem Drachen geopfert werden. Ziemlich schaurig.«

Josie biss sich auf die Unterlippe. Amy hatte recht, die vielen Gemeinsamkeiten waren wirklich unheimlich. In einer Sache unterschieden sie sich allerdings, das musste sie sich eingestehen. Amy war mutiger als sie. Sie versuchte, sich vorzustellen, wie das sein musste, so ganz mutterseelenallein auf der Welt zu stehen.

»Hast du wenigstens genug Geld?«, erkundigte sie sich.

»Ich komm klar, allerdings haben sie mir Internet und Fernsehen gesperrt, ging über Kabel, und das ist natürlich im letzten Quartal nicht bezahlt worden. Aber das macht nichts. Ich schau nicht viel Fernsehen.« Amy zerrte ungeduldig an der Leine. »Telefon können sie von mir aus auch abstellen. Blöd wird's, wenn sie den Strom abdrehen oder Wasser, aber das dauert hoffentlich noch. – Die Hundejobs bringen mich ansonsten gut über die Runden.« Sie drehte sich gereizt zu dem trägen Mops um, der sich nicht von den verlockenden Düften an einer Parkuhr losreißen konnte. »Soll ich dich vielleicht heimtragen?«

Auch Josies Mops ließ sich nur mehr ziehen. Er schien es höchst anstrengend zu finden, seine krummen Beine selbst zu bewegen. Einen Straßenzug weiter lieferte Amy die Hunde wieder ab, während Josie vor dem Haus auf sie wartete.

»Kommst du noch mit zu mir?«, fragte sie, als sie zurückkam. »Es tut gut, mit dir zu reden.«

Josie sah auf ihre Armbanduhr. »Okay, warum nicht.«

Das Haus, in dem Amy wohnte, war nur einen Straßenzug vom Knickerbocker entfernt und so wie das alte Hotel ein roter Ziegelkasten mit schmuddligweiß abgesetzten Gesimsen. Amy sondierte die Lage, dann steuerte sie mit langen Schritten auf einen Nebeneingang zu. Josie hatte Mühe, ihr nachzukommen. Rasch steckte Amy den Schlüssel ins Schloss und zog mit aller Kraft die Eisentür auf.

»Ist es hier passiert?«, erkundigte sich Josie beklommen, als sie ein enges Treppenhaus mit steilen Steinstufen betraten.

»Ja, genau hier!«

Josie taxierte überrascht die Tür. »Dieses schwere Ding soll der Wind aufgerissen haben? Noch dazu nach außen?«

»Außerdem ist hier immer abgeschlossen«, sagte Amy. »Keiner kann sich das erklären. Auch nicht die Polizei. Ich glaube, die denken an ein Verbrechen. Aber das kann nicht sein. Ich würde es fühlen. Ich weiß – Edna lebt. Ich weiß es einfach!«

Hintereinander stapften sie die Treppen hoch. Bereits im vierten Stock stöhnte Josie: »Wie weit ist es noch?«

»Noch mal so viele.« Ungerührt nahm Amy gleich zwei Treppen auf einmal.

»Achter Stock! Endlich!« Josie beugte sich prustend über den schwarz lackierten Handlauf und wischte sich den Schweiß von der Stirn. »Der reinste Marathon!«

»Man gewöhnt sich an alles.« Damit öffnete Amy die Tür zum Gang und lugte nach draußen. Mit einer Handbewegung forderte sie Josie auf, ihr zu folgen. Auf der Etage befanden sich sechs Wohnungen. Amys lag unmittelbar neben dem Eingang zum Treppenhaus. Sie schob Josie rasch in einen fast quadratischen Wohnraum, von dem die Türen zu den übrigen Räumen abgingen. Josie fühlte sich in dem hell gestrichenen Zimmer mit den floral gemusterten Vorhängen sofort wohl und auch die altmodischen Nussbaummöbel strahlten trotz unübersehbarer Gebrauchsspuren etwas Gemütliches aus.

Amy nahm eine Packung Kaugummis vom Couchtisch und bot Josie einen an. Josie lehnte mit einem Kopfschütteln ab. Amy schälte routiniert einen Streifen aus der Verpackung und schob ihn in den Mund. »Willscht du 'ne Coke?«

»'ne Coke wäre super!«

Während Amy in der Küche hantierte, sah sich Josie um. Der Kamin, auf dessen gemauertem Sims eine ganze Parade von Fotos stand, schien außer Betrieb zu sein. Auf den Fensterbrettern, der Anrichte, einem Beistelltisch – Bücher. Auf deckenhohen Regalen drängten sich Hunderte von Buchrücken, immer neue Bände schienen dazwischengeklemmt worden zu sein. Genau so sah es in Momas Bücherschränken aus. Auch auf dem Schreibtisch lag ein Stapel. Josie sah sich die Titel an. *Im Reich der Naturgeister. Von Drachen und Monstern. Irland und seine Mythen. Die dunklen Seiten der Fantasie. Teufel, Satan, Luzifer.*

»Hier!« Amy reichte ihr ein Glas.

Josie nahm es geistesabwesend entgegen, während sie ein Buch zurücklegte. »Hier sieht's fast aus wie bei uns daheim.«

Amy nippte an ihrer Coke und sah sie fragend an. »Wieso?«

»Ich hab dir ja schon erzählt – meine Großmutter schreibt auch, zurzeit ein Fantasybuch, das in Irland spielt. Ist doch witzig, wieder eine Parallele. Bei uns liegen auch überall Bücher über Elfen und Irland rum. Recherche, weißt du.«

Sie ließ sich in ein weiches Sofa mit moosgrünem Chenilleüberwurf fallen.

»Das kenn ich.« Amy setzte sich in ihren Lieblingssessel. »Edna hat sich schon immer für alles interessiert, das irgendwie mit – na ja, sie nennt das die Anderwelt – zu tun hat, Feen und Zwerge, Märchen, alte Mythen und so, vor allem aus Irland. Unsere Vorfahren waren Iren. Jedenfalls soweit mein Urgroßvater das zurückverfolgen konnte.« Sie deutete auf eines der Fotos auf dem Kaminsims. »Das ist er. Alan O'Leary. Es wurde im Zweiten Weltkrieg aufgenommen. Er hat sich sehr für unsere Familiengeschichte interessiert.«

Josie folgte ihrem Blick und versteinerte. Das alte, schon etwas vergilbte Schwarz-Weiß-Foto zeigte einen jungen gut aussehenden Mann in Uniform.

»Das Foto«, sagte sie mit bebenden Lippen. »Aber ...« Sie schüttelte den Kopf. »Das gibt's doch gar nicht!« Sie stand auf und nahm den verschnörkelten Silberrahmen mit dem Porträt in die Hand.

Amy beobachtete sie irritiert. Kreidebleich auf das Foto starrend setzte sich Josie wieder aufs Sofa zurück. Verdammt, das ging doch alles nicht mit rechten Dingen zu! Gab es eine derartige Ähnlichkeit? Dieser Mann sah hundertpro aus wie der junge amerikanische Soldat auf dem Bild aus der Fotoschachtel, die Moma von ihrer Mutter geerbt hatte. Seine Augen, das Bärtchen, die Krawatte, deren Ende in der Knopfleiste des Hemds verschwand. Wie oft hatten sich Moma und sie die Fotografie zusammen angesehen.

Hatte der Zufall …? Nein, das war definitiv kein Zufall mehr! Hatte das Schicksal – oder was auch immer – sie nach Chicago geführt, damit sie dieses Foto auf einem Kaminsims in einer wildfremden Wohnung fand?

»Was ist damit?« Amy unterbrach den Sturzbach Josies Gedanken.

Josie hob den Kopf. »War dein Urgroßvater während des Krieges irgendwann in Deutschland?« In ihrem Blick lag Zögern, fast, als hoffte sie, Amy würde ihre Frage mit Nein beantworten.

Doch Amy nickte erstaunt. »Ja. Wie kommst du darauf? – Wo genau, weiß ich allerdings nicht. Aber Edna hat …«

Doch weiter kam sie nicht. Josies Wangen röteten sich. »Wahnsinn, dann könnte er es tatsächlich sein«, sagte sie heiser. »Dann hat Moma vielleicht recht? – Mann!«

Amy blickte sie verständnislos an.

Josie ließ den Fotorahmen auf den Schoß sinken. »Es ist so. Moma, also meine Großmutter, hat keinen Vater …« Sie stockte. »Natürlich hat sie einen Vater. Jeder hat einen Vater. Was ich meine ist, sie kennt ihn nicht. Ihre Mutter Anni wurde im Krieg schwanger. Unverheiratet. Das war damals eine entsetzliche Schande. In so einem Fall gab es nur eines: heiraten. Ihre Eltern haben natürlich unheimlich Druck gemacht. Trotzdem hat sie den Namen des Mannes nicht preisgegeben. Aber warum …?« Josie blickte nachdenklich auf das Gesicht des jungen Manns. »Moma hat im Nachlass ihrer Mutter, viele Jahre nach ihrem Tod, ein Foto gefunden. Dieses Foto. Anni, meine Urgroßmutter, starb kurz nach der Geburt an einer Infektion, Moma wurde von einer Tante großgezogen. – Auf der Rückseite der Fotografie steht eine Widmung: *Love, Alan*. Moma ist überzeugt, dass dieser Alan ihr Vater ist. Aber als Anni damals schwanger wurde, war noch Krieg. Moma sagt, wenn ihre Mutter ein Verhältnis mit einem der verhassten Amerikaner zugegeben hätte, hätte man sie angespuckt.« Josie hielt inne. Ein Schauder raste über ihren Körper.

Amy saß, die Arme fest um die Knie geschlungen, völlig verkrampft in ihrem Sessel. Jetzt, da Josie schwieg, löste sie sich aus dieser Haltung. Sie setzte die Füße auf den Boden und beugte sich etwas vor. »Wow!«, sagte sie ernst. »Aber pass auf! Es kommt noch dicker.«

Josie kringelte nervös eine Locke um den Finger. »Noch dicker?«

»Edna hat mal erzählt, dass ihr Vater – also Alan, bevor er Sarah – das ist meine Urgroßmutter, also Ednas Mutter – geheiratet hat, in ein deutsches Mädchen verliebt war. Aber seine Truppe wurde praktisch über Nacht woandershin verlegt. Ich hab mir das nicht im Einzelnen gemerkt, aber soweit ich mich erinnere, hat er nach dem Krieg alles versucht, diese Frau aufzuspüren. Von einer Schwangerschaft weiß ich allerdings nichts. Wie dem auch sei, er konnte sie wohl nicht mehr ausfindig machen. Aber wenn es wirklich deine Urgroßmutter war, konnte er sie ja gar nicht finden, wenn sie doch umgekommen ist.«

Amy verstummte und lehnte sich mit starrem Blick zurück.

»Das würde doch bedeuten, dass wir verwandt sind«, sagte Josie belegt. Sie fühlte sich plötzlich, als spielte sie eine Rolle in einem fantastischen Film. In einem Film, dessen Drehbuch sie nicht kannte. War das hier die Erklärung, warum ihr Amy gleich so bekannt vorgekommen war? Trug Amy nicht, genau wie sie, diese feine Stirnader über der Nasenwurzel. Dieselbe eigenartige Stirnader, die auch Moma hatte – und Mum.

Amy zupfte grübelnd einen Faden aus der abgewetzten Armlehne. »Wären unsere Großmütter dann nicht Halbgeschwister?«

»Und wir wären Cousinen, Großcousinen. – Nein«, verbesserte sich Josie, »Halbgroßcousinen. – Auf jeden Fall hätten wir dann denselben Urgroßvater.« Sie legte das Foto beiseite und erhob sich. »Hast du ein Bild von Edna?«

»Das!« Amy deutete auf einen weißen Holzrahmen mit einem Foto in Postkartengröße. Ein rothaariges Mädchen schmiegte sich an eine zierliche kleine Frau, deren langer weißer Zopf über eine Bluse mit folkloristischen Stickereien fiel.

Josie verschlug es schier den Atem. Diese Frau sah tatsächlich aus wie Momas kleine Schwester. Moma war etwas größer, auch war ihre Nase ein wenig länger, aber die Stirnader war ebenso da wie die jadegrünen Augen und Ednas Haar war genauso schneeweiß geworden wie Momas. Und das Mädchen ...? – Mein Gott! Mit ihren roten Haaren konnte man Amy und sie ohne Weiteres für Cousinen halten, wenn nicht sogar für Schwestern.

»Wir sehen uns definitiv ähnlich! Verdammt ähnlich sogar! Findest du nicht?«, stieß Josie hervor. »Ich hatte gleich irgendwie das Gefühl, dich zu kennen.«

Amy stand wie benebelt auf und nahm ein weiteres Foto vom Kaminsims. »Und das ist meine Mum.«

»Das ist deine Mum?« Josie starrte völlig perplex auf das Bild. »Meine Mutter und sie könnten Schwestern sein! Das ist doch alles völlig verrückt.«

»Du sagst es!« Amy schleppte ein altes Fotoalbum zum Sofa. »Das Album von Ednas Vater.« Nach hastigem Blättern zeigte sie auf ein altes Schwarz-Weiß-Foto mit gezacktem Rand, das eine Frau mit einem Baby auf dem Arm zeigte. *Emma mit Alan 1920*, stand in weißem Buntstift auf dem schwarzen Karton. »Das ist Ednas Großmutter, also meine Ururgroßmutter.«

Josie verschlang das Bild mit den Augen. Wenn stimmte, was sie vermuteten, war diese Emma auch ihre Ururgroßmutter und Momas Großmutter. Selbst auf dem kleinen alten Foto glaubte sie, die Familienähnlichkeit zu erkennen. Die hochgesteckten, lockigen

Haare der jungen Frau konnten rot oder rotblond sein, die Augenfarbe hingegen war schwer einzuschätzen. Jedoch erinnerten Josie die Züge des zarten Gesichts an Moma – und über der Nasenwurzel ... »Die Stirnader«, sagte sie gepresst. »Sieh nur, sie hat auch die Stirnader!«

Josie blätterte um. »Ist auch ein Foto von Emmas Mann dabei?«

Amy schüttelte den Kopf. »Du, wart mal!« Sie sprang auf. »Es muss noch irgendwo ein Familienstammbaum da sein. Den hat Ednas Vater angelegt.« Damit verschwand sie in Ednas Schlafzimmer, und kam kurz darauf mit einem Bogen Papier zurück. »Ich bin natürlich noch nicht drauf«, sagte sie.

Der Stammbaum, den Alan aufgezeichnet hatte, war erstaunlich überschaubar, wie Josie verwundert feststellte. Der von Taddys Familie war so ausladend, dass man ihn aufrollen musste, während dieser hier auf ein DIN-A3-Blatt passte. Die Aufzeichnungen begannen links unten im Jahr 1820 mit einer Frau namens Molly, geboren in Meath County, Irland, und endete mit Rachel, Amys Mutter, oben rechts.

Gemeinsam gingen sie die Daten und Namen durch. Irgendetwas war eigenartig an diesem Stammbaum. Molly hatte zwar eine Tochter, aber an der Stelle, an der eigentlich ihr Ehemann stehen sollte, stand: *Vater unbekannt*. Josies Augen wanderten nach oben. Dieses *Vater unbekannt* fand sich noch drei weitere Male. Sie deutete mit dem Finger darauf.

Amy nickte. »Edna hat mal gesagt, man könnte direkt meinen, auf den Frauen unserer Familie laste ein Fluch. Keine von ihnen hatte Glück in der Liebe. Sieh dir doch nur mal die Sterbedaten an!« Ihr Zeigefinger fuhr von Generation zu Generation. »Einer von beiden ist immer früh verstorben.«

Josies Stirn kräuselte sich. »Das stimmt, aber wart mal!« Ihre Stimmbänder schwangen wie Sprungseile. »Schau doch! Immer kurz nach einer Geburt! Hier zum Beispiel starb der Vater, vier Wochen nachdem eine Tochter geboren wurde. Und da oben starb die

Mutter noch bei der Geburt. Und hier kamen kurz nach der Geburt eines Mädchens gleich beide Eltern um. Wie bei dir. – Kein Wunder, dass der Stammbaum nicht länger ist. Mehr als zwei Kinder hatte keine der Frauen, und fast nur Mädchen. Hier – Sara, Emily, Kate ...«

Amy verfolgte Josies Finger, der von Name zu Name tanzte. »Du hast recht«, sagte sie und ihre Stimme klang belegt. »Immer, wenn ein Mädchen geboren wurde, kam Unglück über das Paar, Tod oder Trennung.«

Josie sah erschrocken hoch. »Stimmt. Ich war noch ganz klein, als meine Mutter den Unfall hatte. Und Momas Mutter kam auch kurz nach ihrer Geburt um.«

»Ednas Mutter starb noch im Kindbett«, sagte Amy tonlos. »Und Ednas Mann hat sie nach der Geburt meiner Mutter sitzen lassen.«

Josies Wangen glühten. »Genau wie der Kerl, der eigentlich mein Großvater ist. Erst große Liebe und so. Und als Moma schwanger wurde – nix wie weg.«

Sie verstummte. Die Namen und Daten verschwammen vor ihren Augen. Was da vor ihnen lag, kam ihr plötzlich wie ein Plan vor, ein unheilvoller Schicksalsplan, der von Generation zu Generation weitergereicht wurde. In ihrer Vorstellung fügte sie die Namen ihrer Großmutter und ihrer Mutter hinzu – und ganz zum Schluss den ihren. Moma und Isa hatten diesen fatalen Plan schon erfüllt. Ein schauriger Gedanke erschütterte sie. War auch sie dazu bestimmt? Würde auch neben ihrem Namen einmal viel zu früh ein Kreuz stehen oder neben dem Namen ihres Liebsten?

Eine Weile saßen sie schweigend nebeneinander. Jede wusste, was die andere dachte, und doch wagte keine, es auszusprechen.

»Es könnte auch alles Zufall sein«, sagte Josie schließlich zögernd.

»Es könnte auch alles Zufall sein«, wiederholte Amy, doch sie klang wenig überzeugt.

Die jüngsten Ereignisse erschienen Josie dermaßen irreal, dass sie noch auf dem Weg zum Knickerbocker-Hotel zu träumen glaubte. Sie versuchte, sich in die Wirklichkeit zurückzuholen. Wirklichkeit war der Hot-Dog-Stand an der Ecke, der überquellende Mülleimer neben dem Hydranten, die Mutter, die einen plärrenden kleinen Jungen hinter sich herzerrte. Der Wind, der ihre Haare zerzauste, der tosende Lärm der Großstadt und der Gestank der Abgase. Wären ihr die vielen Eindrücke sonst lästig gewesen, war sie heute dankbar für die Normalität, die sie ausstrahlten. Trotzdem nahm sie alles nur durch eine Glasglocke wahr, in der ihre wirren Gedanken durcheinanderpurzelten. Was hatte das alles bloß zu bedeuten?

Sollte sie Moma schreiben? Oder vielleicht doch besser anrufen?

Aber musste es für Moma nicht ein Schock sein, so plötzlich von ihrer verschollenen Familie zu erfahren? Von dem, was der Stammbaum preiszugeben schien, einmal ganz abgesehen. Und was, wenn sich alles nur als Spekulation herausstellte, als ein Ergebnis ihrer überbordenden Fantasie? Nein! Zuerst musste sie sich Gewissheit verschaffen. Sie musste definitiv herausfinden, ob sie mit Amy verwandt war. Und sie hatte auch schon einen Plan. Sie tastete nach ihrer Jeanstasche. Ja, der Beutel war noch da!

Josie hatte das Appartement kaum betreten, als auch schon ihr Vater hereinkam. Sie erschnupperte sofort, dass er nicht gerade gut gelaunt war. Tatsächlich hatte er sich über einen Kollegen geärgert, worüber er noch immer sehr aufgebracht war. Josie fiel es schwer, ihren eigenen Aufruhr zu verbergen. Sie bemühte sich, ihm geduldig zuzuhören. Es war sicher besser, mit ihrem Anliegen zu warten, bis er sich wieder beruhigt hatte. Die Anstrengung, die sie das kostete, entging Taddy jedoch nicht.

»Sorry, Josefinchen«, entschuldigte er sich, nachdem er richtig Dampf abgelassen hatte. »Einen schönen Rabenvater hast du. Erst lass ich dich den ganzen Tag allein und dann jammer ich dir auch noch die Ohren voll. Wie ein alter Ehemann. Hab noch nicht mal gefragt, wie dein Tag war.«

»Ganz okay«, sagte Josie. »Erzähl ich dir später. Wohin gehen wir essen?«

»Was hältst du von Peking-Ente?«

Das kleine chinesische Restaurant mit dem Namen *Red Dragon* bestand aus einem schlauchförmigen Raum, der sich tief in den Bauch eines älteren Gebäudes fraß. Ein roter, goldverzierter Glücksdrache von sicher sechs, wenn nicht acht Metern Länge schlängelte sich zwischen bunten, mit Quasten geschmückten Lampionleuchten unter der Decke entlang. Es roch säuerlich.

Ein untersetzter chinesischer Kellner in einer pyjamaähnlichen Jacke nahm sie am Eingang in Empfang und führte sie mit einem in Stein gemeißelten Lächeln zu einem freien Tisch. Josie bestellte Eistee. Das Gratiswasser, das hier überall mit viel Eis serviert wurde, brachte sie einfach nicht hinunter, es schmeckte ekelhaft nach Chlor.

Während sie aufs Essen warteten, prostete Taddy ihr mit seinem Bier zu. »Auf dich, Josefinchen. Und jetzt erzähl mal, was du heute getrieben hast!«

Damit nahm er einen großen Schluck und sah sie erwartungsvoll an. Josie rührte mit dem Strohhalm in ihrem Glas und überlegte, wie sie anfangen sollte.

»Ich hab heute ein Mädchen kennengelernt«, begann sie.

»Ach?« Über das Gesicht ihres Vaters ging ein überraschtes Leuchten. »Wie schön, dass du hier schon Anschluss gefunden hast.«

»Es ist mehr als das. Amy ist ...« Dann gab sie sich einen Stoß. »Also, es ist verrückt, ich weiß – aber Amy und ich haben etwas herausgefunden ...«

Besorgt die Miene ihres Vaters beobachtend, erzählte sie ihm von der Begegnung mit Amy, wobei sie wohlweislich ausließ, was Taddy ohnehin nicht glauben würde: die Sache von Edna und dem

Tornado, dass Amy die Amsel ebenso sah wie sie und dass auch sie eine Drachenfibel besaß. Sie berichtete nur von den handfesten Fakten, den unglaublichen Ähnlichkeiten, und vor allem von dem mysteriösen Foto des jungen Soldaten mit dem Namen Alan.

»Es könnte doch sein, dass wir verwandt sind«, endete sie, gerade als der Kellner das Essen auf den Tisch stellte. »Amys Urgroßvater war während des Kriegs in Deutschland.«

Taddy antwortete nicht gleich. Er war damit beschäftigt, Josie einige Fleischstücke auf den Teller zu legen. »Mit Haut?«, erkundigte er sich, als gäbe es im Moment nichts Wichtigeres.

»Egal«, gab Josie unwirsch zurück. »Was sagst du? Könnte es nicht sein, dass dieser Alan Momas Vater ist?«

Taddy lehnte sich zurück. Josie schien, als unterdrücke er ein Lächeln. In seinem Gesicht stand jetzt überdeutlich, was er von Josies Theorie hielt. »Weißt du eigentlich, wie unwahrscheinlich das ist?«, sagte er dann kopfschüttelnd. »Ich überlege gerade, ob sich die Möglichkeit für so ein Zusammentreffen überhaupt in Zahlen ausdrücken ließe. Ich denke, sogar drei Sechser im Lotto in Folge sind wahrscheinlicher.« Damit griff er nach der Sojasoße. »Und zu all dem kommt auch noch der absurde Zufall, dass du hier in Chicago, in einer Stadt mit fast zehn Millionen Einwohnern, ausgerechnet auf dieses Mädchen triffst. Solche Zufälle gibt es nicht. Glaub mir!«

Josie schnürte sich schlagartig die Kehle zu. Sie hätte sich eigentlich denken können, dass Taddy so reagieren würde. Er war eben durch und durch Wissenschaftler. Und sie wusste ja selbst, dass seine Einwände unter normalen Umständen mehr als berechtigt waren. Aber waren das hier »normale Umstände«?

Während ihr Vater sich mit großem Appetit der Peking-Ente widmete, schaufelte sie lustlos den Reis hin und her.

»Schmeckt es dir nicht?«, erkundigte er sich nach einer Weile.

»Taddy.« Josie legte die Essstäbchen weg. »Ich weiß, du findest das Ganze idiotisch. Trotzdem hab ich eine Bitte. Und sag bitte nicht Nein!«

Ihr Vater sah sie erstaunt an. »Na, was kommt denn jetzt?«

Josie kramte in ihrer Hosentasche.

»Was ist das?« Taddy blickte misstrauisch auf das unförmige Klümpchen, das Josie in einem kleinen Plastikbeutel über den Tisch streckte.

»Ein Kaugummi – von Amy. Du hast neulich gesagt, ein bisschen Speichel würde für einen Gentest genügen. Ein Gentest könnte doch beweisen, ob wir verwandt sind. Oder nicht?«

Taddy lehnte sich mit einem kleinen Stöhnen zurück. »Josie!«

»Taddy, bitte!« Josie sah ihn flehend an.

»Weiß diese Amy denn, was du vorhast?«

»Klar, ich hab's ihr erklärt. Sie hat mir den Kaugummi extra dafür mitgegeben.«

»Trotzdem, ich kann im Institut nicht einfach x-beliebiges Genmaterial untersuchen lassen. Das musst du verstehen!« Taddy hob die Augenbrauen. »Und noch etwas – verschon mir bloß Moma mit dieser verrückten Idee! Sie leidet noch heute darunter, dass ihr Vater sich damals abgesetzt hat. Also mach sie mir bitte nicht kirre!«

Josie senkte enttäuscht den Kopf. Zu gern hätte sie ihrem Vater von dem Stammbaum erzählt und davon, dass diese Art Dramen, aus Gründen, die im Verborgenen lagen, zum Leben ihrer vermutlichen Vorfahren gehörten. Aber damit konnte sie Taddy heute wirklich nicht auch noch kommen.

Mit der Rechnung brachte der kleine Kellner in der Pyjamajacke wenig später zwei Glückskekse. Josie machte sich zwar nichts aus dem spröden Gebäck, aber sie war immer neugierig auf die Sprüche. Während ihr Vater bezahlte, knackte sie ihren Keks auseinander und fischte den winzigen Zettel heraus. Wie hypnotisiert starrte sie auf die kleinen schwarzen Lettern. »Folge deinem Herzen!«, murmelte sie.

Ihr Vater steckte das Portemonnaie weg und griff nach seinem Keks. »Ja, ja, das Herz! Das Herz ist immer gut für eine platte Metapher. Aber im Prinzip ist an dem Spruch ja nichts Falsches.« Mit einem kleinen Krachen zerbröselte sein Keks. »Das haben solche Weisheiten eben an sich. Immer schön allgemein! Dann fühlt sich jeder angesprochen.«

Josie antwortete nicht. Für sie war dieser »allgemeine« Spruch alles andere als allgemein. Er knüpfte nahtlos an Amys Geschichte an, war Teil des geheimnisvollen Puzzles, von dem sie nicht wusste, worauf es hinauslaufen sollte. Noch nicht.

»Im Universum gibt es keinen Zufall«, las Taddy von seinem Papierstreifen ab. Er lächelte. »Nun, da bin ich etwas anderer Meinung.«

Weit entfernt nahm Josie seine Stimme wahr. Ihre Gedanken fuhren Achterbahn. Was bedeutete das alles? Wenn sie nicht verrückt war – und das war sie ja wohl nicht, weil Amy die Amsel ja auch sah ... Wenn sie also nicht verrückt war – gab es nur eine einzige, auch nicht eben beruhigende Erklärung: Magie. Es musste Magie sein.

Am nächsten Morgen steckte Taddy muffig vor sich hinbrummelnd zwei kleine Tüten in seine Aktentasche. Eine mit Amys Kaugummi und eine mit einem Wattestäbchen, das Josies Speichel trug. Josie hatte es vor dem Zubettgehen doch noch geschafft, ihren Vater breitzuschlagen. Bei Taddy musste man eben den richtigen Moment abwarten!

»Danke, Taddy, das ist wirklich lieb von dir!«, rief sie ihm noch nach, ehe hinter ihm die Tür ins Schloss fiel.

Auch an diesem Nachmittag führten Amy und Josie wieder gemeinsam Hunde aus. Mit jeder Minute, die sie zusammen verbrachten, spürte Josie mehr, wie ähnlich sie empfanden. Sie liebten die gleiche Art von Musik, hatten vielfach die gleichen Bücher gelesen und hassten jede Form von Gewalt. Ja, sie träumten sogar dasselbe. Beide waren sich sicher, dass ihnen die Amsel auch schon im Traum begegnet war. Und während sie wieder unter der Weide

auf dem Hundespielplatz saßen und darüber sprachen, flimmerten plötzlich Bruchstücke ihrer Träume auf. Amy neigte den Kopf zurück und blickte in das tanzende Grün der Blätter.

»Ein Gebäude«, murmelte sie. »Eine eigenartige Form – rund.«

Amys Bild ließ in Josies Kopf etwas klingeln. »Säulen … Und überall Blumen, rote Blumen, ein eigenartiges Rot, das ins Violett geht.«

Amy nickte wie in Trance. »Purpurrot. Rosen. Purpurfarbene Rosen. – Und das Haus ist riesig und es hat Türme, massenhaft Türme, große und kleine …«

Ihre Worte setzten die Fragmente, die Josie vor ihrem inneren Auge sah, zu einem immer schärferen Bild zusammen. »Ein Palast – sehr groß – und er hat tatsächlich Türme, mit eigenartigen Dächern. Sie sind … Sie sehen aus, als wären sie aus Gold.«

Wütendes Bellen, spitzes Gekläffe und das hysterische Gekreische einer Blondine schreckte sie auf.

»Fuß!«, donnerte Amy dem stämmigen Boxer zu, der heute zu ihren Schützlingen gehörte. Anscheinend hatte ihn der Pinscher der Blonden provoziert und er schien wild entschlossen, den kleinen Kläffer als Zwischenmahlzeit zu verspeisen.

Unwillig stand Amy auf, um den Boxer an die Leine zu legen. Die Blondine, die sie wortreich mit Vorwürfen überschüttete, würdigte sie nur mit einem Nasenrümpfen und einem verachtenden Blick.

»Frag mich, wer mehr stinkt, der Köter oder diese aufgedonnerte Zimtzicke«, brummte Amy stirnrunzelnd vor sich hin, als sie den widerstrebenden Boxer zur Bank zerrte. »Es ist eine wahre Plage, wenn man schlechte Laune auch noch riechen muss.«

Josie bewunderte sie. Sie wusste in solchen Fällen nie, wie sie sich verhalten sollte. Amy war viel cooler als sie.

Amy setzte sich wieder hin und sah auf die Uhr. »Die Realität hat uns wieder. Muss die Hunde jetzt sowieso zurückbringen. Gehst du noch mit zu mir?«

»Heute nicht. Vielleicht kommt Taddy etwas früher. Aber du kannst mit zu mir kommen.«

Amy zögerte, dann winkte sie ab. »Nee, lass mal! Was soll ich sagen, wenn dein Dad nach Edna fragt? – Die Wahrheit?« Sie lachte bitter.

Josie verstand Amys Ängste. Und wenn sie ehrlich war, konnte sie auch nicht die Hand dafür ins Feuer legen, dass Taddy nicht versuchen würde, Amy zu helfen, wenn er erfuhr, dass sie ganz auf sich gestellt lebte. Und diese Hilfe würde höchstwahrscheinlich *Jugendamt* heißen. Erwachsene tickten anders und es gab Dinge, die sie einfach nicht kapierten.

Sie gingen noch ein Stück gemeinsam, dann trennten sich ihre Wege. Verdammt!, dachte Josie, als sie die Dearborn hinunterging. Was für eine total verrückte Geschichte!

Dieses Gefühl, in einer total verrückten Geschichte zu stecken, sollte sich für Josie an diesem Abend noch verstärken.

Taddy kam später, als Josie erwartet hatte. Als er das Appartement betrat, lag sie auf dem Sofa und hörte Musik. Zum Lesen hatte ihr wieder mal die nötige Konzentration gefehlt. Seit ihrer Ankunft in Chicago war sie mit ihrem Buch keine einzige Seite weitergekommen.

Josie fiel sofort auf, wie blass und bedrückt ihr Vater aussah. Er winkte ihr mit einer schwachen Handbewegung einen Gruß zu. Besorgt zog sie die Kopfhörer aus den Ohren. »Was ist los? Tut dir was weh?«

»Nein.« Taddy legte mit einer müden Bewegung seine Notebooktasche auf den Tisch. »Ist noch Bier da?«

»Denk schon, soll ich dir eins holen?«

Taddy winkte ab und ging völlig geistesabwesend zum Kühlschrank. Er öffnete eine Bierdose und setzte sie an den Mund, völlig entgegen seiner sonstigen Gewohnheit – er nahm sich immer ein Glas.

»Was ist denn mit dir los?« Josie sah ihn verwundert an.

Dr. Stark setzte sich seiner Tochter gegenüber auf einen Sessel und schüttete in einem Zug das restliche Bier hinunter, gerade so, als müsse er sich Mut antrinken. Dann zog er aus einem Nebenfach seiner Tasche einen zusammengehefteten Ausdruck.

Josie setzte sich erwartungsvoll auf. »Hast du etwa schon die Testergebnisse dabei?«

Taddy blätterte schweigend.

Das seltsame Verhalten ihres Vaters ließ bei Josie die Alarmglocken läuten. »Und?«

»Ich versteh das nicht!«, murmelte Dr. Stark mehr zu sich selbst als zu seiner Tochter. »So etwas ist mir in all den Jahren nicht untergekommen!«

Josie sprang auf und schwang sich neben ihn auf die Armlehne. Neugierig äugte sie auf das Blatt, das von Zahlen und Zeichen nur so strotzte. »Was ist denn rausgekommen? Mach's doch nicht so schrecklich spannend! Sind Amy und ich tatsächlich verwandt?«

Taddy ließ die Papiere sinken. »Es ist mir einfach unerklärlich. Eine derartige Übereinstimmung habe ich bisher nur bei nächsten Verwandten gesehen. Selbst wenn man davon ausgeht, dass dieser mysteriöse Alan tatsächlich euer gemeinsamer Urgroßvater ist, wären du und deine neue Freundin die dritte Generation in der Linie. Und darüber hinaus ist es mehr als unwahrscheinlich, dass sich Anlagen über drei oder gar noch mehr Generationen derart dominant durchsetzen können.«

Taddys wissenschaftliche Einwände interessierten Josie in diesem Moment nicht im Geringsten. Sie sprang auf. »Dann sind wir also verwandt?«

»Den Ergebnissen nach … ja!«

Josie ließ einen Triumphschrei los. »Und du hast alles für Humbug gehalten!«

»Josefa!«

Josie hielt inne. Dieses »Josefa« hörte sich gar nicht gut an. Sie neigte fragend den Kopf. »Stimmt was nicht?«

»Noch etwas.« Er zögerte. »Es gibt noch etwas ...«

Josie ließ sich ins Sofa sinken und blickte ihn in ernster Erwartung an.

»Ich weiß nicht, was es bedeutet, und bisher scheint ja bei dir auch alles normal zu verlaufen. Aber ...« Er verstummte.

»Taddy. Jetzt red schon!« Josie rutschte beunruhigt Richtung Polsterkante.

»Es gibt eine Auffälligkeit. Wir haben in beiden Proben dieselben ungewöhnlichen Allele gefunden.«

»Was für Dinger?«

»Allele. Ausprägungen eines Gens. Die Allele bestimmen zum Beispiel, ob eine Rose weiß oder rot blüht.«

»Okay, und wo ist das Problem?«

»Momentan gibt es noch kein Problem. Aber ihr tragt dieselbe ungewöhnliche Veranlagung. Und es beunruhigt mich, dass ich nicht weiß, was sie bewirkt.«

»Ist das irgendwie krank?« Josies Pupillen weiteten sich.

»Um ehrlich zu sein: Einige Erbkrankheiten des Herzens sehen verdammt ähnlich aus.« Taddy räusperte sich. »Aber wie gesagt. So eine Allelkonstellation hab ich noch nie gesehen.«

Er lehnte sich zurück. »Ich hab heute mit deiner Großmutter telefoniert. Die Veranlagung muss von mütterlicher Seite stammen, nachdem ich deine DNS heute gleich mit meiner verglichen habe. Ich würde gern eine Probe von Dorothea gegenchecken. Ich hab sie gefragt, ob sie mir ein bisschen Material schicken könnte, und da meinte sie, du hättest ihre Haarbürste mitgenommen. Ein paar Haare würden mir tatsächlich reichen.«

»Hab ich.« Josie stand auf. »Meine ist mir idiotischerweise beim Packen ins Klo gefallen.«

Sie lief gleich ins Bad und kam mit der Bürste wieder. Obwohl

Moma sie mit einem Kamm gesäubert hatte, kräuselten sich zwischen Josies ausgekämmten roten Haaren doch noch einige weiße.

»Ich nehme sie morgen mit.« Damit erhob sich auch Taddy. »Komm, gehen wir zum Italiener! Du hast sicher Hunger.«

Obwohl Taddy Lasagne liebte, ließ er die Hälfte zurückgehen. Die unerwarteten Ergebnisse der Genanalyse hatten sich ihm offenbar auf den Magen geschlagen. Josie hingegen schmeckte es. Dann stimmte es also: Amy und sie hatten einen gemeinsamen Urgroßvater!

Zurück im Knickerbocker, steuerte Taddy auf die Bar zu. »Begleitest du deinen alten Vater noch auf einen Drink?«

»Mit Vergnügen, altes Väterchen!« Damit schob sie ihren Arm unter seinen. Die Hotelbar war fast leer. Nur am gegenüberliegenden Ende des Tresens saß ein älterer Mann vor einem Bier und verfolgte auf einem Flachbildschirm ein Baseballspiel.

Josie erklomm einen der hohen Hocker und sah erwartungsvoll zu, wie der muskulöse Barkeeper den Fruchtshake zubereitete, den Taddy ihr spendiert hatte.

Mit einem: »Enjoy!«, reichte er ihr ein hübsches Glas mit einer orangefarbenen Flüssigkeit und einem blauen Zuckerrand und schob dann Taddy den bestellten Whiskey hin.

Josie sog erwartungsvoll an dem Trinkhalm. »Hmmm!«

»Moma ist ziemlich aus dem Häuschen wegen dieser Verwandtschaftsgeschichte«, bemerkte Taddy, während er ganz in Gedanken sein Whiskeyglas schwenkte.

Josie nickte. »Ist ja kein Wunder! Man sollte auch gleich einen Test von Amys Großmutter machen.«

Ihr Vater sah hoch. »Auf jeden Fall. Wenn sie einverstanden ist.«

Josie biss sich auf die Lippen. War sie bescheuert? Sie konnten Edna gar nicht fragen! Abgesehen davon, dass Taddy die Tornadogeschichte nie glauben würde, hatte sie Amy versprechen müssen, ihm nichts davon zu erzählen.

Vor sich hin grübelnd zeichnete Josie mit dem Röhrchen ein Muster in den Zuckerrand ihres Shakes. Aber sie hatte Glück. Ihr Vater war mit seinen eigenen Gedanken beschäftigt. Er erkundigte sich nicht weiter nach Edna, sondern bestellte einen zweiten Whiskey. Josie sah ihn besorgt an, normalerweise trank ihr Vater überhaupt keine harten Sachen. Das seltsame Testergebnis schien ihn ja wirklich sehr zu beunruhigen.

Nachdem Taddy am nächsten Morgen zur Uni gegangen war, machte sich Josie gleich auf den Weg zu Amy. Eigentlich waren sie erst für später verabredet. Aber die aufregende Neuigkeit, dass sie so gut wie sicher miteinander verwandt waren, konnte sie keinen Moment länger für sich behalten.

Erst als sie das alte Backsteinhochhaus erreicht hatte, fragte sie sich, wie sie eigentlich hineinkommen sollte. Der Haupteingang war verschlossen, ebenso die Seitentür zum Treppenhaus. Auf Läuten würde Amy in ihrer jetzigen Situation bestimmt nicht reagieren. Warum hatten sie auch kein Klingelzeichen ausgemacht? Ungeduldig wartete Josie vor der Eingangstür, ob ihr jemand Gelegenheit geben würde, ins Haus zu schlüpfen. Aber es war alles wie ausgestorben. Die Berufstätigen waren wohl schon alle weg und zum Einkaufen war es schlichtweg noch zu früh.

Josie lehnte sich an die Wand und löste die Fibel von der Gürtelschlaufe, die sie, seit die Amsel sie hatte fallen lassen, ständig bei sich trug. Aufmerksam betrachtete sie die geheimnisvolle Brosche. Zum x-ten Mal. Hatte sie etwas übersehen? Ob die Drachen eine Bedeutung hatten? Welche Bedeutung hatte die Fibel überhaupt?

Das Bremsgeräusch eines Wagens riss sie aus ihren Überlegungen. Josie blickte hoch und versteinerte. Ein Streifenwagen. Bestimmt suchten die Amy. Der Beamte auf dem Beifahrersitz ließ das Fenster herunter. Was wollten die von ihr? Wussten die, dass sie Amy kannte? Was sollte sie jetzt tun? Ihre Gedanken schlugen Kapriolen.

»Hi, Missy!« Der Uniformierte warf ihr einen prüfenden Blick zu. »Amy O'Connor?«

Josie starrte ihn mit aufgerissenen Augen an. Die hielten sie für Amy! Schlagartig wurde ihr die Lage klar. Die suchten ein Mädchen mit roten Haaren. Die Beschreibung von Amy passte fast genau auf sie. Verdammt! Und sie hatte ihren Ausweis nicht dabei, obwohl Taddy ihr eingeschärft hatte, ihn immer mitzunehmen. Panik schoss in ihr hoch. Wenn sie sich nicht ausweisen konnte, hatte sie jetzt eine Stadtrundfahrt in einem Polizeiwagen vor sich. Taddy wäre sicher nicht begeistert, seine Tochter bei der Polizei abholen zu müssen – abgesehen davon, dass er dann unweigerlich erführe, dass Amy Schule schwänzte und sich vor ihren Verwandten versteckte.

Dass Josie nicht antwortete, machte sie den beiden Polizisten offenbar noch verdächtiger. Entsetzt musste sie feststellen, dass die zwei sich nun anschickten, auszusteigen. Josies Stirnader klopfte. Ein übermächtiger Impuls wegzulaufen überwältigte sie. Ehe ihr Kopf Für und Wider abwägen konnte, rannten ihre Beine schon die Straße hinunter.

»Stop! Stand still!«

Josie hörte die Polizisten rufen, ohne jedoch ihre Aufforderung zu beachten. Sie lief und lief und lief. Wie ein gehetztes Tier. Raste kopflos über die nächste Querstraße. Reifenquietschen. Hupen. Jemand fluchte. Jetzt erst wagte sie einen atemlosen Blick zurück. Die Männer stiegen eben wieder in den Wagen. Wollten sie die Verfolgung mit dem Auto fortsetzen? Sie bog hastig in eine Seitenstraße ein. Dann stand die Rettung vor ihr. Ein Bus der *Chicago Transit,* dessen Türen sich soeben schlossen. Sie hämmerte verzweifelt gegen die schmutzige Tür. Der Fahrer zog die Augenbrauen hoch, öffnete dann aber doch. Josie fiel keuchend in einen freien Sitz. Plötzlich fühlte sie einen scharfen Schmerz in ihrer Rechten. Blut tropfte auf ihre Jeans. Sie öffnete die Faust, die immer noch die Brosche umklammerte, und erschrak. Der scharfe Stachel hatte sich in der Hektik der Flucht tief in ihre Hand gebohrt. Mit einem Ruck zog sie ihn aus dem Fleisch. Während sie die Wunde mit dem Mund aussaugte, traf es sie wie ein Schlag! Das weiße Kristallherz zwischen den Drachenköpfen funkelte. Rot, purpurrot.

Josie wurde schwindlig. Die Kette magischer Ereignisse zog sich enger und enger um sie. Sie fühlte sich ohnmächtig in etwas hineinkatapultiert, das sie nicht verstand. Ihr war, als vernehme sie tief in ihrem Innersten einen Ruf. Einen Ruf, den sie nicht deuten konnte. Jemand wollte etwas von ihr. Aber wer? Und was?

Bei der nächsten Haltestelle verließ sie den Bus, ohne vorher ein Ticket gezogen zu haben. Sie war noch nie schwarzgefahren. Hätte ihr das an jedem anderen Tag schwere Gewissensbisse gemacht, dachte sie jetzt nicht eine Sekunde darüber nach.

Wie benebelt fand sie sich ganz in der Nähe des Sees wieder. Ohne nach links oder rechts zu blicken, ging Josie durch eine kleine Anlage zum Ufer. Die kühle Brise vom Wasser her tat gut. Der kobaltblaue Himmel verschmolz heute geradezu mit der ruhigen Weite des Sees. Josie setzte sich auf eine Bank und blickte gedankenverloren über die quecksilbrig flimmernde Wasseroberfläche, auf der Möwen wie Papierschiffchen schaukelten.

Sie hatte sich gerade etwas gefasst, als sich in das Schwatzen der Möwen eine Melodie mischte. Purpurfarben und sanft.

Nicht schon wieder! Josie schloss die Augen.

»Habt keine Angst, schenkt mir Gehör!« Die Stimme ließ sie hochfahren, als hätte man ihr eine Nadel in den Hintern gerammt.

Auf der Rückenlehne der Bank stand das Vogelwesen, das sie schon auf der Dachterrasse zu sehen geglaubt hatte. Ein etwa handgroßer, schlanker Mann mit schmalem Gesicht, klugen dunklen Augen und einer Nase, die entfernt an einen Schnabel erinnerte. Sein langes Haar war aufwendig geflochten und von demselben

schimmernden Schwarz wie der weite Federmantel, unter dem man ein weißes knöchellanges Gewand erahnen konnte.

»Bist du …« Josies Stimme zitterte.

Das eigenartige Vogelwesen verbeugte sich. »Druid Dubh, wenn Ihr erlaubt, man hat mich zu Euch hergesandt. Die Amsel war Euch wohlvertraut, nun habt den Boten Ihr erkannt.«

»Was …« Josies Knie bebten wie Wackelpudding. Sie ließ sich wieder nieder, ohne die Augen von der Erscheinung abzuwenden.

Druid Dubh hob die Hand und deutete ihr an zu schweigen. Trotz seiner zarten Gestalt strahlte er große Autorität aus. »Es gehn die Dinge ihren Gang, die Fibel weihte Euer Blut. Zu Worten ward der Töne Klang – und aus dem Vogel Druid Dubh.«

Josie rieb die noch immer schmerzende Wunde in ihrer Handfläche. Was hatte ihr Blut mit der Fibel zu tun? Warum drückte sich der Vogelmann so orakelhaft aus? Was wollte er von ihr? Als hätte er ihre Gedanken gelesen, antwortete Druid Dubh: »Das Erbe, das Ihr in Euch tragt, ist durch die Probe festgemacht. Ihr habt das Purpurherz entfacht! – Ich bin der Bote, der Euch sagt: Es liegt Magie in Eurem Blut. Die Wahl, die auf Euch fiel, war gut.« Aus seiner für ein derart kleines Wesen überraschend wohltönenden männlichen Stimme glaubte Josie, große Erleichterung zu hören.

Sie versuchte seinen Worten zu folgen. »Der Bote? Bote woher?«

»Narranda ist's, das Gold'ne Land, an der schönen Träume Rand. Die edle Königin Órlaith fleht Euch um Eure Hilfe an. Im Reich herrscht derzeit großer Schmerz. Und niemand etwas wirken kann, als ein tapf'res menschlich Herz.«

»Narranda?« Josies Lippen bewegten sich, doch ihre Stimme versagte. Nie vorher hatte sie von einem Ort dieses Namens gehört.

Mit einer erhabenen Geste, die den Federmantel im Wind flattern ließ wie die Schwingen eines Vogels, sprach Druid Dubh weiter. »Narranda ist das Reich der Feen. Der gold'nen Feen, der Sidhoir – und ihrer Völker, die in Frieden und aller Eintracht lebten hier. Doch wo dereinst in hellen Tagen noch gold'nes Licht das

Land beschien, mit Nebeln sind wir heut geschlagen, die über unsre Sonne ziehn.«

Am Rand der Träume – Feen. Josie starrte Druid Dubh an wie ein Gespenst.

Ein grauer Schleier hatte sich über das Gesicht ihres Besuchers gelegt. Josie fühlte die tiefe Erschütterung, die aus ihm sprach. Gleichzeitig drängte sich ihr die Frage auf, was sie, um alles in der Welt, mit einer Königin in einem fernen und wohl kaum realen Land zu tun hatte.

Aber da fuhr Druid Dubh schon fort, sein Ton wurde schneidend. »Es stärkt die dunklen Feindeskräfte bös fantasierend Menschenwort. Und tödlich grauer Nebelschleier verhüllt den lichten Zufluchtsort.«

Josie setzte eben zu einer Frage an, als der Vogelmann weitersprach. »Kommt auf die Grüne Insel, nach Eirinn!«

»Eirinn? Da-das ist Irland!«, stotterte sie. »Das geht doch nicht. Ich meine, wie …?«

»Vertraut und alles wird gelingen! Vermeidet doch vor allen Dingen verzagte Zweifel und Bedenken! Die Fibel wird die Kraft Euch schenken, zu sammeln Eure Energie, die in Euch ruhende Magie.«

Josie sah ratlos auf die Fibel. »Magie?«

Der Vogelmann nickte ernst. »Doch nutzt sie nur, wenn Ihr in Not! – Dies sei Euch stets ein streng' Gebot!«

»Aber …«

Der Vogelmann unterbrach sie mit einer Handbewegung. »Fragt nicht zu viel! Ihr wisst genug, das muss für heut genügen. Vertraut auf Euer Herz allein, so wird sich alles fügen.«

Damit breitete er seinen Mantel aus, um sich emporzuschwingen.

»Warte!«, rief Josie, ihre Stimme überschlug sich. »Was ist mit Edna – Edna O'Leary?«

Druid Dubh senkte die Arme. Ein bitterer Zug umspielte seine Mundwinkel.

»Dies Weib, mit rechtem Erbe zwar begabt ...«, er schüttelte verdrossen den Kopf, »hat durch schädlich' Schrift und Sagen dem Erzfeind Kraft noch zugetragen. Sie packten es zu Recht am Kragen. Nun ...«

»Nun ...?«, wiederholte Josie bang.

»Nun muss das Tochterkind sich schützen, die Fibel soll ihm dabei nützen.«

Josie riss die Augen auf. »Amy?«

»Wohlan, so war ihr Name!«

»Und wer ist dieser – Erzfeind?«

Druid Dubhs Miene gefror. »Der üble Teufel Dykeron, der Herrscher über Dorchadon. Das Schwarze Reich wird's auch genannt, ein unheilvolles, dunkles Land.«

Obwohl Josie von Dorchadon ebenso wenig gehört hatte wie von dem geheimnisvollen Narranda, verursachte ihr Druid Dubhs Beschreibung ein Frösteln.

»Aber was wird jetzt aus Edna?«, setzte sie zaghaft an.

»Wir werden tun, was wir vermögen, doch Euer Einsatz ist vonnöten, denn in den Fehden zwischen Welten ganz besond're Regeln gelten.«

Der Vogelmann spannte seinen schwarzblau glänzenden Federumhang auf.

»Verzeiht dem Boten, es ist Zeit. Doch sei Euch dieser Rat Geleit: Folgt Ihr des Herzens Imagination, dann steht Gelingen Euch zum Lohn. Vertraut darauf! Und geht nicht irr, scheinen die Dinge noch so wirr.«

Ehe Josie auch nur die geringste Chance gehabt hätte, ihn ein weiteres Mal zurückzuhalten, stieg Druid Dubh hoch. Nur einen Augenblick später schwebte er mit aufgefächertem Mantel über ihr, vom Aufwind getragen wie eine der Möwen, die am vergissmeinnichtblauen Himmel ihre Runden zogen.

Wie in Stein gehauen starrte sie ihm nach, bis er sich als kleiner schwarzer Punkt im Äther verlor.

Benommen steckte Josie die Fibel wieder an die Gürtelschlaufe. Das Herz leuchtete noch immer. Purpurrot. Schlagartig durchfuhr sie eine verstörende Gewissheit: Das Abenteuer ging jetzt erst richtig los.

Das Geräusch eines Rasenmähers holte sie in die Wirklichkeit zurück. Ein Blick auf die Uhr sagte ihr, dass sie sich beeilen musste, wenn sie zum abgemachten Zeitpunkt vor dem Hotel sein wollte, um Amy beim Hundeausführen Gesellschaft zu leisten. Hoffentlich war es Amy gelungen, unbemerkt das Haus zu verlassen.

Aber sie hatte sich unnötig Sorgen gemacht. Amy wartete schon, heute wieder den Boxer und den Retriever von neulich im Schlepptau.

»Gott sei Dank, du bist da!«, rief Josie.

Amy reichte ihr mit einem fragenden Stirnrunzeln die Leine des Retrievers. »Warum sollte ich nicht?«

»Die Polizei. Wenn du wüsstest, was ich heute schon alles mitgemacht hab!« Damit eröffnete Josie den Bericht über ihre Begegnung mit der Polizei.

Amy hörte mit düsterer Miene zu, während sie Richtung Hundespielplatz gingen. »Zum Teufel mit denen«, knurrte sie. »Warum lassen die mich nicht einfach in Ruhe? Dauernd klingelt jemand, und das Telefon geht auch ständig. Ich geh natürlich nicht ran, bin ja nicht blöd. Aber es nervt!«

Josie zerrte ihren Hund von einer Ecke weg. »Hast du keine Angst, dass die demnächst die Wohnung kontrollieren? Der Vermieter hat doch sicher einen Zweitschlüssel.«

Amy zuckte finster mit den Schultern. »Vermutlich.«

Kurz vor ihrem Ziel zerrte der kräftige Retriever so fest an der Leine, dass Josie sie um die Hand wickelte.

»Autsch!«

»Was ist?«

»Meine Hand – ich hab mich gestochen. Eine wahnsinnige Geschichte ...«

Amy blickte sie erwartungsvoll an. Josie machte eine Kopfbewegung zum Gatter hin. »Wir sind gleich da. – Es gibt so viel zu erzählen, dass ich gar nicht weiß, wo ich anfangen soll.«

Nachdem sie die Hunde freigelassen hatten, setzten sie sich wieder auf ihre Bank. Die lichtgrünen Zweige der Weide rauschten leise in einer Sommerbrise. In Josies Kopf rauschten Bilder und Gedanken, während sie nun versuchte, ihre Begegnung mit dem Vogelmann halbwegs plausibel wiederzugeben.

Als Josie verstummt war, blickte Amy traumverloren in die Baumkrone. »Druid Dubh. Komischer Name!«, sagte sie leise. »Und diese Sache mit Narranda und der Königin. Hört sich alles so märchenhaft an.«

Josie nickte. »Mein Verstand sagt das auch – alles total irreal. Aber die Begegnung hatte etwas völlig Reales. Real, aber nicht von unserer Welt.«

»Anderwelt«, sagte Amy nur.

Josie lief es eiskalt den Rücken hinunter.

»Haben sie Edna?« Amys Stimme zitterte.

»Glaub nicht. Druid Dubh sagte: der Erzfeind – Dykeron, der Herrscher von diesem Dorchadon, hätte Edna gekidnappt. Und dass die Fibel dich irgendwie schützen soll. Aber worum es genau geht, hab ich, ehrlich gesagt, nicht verstanden. Nur dass dieser Dykeron das Goldene Reich bedroht. Das Feenreich. – Sie erhoffen sich anscheinend Hilfe.«

»Hilfe«, wiederholte Amy. »Und wie?«

Josie zog mit einem nachdenklichen Kopfschütteln die Drachenfibel vom Gürtelbund und zeigte sie Amy. »Keinen Schimmer. Wirklich nicht. Ich soll nach Irland kommen. Das Ding soll magische Kräfte besitzen.«

»Jedenfalls ist das Herz rot geworden«, murmelte Amy, während sie schon ihre eigene Fibel aus der Tasche kramte. »Und du sagst, du hast dich gestochen?«

»Genau!«

Amy löste wortlos den Dorn aus der Verankerung und stieß ihn sich, ohne zu zögern in den Handballen. Sie stöhnte auf. »Gosh!«

Josie zuckte zusammen. Dann schrie sie auf. »Sieh doch!«

Das eben noch glasweiße Herz leuchtete. Purpurrot.

»Das Erbe! Du trägst es auch«, rief Josie ganz außer sich. »Du hast die Probe bestanden!«

Amy presste ein Papiertaschentuch auf ihren blutenden Handballen. »Probe? Und welches Erbe?«

Josie schob die Unterlippe vor. »Das hat der kleine Vogelmann nicht gesagt.« Ein sonderbarer Gedanke durchzuckte sie. »Weißt du was? Diese Fibelsache kommt mir fast vor wie eine Art Gentest aus der Anderwelt. – Du lieber Himmel! Der Gentest! Das hab ich dir ja noch gar nicht erzählt ...«

Als sie die großartige Neuigkeit von ihrer vermutlichen Verwandtschaft endlich auch noch losgeworden war, starrte Amy sie fassungslos an. »Dann stimmt es also. Gosh! Also wenn du mich fragst – mit Zufall hat das alles nichts mehr zu tun.«

»Es ist Magie.« Josie strich mit den Fingern über die Drachenfibel. Der Spruch aus dem Glückskeks ihres Vaters stand wie in Leuchtschrift vor ihr. »Das Universum kennt keinen Zufall.«

Von diesem merkwürdigen Tag an überstürzten sich die Ereignisse. Während sich Josie noch dagegen wehrte, den verstörenden Einbruch einer anderen Welt in ihre Realität zu akzeptieren, hatte Amy sich sofort entschieden, nach Irland zu fliegen. Ohne den Hauch eines konkreten Plans, war sie, allein aufgrund Druid Dubhs Äußerungen, wild entschlossen, dort ihre Großmutter aufzuspüren. Und schließlich gelang es ihr, die zaudernde Josie zu der Reise zu überreden.

Dr. Thaddäus Stark hatte im Labor festgestellt, dass Momas Gene in einigen Abschnitten genau denen von Josie und Amy glichen. Einerseits beruhigte ihn das etwas – war ja bei Moma bis heute keine Herzerkrankung festgestellt worden. Andererseits passten all diese verblüffenden Übereinstimmungen in kein ihm bekanntes Muster. Was hatte das alles bloß zu bedeuten? Dann hatte ihm Josie ein paar Haare aus Ednas Bürste gebracht. Zu Josies Erleichterung vergaß er, sich nach Ednas Einverständnis zu erkundigen, sodass sie ihn nicht anschwindeln musste. Als sich dann dasselbe merkwürdige Ergebnis auch bei der Untersuchung von Ednas DNS ergab, war er vollends ratlos.

Doch nun war seine Neugier geweckt, Edna und Amy persönlich kennenzulernen. Es bereitete den Mädchen einiges Kopfzerbrechen, welche Geschichte sie ihm vorsetzen sollten, um Ednas Abwesenheit zu erklären. Schließlich hatte Amy den rettenden Einfall. Sie brauchten doch nur zu sagen, sie sei inzwischen nach Irland geflogen. Das war noch nicht mal gelogen. Geflogen war Edna ja tatsächlich, wenn auch auf mehr als ungewöhnliche Weise. Außerdem hatten sie so gleich eine Erklärung dafür, warum auch Amy dorthin wollte.

Anders als Josie, die sich durch Amys dunkel gefärbtes Haar zunächst hatte irritieren lassen, erkannte Taddy die frappierende Ähnlichkeit mit seiner Tochter sofort, als er Amy kennenlernte. »Es ist einfach nicht zu fassen«, sagte er. »Eure Großmütter und ihr werft sämtliche Prinzipien der Vererbungslehre über den Haufen. Jeder Kollege, mit dem ich drüber rede, schüttelt nur den Kopf. Die halten mich wahrscheinlich schon für einen hoffnungslosen Spinner.«

Die Geschichte von Ednas Reise nach Irland tischte Josie, nicht ohne Kalkül, auch Moma auf, die es nach dem Bericht ihres Schwiegersohns kaum erwarten konnte, Edna und Amy baldmöglichst zu treffen. Josie hatte auf Momas Bitte hin das Foto von Alan O'Leary gescannt und nach Deutschland gemailt. Und Moma war sich hundertprozentig sicher, in ihm nun endgültig ihren verschollenen Vater gefunden zu haben. Von den geheimnisvollen Dingen, die seit Ednas Verschwinden geschehen waren, hatte Josie ihrer

Großmutter noch nichts erzählt, sie wollte das lieber Aug in Auge mit ihr besprechen. Wie Josie sich ausgerechnet hatte, entschloss sich Moma sofort, selbst nach Irland zu fliegen. Der Zeitpunkt war günstig. Das Dach war gerade fertig geworden und sie konnte die Recherche für ihr neues Buch mit einem Urlaub verbinden, noch dazu in einem Land, das sie schon immer mal hatte bereisen wollen. Vor allem aber konnte sie nun endlich ihre Herkunft klären und darüber hinaus Professor O'Reardon besuchen, der sie nach Galbridge eingeladen hatte. Josies Vorschlag, gemeinsam mit Amy nach Irland zu kommen hielt sie deshalb für eine wunderbare Idee. Und so bat sie ihren Schwiegersohn, Josies Rückflug nach Irland umbuchen zu lassen.

Amy bediente sich Ednas Scheckkarte, um am Bankautomaten Geld für ihr Ticket abzuheben. Sie hatte schon öfter Geld für ihre Großmutter geholt, wenngleich nie ohne ihr Einverständnis. Doch hatte sie jetzt eine andere Wahl?

Nachdem sie mit Taddys Hilfe einen gemeinsamen Flug gebucht hatten, stand dem Abenteuer der Mädchen nichts mehr im Weg.

Die Dinge hatten sich gefügt. Perfekt und nahtlos. Geradezu magisch. Doch wurde die Erleichterung, die Josie darüber empfand, von dem zunehmend bedrohlicheren Gefühl getrübt, dass sie alle Marionetten waren. Marionetten in einem Stück mit ungewissem Ausgang.

Dann trat im letzten Moment doch noch ein, was Josie schon die ganze Zeit befürchtet hatte. Das Jugendamt hatte herausgefunden, dass Amy nicht in Prattville bei ihrem Onkel lebte und somit schon seit vielen Wochen Schule schwänzte. Einen Tag vor dem Abflug betrat sie die Wohnung und entdeckte zu ihrem Entsetzen einen dicken Mann mit fettigen Haaren und einem breiten Grinsen, der in ihrem Lieblingssessel lümmelte.

»Na, Süße! Was machst du nur für Sachen!«

»Onkel Ken!« Leichenblass geworden und immer noch den Schlüssel in der Hand, glotzte Amy ihn an.

»Sag mal, was haste nur mit deinen Haaren angestellt?« Damit quälte sich der unangenehme Überraschungsbesuch hoch und schlurfte auf sie zu. »Ham uns Sorgen um dich gemacht. Wo warste nur, Süße? Heidi hat jeden Tag paarmal angerufen.« Er strich eine ölige Haarsträhne zurück. »Is sicher nich leicht für dich, das mit Edna. Aber so geht das mit dich nich weiter, Schuleschwänzen und Rumtreiben und so. Du packst jetzt mal schön deine Klamotten zusammen und kommst mit! Die Jungs freun sich schon. Wo nächste Woche doch die Ferien anfangen, is Heidi heilfroh, wenn du auf die Racker 'n Auge hast.«

Amy rang nach Luft. Was jetzt? Alles war für ihre Reise nach Irland perfekt eingefädelt, und ausgerechnet jetzt tauchte dieser widerliche Ken auf und vermasselte ihr die Tour. »Äh …«, setzte sie an, ohne zu wissen, was sie eigentlich sagen sollte.

Ken legte seinen fleischigen Arm um ihre Schultern. »Mach zu, Mädelchen, sonst erwischen wir den Flieger nich! Muss morgen den Mais spritzen. Hab mir heut extra für dir freigenommen!« Wieder grinste er breit und streckte dabei die Zungenspitze durch eine Zahnlücke zwischen den Vorderzähnen. Sein beißender Schweißgeruch, der sich mit den Restmolekülen eines billigen Rasierwassers zu einer fatalen Mischung verband, verkleisterte ihr die Nase. Sie kämpfte gegen das Gefühl, sich übergeben zu müssen. Angewidert tauchte sie unter seinem Arm durch und steuerte auf ihr Zimmer zu. Ken folgte ihr. Er lehnte schwer und unbezwingbar wie eine Bulldogge am Türrahmen, während Amy mit bebenden Fingern ihre Reisetasche unter dem Bett hervorzerrte.

Ken kratzte sich am Doppelkinn. »Edna hat sich wohl nich gemeldet?«

Amy schüttelte den Kopf.

»Dumme Sache!« Ken nickte bedauernd. »Kannst bei uns bleiben. Ein Maul mehr is auch ne Hand mehr, sagt man bei uns. Sone Farm kriegt schon paar Leute satt. Und für son junges Ding isses Landleben allemal besser als die Stadt.«

Verbissen stopfte Amy ihre Sachen in die Tasche. Bullshit! Sie hatte heute sowieso packen wollen. Hatte sich richtig drauf gefreut. Europa –

Irland, wo ihre Familie herkam, und dazu noch mit Josie zusammen! Und sie war so gespannt auf Moma. Vor allem aber musste sie Edna finden.

Und jetzt sollte sie mit Sack und Pack nach Prattville, auf eine Farm am Arsch der Welt. Sie schielte zu dem Fleischberg in den kurzen Hosen hinüber, der mit einem Taschenmesser in den Trauerrändern seiner Fingernägel pulte. Es musste einen Ausweg geben! Okay, an dem fetten Ken kam sie nicht vorbei. Die Feuerleiter konnte man nur von Ednas Zimmer aus erreichen. Jetzt half nur ein Wunder.

Eine plötzliche Eingebung lenkte Amy Blick zu ihrer Samttasche, die sie in der Hektik auf die Bettdecke geworfen hatte. Für einen Moment hielt sie inne. Dann sah sie hoch und machte eine Kopfbewegung Richtung Tür.

»Onkel Ken ... Kann ich mich noch umziehen?«

Der Onkel grinste zufrieden. »Ja, zieh dich mal was Hübsches über, siehst ja aus wie'n Totenvogel in dem schwarzen Fummel.« Selbstgefällig über seinen schwachen Witz grunzend, schloss er die Tür hinter sich.

Eilig warf Amy die Mappe mit dem Familienstammbaum und den Fotos, die sie für Josies Großmutter schon bereitgelegt hatte, in ihr Gepäck. Dann fischte sie in äußerster Anspannung in ihrer Samttasche. Hatte der Vogelmann nicht gesagt, die Drachenfibel solle ihrem Schutz dienen? War auch ihre Fibel durch ihr Blut magisch geworden? Kaum hielt sie das Schmuckstück in der Hand, fühlte sie überrascht, wie es sich erhitzte. Das Purpurherz leuchtete auf und sprühte Funken, als würde glühendes Eisen geschmiedet. Eine purpurrote Aura umgab ihren Körper wie eine Art Heiligenschein. Obwohl sie, außer dem, was sie in Büchern gelesen hatte, nichts über Magie wusste, war ihr intuitiv klar: Jetzt hieß es, sich voll und ganz zu konzentrieren. – Hoffentlich gelang ihr das bei all der Aufregung. Sie schulterte die Reisetasche und stellte sich vor die Wand, die das Zimmer vom Hausgang trennte. Von einem Plakat blickten die Jungs ihrer Lieblingsboygroup auf sie herab und lächelten, als fänden sie ihr Vorhaben mehr als albern.

»Sorry!« Genervt fetzte Amy das Poster von der Tapete. Mit einem tiefen Atemzug versuchte sie, sich zu sammeln. Dann berührte sie mit der Drachenfibel die Wand und schloss die Augen. Sie stellte sich vor, wie das

Mauerwerk weich wurde und ihren Fuß umhüllte wie Grütze. Wie sie mit dem ganzen Körper in eine breiige Masse eintauchte und wie sie außerhalb der Wohnung wieder aus der Wand heraustrat.

Behutsam streckte sie das rechte Bein vor. War die Wand bereits weich geworden oder bildete sie sich das bloß ein? Sie gab etwas Druck. Nein, das klappte noch nicht! Heiße Wellen trieben ihr den Schweiß aus den Poren. Aber es musste klappen! Es musste einfach! Ihr Herz schlug wie ein Schnellfeuergewehr, ihre Stirnader pochte im selben rasenden Takt. Sie bemühte sich, gleichmäßig zu atmen. Immer mit der Ruhe, Amy!, befahl sie sich. Dann kam ihr eine Idee. Mit geballter Vorstellungskraft stellte sie sich alles nur erdenklich Weiche vor, Butter, Eiscreme, Badeschaum, und hob langsam den Fuß. Und dann geschah das Unfassbare. Ihre Schuhspitze bohrte sich in die Wand. Sie riss die Augen auf. Das Kristallherz glühte noch immer, dazu sprühte es jetzt wie ein rotes Tischfeuerwerk. Sie streckte die Hand aus. Die Mauer fühlte sich an wie Kuchenteig. Sie wagte einen Schritt ...

»Amy, Süße, mach! Beeilung!« Kens Stimme erreichte sie, als sie eben den Kopf auf den Gang streckte.

Amy spürte, wie sich augenblicklich alles um sie herum zusammenzog. Noch ehe sie recht begriff, wie ihr geschah, steckte sie fest. Shit, sie hatte sich ablenken lassen! Von Sekunde zu Sekunde wurde ihr eng und enger. Das Atmen fiel ihr schwer. Hier kam sie nicht mehr raus. Sie war verloren – in Stein und Mörtel. Jede Faser ihres Seins – ein Hilfeschrei.

»Wenn Ihr das Fatale denkt, kann der Zauber nicht gelingen«, drang eine ruhige, ernste Stimme in das Chaos ihrer Gedanken. »Nur Zuversicht und fester Glaube wird Erfolg Euch bringen.«

Ihr verzweifelter Blick traf auf ein handgroßes Geschöpf mit einem Mantel aus schwarzen Federn, das, ihr genau gegenüber, auf einem Feuerlöscher saß. Das musste der Vogelmann mit dem seltsamen Namen sein, den sie bisher nur als Amsel kannte. Urplötzlich war sie sicher, dass sie gerettet war, und ebenso urplötzlich gab die Materie, die sie gefangen hielt, ihren Körper frei. Taumelnd entstieg Amy der Wand. Das Vogelwesen verneigte sich.

Die Reisetasche glitt zu Boden. Amy presste beide Hände an den Brustkorb und japste nach Luft.

»Bist du ...?«

»Druid Dubh – Ihr seid im Bilde«, sagte der Vogelmann ruhig. »Der Hilferuf klang durchs Gefilde. Die Fibel tat, was Ihr gedacht. Magie gehorcht der Worte Macht.«

Amy fühlte sich so ausgelaugt, als hätte sie einen Marathonlauf hinter sich. Entgeistert drehte sie sich um. Die Wand schien unverändert. Der pastellgrüne Farbanstrich des Hausgangs war abgeblättert wie eh und je. Nichts wies darauf hin, dass soeben ein Mädchen mit einer großen Reisetasche hindurchgetreten war. Als sie sich wieder umwandte, um sich bei Druid Dubh zu bedanken, war der geheimnisvolle Bote Narrandas verschwunden.

Da Amy sich nicht traute, in die Wohnung zurückzukehren, blieb sie an diesem Abend bei Josie. Weil sie ohnehin in den frühen Morgenstunden einchecken mussten, war es so auch viel einfacher, pünktlich zum Flughafen zu kommen.

»Es ist gut, dass du endlich eine Freundin gefunden hast!«, sagte Dr. Thaddäus Stark zu seiner Tochter, als Amy im Bad war. »Sie scheint mir weitaus mehr als eine Freundin zu sein – geradezu unheimlich viel mehr.«

Josie, die gerade ein zusätzliches Kissen und eine Decke aus einem Wandschrank zerrte, lächelte ihm glücklich zu. »Ja, das ist sie!«

Ihr Vater drehte sich zum Fenster und blickte abwesend auf die nächtliche Straße. »Dabei habe ich das Genmaterial eigenhändig geprüft und es zur Sicherheit noch von einem meiner Studenten analysieren lassen. Mit demselben Ergebnis, einem Ergebnis, das es nach den Regeln der Wissenschaft einfach nicht geben kann.«

Josie, die eben die Couch aufklappte, sah hoch. »Vielleicht gibt es ja Dinge, die sich wissenschaftlich noch nicht erklären lassen.«

Taddy nickte bedächtig. »Quantenphysik«, murmelte er. »Es gibt auch in der Quantenphysik unvorhersehbare Ereignisse. Was hat

Einstein gesagt? – Gott würfelt nicht!« Kopfschüttelnd zog er sich in sein Zimmer zurück.

Eine halbe Stunde später lagen zwei Mädchen auf der Schlafcouch. Eines von ihnen schlief schon. Das andere lag wach. Josie stützte den Ellbogen auf. In dem spärlichen Licht, das von der Straße durch die Vorhänge sickerte, betrachtete sie Amys blasses Gesicht. Wie konnte sie nach einem derart aufwühlenden Erlebnis nur so ruhig schlafen?

Sie kringelte behutsam eine von Amys schwarzen Locken um den Zeigefinger. Ihr Haar fühlte sich an wie ihr eigenes, fest und etwas störrisch. Morgen schon würde ihr gemeinsames Abenteuer beginnen, ein höchst beunruhigendes und ungewisses Abenteuer, das sie allein niemals wagen würde. Ein tiefes Gefühl der Dankbarkeit erfüllte sie, Dankbarkeit, dass Amy da war, in ihrem Leben war. Eine Gefährtin, eine Freundin – eine Schwester.

2

Eirinn

Arkadiens Waldungen sind tot,
Ihr alter Frühling ist vorbei;
Einst war der Welt das Träumen Brot;
Von grauer Wahrheit blieb nur Tändelei;
Noch fiebert sie, die niemals ruht –
Doch o krankes Weltenkind,
Von all den wandelbaren Dingen,
Die müd vorbeigewirbelt sind
Zu Chronos' brüchigen Gesängen,
Sind nur Worte sich'res Gut.

WILLIAM BUTLER YEATS
(1865–1939), irischer Dichter*

Das Flugzeug setzte mit einem Ruck auf dem Rollfeld auf, Bremsen quietschten ohren- und nervenbetäubend wie Kreide auf einer Tafel, nur unendlich viel lauter. Unwillkürlich griff Josie nach Amys Hand.

»Sehr geehrte Fluggäste, herzlich willkommen in Dublin. Bitte bleiben Sie noch angeschnallt sitzen, bis wir die endgültige Parkposition erreicht haben und die Anschnallzeichen erloschen sind. Es ist 17 Uhr 30 Ortszeit. Hier erwarten Sie einundzwanzig Grad, allerdings bei Gewitterneigung. Kapitän Seegal und seine Crew verabschieden sich von Ihnen und wünschen Ihnen einen schönen Aufenthalt auf der Grünen Insel.«

Josie blickte aus dem Fenster. Grün? Außer dem Unkraut am Rand des Rollfelds – Fehlanzeige. Beton, Asphalt, weiter vorn ein moderner, weißer Gebäudekomplex. Frankfurt, Chicago, Dublin. Flughäfen schienen überall auf der Welt gleich auszusehen. Hoffentlich fanden sie den Busterminal und hoffentlich erwischten sie den Bus Richtung Slane. Sie kramte in ihrer Jacke nach dem Ausdruck mit der E-Mail, die ihre Großmutter ihr geschickt hatte. Moma war schon seit vorgestern in Galbridge. Sie hatte einen günstigen Last-Minute-Flug buchen können und wollte die Zeit nutzen, sich nach einem Quartier umzusehen, in dem auch Amy und Edna, von der Moma glaubte, sie würde bald nachkommen, Platz hatten. Es war ausgemacht, dass sie bei der Busstation am Rathaus von Galbridge aussteigen sollten. Moma würde sie dort abholen. »Springwood Manor, Galbridge«, buchstabierte Josie leise. Na, wenigstens hatten sie die Adresse des Professors, falls sie den Bus verpassen sollten. Sie stellte ihre Armbanduhr auf Ortszeit und hielt sie Amy unter die Nase. »In einer Dreiviertelstunde geht schon der Bus, hoffentlich schaffen wir das. Fürchte, das wird definitiv knapp!«

»Ist doch noch ewig hin, bisher hat doch alles wie am Schnürchen geklappt.« Amy streckte sich. »Ich bin steif wie ein Besenstiel.«

Josie lächelte nervös. Wenigstens blieb Amy cool.

Wie eine Schafherde, die man zum Scheren treibt, mäanderte eine schier endlose Schlange zwischen Absperrseilen zur Passkontrolle. Offenbar waren gleichzeitig zwei weitere Maschinen gelandet. Als sie dann auch noch auf ihr Gepäck warten mussten, steigerte sich Josies Nervosität ins Unerträgliche. Dicht an dicht schoben sich die Leute um das Transportband. Obwohl es dafür viel zu warm war, schloss Josie den Reißverschluss ihrer Jacke. Vorsicht war besser als Nachsicht. Geld und Pass trug sie in einer kleinen Tasche um den Hals. Flughäfen waren beliebte Ziele von Taschendieben, das war ja allgemein bekannt. Während sich der Uhrzeiger erbarmungslos weiterdrehte, erschien endlich Amys Reisetasche. Die Mädchen quetschten sich nach vorn, wobei sie plötzlich von zwei nicht eben großen Männern in schwarzer Lederkluft angerempelt wurden. Josie beäugte sie argwöhnisch. Warum trugen die hier drin Sonnenbrillen und warum hatten sie mitten im Sommer Wollmützen auf, die bis über die Ohren reichten? Rocker? Gehörten die zu diesen berüchtigten Hells Angels? »Gosh!«, zischte Amy. »Die stinken ja wie die Pest!«

Obwohl Josie angewidert den Kopf wegdrehte, entging ihr nicht, dass sich einer der Kerle Amys Reisetasche vom Band schnappte. Empört stürzte sich Amy nach vorn und versuchte, ihr Eigentum zurückzuerobern, aber der andere hielt sie am Arm zurück. Amy versuchte, ihn abzuschütteln. »Hey, das ist meine!«

Mit einem unverschämten Grinsen, das eine Reihe gelber Zähne zur Schau stellte, ließ der Taschenräuber seine Beute fallen. Amy riss sie mit einer wütenden Bewegung an sich. Als sie wieder hochsah, waren die zwei bereits in der Menschenmenge untergetaucht.

»Diese verdammten Stinker!« Amy rollte die Augen.

»Vielleicht haben sie deine Tasche mit ihrer verwechselt.« Josies Blick wanderte unruhig von Gepäckstück zu Gepäckstück. »Gott sei Dank, da hinten kommt er ja endlich!« Sie eilte ihrem Koffer einige Schritte entgegen und wuchtete ihn vom Band. Als sie zurückkam, wendete Amy mit hochrotem Gesicht und völlig außer sich ihre Jacke von innen nach außen. »Bullshit!«

Josie sah sie erschrocken an.

»Meine Tasche. Meine Samttasche ist weg!«

»Ach du Schande!« Josie blickte suchend auf den Boden. »Du musst sie verloren haben.«

Amys Augen blitzten. »Diese Schweine! Holy Shit!« Sie stampfte mit dem Fuß auf. »Klassisch gelaufen. Einer lenkt ab, der andere klaut. Das mit der Reisetasche war nur Bluff. Die hatten es auf meine Handtasche abgesehen.«

»Die Drachenfibel!« Josie wurde blass. »Du hattest sie doch in der Tasche?«

Amy nickte verzweifelt. »Was machen wir jetzt?«

»Wir müssen zur Flughafenpolizei«, entschied Josie. »Wenn sie die Männer schnappen, brauchen sie eine Adresse.«

»So ein Mist!« Amy verzog das Gesicht. »Dann können wir den Bus wirklich vergessen.«

Josie zuckte die Achseln. »Wir nehmen ein Taxi. Das hier ist definitiv ein Notfall. Es sind etwa dreißig, vierzig Meilen nach Galbridge – wird schon nicht die Welt kosten.«

Es dauerte fast eine Stunde, bis die Mädchen endlich aus der Flughafenhalle traten. Der Beamte, der die Anzeige aufgenommen hatte, hatte ihnen wenig Hoffnung gemacht. Vielleicht tauchte die Tasche in einem Mülleimer wieder auf, aber Wertgegenstände wie Geld oder Schmuck sollten sie besser abschreiben. Mit einem Seufzer und der Bemerkung, dass manchmal ja auch Wunder geschähen, hatte er schließlich die Adresse des Professors auf dem Anzeigebogen notiert.

Am Taxistand herrschte lebhaftes Kommen und Gehen.

»Welches nehmen wir?« Amy sah sich suchend um.

Josie deutete eben auf einen silbergrauen Rover, als mit quietschenden Reifen eine altmodische schwarze Limousine hielt.

Über Amys Gesicht ging ein Leuchten. »Kultige Kiste!«

»Okay, nehmen wir sie!« Auch Josie reizte das behäbig anmutende Oldtimertaxi mit dem verchromten eckigen Kühlergrill.

Ein schmächtiger Fahrer mit schwarzer Chauffeurmütze stieg aus und öffnete den Kofferraum. Obwohl ihn die Mädchen noch gar nicht angesprochen hatten, schien er sicher zu sein, die Tour zu bekommen.

»Wir müssen nach Galbridge«, sagte Josie. »Was kostet das?«

Der Mann wuchtete mit einem für seine Größe erstaunlich kraftvollen Schwung Josies Koffer in den Gepäckraum. Während er eine völlig aus der Mode gekommene dunkel getönte Brille zurechtschob, beantwortete er erst jetzt Josies Frage: »Umsonst sind weder Tod noch Leben!«

Seine Stimme klang wie die eines kleinen Mädchens, fistelig, beinahe unangenehm schrill. Amy zeigte Josie verstohlen den Vogel, als der Fahrer nun auch ihre Reisetasche verstaute.

Josie grinste ihr vielsagend zu und fasste sich, mit einem Kopfnicken in Richtung des Taxifahrers, ans Ohr.

Dann sah es Amy auch. »Gosh!«, zischte sie.

Beide Ohrläppchen des Taxifahrers waren bis zur Ohrmuschel hoch geschlitzt und sahen aus wie die gespaltene Zunge einer Schlange. Josie zog eine Grimasse. Der Typ schien ziemlich schräg zu sein. Sicher war er auch gepierct und tätowiert. Sie musterte ihn unauffällig, aber der schwarze Doppelreiher, so altmodisch wie das Taxi, ließ nicht das kleinste Stückchen Haut hervorblitzen.

Amy öffnete die Wagentür und stieg ein, Josie folgte ihrem Beispiel. Sie versanken in der ausgeleierten Polsterung abgeschabter schwarzer Ledersitze. Ein geschlossenes Glasfenster trennte den Fahrgastraum von dem des Fahrers. Es war eines dieser alten London-Taxis, die Josie aus ihrem Englischbuch kannte.

Mit einem Knall, der den ganzen Wagen erschütterte, schloss sich der Kofferraum. Dann kletterte der kleinwüchsige Fahrer hinters Steuer und ließ den Motor an. Der Blitzstart, den er hinlegte, presste die Mädchen in die Sitze zurück. Josie sah sich nach Gurten um, aber das alte Auto besaß keine. Sie klammerte sich an einer der antiquierten Halteschlaufen fest.

Amy feixte. »Die alte Rumpelkiste hat ja richtig Power! Hätt ich nicht gedacht!«

Josie hob die Augenbrauen, Amy schien das Tempo, das der Schlitzohrige aus dem Oldtimer herausholte, zu amüsieren. »Verkehrsregeln gibt es hier wohl keine«, bemerkte sie nervös, als sie bei Rot über eine Ampel rasten.

»Du solltest öfters mal in Chicago Taxi fahren.« Amy zwinkerte ihr zu. »Dagegen ist das hier eine Postkutschenfahrt.«

Josie presste die Lippen zusammen. Ihr Magen grummelte bedrohlich. Sie holte tief Luft. An dem wüsten Fahrstil des Taxifahrers ließ sich nichts ändern, am besten sie lenkte sich damit ab, ein paar erste Eindrücke von Irland zu erhaschen. Die Linke verkrampft in die Schlaufe gekrallt, blickte sie aus dem Fenster.

Während der ersten Meilen konnte sie zu ihrer Enttäuschung noch immer keinen Hinweis darauf finden, warum Irland »Grüne Insel« genannt wurde. Sie hatte sich alles ganz anders vorgestellt. Irgendwie sahen heute nicht nur Flughäfen, sondern auch Städte überall ähnlich aus. Da sie stadtauswärts fuhren, bekamen sie von Dublin nur Vororte mit. Wohnblocks, Reihenhäuser, vierspurige Straßen, Tankstellen, Einkaufszentren. Josie fragte sich, warum man Irland immer mit Mythen, Elfen und Zwergen in Verbindung brachte. Die meisten Fantasy-Bücher, die sie kannte, spielten hier. Wieso eigentlich? Allmählich wurden die Häuser spärlicher, dann kamen sie durch ein Industriegebiet mit Fabrikhallen und Lagerhäusern. Wie romantisch!

Josie hatte sich eben ernüchtert zurückgelehnt, als Amy sie anschubste. »Sieh mal!«

Josie beugte sich vor, um einen Blick durch die Trennscheibe zu erhaschen. »Mann, die sieht ja irre aus!«

Einige Meilen entfernt thronte auf einer Anhöhe ein graues

Steingemäuer, eine Trutzburg mit Zinnen und Wehrtürmen. Darüber bäumten sich schwarze Wolken über dem ohnehin schon grauen Himmel. Ein idealer Schauplatz für eine Tolkien-Verfilmung. Vor Josies innerem Auge preschte Aragorn auf seinem Pferd Roheryn den Hügel herunter. Es gab das mythische Irland also doch noch.

Es gab aber auch das grüne Irland noch, wie Josie kurz darauf erleichtert feststellte. Als sie das Gewerbegebiet hinter sich gelassen hatten, öffnete sich vor ihnen eine sattgrüne Landschaft, Felder und Weiden, mit Hecken und Steinmäuerchen abgegrenzt, dazwischen eine kleine Schafherde, die von zwei Collies bewacht wurde. Josie wünschte sich, der Kerl am Steuer würde etwas langsamer fahren. All die schönen Bilder rauschten wie im Zeitraffer an ihnen vorüber. Aber der Fahrer drückte weiter aufs Gas, als wolle er den Grand Prix gewinnen. Auf Kontakt zu seinen Fahrgästen legte er anscheinend nicht viel Wert. Seit sie eingestiegen waren, hatte er nicht ein einziges Wort an sie gerichtet. Josie überlegte, ob er sie durch den Rückspiegel beobachtete. Aber seine dunklen Brillengläser verrieten ihn nicht.

Josie spähte nervös aus dem Autofenster. »Da zieht was auf. Sieht verdammt nach Gewitter aus.«

Amy warf ihr einen belustigten Blick zu. »Fürchtest du dich etwa?«

»Quatsch!« Josie schüttelte verstimmt den Kopf. »Aber Taddy sagt, die Wahrscheinlichkeit, vom Blitz getroffen zu werden, ist viermal höher, als die, im Lotto zu gewinnen.«

Amy lachte. »Nicht alles, was ein Vergleich ist, hinkt. Mach dir keine Sorgen, im Auto kann uns nichts passieren. Faraday'scher Käfig. – Schon mal gehört?« Sie nahm Josies Hand in die ihre und tätschelte sie. »Es wird alles gut, die liebe Amy ist bei dir.«

Josie zog in einer betont beleidigten Geste die Hand zurück. Es wurmte sie zwar, dass Amy sie aufzog. Doch andererseits – es war tatsächlich ein gutes Gefühl, dass »die liebe Amy« bei ihr war.

Die finsteren Wolkengebirge des herannahenden Wetters verschmolzen mit der Dämmerung, die allmählich schon den Tag verdrängte. Innerhalb weniger Minuten verschwand die Landschaft im Rachen der Dunkelheit. Auch im Wageninnern war es stockdunkel geworden, nur das Armaturenbrett glomm in schwachem Blau.

Zu allem Überfluss begann der Wagen nun zu holpern, als ginge es über einen Feldweg. Warum machte der Idiot da vorn nicht endlich die Scheinwerfer an?

Josie suchte Amys Hand, ihre Stimme vibrierte. »Die Lichter scheinen nicht zu gehen. Der Typ muss von der Straße abgekommen sein.«

Ein Blitz durchschnitt die Schwärze. Sie zuckte zusammen.

Amy klopfte an die Trennscheibe. »Hallo, sind die Scheinwerfer hinüber?«

Der Fahrer reagierte nicht. Unbeirrt jagte er das alte Taxi über das unebene Gelände.

Josies Nasenflügel bebten. »Riechst du das?«

Amy schnupperte in die Finsternis. »Meine Nase ist völlig verstopft. Wahrscheinlich die trockene Luft im Flieger. Vielleicht ist ja irgendwo gedüngt worden. Onkel Ken fährt andauernd Mist auf seine Felder.«

Josie presste die Kiefer aufeinander. Der durchdringende Geruch, das Geholper, dieser ganze wahnwitzige Blindflug durch das Gewitter ... War ihr die ganze Zeit über schon flau gewesen, wurde ihr jetzt richtig übel. »Ich glaub, mir wird schlecht!«

»Gosh!« Amy trommelte wütend an die gläserne Trennwand. Als wieder keine Reaktion kam, tasteten ihre Hände nach dem Schieber. Mit einem erbosten Ruck stieß sie die Scheibe auf.

Ein Schwall von Schwefel knallte ihnen entgegen. Amy fuhr zurück. Das roch sie jetzt auch! – Und es kam nicht von draußen! Sie hielt sich die Nase zu und klopfte dem Fahrer, der reglos wie eine Schaufensterpuppe am Lenkrad klebte, auf die Schulter.

»Hey, sind Sie taub? Halten Sie an! Meiner Freundin ist schlecht!«

Diesmal antwortete er. Ohne sich umzudrehen, und mit einer diabolischen Süße in der Fistelstimme, dass es Amy die Haare aufstellte: »Geduld, mein Kind, wir sind gleich da.«

»Mach bloß wieder zu!«, zischte Josie. »Ich kotz gleich alles voll.«

Amy schloss, nach Luft schnappend, die Scheibe und ließ sich zurück in den Sitz fallen. »Der hat doch 'ne Vollmeise! Da stimmt irgendwas nicht«, flüsterte sie Josie zu. »Die Sache stinkt – buchstäblich.«

»Ob das Taxi uns direkt in die Anderwelt bringen soll?« Josies Augen, die sich allmählich an die Dunkelheit gewöhnt hatten, lagen bang auf dem schwarzen Schattenriss des obskuren Fahrers. Sie kämpfte mit Brechreiz.

»Das glaub ich nicht.« Amy versuchte das Seitenfenster zu öffnen, aber der Drehmechanismus klemmte. Sie beugte sich über Josie und versuchte es an dem anderen Fenster. Dasselbe. »Shit!« Enttäuscht zog sie sich auf ihren Sitz zurück.

Josie konnte nicht mehr klar denken. »Ich sterbe. Wenn der nicht sofort anhält, kann ich für nichts garantieren.«

Sie verdrehte die Augen. Ihr war inzwischen alles egal. Das Gewitter, der unheimliche Fahrer, sie wollte nur eines: raus!

Unerwartet bremste der Wagen und blieb stehen.

»Gott sei Dank!« Mit einem erleichterten Stöhnen öffnete Josie die Wagentür. Regen empfing sie. Es blitzte in rascher Folge. Donner grollte. Sie hob das Gesicht zum Himmel und sog gierig frische Luft in ihre Lungen. Sauerstoff! Ahh!

Im Licht der aufzuckenden Strahlen erkannte sie die Umgebung nur schemenhaft. Soviel sie sehen konnte – weit und breit kein Haus. Bäume, Büsche, Wiesengrund, direkt vor ihnen, ein eigenartiger Steinhaufen aus mannshohen Felsbrocken. Ein Blitz, der

wie ein feuriger Drache über den Himmel raste, erinnerte sie daran, dass es sicher nicht besonders klug war, bei einem Gewitter neben einer Metallkarosse zu stehen. Sie wollte Amy, die ebenfalls ausgestiegen war, und auf der anderen Seite des Wagens besorgt in ihre Richtung blickte, gerade warnen, als ein Tosen und Surren ihre Aufmerksamkeit nach oben riss.

Aus den dunklen Wolkenmassen quollen in rasender Schnelle gespenstische Schatten. Das Tosen und Surren formte sich zu Hundegebell und Pferdegetrappel. Dazwischen Schreie, Klingenschlagen und frenetisches Kreischen. Josies Stirnader schwoll, als wolle sie jeden Moment bersten. Dann waren sie direkt über ihnen. Tausende. Ganze Heerscharen von furchterregenden Gestalten auf sechsbeinigen, rabenschwarzen Rössern mit blau glühenden Augen, deren Hufschläge wie Donnerschläge hallten. Die Reiter, nicht weniger schrecklich. Dunkle schemenhafte Kreaturen in schwarzen Rüstungen, von denen Josie nur die Augen klar erkennen konnte, kalt strahlend wie Laser. Klirrend und Funken sprühend schlugen ihre Schwerter aneinander. Salven von Blitzen durchschnitten den Himmel. Dazwischen in wildem Galopp durchdringend johlende Geister auf schwarzen Säuen. Und Hunde. Eine fürchterliche Meute schwarzer, heulender Riesenköter mit bulligen Körpern und monströsen Köpfen, manche von ihnen groß wie Kälber. Schwefel schwängerte die Luft. Josie rang nach Atem.

Dann löste sich ein Trupp schwarzer Reiter aus der tobenden Menge und jagte senkrecht auf sie zu. In strudelnder Angst tastete sie nach dem Gürtelbund. Ihre Finger umklammerten die Drachenfibel. Ein Gefühl von Wärme schoss durch ihren Körper, ein purpurroter Schein hüllte sie ein. Mit markerschütterndem Gebrüll wichen die Unholde zurück.

Dann ein Schrei, der Josies in die Eingeweide fuhr. Ein Schrei der Todesangst.

»NEIIIIN! – JOSIIEEE!

Josie erwachte aus der Paralyse und wirbelte herum. Aber Amy war wie vom Erdboden verschluckt. Sie hatten sie mit sich gerissen. Wie vom Schlag getroffen stand sie da. Träumte sie? Den schrecklichsten Albtraum ihres Lebens? Kaum einen Wimpernschlag später erklang ein gewaltiges Dröhnen. Unter Knarren und Rollen, das ihre Knochen vibrieren ließ, schoben sich die Steinblöcke auseinander. Ein unergründlicher Schlund klaffte in der Erde wie eine tiefe Wunde. Eiseskälte durchbohrte Josie wie Nadelstiche. Frostiges Licht flackerte empor. Schwefel, blau flammender, bestialisch stinkender Schwefel. In rasender Geschwindigkeit weitete sich die unheilvolle Öffnung. Dann preschten die wilden Reiter unter ohrenbetäubendem Brausen hinein, als würden sie von einem übermächtigen Magneten angezogen.

Mit einem Donnerschlag, der den Jüngsten Tag anzukündigen schien, schloss sich das grauenvolle Portal. Dann war alles ruhig, von einer verhängnisvollen Ruhe, die den Schrecken noch in sich trug.

Bewegungslos starrte Josie auf den Steinhaufen. Regen rann in Bächen über ihr Gesicht. Dass sie völlig durchnässt war, und ihre Zähne vor Kälte klapperten, spürte sie nicht. Sie spürte überhaupt nichts. Die grenzenlose Angst war einer inneren Leere gewichen. Alles in ihr war tot. Wie lange sie so stand, hätte sie später nicht mehr sagen können. Ein Gedanke, schmerzlich wie ein Dolchstoß brachte sie jäh zur Besinnung.

Amy! Sie musste sie finden!

Die dunkelste Schwärze war mit dem abziehenden Gewitter gewichen, grau-trübe Dämmerung hüllte alles ein. Josie versuchte, sich zu orientieren. Jetzt erst bemerkte sie, dass auch das Taxi verschwunden war, gerade so, als hätte es sich in Nichts aufgelöst. Zu ihrer Überraschung fand sie im nassen Gras Amys Reisetasche, daneben ihren eigenen Koffer. Was sollte sie jetzt bloß tun? Verzweifelt tappte sie in Richtung des Steinhaufens. Ihre Füße versanken im aufgeweichten Boden. Schlamm schmatzte unter ihren Sohlen.

»Amy!« Wieder und wieder rief sie Amys Namen, obwohl sie genau wusste, dass es sinnlos war. »Amiiiie!« Ihre Stimme verklang mit dem in der Ferne rollenden Donner.

Nachdem sie den Steinberg umrundet hatte, gab sie entmutigt auf. Sie konnte hier nichts mehr für Amy tun. Alle Dämme brachen, sie heulte laut los, verzweifelt und wütend. Ihre Tränen mischten sich in den Regen, der sich über den grausigen Ort ergoss, als wolle er all das, was eben hier passiert war, wegwaschen.

Josie wischte sich übers Gesicht und warf die klatschnassen Haare zurück. Sie wuchtete Amys Reisetasche hoch und zog den Teleskopgriff ihres Rollenkoffers heraus. Dann ging sie einfach los, ohne ausmachen zu können, wohin der Weg sie führte. In ihren Schuhen stand Wasser, die Hosenbeine schlackerten feucht um ihre Knöchel. Die unförmige Reisetasche schwang bei jedem Schritt bleischwer um ihren Oberkörper. Verdammt! Warum hatte sie aber auch ihr Handy nicht mit? Mit zusammengebissenen Zähnen zerrte sie an dem Koffer, dessen kleine Rollen auf dem weichen Untergrund ihren Dienst versagten. Wütend packte sie ihn am Bügel und stapfte weiter. Mit jedem Meter wurden ihr die Arme schwerer. Was für eine idiotische Idee war es nur gewesen, so dicke Bücher einzupacken! Für einen Moment überlegte sie, ob sie nicht wenigstens diesen Ballast abwerfen sollte. Aber schon der Gedanke bereitete ihr dermaßen Widerwillen, dass sie ihn sofort wieder aufgab. Von Minute zu Minute näherte sich die Dämmerung der Nacht. Dunkelheit und Nässe hüllten sie ein. Dann stolperte sie. Fluchend lag sie halb auf Amys Tasche, halb im Morast. Sie jaulte laut auf, als sie sich erbost wieder hochstemmte. Verdammt, warum hatte sie sich auf dieses ganze verrückte Abenteuer überhaupt eingelassen? Noch während sie damit haderte, ging ihr auf, dass sie gar keine Wahl gehabt hatte. Auf eine Weise, die sie nicht verstand, hatte man sie ausgewählt. Und warum ausgerechnet sie? Aber das hatte ihr der geflügelte Bote wohl aus gutem Grund vorenthalten. Wo waren sie denn jetzt – die Feen? Mutlos fuhren ihre Finger über das kalte Metall der Drachenfibel. Sie fühlte sich so leer! So erschöpft! So ausgelaugt! So verlassen! Ihre Bitterkeit schlug in Wut um.

»Wollt ihr mir nicht helfen?« Ihr verzweifelter Schrei hallte durch die Dunkelheit. Er war noch kaum verklungen, als sich eine Melodie in das Rauschen des Regens mischte. Flügelschlagen folgte.

»Druid Dubh?« Josie blinzelte in den schwarzen Regen.

»Die Fibel dient als Instrument für Euer magisches Talent, das tief in Eurem Herzen wohnt und Euch soeben hat verschont vor der wilden Horden Jagd. – Da Ihr's nicht wisst, sei's Euch gesagt: Dies raubte Euch viel Energie, erneuern muss sich die Magie.«

Josie kniff die Augen zusammen, um schärfer sehen zu können. Im Restlicht der Dämmerung sah sie ihn auf dem Koffer sitzen, den kleinen Vogelmann mit dem schimmernden Federmantel.

»Wo ist Amy? Was ist nur passiert?«, stieß sie aus.

»Sie haben diesen Teil gewonnen, Dykerons üble Höllenmeute! Sie trug die Fibel nicht besonnen, drum wurde sie zu leichter Beute. So konnt' der dunkle Plan gelingen, doch noch die Jungfrau zu erringen, für das scheußlich bitt're Los. – Des Bösen Macht ist leider groß.«

Josie entnahm den Andeutungen Druid Dubhs, dass es etwas gab, das er ihr vorenthielt. Etwas Bedrohliches, etwas Schlimmes. Ihr Herz schlug scharf und schmerzhaft. »Welches Los? Was wird jetzt mit ihr!« Josie schrie es in die Nacht. »Warum rettet ihr sie nicht?«

Aber der kleine Vogelmann schwieg.

»So antworte doch!«

Endlich rang er sich zu einer Erwiderung durch und seufzte. »Es liegt nicht in der Feen Hand. Denn alles an der Träume Rand wird durch das menschlich' Herz gebannt. Ihr müsst beharrlich sein und ringen. Zweifel, sei er noch so klein, vereitelt das Gelingen.

Nur Glaube, Mut und Zuversicht wird Euch den Sieg erbringen.«

Josie biss sich auf die Lippe. Wie sollte sie Amy helfen? Sie wusste ja nicht mal, wovor und wo sie war. – Und Zuversicht? Ihre Zuversicht hatte definitiv den Nullpunkt erreicht! Dabei hatte sie noch Schweineglück gehabt. Amy machte wahrscheinlich gerade die Hölle durch. Der Gedanke daran umklammerte Josie wie eine Würgeschlange. »Was soll ich nur tun?«

»Vertraut, dass sich die Dinge finden, und hört auf Eures Herzens Rat, dann werden alle Fragen schwinden, und glücken wird Euch Tat um Tat. Auch werden Helfer Euch begleiten, im Reich der Dinge und der Feen, die fest an Eurer Seite streiten und Euch treu zu Diensten stehn.«

Josie schnürte sich der Hals zu. Sie wusste plötzlich: Das hier war nur der Auftakt, der Auftakt zu einem höchst gefährlichen Abenteuer, in dem man ihr die Hauptrolle aufgezwungen hatte. Wie kamen die nur darauf, dass sie Mut hatte? Sie war alles andere als mutig! Sie wollte nur eins: in die schützenden Arme ihrer Großmutter fallen und sich trösten lassen.

Druid Dubh richtete sich auf. »Findet das Tor zum Gold'nen Land, das als Narranda ist bekannt. Dies ist der erste Schritt zum Ziel in unserem Mirakelspiel.«

Mit einem knappen: »Lebt wohl!«, schwang er sich hoch und verschwand in der Dunkelheit.

Enttäuscht sah sie in die Richtung, in die er weggeflogen war. Na, super! Warum schafften es eigentlich diese Höllenmonster, ein Taxi nach Belieben her- und wegzuzaubern? Das Gold'ne Reich der Feen! – Pah! Wo waren denn die guten Feen? Sie strich über die Drachenköpfe. Die Fibel würde ihr heute also nicht mehr weiterhelfen. Ihre magische Energie war erschöpft. Nicht nur ihre *magische* Energie. Sie selbst fühlte sich ganz und gar wie ein nasser Lappen.

Mürrisch riss sie die Gepäckstücke wieder hoch. Obwohl der Regen inzwischen etwas nachgelassen hatte, bemerkte sie jetzt, dass Nässe durch ihre Kleider sickerte. Wann würde sie endlich zu einer Straße kommen? Irland war über weite Flächen grün. Was wenn sie – orientierungslos, wie sie war – in die falsche Richtung ging? Es half nichts. Sie musste auf ihr Glück vertrauen – und war es nicht genau das, was Druid Dubh von ihr verlangte? Zuversicht.

Mit zusammengebissenen Zähnen setzte sie einen Fuß nach dem anderen, konzentrierte sich einfach aufs Gehen. Rechts, links. Endlos, immer rechts, links. Endlich durchbrach ein Lichtstrahl die Nacht, das Geräusch eines Motors folgte. Eine Straße! Sie musste ganz in der Nähe sein!

Josie raffte alle Reserven zusammen und schleppte sich weiter. Endlich stand sie auf dem harten, nass glänzenden Asphalt einer Landstraße. In ihrem Kopf brummte ein Hornissenschwarm. In ihre Handflächen hatten sich die Griffe der schweren Gepäckstücke schmerzhaft eingegraben. Vor Kälte bibbernd kauerte sie sich auf ihren Koffer. Sie fühlte sich vollkommen ausgepumpt! Hoffentlich nahm sie jemand mit.

Um diese Zeit war kaum noch Verkehr. Sie musste schier endlos auf ein Auto warten. Obwohl sie mit letzter Kraft aufsprang und beide Arme hob, raste es vorbei. Jetzt erst kam ihr, dass sie sich auf der falschen Straßenseite aufgebaut hatte. Dieser verdammte Linksverkehr! Mit der Körperspannung einer weich gekochten Makkaroni quälte sie sich gerade mitsamt Koffer und Reisetasche über die Straße, als ein Auto bremste und anhielt.

Eine Frau ließ das Fenster herunter. »Hóigh? – Dé tha a'dol?«

Josie schlich völlig erschöpft näher. »Ich versteh Sie nicht«, sagte sie kaum hörbar auf Englisch.

»Was ist denn mit dir los? Du gütiger Himmel! Du bist ja völlig durchnässt!« Die Frau klang zutiefst erschrocken.

Ohne ein weiteres Wort zu verlieren, sprang sie aus dem Wagen, riss die Beifahrertür auf und half Josie fürsorglich beim Einsteigen. Nachdem sie das Gepäck im Kofferraum verstaut hatte, nahm sie ihren Platz am Steuer wieder ein. Josie hing mehr im Sitz, als dass sie saß. Im Licht der Innenbeleuchtung erkannte sie durch die halbgeschlossenen Lider ein breites freundliches, rotbackiges Gesicht mit hellen Augen, die sie besorgt musterten. »Was ist denn mit dir passiert?«

Josie hob matt die Hand. Sie war nicht imstande, irgendetwas zu erzählen – geschweige denn die abenteuerliche Geschichte, die sie erlebt hatte und die ihr ja doch niemand glauben würde. Ihr wurde schwummrig, alles drehte sich, als hätte man sie hundertmal im Kreis gewirbelt.

Die Fremde tätschelte beruhigend ihren Arm. »Es wird alles gut, Schätzchen. Kannst du mir wenigstens sagen, wo du hinmusst?«

Josie deutete müde auf ihre Jackentasche.

»Darf ich?« Ohne Josies Antwort abzuwarten, zog die Frau den Zettel mit der Adresse O'Reardons hervor. »C eart go leor! Springwood Manor.« Sie nickte. »Ich weiß, wo das ist – gar nicht weit von hier.« Mit der Rechten angelte sie eine Decke von der Rücksitzbank und deckte Josie damit zu. Dann ließ sie den Wagen an. Josie versank in einem traumlosen Schlaf.

Als Josie erwachte, blickten ihr, von den flackernden Flammen eines Feuers bizarr beleuchtet, die finsteren Augen eines Kobolds entgegen. Josie fuhr erschrocken hoch.

Dann kristallisierte sich das Koboldgesicht allmählich als Schnitzwerk an einem deckenhohen Bücherregal heraus, das einen großen, offenen Kamin umrahmte, in dem ein anheimelndes Feuer prasselte. Sich selbst fand sie in einem dicken blau-rot gestreiften Herrenbademantel auf einem Sofa, sorgsam zugedeckt mit einem wollenen Fransenplaid. Gegenüber zwei Ohrensessel, über dem, der dem Kamin näher stand, hingen ihre feuchten Kleider, dazwischen ein kleiner Tisch im dunklen Holz der Bücherwand, die sich über alle vier Wände erstreckte und mit dem geschnitzten Sims einer aufwendig getäfelten Kassettendecke abschloss.

»Du bist aufgewacht! Gott sei Dank!« Schnelle Schritte klackerten übers Parkett wie Kastagnetten.

Josie sackte zurück. »Moma!« Sie schloss für einen Moment erleichtert die Augen.

Ihre Großmutter setzte sich neben sie und strich ihr über die Stirn. »Du kannst dir nicht vorstellen, was ich ausgestanden habe, als ihr nicht aus dem Bus gestiegen seid. – Was war denn bloß los?«

Josie schüttelte matt den Kopf. »Später, Moma, später.« Sie fühlte sich wie ein ausgehöhlter Kürbis.

»Ist sie wach?«, erkundigte sich eine klangvolle männliche Stimme auf Englisch.

»Ja«, flüsterte Moma. »Aber sie ist noch sehr erschöpft.«

Der Mann musste Professor O'Reardon sein. Josie wandte müde den Kopf zur Seite. »Hi«, sagte sie schwach.

»Willkommen in Springwood Manor.« Ein älterer Herr, die Hände in den Hosentaschen einer ausgebeulten Jeans, zerknittertem hellen Hemd und einer braunen Weste, mit Spuren, wie sie nur Lieblingsstücke tragen, lächelte sie unter einem weißen Schnurrbart an.

»Ruh dich aus! Dann erzählst du uns alles. Allerdings ...« Er hielte inne, als wäge er ab, ob er Josie nicht doch gleich darauf ansprechen sollte. Dann strich er sich unschlüssig über das dichte, silbergraue Haar, das sich im Nacken zu einer eigenwilligen Locke kringelte, und räusperte sich. »Allerdings machen wir uns Sorgen um deine Freundin. Du hast ihre Tasche mitgebracht – aber wo ist das Mädchen?«

Josies Körper verspannte sich. Die Erinnerungen an den durchlittenen Albtraum rasten durch ihr Gehirn. Gleichzeitig überlegte sie, was sie antworten sollte. Amy war entführt worden. Wenn sie das jetzt sagte, hieß das Polizei und haufenweise Fragen, die sie nicht beantworten konnte, ohne für verrückt erklärt zu werden.

Die bange Erwartung ihrer Antwort hing wie ein Nebel im Raum und schnürte Josie fast die Kehle ab. Dann hörte sie sich mit erstickter Stimme sagen: »Dorchadon. Sie haben sie geholt.«

Wie ein Donnerschlag platzten ihre knappen Worte in die Stille. Die Gesichtszüge des Professors versteinerten zu einer zementgrauen Maske.

»Dorcha…?«, wiederholte Moma beunruhigt. »Und wer …?« Sie blickte von Josie zum Professor und wieder zu ihrer Enkelin.

Josie warf die Hände vors Gesicht. »Es war alles so furchtbar!«

»Die Prophezeiung«, murmelte der Professor tonlos. Seine Augen irrlichterten über die Bücherwände, dann steuerte er wie ein Schlafwandler eines der Regale an, fingerte nervös seine Brille aus der Westentasche und erklomm die Bücherleiter.

Moma beobachtete ihn in einer Mischung aus Neugier und Besorgnis. »Was hat das alles zu bedeuten, Aaron?«

Aber der alte Herr antwortete nicht, er war völlig in seine Suche vertieft.

»Gott sei Dank, das Exemplar scheint so weit in Ordnung zu sein!«, sagte er, nachdem er offensichtlich gefunden, wonach er gesucht hatte, und kletterte mit einem in abgeschabtes braunes Leder gebundenen Folianten von der Leiter.

Trotz ihrer Erschöpfung ließ Josie kein Auge von ihm. Was wusste er über Dorchadon? War er etwa schon einer der Gefährten, von denen Druid Dubh gesprochen hatte?

Ohne weitere Erklärungen ließ sich Aaron O'Reardon mit dem schweren Band in einem der Ohrensessel nieder. Seine von Altersflecken gesprenkelten Hände fuhren zitternd über den Einband. Als er ihn öffnete, wirbelte der Staubnebel eines fast vergessenen Buchs hoch.

Moma stand auf, rückte eine altmodische Stehlampe näher zu ihm hin und schaltete sie ein. »Was ist das?«

Der Professor blätterte wortlos eine brüchige Seite nach der anderen um. Dann schien er gefunden zu haben, wonach er gesucht hatte. Sein Zeigefinger glitt über die Zeilen eines vergilbten Blatts. Stockend begann er zu lesen.

»Und es wird kommen eine Zeit, in der, was einst der hohen Barden Gut, verlischt durch blindes Wort und Denken. Und des Vergessens graue Nebel verdunkeln das einst Gold'ne Reich. Dann blüht des Widersachers Macht, des schwarzen Fürsten Dorchadons. Im Reich Narranda sinkt der Gold'ne Thron und wird zum Fraße der Dämonen. Weh dem Geschlecht der Sterblichen! Kein Glaube, keine Zuversicht wird trösten ihre armen Seelen, wenn einstmals die Schatten herrschen. Und bis zum Untergang der Welten Wehklagen in den Äther steigt.«

Der Professor hob den Kopf und blickte gedankenvoll ins Kaminfeuer. »Ich fürchte, es ist so weit. Die Kräfte der Finsternis gewinnen an Boden. Sie manifestieren sich in der Menschenwelt.«

»Was ist das für ein Buch, Aaron?«, wiederholte Moma ihre Frage, doch diesmal bebte ihre Stimme.

Der alte Herr setzte die Brille ab und sah sie ernst an. »Caliesins Buch der Prophezeiungen.«

»Caliesin? Wie eigenartig!«, sagte Moma gedehnt. »Das war doch ein Barde aus dem sechsten Jahrhundert.« Sie wandte sich zu Josie, die mit aufgerissenen Augen zuhörte. »Barden waren Dichter und Sänger. Hoch angesehene Leute, die herumzogen und den Menschen die alten Mythen und Geschichten erzählten.«

»Du hast recht, Dorothy«, sagte der Professor. »Und Caliesin gehörte zu den berühmtesten seiner Zunft. Er war mit Hellseherei begabt. Viele seiner Prophezeiungen sind eingetroffen und manche werden sich wohl noch erfüllen. Und ich befürchte, diese hier ...«, mit einer schweren Bewegung legte er die Hand auf die Buchseite, »beginnt gerade, sich zu verwirklichen.«

Moma schüttelte ungläubig den Kopf. »Ich werde grade von einem Déjà-vu überrollt. Der Text der Prophezeiung stimmt auf frappierende Weise mit der Grundidee zu meinem Roman überein. Einige Figuren aus den alten irischen Mythen – deshalb bin ich ja auch hier – werden eine Schlüsselrolle spielen. – Ein Kampf zwischen hellen und dunklen Mächten. Bis jetzt habe ich zwar nur einen groben Entwurf, aber die Handlung spielt sowohl in der Wirklichkeit als auch in der sogenannten Anderwelt. – Und …« Sie rieb sich die Stirn. »Zwei Mädchen, Freundinnen, die magische Kräfte in sich tragen – was sie zunächst jedoch noch nicht wissen –, sind in die Geschehnisse verwickelt. Ist das nicht merkwürdig?«

»Weiß Gott!« Der Professor warf ihr einen eindringlichen Blick zu. »Seit der ersten E-Mail, die du mir geschrieben hast, hatte ich ein schwer zu fassendes Gefühl, Dorothy. Zwischen deinen Zeilen steckte mehr als die bloße Frage nach den alten irischen Geschichten. Ich kann nicht sagen, wieso – aber so war es.« Er verstummte.

Für einen Augenblick lag zentnerschwere Stille über dem Raum.

Dann brach Moma das Schweigen. »Du meinst, wir sind nicht zufällig hier?«

Der Professor hob die buschigen Brauen. »Den Glauben an Zufälle hab ich schon lange verloren.«

Wie ein Schnappschuss blitzte Taddys ratloses Gesicht in Josie auf. Selbst sein fester Glaube an die Zufälligkeit von Ereignissen war vor Kurzem schwer erschüttert worden.

Das Gespräch ließ sie ihre Erschöpfung fast vergessen. Sie setzte sich auf. »Aber warum haben sie Amy geholt? Was nützt sie dem Herrscher Dorchadons, diesem – Dyk…« Sie suchte in dem Durcheinander ihrer Gedanken nach dem Namen.

»Dykeron?«, vervollständigte der Professor verblüfft. »Woher kennst du all diese Namen?«

»Von der Amsel«, antwortete Josie. Dann verbesserte sie sich: »Von dem kleinen Vogelmann in dem Federmantel.«

»Druid Dubh?« O'Reardon stockte. »Der Bote aus der Anderwelt?« Er strich sich mit den Händen übers Gesicht. »Eine uralte mythische Figur. Was geht hier vor?«

»Ich weiß es nicht.« Mit einem kleinen Stöhnen ließ Josie den Kopf wieder aufs Kissen plumpsen. »Aber wir – ich meine, Amy und ich stecken längst volle Pulle drin. Und ich kapier einfach nicht, wieso.«

Moma griff nach ihrer Hand. »Fühlst du dich schon stark genug, uns zu erzählen, was passiert ist?«

»Ich versuch's.« Und während die Blicke der beiden Erwachsenen gespannt auf ihr ruhten, begann sie zu erzählen. Von Anfang an. Von den mysteriösen Begegnungen mit der Amsel, von der Verwandlung des Vogels in Druid Dubh. Wie sie scheinbar zufällig Amy begegnet war, von Ednas dramatischem Verschwinden und von den Fibeln, die purpurrot leuchteten, als sie sich damit stachen. Auch was Druid Dubh zu ihr gesagt hatte, versuchte Josie, soweit sie es noch wusste, wiederzugeben.

An dieser Stelle horchte der Professor auf. »Das Erbe, das rechte Erbe«, murmelte er.

Als sie dann zu der Stelle kam, da Amy und sie das Taxi bestiegen hatten, raubte ihr das Grauen wieder den Atem und sie kämpfte mit den Tränen. Die noch allzu greifbaren Bilder rissen sie in die schaurige Nacht zurück. Stockend, doch so genau es ihr nur möglich war, beschrieb sie, was sie gesehen hatte.

Ihre Großmutter war von Minute zu Minute blasser geworden. »Diese Reiter«, flüsterte sie, als wage sie es nicht, dem Schrecken einen Namen geben. »Die Todesreiter – die Wilde Jagd.«

O'Reardon blickte sie betroffen an. »Sechsbeinige Pferde, die schwarzen Reitsäue. Zweifelsohne die Horden des Schwarzen Reichs.«

Die offensichtliche Bestürzung ihrer Zuhörer war Öl ins Feuer Josies eigener Ängste. Amys Schrei hallte wie ein tausendfaches Echo durch ihren Schädel. Sie holte tief Luft, als könne sie die schrecklichen Bilder wegatmen, und presste mit erstickter Stimme hervor: »Werde ich Amy wiedersehen?«

Der alte Professor registrierte das Entsetzen in Josies Augen. Sichtlich um ein tröstendes Lächeln bemüht, nickte er ihr zu. »Daran darfst du niemals zweifeln!«

Er setzte die Brille wieder auf und beugte sich über das noch immer aufgeschlagene Buch auf seinen Knien. »Lass mal sehen, was Caliesin weiter zu sagen hat.« Mit einem kleinen Hüsteln begann er. »Was hab ich zuletzt vorgelesen ...? – Ach ja, das hier: ›Und bis zum Untergang der Welten Wehklagen in den Äther steigt. – Doch ist das Glück ein Wandeltier, der Ausgang ist noch nicht entschieden. Denn menschlich' Herz, begabt mit rechtem Erbe, vermag Errettung bringen. Dass Gut und Bös, die Mächte, die sich ewig streiten, im Gleichmaß ihrer Kräfte bleiben.‹«

Während er las, fühlte Josie eine Hilflosigkeit, die ihr den Magen umdrehte. Mit der Schlagkraft eines Meteoriten überwältigte sie die Gewissheit, gemeint zu sein. Das unbeschreiblich beängstigende Gefühl, Teil eines nebulösen Plans zu sein, für den sie seit Urzeiten bestimmt war.

»Das rechte Erbe«, wiederholte O'Reardon ernst und lehnte sich zurück. »Hier drin steht diese seltsame Wendung. Wortwörtlich.«

»Das rechte Erbe?«, sagte Moma. »Hängt es vielleicht damit zusammen, dass mein Schwiegersohn anhand der Gentests herausgefunden hat, dass Edna und ich Halbschwestern sind?« Sie wippte nervös mit den Füßen. »Womit ja auch Amy und Josie verwandt sind. Es ist zwar wirklich ein unglaublicher Zufall, dass Josie ausgerechnet auf Amy getroffen ist – noch dazu in einer Stadt wie Chicago. Aber was hat das mit Narranda und Dorch...?«

»Dorchadon«, half ihr der Professor.

»Danke. – Was hat das alles mit Narranda und Dorchadon zu tun?«

Aaron O'Reardon zuckte unschlüssig mit den Schultern. »Das weiß ich nicht. Noch nicht. Aber ich bin sicher, wir werden es noch erfahren.«

Moma rieb sich die Schläfen. »Was Josie erzählt hat, hört sich an wie eine wilde Fantasie – ein fürchterlicher Traum.« Sie griff nach der Hand ihrer Enkelin. »Nicht dass ich dir nicht glauben würde,

Schatz. Aber wir haben eine große Verantwortung Amy gegenüber. Ich denke, wir müssen die Polizei einschalten.«

Josies Pupillen weiteten sich. »Was soll ich denen denn erzählen? Die schaffen mich doch sofort in die Psychiatrie. Und tun können die überhaupt nichts – ebenso wenig wie nach Ednas Verschwinden.«

Der alte Professor strich sich nachdenklich über den Bart. »Da ist was dran. An beidem. Einerseits hast du recht, Dorothy. Andererseits – das hier ist kein Fall für weltliche Mächte.«

Moma blickte den Professor zweifelnd an. »Oder wir sind alle auf dem besten Weg, die Wirklichkeit zu verlassen und uns in ein gemeinsames Trugbild hineinzusteigern?«

O'Reardon hob die Augenbrauen. »Was ist Wirklichkeit?« Er deutete mit einer schweifenden Handbewegung auf die unzählbaren Bände seiner Bibliothek. »Wir sind hier an einem ganz besonderen Ort. Diese Bücher sind seit Generationen von meinen Vorfahren zusammengetragen worden. Mein Großvater hat sie von seinem Vater geerbt und der von seinem und so weiter und so weiter. Ich habe sie wiederum von meinem Vater übernommen. Alles Bücher, die sich mit den großen Geschichten, Mythen und Märchen der Menschheit befassen, den Dichtungen der Barden und mit Zeugenberichten von Begegnungen mit der Anderwelt. Seit ich denken kann, hat mich diese magische Welt begleitet. Eine Welt, die – und davon bin ich überzeugt – ebenso wirklich ist, wie das, was wir gemeinhin Wirklichkeit nennen. Denn was ist denn wirklich?« Er legte eine Pause ein und beantwortete seine rhetorische Frage gleich selbst. »Wirklich ist, was wir fühlen und denken – und daraus entsteht, was wir wahrnehmen. Es gibt viele Wirklichkeiten. Doch diese ...«, er machte eine Kopfbewegung zu den Büchern hin, »ist eine bedrohte Wirklichkeit. Bedroht durch Vergessen. Während meine Vorväter die Sammlung um immer neue Schriften erweitern konnten, gelang das bereits meinem Vater nur noch in sehr begrenztem Maß. Und wenn ihr euch umseht, findet ihr leider nur sehr wenige aktuelle Bände, die die großartigen alten Geschichten noch erzählen.«

Josies Augen wanderten über die Regale.

Es stimmte. Es gab nur wenige bunt bedruckte, moderne Bücher. Die meisten zeigten ein ehrwürdiges Alter, waren in Leder gebunden und liebevoll mit goldenen Einprägungen versehen.

Und noch etwas fiel ihr auf. Auf nahezu jedem Regalbrett klafften zwischen den eng an eng stehenden Büchern vereinzelt Lücken.

»Fehlen da nicht welche?«, erkundigte sie sich.

Der Professor nickte verdrossen. »Allerdings. Seit geraumer Zeit zerbröseln manche Bücher buchstäblich zu Staub. Du ziehst einen Band heraus, und hast nur noch die Buchdeckel in der Hand, und auf dem Regal liegt ein Häufchen Dreck. Zum Auswachsen! Und ausgerechnet die besonders wertvollen Bücher – oft letzte, unersetzliche Exemplare. Ich kann mir beim besten Willen nicht erklären, wieso dieser Verfall neuerdings so schnell geht. Es geschehen überhaupt seltsame Dinge in letzter Zeit.«

Moma stöhnte. »Seltsam ist wirklich harmlos ausgedrückt.« Sie strich Josie über die Wangen. »Du bist noch ganz blass. Polizei oder nicht, klären wir morgen. Ich bring dich jetzt ins Bett. Unser Ferienhaus ist nur ein paar Meter von hier entfernt. Traust du dir zu, rüberzugehen?«

»Moment mal, Dorothy«, mischte sich der Professor ein. »Nachdem Edna und Amy ja unglücklicherweise nicht mitgekommen sind ...« Er zupfte sich verlegen am Ohr. »Nun, ich denke ... Ich denke, das Haus ist groß genug für uns drei. Wollt ihr nicht in Springwood Manor wohnen?«

Moma sah ihn mit einem Blick an, in dem etwas lag, das Josie noch nie vorher bei ihr gesehen hatte. »Wirklich?«

»Aber ja!« Der alte Herr lächelte. »Außerdem lass ich euch momentan nicht gern allein ...«

Moma zuckte zusammen. »Meinst du ...?« Sie sprach nicht zu

Ende, und Josie fühlte, dass sie eigentlich gar nicht so genau wissen wollte, was ihr Gastgeber tatsächlich meinte.

O'Reardon schloss den schweren Band, der noch immer auf seinem Schoß lag, und wuchtete ihn auf den Tisch. »Wir wollen uns keine unnötigen Sorgen machen. Aber Vorsicht ist die Mutter der Porzellankiste.«

Das Zimmer, in dem Josie am nächsten Morgen erwachte, stand in größtem Kontrast zu der dunklen Bibliothek, in der sie gestern Abend die Augen aufgeschlagen hatte. Durch ein großes, halb offenes Fenster wehte der Duft von Sommerjasmin. Sonnenstrahlen blitzten durch die Vorhänge und spielten mit dem Streifenmuster der Tapete, die oberhalb einer weiß gestrichenen Holzverkleidung die Wand zierte. Alles an diesem Raum war hell, freundlich und beruhigend. Der Horror, den sie durchgemacht hatte, kam Josie wie ein Albtraum vor, aus dem sie soeben glücklich erwacht war. Doch hielt dieses Hochgefühl nicht lange an. Wie ein vergifteter Pfeil schoss der Gedanke an Amy in ihr Bewusstsein. Wo war Amy jetzt? Würden sie sich je wiedersehen? Ein kleines Schluchzen kroch durch ihre Kehle. Dann gab sie sich einen Stoß und setzte sich auf. Nein, das durfte sie keinen Augenblick denken! Sie würden sich wiedersehen! Punkt!

Sie tastete unter dem Kopfkissen nach der Drachenfibel. Aber sie war nicht da. Josie überlegte. Sie hatte vor dem Schlafengehen noch geduscht, dann hatte sie die Fibel von der Jeans abgenommen und unters Kissen gelegt. Verdammt! Sie hob das Kopfkissen an. Nichts! Vielleicht war die Fibel ja runtergefallen? Sie beugte sich gerade aus dem Bett, als sie fühlte, dass etwas um ihren Hals baumelte. Erstaunt erkannte sie, dass es die Drachenfibel war, sorgsam an einem purpurfarbenen Satinband befestigt. Sicher hatte Moma das gestern gemacht, als sie schon eingeschlafen war. Eine gute Idee jedenfalls. Auf diese Weise hatte sie die Fibel immer nahe bei sich.

Ein leises Schnarren ließ sie den Kopf heben. Dann sah sie, wie sich im Paneel plötzlich eine niedrige, geschickt verborgene Tür öffnete. Sie hielt den Atem an. Ging dieser Wahnsinn gleich heute früh weiter? Fassungslos beobachtete sie, wie eine kleine Frau aus der Tür trat. Eine zwergenhafte alte Frau mit pausbäckigem Gesicht, in dem zwei liebenswürdige Grübchen wohnten. Unter einer weißen Spitzenhaube lugten weiße Haare hervor, von denen vereinzelte Kringel vorwitzig in die Stirn fielen. Sie trug einen bodenlangen hellbraunen Rock, unter dem die Spitzenbordüre eines üppigen Unterrocks hervorblitzte, darüber eine blütenweiße Schürze. Obenherum steckte die rundliche Zwergin in einem dunkelbraunen, geschnürten Mieder über einer hellen Leinenbluse. Ein starker blumiger Geruch ging von ihr aus. War das Lavendel? Josie starrte sie an. Träumte sie etwa noch?

»Junge Herrin, guten Morgen! – Mög' es ein Tag sein ohne Sorgen!« Mit einem Lächeln, so warm und freundlich, dass Josie trotz ihrer Verblüffung unwillkürlich zurücklächelte, fragte die kleine Frau, die jetzt mitten im Zimmer stand: »Habt Ihr denn auch wohl geruht?«

Josie nickte stumm.

»Das ist schön, das ist gut!« Die Zwergin strahlte. Sie raffte ihren Rock, knickste und verbeugte sich. »Euch stets zu Diensten: Rosalinde. Ich zähl von jeher zum Gesinde in diesem ehrenwerten Haus. Kenn jeden Winkel, jede Maus.« Sie hielt sich das fleischige Händchen vor den Mund und blickte Josie erschrocken an. »Nicht dass es hier viel Mäuse gäbe – man sagt halt so – ist nur Gerede.«

Die Worte sprangen über ihre Lippen, wie ein Bächlein über Steine springt, heiter und ohne Pause. Josie setzte eben zu einer Frage an, aber die kleine Frau plapperte schon weiter. »Ich hoffe, es ist Euch genehm – ich würde gern zur Hand Euch geh'n. Ein wenig räumen, Betten machen, all die kleinen, leid'gen Sachen …« Rosalinde deutete auf die Drachenfibel. »Auch hab ich mir erlaubt, zu binden die Fibel an ein Purpurband. Mitnichten darf sie je verschwinden, sie ist des Erbes Unterpfand.« Dunkelheit flog über ihr sonniges Gesicht wie ein Wolkenschatten über eine Sommerwiese. »Verliert Ihr sie ... Nicht auszudenken! – Und Unken ist von Übel nur! – Doch evoziert allein die Fibel Euere magische Natur.«

Obwohl sie genau wusste, dass sie da war, tastete Josie sogleich besorgt nach der Fibel.

Über Rosalindes herzförmigen Mund huschte ein entschuldigendes Lächeln. »Verzeiht, ich wollt Euch nicht belasten. Lasst sehn, was in dem Räderkasten!«

Damit nahm sie Josies Rollenkoffer in Augenschein, der noch von gestern Abend offen am Boden lag. Interessiert nahm sie ein Stück nach dem anderen heraus und legte es sorgfältig auf einen Stuhl. Schließlich hielt sie eine hellgraue Cargohose in ihren rundlichen Händchen.

»Was sind das bloß für garst'ge Dinger? Für eine Dame ...« Sie spitzte das Mündchen. »Nie und nimmer!«

Josie war bisher noch nicht zu Wort gekommen. Das Erscheinen der kleinen Geisterfrau hatte ihr die Sprache verschlagen. Doch jetzt meldete sie sich zaghaft zu Wort. »Das trägt man heute, es ist bequem.«

»Tsss!« Rosalinde spitzte den Mund. »Kommod mag dieses Beinkleid sein, doch die Bequemlichkeit allein bestimmt noch lang nicht, was sich schickt. Die Welt ist heut' gar zu verrückt!«

Unverständlich vor sich hin brummelnd legte sie die Hose zu den anderen Sachen und entnahm dem scheinbar leeren Koffer, zu Josies größter Überraschung, ein langes Puffärmelkleid aus zartlila Taft mit aufgestickten Lavendelblüten und einer purpurroten Seidenschärpe. Mit einem fröhlichen Nicken winkte sie Josie zu sich. »Wohlan, dies hier erscheint mir zwecklich für einen heit'ren Sommermorgen. Ein schönes Kleid und Sonnenstrahlen vertreiben alle düstern Sorgen.«

Josie sprang aus dem Bett. »Das ist ja süß! Wie kommt das denn in meinen Koffer?«

Über Rosalindes Gesicht huschte ein verschmitztes Lächeln. »Nun, junge Herrin – es war drin. Doch kam's Euch jetzt erst in den Sinn.«

Der Stoff knisterte, als Josie das Kleid über den Kopf zog. Obwohl es sich steif anfühlte, trug es sich unerwartet angenehm weich und wohlig und es duftete berückend nach Lavendel. Rosalinde reckte sich auf Zehenspitzen, um ihr beim Schließen der Schärpe behilflich zu sein. Josie drehte sich entzückt um die eigene Achse. Der duftige Rock schwang wie eine jubelnde Glocke. Wie lange hatte sie kein Kleid mehr getragen! – Warum eigentlich?

Rosalinde stand da, die Finger vor der Brust verschränkt, und begutachtete sie zufrieden. Josie sah sich nach einem Spiegel um. Auf den ersten Blick fand sie keinen, bis sie auf die Idee kam, den weiß gestrichenen Kleiderschrank neben dem Fenster zu öffnen. Alte Schränke hatten häufig Spiegel in den Innentüren. Und tatsächlich hatte sie damit den richtigen Riecher gehabt. Als sie jedoch ihr Spiegelbild erblickte, fuhr sie zusammen. Da stand ein rothaariges, ziemlich verstrubbeltes Mädchen in Unterwäsche. Von einem Kleid keine Spur. Und wo war Rosalinde geblieben? Erschrocken wirbelte sie herum. Aber die Zwergin stand hinter ihr. Josie sah verwirrt an sich herab. Das Kleid war da! Definitiv! Der Taft raschelte bei jeder ihrer Bewegungen. Nur im Spiegel war es nicht zu sehen. Schlagartig fiel ihr ein, dass Geister kein Spiegelbild hatten. Offenbar galt das auch für das Kleid, das der freundliche Hausgeist für sie hergezaubert hatte. Und wie war es mit dem Purpurband? Mit fliegenden Fingern zog Josie die Drachenfibel über den Kragen. Zu ihrem Erstaunen leuchtete ihr das hübsche Schmuckstück mitsamt Rosalindes Band im Spiegel entgegen. Sicher lag das an der Zauberfibel.

Josie seufzte. Es gab so vieles, was sie nicht verstand. Wenn der Spiegel das Kleid nicht abbildete, war es dann für andere überhaupt sichtbar? Sie erinnerte sich an das Märchen von *Des Kaisers neue Kleider*, in dem der Kaiser, im festen Glauben, ein Prunkgewand zu tragen, splitternackt durch die Straßen spazierte. Bei dem Gedanken, dass ihr womöglich etwas Ähnliches passieren könnte, wurde sie rot.

»Tut mir leid«, sagte sie, während sie sich schon nach hinten verrenkte, um die Haken der Schärpe zu öffnen. »Aber ich zieh wohl besser doch meine Hose an.«

Rosalinde schlug bekümmert die Augen nieder. »Wohl wahr, das Kleid ist nicht von hier. Obgleich Ihr darin eine Zier, zieht besser dieses Ding da an, weil Euereins es sehen kann.« Mit spitzen Fingern reichte sie Josie die unscheinbare Cargohose.

Josie war gerade in das erste Hosenbein geschlüpft, als es klopfte. »Josie, bist du schon wach?«

Rosalinde deutete mit dem rechten Zeigefinger auf sich und legte den linken beschwörend auf die Lippen. Josie hatte verstanden. »Ich komm gleich«, rief sie Richtung Tür, während sie die Hose vollends überstreifte.

Aber da stand ihre Großmutter schon im Zimmer. »Wie geht es dir heute Morgen, Liebling?«

Josie war überzeugt, dass Moma Rosalinde, die noch immer neben ihr stand, sehen würde. Aber zu ihrer Verwunderung nahm Moma die pummlige Zwergin, die ihrerseits Josies Großmutter neugierig musterte, ganz offensichtlich nicht wahr.

Ihre Augen schweiften durch den Raum. »Ein schönes, helles Zimmer. Aaron sagte, es habe schon früher als Mädchenzimmer gedient. Springwood Manor ist, seit es erbaut wurde, im Besitz der O'Reardons.« Sie ging zum Fenster und schob den Vorhang beiseite. »Sieh nur diesen herrlichen Garten! Ein kleines Paradies. Und wie das duftet!« Sie schnupperte. »Lavendel! Das ist eben die Grüne Insel! Es regnet zwar häufig, aber Pflanzen lieben so ein Klima.«

Ihr Ton klang vordergründig heiter, dennoch schwangen Nervosität und Besorgnis mit. Wenngleich sie wohlweislich nicht darüber sprachen, fühlten beide deutlich: Es lag etwas in der Luft, etwas Unfassbares, Bedrohliches. Moma ging zur Tür. »Kommst du zum Frühstück runter?«

»Gleich.« Josie nahm ein frisches T-Shirt vom Stuhl und zog es über. »Ich muss nur noch ins Bad.«

Als ihre Großmutter das Zimmer verlassen hatte, drehte sich Josie zu Rosalinde um. »Sie kann dich nicht sehen? Wieso?«

Rosalinde stopfte geschäftig eine Locke unter die Haube. »Das Erbe ist ihr angeboren, doch wurde sie nicht auserkoren, das Abenteuer zu besteh'n. – Es würde ihr wohl kaum gefallen – doch trägt sie großen Teil an allem, wie die Dinge weitergeh'n.«

Josie hatte kein Wort verstanden, nur so viel, dass anscheinend allein sie das Privileg hatte, Rosalinde zu sehen. »Gibt es eigentlich noch mehr Geister hier im Haus?«

Jäh verfinsterte sich Rosalindes Miene und ihre Stimme klang, als hätte sie einen Stein verschluckt. »Es gab einst eine gute Zeit, da lebten von uns viele hier. Heut sind wir nur mehr noch zu zweit.« Sie ließ die Schultern hängen. »Es quält die wunde Seele mir.«

Josie setzte eben an, sie nach dem anderen Hausgeist zu fragen, als Rosalinde abwehrend mit den Händen wedelte, als wolle sie ihre traurigen Gedanken verscheuchen wie eine lästige Fliege. »Nun denn – ich sprech nicht gern von üblen Dingen. Solch' Reden nichts als Unheil bringen. – Ich dien Euch gern, doch schweiget still, wie es die alte Sitte will. Wir zeigen uns nicht jedermann und der Zauber brechen kann, wenn der Mensch, der auserwählt, leichtfertig von uns erzählt.«

Josie ging zur Tür. »Na gut. Ich behalte es für mich. Obwohl ich's schade finde. Moma würde dich bestimmt mögen.« Sie nahm zögernd die Klinke in die Hand. »Seh ich dich wieder?«

»Wir werden uns bald wiederseh'n, ich komm zu Euch, sooft ich kann.« Rosalinde verzog verschmitzt den Mund. »Und falls entbehrlich etwas Rahm – würd ich ihn sicher nicht verschmäh'n.« Mit einem kleinen Kichern leckte sie sich über die Lippen wie eine vernaschte Katze und machte sich dann diensteifrig daran, Josies Nachthemd zusammenzufalten.

Schmunzelnd ging Josie hinaus.

Das Bad mit den hübschen weißen Fliesen, in die reliefartige rote Rosen eingearbeitet waren, lag direkt neben ihrem Zimmer. Nach einer flüchtigen Morgentoilette trat sie in den düsteren, halbhoch vertäfelten Flur. Irgendwie fühlte sie sich unbehaglich. Wurde sie beobachtet? Wer hauste noch hinter den vielen Holzverkleidungen? Aber anscheinend suchte der zweite Hausgeist momentan nicht den Kontakt zu ihr. Und Josie war auch nicht scharf darauf. *Eine* Zwergin – so liebenswürdig Rosalinde auch war – war genug für den heutigen Tag.

Der Flur, von dem rechts und links Türen abgingen, endete mit einer Treppe aus dunklem Nussbaumholz, deren Baluster zu Fratzen und verschlungenen Ranken ausliefen. Ein hohes, bunt verglastes Fenster erhellte das Treppenhaus.

Josie blieb stocksteif stehen. Im Zentrum der kunstvoll gearbeiteten floralen Motive prangte ein Symbol, das ihr mehr als vertraut war: ein Stab, um den sich zwei Schlangen wanden, eine dunkle und eine helle. Durch das Purpurherz zwischen den Drachenköpfen bohrte sich ein rot glühender Sonnenspeer. Was hatte es mit diesem Zeichen nur auf sich? Sie nahm sich vor, den Professor danach zu fragen.

Noch während sie darüber nachdachte, lenkte ein unerwartetes Geräusch ihren Blick nach unten. Wie vom Donner gerührt blieb sie stehen. Ein riesiger grauer Hund, dessen Schultern ihr bestimmt bis zur Taille reichten, stand auf der Treppe und musterte sie aufmerksam. Er setzte eben an, näher zu kommen, als eine männliche Stimme ertönte. »Wolf! Bei Fuß!«

Der Hund wandte den Kopf, drehte sich dann vollends um und stakste, mit seiner langen Zottelrute freudig wedelnd, die steilen Stiegen zu seinem Herrn hinunter.

Josie löste sich aus ihrer Erstarrung. Eigentlich mochte sie

Hunde sehr. Aber dieser hier war wirklich Respekt einflößend. Zu seiner enormen Größe gaben ihm sein zerzaustes Fell und sein athletischer Körperbau etwas Wildes, wenngleich sie im Blick seiner Bernsteinaugen keinerlei Aggression entdeckt hatte.

»Guten Morgen!«, begrüßte sie der Professor. »Hoffe, du hast gut geschlafen« Er tätschelte den Hund am Hals. »Sorry. Aber Wolf war wohl zu neugierig auf dich. Gestern Abend hab ich ihn weggesperrt, er sollte dich nicht erschrecken, wenn du aufwachst. Eigentlich wollte ich ihn dir heute persönlich vorstellen, aber jetzt ist er mir zuvorgekommen.«

Erleichtert lief Josie die letzten Stufen zur Diele hinunter und ging auf den Hund zu. »Was ist das für eine Rasse?«

Wolf beschnupperte interessiert die Hand, die Josie ihm hinstreckte.

»Ein Irish Wolfhound«, antwortete der Professor. »Er ist schon zehn Jahre alt – ein hohes Alter für einen Hund seiner Größe. Aber außer den weißen Barthaaren um die Schnauze, sieht man ihm die Jahre kaum an. – Obwohl der alte Knabe fauler geworden ist.« Er hielt inne und zwinkerte Josie zu. »In diesem Punkt haben wir etwas gemeinsam.«

Sie strich über das raue, drahtige Fell. »Er ist riesig!«

»Weiß Gott! Irische Wolfshunde sind meines Wissens die größte Hunderasse der Welt. Und sicher auch eine der ältesten. Schon vor Urzeiten setzte man sie zur Jagd ein, sie sind nämlich sehr ausdauernde Läufer.«

»Kein Wunder bei den langen Beinen.« Josie grinste. »Jedenfalls muss man sich nicht bücken, wenn man ihn streichelt.«

»Er scheint dich zu mögen.« Der alte Herr lächelte. »Er hat ein ausgezeichnetes Gespür für Menschen. – In der isländischen Brennu-Njáls-Saga – du weißt ja, dass die alten Mythen mein Steckenpferd sind – wurde schon vor mehr als tausend Jahren ein irischer Wolfshund beschrieben. Da heißt es sinngemäß: Er wird deine Feinde anbellen, niemals aber deine Freunde. Er wird jedem am

Gesicht ablesen, ob er gegen dich Gutes oder Schlechtes im Schilde führt. Und er wird sein Leben für dich lassen.« Er klopfte Wolfs Hals. »Ja, Irish Wolfhounds sind gute, treue Kameraden – immer ein Drama, wenn wieder einer an Altersschwäche stirbt. Aber ich kann mir ein Leben ohne gar nicht mehr vorstellen, deshalb muss auch immer sofort ein Nachfolger her. Von meiner Kindheit an gerechnet, ist Wolf nun bereits der sechste Hund, der mit mir das Leben teilt. Diese Hunderasse gehört zu Springwood Manor wie die Bibliothek. Schon meine Urgroßeltern hatten einen. Und alle hießen Wolf.«

»Na, ihr zwei!« Moma kam auf sie zu. »Maude hat das Frühstück für uns auf der Terrasse hergerichtet. Der Tee wird noch kalt.«

»Die gute Maude ist meine Haushälterin«, erklärte der Professor, ehe Josie die Frage, die ihr bereits auf der Zunge lag, stellen konnte. Der Duft von gebratenem Speck und Würstchen schwebte durchs Erdgeschoss und begleitete sie ins Freie, wo ein üppig gedeckter Tisch sie erwartete.

Die »gute Maude« hatte einiges von Rosalinde, wie Josie fand, als sie wenig später bei strahlendem Sonnenschein auf dem Freisitz frühstückten. Aaron O'Reardons Perle war nicht sehr groß. Ihr rundlicher Körper formte unter der blau-weiß gestreiften Kittelschürze weiche Schwünge. Ihre Züge waren derber als die der Zwergin, jedoch nicht unfreundlich. Josie roch Äpfel und Bohnerwachs, als Maudes raue, rote Hände eine geblümte Teekanne aus Wedgwood-Porzellan über ihre Tasse hielten. »An ólfaidh tú cupán tae?«

»Maude, Sie müssen mit dem Mädchen Englisch sprechen. Josie versteht kein Gälisch – auch wenn man sie mit ihren roten Haaren für eine Irin halten könnte.« Der Professor zwinkerte Josie zu.

Maude strich mit dem Arm verlegen eine braune Haarsträhne aus dem Gesicht. »Möchtest du eine Tasse Tee?«, fragte sie auf Englisch.

»Danke, gern.« Josie schob ihr die Tasse hin.

Die Terrasse lag zwei Stufen erhöht über dem Niveau des kurz geschorenen, sattgrünen Rasens und erstreckte sich über die gesamte Länge des Gebäudes. Vier große Glastüren mit weiß gestrichenen Sprossen führten aus den Räumen des Erdgeschosses ins Freie. Schwere Tröge, üppig mit karmesinroten Pelargonien, lilafarbenen Petunien und blauen Lobelien bepflanzt, schafften einen fröhlich bunten Übergang von den grauen Bruchsteinplatten zu einem Garten, wie in Josie noch nie zuvor gesehen hatte. Wirklich ein kleines Paradies, wie Moma vorhin gesagt hatte. Der Garten prunkte im Sommerkleid. Wicken, Cosmeen, Phlox und überall mannshohe Fuchsienbüsche, an der Hauswand kletterte eine rotviolette Rose. Eine sanfte Böe fächerte ihnen ihren lieblichen Duft zu.

Ein Rosenblatt landete auf Josies Teller. Sie nahm es in die Hand und betrachtete es überrascht. »Eigenartig, das sieht aus wie ein Herz.«

Der Professor sah sie verwundert an. »Die Blütenblätter von Rosen sind immer herzförmig, ist dir das nie aufgefallen?«

Josie schüttelte den Kopf und biss nachdenklich in ihren Toast.

Moma stellte ganz in Gedanken ihre Teetasse ab. »Ich weiß nicht«, sagte sie und zupfte nervös am Tischtuch. »Ich finde immer noch, dass man die Ereignisse nicht einfach auf sich beruhen lassen kann. Die Sache mit Edna ist schon mehr als beunruhigend. Und jetzt ist auch noch ihre Enkeltochter wie vom Erdboden verschwunden. Ich denke wirklich, wir müssen auf alle Fälle die Polizei einschalten. Das sind wir Amy schuldig.«

Josie verzog das Gesicht. Ihr graute vor dem Gedanken, Rede und Antwort stehen zu müssen. Aaron O'Reardon zuckte mit den Schultern. »Wenn es dich beruhigt, Dorothy, fahren wir eben nachher in den Ort zur Garda.« Er sah Josie an. »Hast du eigentlich ein Foto von Amy?«

Josie schüttelte den Kopf. Dann kam ihr ein Gedanke. »Wo ist Amys Tasche?«

»In der Diele, soviel ich weiß«, sagte ihre Großmutter.

Josie lief ins Haus und wühlte aus Amys Sachen eine Schreibmappe heraus. Ungeduldig klappte sie sie auf. Gott sei Dank! Amy hatte trotz des Überraschungsbesuchs ihres Onkel die Familienunterlagen, die Aufnahme von Alan O'Leary sowie das Foto von sich und Edna eingepackt, genau, wie sie es ausgemacht hatten. Sie rannte zurück.

»Amy und Edna!« Atemlos reichte sie Moma das Bild.

Moma blickte es bewegt an. »Das ist also meine Halbschwester Edna.«

Der Professor erhob sich, um über Momas Schultern zu blicken. »Die Ähnlichkeit ist wirklich verblüffend. Und das Mädchen könnte Josies Schwester sein. Gibt es eigentlich auch ein Foto von dem Mann, der für alles verantwortlich ist?«

Josie zog das alte Schwarz-Weiß-Foto mit dem Porträt Alan O'Learys aus der Mappe.

Moma nahm es mit zitternden Händen entgegen. »Er ist es. Es ist genau das gleiche Foto, das auch ich habe. – Was für eine verrückte Welt!«

»Und hier ist der Stammbaum von Ednas Familie.« Damit legte Josie die Ergebnisse Alan O'Learys Familienforschung auf den Tisch.

Schweigend studierten Moma und der alte Herr die Aufzeichnungen. Dann rückte der Professor seine Brille gerade. »Diese Molly ...« Er zeigte mit dem Finger auf den Namen. »Eine Irin, sogar hier aus der Gegend. Sie ist nach Amerika ausgewandert. Das haben viele damals gemacht. Im 19. Jahrhundert herrschten fürchterliche Zustände in Irland, viele Menschen sind regelrecht verhungert.«

Josies Finger sprang von Generation zu Generation. »Und seht mal – ist das nicht eigenartig?« Dann erklärte sie den beiden Erwachsenen, was Amy und ihr aufgefallen war.

Als sie fertig war, sagte Moma leichenblass. »Josie hat recht, immer wenn ein Mädchen geboren wurde, passierte etwas Schreckliches. Keine der Frauen ist je glücklich geworden. Auch meine Mutter und ich hatten wenig Glück in der Liebe. Wenn man es nicht besser wüsste – würde man es für einen Fluch halten.«

O'Reardon nahm die Brille ab und richtete sich auf. »Dorothy«, sagte er, und seine Stimme klang, als hätte er Schleifpapier gegessen. »Es sieht fast aus, als läge tatsächlich ein Fluch auf euch. Ein Fluch der Sidhe.«

»Sidhe?« Josies Großmutter starrte ihn an. »Sind das nicht Feen?«

Der Professor nickte. »Das Wort ist altgälisch und bedeutet Friede – aber auch Wind. Bezeichnet werden damit die Hügel, in der man Feen vermutete, aber auch das Volk der Feen selbst. Man schreibt S-i-d-h-e, spricht aber *Schie*. Die Sidhe sind Nachfahren der Túatha Dé Danann, eines magiebegabten Volkes, das von der Göttin Danu abstammt und in grauer Vorzeit das heutige Irland besiedelt hat. Später wurden die Túatha Dé Danann von einem gegnerischen keltischen Volk, den Milesiern, besiegt, worauf sie sich in den Untergrund zurückzogen, in Erdhügel zum Beispiel – die deshalb auch Sidhe-Hügel genannt werden – oder Raths, das sind viereckige Anlagen, von denen noch heute etliche in der Landschaft zu finden sind. Auf jeden Fall zog sich dieses geheimnisumwitterte Volk in eine andere Dimension zurück, in die Anderwelt. Im *Lebor Gabála Érenn*, dem *Buch von Leinster* – einer Schrift aus dem 11. Jahrhundert – heißt es, die Sidhe seien sowohl Götter als auch Nicht-Götter. Soll wohl heißen, dass sie etwas dazwischen sind.«

Moma runzelte die Stirn. »Glaubst du etwa, dass an diesem Mythos etwas Wahres dran ist, Aaron?«

Aaron O'Reardon blickte sie ernst an. »An der Existenz und an den Zauberkräften der Sidhe zweifelten selbst die christlichen Mönche nicht, die die mündlichen Überlieferungen erstmals aufgeschrieben haben. Hier in Irland glaubten die Menschen bis in die jüngste Zeit noch an die Sidhe. Die Sidhe blieben nämlich stets in Berührung mit den Menschen, zumeist wohlgesonnen und hilfsbereit.« Er strich sich in einer unsicheren Bewegung über den Bart. »Doch gelegentlich wurden sie auch ungemütlich. Zum Beispiel, wenn sich ein Sterblicher mit einer der Ihren eingelassen hat. Solche Liebesverbindungen gingen meines Wissens immer tragisch aus.«

Josie wurde heiß und kalt. »Dann war diese Molly so eine Fee?«

»Das habe ich nicht gesagt. Molly wurde 1820 geboren, ich vermute, das – nun, nennen wir es ein Problem ...« Der Professor strich über das gelb gewordene Stück Papier. »Ich vermute, dass das Problem weiter zurückliegt.«

Josie fühlte, wie ihre Hände feucht wurden. »Aber das würde doch heißen, wir tragen Feenblut in den Adern!«

»Ich weiß es nicht. Möglich ist alles.« Er schwieg für einen Moment. »Da ist nämlich noch etwas ...«

»Was?«

Der Professor fuhr sich mit dem Daumen der rechten Hand von der Nasenwurzel zum Haaransatz. »Ihr habt alle das Zeichen.«

Josie befühlte ihre Stirn. »Die Ader?«

»Die Ader«, bestätigte O'Reardon ernst. »Nach altem Volksglauben ist es ein Feenzeichen.« Er hielt kurz inne. »Ein Zugang zum dritten Auge.«

»Drittes Auge?«, wiederholte Josie.

»Es heißt, Menschen, die eine besondere Verbindung zur anderen Seite haben, tragen auf der Stirn ein sogenanntes drittes Auge. Diese Vorstellung spielt in vielen Religionen eine Rolle, vor allem in Asien, aber auch der Islam und das Christentum kennen sie. Der Apostel Paulus nennt es in einem Brief an die Epheser das erleuchtete Auge des Herzens.«

»Folge deinem Herzen!«, murmelte Josie.

Moma, die während des Gesprächs den Stammbaum betrachtet hatte, hob den Kopf. »Aaron«, sagte sie streng – und doch hörte Josie ein kleines Zittern heraus. »Jetzt mach mal halblang! Deine lebenslange Beschäftigung mit diesen alten Geschichten raubt dir anscheinend völlig den Bezug zur Realität. Du schaffst es noch, Josie und mich völlig in diese Hirngespinste hineinzuziehen. Seit ich dich kenne, glaub ich ja schon bald selbst an Geister.« Mit einem unterdrückten Stöhnen stand sie auf. »So, und jetzt fahren wir zur Polizei nach Galbridge.« Sie warf Josie und dem Professor einen aufmunternden Blick zu. »Zurück in die Wirklichkeit, meine Lieben!« Damit marschierte sie ins Haus.

»Wirklichkeit? Was ist schon wirklich?«, brummelte der Professor vor sich hin, während er ihr folgte. Und Josie verstand genau, wie er das meinte.

Josie betrat das Gebäude der *Garda Síochána*, der Distriktpolizei in Galbridge, mit Ameisenkribbeln im Bauch.

»Sag ihnen einfach alles, was glaubwürdig ist«, hatte Moma ihr geraten. Nur, was war schon glaubwürdig an den Vorkommnissen der letzten Nacht?

Ein stämmiger Polizist mit rotem Gesicht und Doppelkinn, der sich als Superintendent Scott vorstellte, nahm an einem Schreibtisch, dessen alter, hölzerner Korpus die Narben von Jahrzehnten trug, das Protokoll auf. Zunächst wollte er alles über Amy wissen und welche Angehörigen benachrichtigt werden sollten, falls sie wieder auftauchte. Josie passte höllisch auf, sich nicht zu verplappern. Die Tornado-Story konnte sie ihm unmöglich auftischen, deshalb beschränkte sie sich auf die Aussage, dass Amy Waise sei – was ja der Wahrheit entsprach. Auf Drängen des Superintendents gab sie nur zögernd Amys Onkel Ken in Prattville an, fügte aber rasch hinzu, dass Amy dort auf gar keinen Fall hinwollte.

Josie entging das misstrauische Zucken in den Mundwinkeln ihres Gegenübers nicht. Scott schien ihrem verworrenen Bericht nicht recht zu glauben. Dennoch notierte er alles. Die Beschreibung des auffälligen Taxis. Dass der Fahrer geschlitzte Ohren gehabt hatte und ohne Licht durch die Dunkelheit gerast war. Was jedoch den Ort anging, an dem das Taxi gestoppt hatte, konnte Josie beim besten Willen keine konkreten Angaben machen, ebenso wenig, über welche Straßen sie dorthin gekommen waren. Ihre Beschreibung des Steinhaufens schien dem Beamten auch nicht weiterzuhelfen. Offenbar gab es viele solcher Formationen in der Gegend. Ohne den geisterhaften Teil des Abenteuers zu erwähnen, erzählte sie ziemlich knapp, dass ihre Freundin mitsamt dem Taxi während eines Gewitters urplötzlich verschwunden war.

Als der Polizist abschließend um ein Foto von Amy bat, kam Josie seiner Bitte nach und erklärte ihm, dass Amy die Haare mittlerweile schwarz trug.

Der Polizist starrte auf das Bild. Dann räusperte er sich und kratzte sich stirnrunzelnd am Doppelkinn. »Das war's dann«, brummte er und legte seine Notizen beiseite.

Sein Blick suchte den Momas, die gemeinsam mit O'Reardon, auf einer Bank im Hintergrund saß. »Sie sind doch die Großmutter der jungen Lady?«

Scott erhob sich schwerfällig und winkte Moma mit seiner fleischigen Rechten zu sich. »Kann ich Sie für einen Moment unter vier Augen sprechen?«

Josie und der Professor standen schon fast zehn Minuten auf dem kleinen Platz vor dem Präsidium, als Moma endlich mit hochrotem Kopf aus der Tür trat.

Der alte Herr sah sie fragend an. »Was wollte er denn von dir, Dorothy?«

»Pah!« Moma rang um Beherrschung. »Er hat Josie kein Wort geglaubt. Er hält sie für – wie hat er sich ausgedrückt? – pubertär überspannt, eher ein Fall für den Psychiater als für die Polizei. Das war Version eins.« Sie schüttelte verärgert den Kopf. »Version zwei war nicht viel besser. Er hält es für möglich, dass Amy ausgerissen ist, um nicht zu ihren Verwandten zu müssen – und dass Josie ihre

Freundin deckt. Ausreißer gäbe es in dieser Altersgruppe sehr häufig. In der Regel würden sie bald wieder auftauchen, spätestens nach einer Woche.«

Josie unterdrückte eine Ich-hab's-doch-gleich-gesagt-Miene. »Hast du ihm erzählt, dass wir verwandt sind?«

Moma lachte bitter. »Was man durch einen Gentest natürlich hieb- und stichfest beweisen kann.« Sie wandte sich gestikulierend an einen imaginären Gesprächspartner. »Nein, Superintendent Scott, schriftlich hab ich es nicht, dass das Mädchen die Enkelin meiner Halbschwester ist – die übrigens auch verschwunden ist. Wie? Fragen Sie mich besser nicht! – Was meinen Sie? Nein, ich habe mir das *nicht* ausgedacht ...!« Sie schnaubte wütend.

Der Professor legte beschwichtigend die Hand auf ihren Arm. »Dorothy, wie ich schon gestern gesagt habe – dieser Fall ist nicht von dieser Welt.«

»Was soll denn jetzt geschehen?« In Momas Stimme schwang tiefe Verunsicherung.

Aaron O'Reardon öffnete die Beifahrertür seines alten MGs. »Steig ein, Dorothy! Das werden wir wohl abwarten müssen.«

Mit zugekniffenem Mund stieg Moma in den Wagen.

Nachdem sie den lästigen Besuch bei der Polizei hinter sich gebracht hatte, ließ sich Josie während der Heimfahrt von der irischen Landschaft bezaubern. Ein Bach begleitete die Straße, rechts und links Wiesen, vereinzelte Getreidefelder. Im Hintergrund ein Wald, der verschwenderisch in allen nur denkbaren Grüntönen changierte. Im Norden eine sanft ansteigende Hügelkette. In der Ferne grasten Schafe zwischen halbhohen Feldsteinmauern und Weißdornhecken.

An einer Kreuzung deutete der Professor auf ein Schild. »Hier geht es nach Brug na Boinne, besser bekannt als New Grange – der größte Sidhe-Hügel Irlands. Aber hier in der Nähe gibt es auch noch andere urzeitliche Hügelanlagen, viele wurden als Gräber genutzt, Dowth und Knowth zum Beispiel – alles sehr touristisch heutzutage. Mit Bussen werden die Leute hingekarrt. Kann mir kaum vorstellen, dass das Stille Volk den Rummel vertragen kann.«

»Das Stille Volk?«, erkundigte sich Josie.

Ihre Großmutter nickte ihr durch den Rückspiegel zu. »Das *Stille Volk*, das *Kleine Volk* – es gibt viele Umschreibungen für die Bewohner der Anderwelt.«

Springwood Manor, das schöne alte Haus des Professors, stand etwa drei Meilen außerhalb Galbridges, mitten im Grünen und ganz in der Nähe des Waldes, der ihm seinen Namen lieh. Josie betrachtete das Gebäude aufmerksam. In der vergangenen Nacht hatte sie rein gar nichts davon mitbekommen. Sie erinnerte sich nicht einmal daran, wie sie aus dem Wagen ihrer Samariterin aufs Sofa gekommen war, so erschöpft war sie gewesen.

Was für ein hübscher Anblick! Das Anwesen schien in guter Freundschaft mit seiner Umgebung zu stehen. An der Fassade aus grauem Naturstein rankten zwischen weiß gestrichenen Sprossenfenstern Kletterrosen empor. Über der knallroten Eingangstür, die rechts und links von zwei weißen Säulen flankiert wurde, öffnete sich ein verglaster Spitzbogen. Darüber ein steinernes Wappen.

Sie beugte sich etwas vor. »Wie alt ist Springwood Manor?«

»Es wurde zur Regierungszeit König Georgs des Ersten erbaut – übrigens ein Deutscher.« Der Professor lachte. »Leider konnte er nicht halb so gut Englisch wie ihr zwei, womit er sich nicht eben beliebt gemacht hat. Ein Vorfahr, Conall O'Reardon, hat das Haus 1718 bauen lassen. Seither ist es in Familienbesitz. Er soll den Platz ausgewählt haben, weil hier angeblich ein alter Ogham-Stein gestanden hat.«

»Was ist das denn?«

»Steine mit uralten Schriftzeichen, der sogenannten Ogham-Schrift. Die ältesten stammen aus dem vierten Jahrhundert. Das Ogham-Alphabet besteht aus Strichen und wurde hauptsächlich zur Notierung von Namen benutzt, zum Beispiel bei Grabsteinen oder um anzugeben, wem ein Stück Land gehörte. Aber es soll auch Steine geben, die magische Bedeutung haben, jedenfalls ist in einigen altirischen Sagen davon die Rede.«

Josie lehnte sich wieder zurück und suchte den Blick des Professors im Rückspiegel. »Kann ich mir den Stein mal ansehen?«

»Da muss ich dich enttäuschen. Mein Urahn Conall soll den Stein irgendwo auf dem Grundstück versteckt haben. Wo, hat er aber niemandem verraten. Und seither ist der Stein – falls es ihn je gegeben hat – verschollen. Der gute Conall muss überhaupt ein komischer Kauz gewesen sein, der sich mit Alchemie und Zauberei beschäftigt hat. Es sind in der Bibliothek sogar noch einige Bücher mit persönlichen Anmerkungen von ihm erhalten.«

»Alchemie?«

»Eine Geheimlehre«, schaltete sich Moma ins Gespräch ein. »Damals waren Wissenschaft und Aberglaube noch kaum voneinander zu trennen. Man suchte zum Beispiel nach Möglichkeiten, künstlich Gold herzustellen oder ein Mittel für die ewige Jugend zu finden. – Na, was das angeht, sind wir heute auch nicht viel weiter.« Sie fasste sich gequält an die Stirn. »Wenigstens gibt es Schmerzmittel. Nach diesem peinlichen Auftritt bei der Polizei hab ich mörderische Kopfschmerzen.«

Als der alte Wagen kurz darauf geräuschvoll über den Kiesweg der Einfahrt fuhr, trottete ihnen schon Wolf entgegen. Sein Schwanz peitschte durch die Luft, als Josie ausstieg und ihn tätschelnd begrüßte.

Auf der Schwelle blieb Josie stehen. Sie legte den Kopf in den Nacken und betrachtete das Wappen über der Tür aus der Nähe. Den Mittelpunkt der gut erhaltenen Steinmetzarbeit bildete eine Harfe, die über einem Schwert zu schweben schien, darüber war ein Schriftzug eingemeißelt. Sie buchstabierte leise: »Verbum mihi gladius.« Josie sah sich nach dem Professor um, der ihr mit Moma nachkam. »Das ist Latein. Stimmt's?«

Der alte Herr stellte sich, die Hände in den Hosentaschen, neben sie und folgte ihrem Blick. »Ja, ganz recht. Die Sprache der Gelehrten. Es ist der Wahlspruch unserer Vorfahren. Dazu muss man wissen, dass die Barden in angesehenen Zünften vereinigt waren, die alle ihre eigene Parole hatten.« Er lächelte Moma zu, die blass neben ihnen stand. »Wie steht's mit deinem Latein, Dorothy? Kannst du den Spruch noch übersetzen?«

Josies Großmutter presste, sichtlich von Kopfschmerz geplagt, die Hand an die Stirn. Trotzdem blickte sie nach oben. Ihre Augen tasteten die uralte Schrift ab. »Wort, Schwert ... *Das Wort ist mir Schwert*, wir würden heute wahrscheinlich eher sagen: Mein Schwert ist das Wort.«

»Ausgezeichnet!«, sagte der Professor. »Mein Schwert ist das Wort. Ich habe oft darüber nachgedacht, warum man diesen Spruch gewählt hat, denn eigentlich war es den Barden nicht gestattet, Waffen zu tragen. Sie verstanden sich nicht als Krieger, sondern – heute würde man wohl sagen – als Intellektuelle. Aber vielleicht ist genau das der springende Punkt. Dass Worte wie Schwerter sein können, haben wir ja vorhin erst hautnah erfahren müssen.« Kopfschüttelnd verschwand er im Haus.

»Ich werde gleich ein Aspirin schlucken und mich ein wenig hinlegen«, sagte Moma, als sie die Diele betraten.

Aaron O'Reardon sah sie mitfühlend an. »Soll Maude den Lunch später servieren?«

Moma hob abwehrend die Hand. »Nein, danke, das ist nicht nötig. Ich bin noch pappsatt vom Frühstück.«

»Schade, Maude hat heute mein Lieblingsgericht gekocht. Bacon and Cabbage.«

»Was ist das?«, fragte Josie, während sie Wolf, der ihnen ins Haus gefolgt war, mit beiden Händen zwischen den Ohren kraulte.

Der Professor hob genießerisch die Augenbrauen. »Kochschinken mit Kohl.«

»Aha!« Josie schluckte. »Eigentlich habe ich auch noch keinen großen Hunger.«

»Dass ihr Frauen den ganzen Tag mit ein paar Frühstückshappen auskommt …« Vor sich hin grummelnd verschwand der Professor Richtung Küche.

Moma zog sich zurück und Josie rannte in ihr Zimmer, um zu sehen, ob Rosalinde da war. Sie hatte, bevor sie losgefahren waren, heimlich das Sahnekännchen vom Frühstückstisch hochgetragen und für sie hingestellt.

Das Kännchen stand, bis auf den letzten Tropfen geleert, auf dem Hocker, auf dem es Josie hinterlassen hatte. Rosalinde jedoch zeigte sich nicht. Allerdings hatte sie, wie Josie jetzt auffiel, alle Sachen aus dem Koffer, akkurat zusammengelegt, im Schrank verstaut. Josies Bett war aufgeschüttelt und zurückgeschlagen und ein kleiner Strauß Lavendel stand auf dem Nachttisch.

»Danke!«, rief Josie, in der Hoffnung, dass die Zwergin sie hören konnte.

Obwohl der Tag herrlich war und verführerischer Blumenduft durchs offene Fenster winkte, um sie in den Garten zu locken, entschied sich Josie, zunächst der Büchersammlung des Professors einen Besuch abzustatten.

Trotz des freundlichen Tags wirkte die Bibliothek düster. Außer der Glastür zur Terrasse gab es hier kein Fenster. Ein weinroter Samtvorhang erlaubte den Sonnenstrahlen nicht, mehr als einen rötlichen Schleier über den Raum zu hauchen. Josie dachte, dass die lichtempfindlichen alten Bücher in der Dunkelheit sicher am besten aufgehoben waren. Es roch nach einer Mischung aus Staub und dem Bohnerwachs, der dem schönen alten Eichenboden seinen matten Glanz verlieh. Das monotone Brummen eines Luftbefeuchters, den Josie gestern gar nicht wahrgenommen hatte, war das einzige Geräusch, das die erhabene Ruhe störte. Außer dem Luftbefeuchter und dem Computer, der auf dem alten Schreibtisch rechts neben der Terrassentür stand, deutete hier nichts auf das einundzwanzigste Jahrhundert hin. Die mit Schnitzwerk verzierten Regalwände aus massivem Nussbaum gaben dem Raum etwas Ehrfurchtgebietendes. Säulen, um die sich kunstvoll gearbeitete Rosenranken nach oben wanden, unterteilten die einzelnen Regalabschnitte. Koboldfratzen grinsten von den Kapitellen zu ihr herab. In der Mitte der schönen alten Kassettendecke wieder das Wappen. Ein Schwert, über dem eine vergoldete Harfe schwebte. Und auch hier fand sich die Inschrift wieder: *Verbum mihi gladius!*

»Mein Schwert ist das Wort«, murmelte Josie.

War in die nördliche Bücherwand der offene Kamin eingearbeitet, vor dem Josie gestern erwacht war, hatte der Erbauer des Hauses genau gegenüber, unterhalb der Decke, über einer breiten, mit Rosenranken verzierten Halbsäule, eine Uhr einbauen lassen. Das Zifferblatt war mit verschnörkelten Zeigern und einer Anzeige für die Mondphasen versehen. Schade, das alte Ding war stehen geblieben. Alte, uralte ledergebundene Bücher, zum Teil mit lateinischen Aufschriften, füllten die Bretter, dazwischen Mappen, aus denen zerfledderte Schriftstücke hervorblitzten. Eine Bastion von Generation zu Generation überlieferten Wissens, in einer Medienwelt, in der das Verfallsdatum einer Nachricht oft schon nach wenigen Stunden ablief. Ihr Blick wanderte über die Buchrücken. Auch heute fiel ihr auf, dass trotz der immer noch überwältigenden Zahl der Bände schon bedenkliche Lücken in den Reihen klafften. Sie suchte nach dem Lichtschalter, um die Titel besser entziffern zu können, und fand ihn neben der Tür.

Aufmerksam schritt sie von einem Regal zum anderen. Dann stutzte sie. Aus einem in einstmals dunkelrotes Leder gebundenen Band rieselte etwas wie Asche. Sie zog das Buch vorsichtig heraus und ließ es vor Schreck beinahe fallen, als die Buchdeckel unerwartet aneinanderklatschten. Eine Staubwolke stob hoch. Erschrocken blickte Josie auf ein Häufchen Dreck, das wohl die Buchseiten gewesen sein mussten. Sie erinnerte sich daran, dass der Professor ihnen davon erzählt hatte. Aber wie war es möglich, dass Bücher von heute auf morgen einfach zerfielen?

Kopfschüttelnd legte sie den leeren Einband auf den Couchtisch und widmete sich wieder den Regalen. Ob sie in einem dieser Bücher etwas über Narranda finden würde? Aufmerksam studierte sie die Titel. Aber die Suche erwies sich als schwierig, sie wusste einfach nicht, wo sie anfangen sollte. Nach welchem System waren die Bände geordnet? Wahrscheinlich musste sie doch den Professor um Rat fragen.

Als sie schon aufgeben wollte, lächelte sie, schüchtern an einen dicken Wälzer gelehnt, ein kleines, in grünes Leinen gebundenes Büchlein an. Der Einband war schon etwas abgegriffen und trug hübsch verschnörkelt die Aufschrift: *Zwerge, Gnome, Hausgeister.* Nach kurzem Durchblättern beschloss sie, es mitzunehmen. Vielleicht fand sie darin wenigstens etwas über Rosalinde.

Als sie eine Minute später wieder auf der Treppe stand, war sie sich plötzlich unsicher, ob sie das Licht in der Bibliothek ausgeschaltet hatte. Sie legte das Bändchen auf den Treppenabsatz und ging noch einmal zurück. Während sie schon die Tür öffnen wollte, hörte sie etwas.

Ob das der Hausgeist war, von dem Rosalinde eine Andeutung gemacht hatte? Behutsam, um ihn nicht zu verschrecken, drückte sie die Klinke und spähte in den Raum. Doch dann blieb ihr fast das Herz stehen. Mit dem Rücken zu ihr stand ein Jugendlicher und machte sich an einem dicken Band zu schaffen. Augenblicklich wirbelte ein Gedanke durch ihren Kopf. Hatte der Eindringling etwas mit der mysteriösen Zerstörung der Bücher zu tun? Präparierte er die Seiten mit irgendeiner Chemikalie? Ohne über eine mögliche Begründung für ein derart unverständliches Verhalten nachzudenken, riss sie die Tür auf. »Hey, leg sofort das Buch zurück!«

Der Junge drehte sich ruckartig um. »*Bloody hell*! Was hast denn du hier zu suchen?«

Josie schnappte nach Luft. Mann, war der unverfroren! Spazierte einfach hier rein, ruinierte die Bibliothek und tat auch noch so, als sei er der Herr im Haus.

»Ich wohne hier!«, fauchte Josie zurück.

Der Junge musterte sie von oben bis unten. »Bist du Dorothys Enkelin?«

Josie nickte unsicher. »Woher kennst du meine Großmutter?«

»Aaron O'Reardon ist mein Großonkel – deshalb.«

»Und wie bist du hier reingekommen?«

»Die Terrassentür war nur angelehnt.«

Josie biss sich auf die Lippen. Da hatte sie sich eben ganz schön blamiert. »Woher soll ich denn das wissen?«, brummelte sie. »Ich dachte, da macht einer was an den Büchern.« Sie deutete auf eine Lücke im Regal. »Wo sich doch andauernd welche auflösen.«

Der Junge grinste. »Da bist du allerdings komplett schiefgewickelt! – Obwohl ich wegen dieser eigenartigen Sache hier bin.« Er klopfte auf einen schwarzen Lederband, der aussah, als könne man damit einen Sonnenschirm beschweren. »Sooft ich Zeit hab, hol ich ein oder zwei von den ganz alten Exemplaren und bring sie in den Fotoladen zum Abfotografieren. Digital, verstehst du, damit die Geschichten der Nachwelt erhalten bleiben, auch wenn es das Buch mal nicht mehr gibt. – Ich hab vor, die Texte als E-Books ins Internet zu stellen, dann kann die ganze Welt darauf zugreifen.« Nachdenklich blickte er auf den wuchtigen Band. »Scannen wäre natürlich viel einfacher, funktioniert aber leider nicht. Die maroden Bindungen brechen, wenn man sie auf die Glasplatte legt.«

»Oh«, sagte Josie, die sich noch immer sehr unbehaglich fühlte. »Gute Idee.«

»Ich heiß übrigens Arthur.« Er lächelte sie versöhnlich an.

»Josie. Hi!«, sagte Josie.

»Na, ihr zwei, ihr habt euch wohl schon kennengelernt?« Damit stand der alte Professor im Raum. »Was ist denn heute dran, Arthur?«

Arthur wuchtete zwei schwere Bände hoch. »Die hier. Ich komm jetzt öfter, die Ferien haben angefangen.«

»Sehr gut«, sagte der Professor erfreut. »Zwei von den ältesten Büchern, die Vorrang vor den anderen haben.« Dann sprach er Josie an. »Arthur ist auf den Einfall gekommen, die Bücher zu digitalisieren und im WWW anzubieten.«

»Ja, ich weiß.« Josie deutete auf den kleinen Tisch vor dem Kamin. »Da drüben – es ist schon wieder ein Buch zerfallen.«

O'Reardon blickte seufzend auf den abgeschabten roten Einband, der, seiner Schätze beraubt, schlaff und hohl auf der furnierten Tischplatte lag. »Eine alte Saga aus Nordirland, von der es, soviel ich weiß, keine weitere Ausgabe mehr gibt.« Er schüttelte unglücklich den Kopf. »Wenn ich nur wüsste, was hier los ist. Es geht schon seit Jahren, aber in letzter Zeit stirbt schon bald jede Woche ein Buch, der Verfall grassiert. Ich hatte schon Spezialisten hier.« Er kratzte sich am Kopf. »Aber die waren alle genauso ratlos wie ich. Kein Schädlingsbefall – außer dem, was halt normal ist, bei so alten Stücken. Die Luftmessung hat auch nichts ergeben. Trotzdem hab ich einen sündhaft teuren Luftbefeuchter angeschafft, der das Raumklima konstant hält. Aber auch das hat nichts gebracht.« Er ging in schweren Schritten zur Sitzgruppe und streichelte trist über den leeren Einband, wobei Josie in seinen Augenwinkeln ein Glitzern zu entdecken glaubte. Der alte Herr räusperte sich. »Es ist ein Segen, dass sich Arthur dieser Mammutaufgabe hier angenommen hat. Eine Heidenarbeit – aber die einzige Möglichkeit, die unersetzlichen Informationen, die diese Bücher erhalten, zu konservieren.«

»Schon gut, Onkel Aaron!« Arthur winkte verlegen ab. »Abgesehen davon ist es praktisch, am Bildschirm lesen zu können. Die schweren Schwarten werden ja nicht besser, wenn man in ihnen herumblättert. Und früher oder später hat jeder einen E-Book-Reader.«

Josies Blick schweifte über die Bücherwände. »Und es gibt wirklich keinen Hinweis, was hier vorgeht?«

Der Professor schwieg für einen Moment. »Ich glaube ...«, sagte er dann mit belegter Stimme. »Ich glaube inzwischen ... Nun, mit rechten Dingen geht es wohl nicht zu.«

»Ein Hausgeist?« Josie hatte es noch kaum ausgesprochen, da hätte sie sich am liebsten schon die Zunge abgebissen. Arthur musste sie ja für völlig bekloppt halten.

Aber der Junge hatte ihren Einwand entweder nicht gehört oder er überging ihn höflichkeitshalber.

Der Professor zuckte deprimiert mit den Schultern. »Ich weiß es nicht. Wer oder was dahintersteckt, hat sich mir noch nicht erschlossen. – Jedenfalls ist es eine Tragödie. Eine Tragödie für die ganze Menschheit.«

Arthur nickte ernst. »Diese Bibliothek ist eine besondere Bibliothek. – Sie dürfte einzigartig sein. Viele der Bücher sind unersetzlich.«

Der Blick des Professors zeigte liebevolle Zustimmung. »Ich habe meinen Gästen gestern schon ein wenig darüber erzählt.« Wohlwollend lächelnd fügte er für Josie hinzu: »Ich bin wirklich froh, dass wenigstens ein O'Reardon noch die alte Berufung spürt. Schließlich ist die Sammlung schon ewig im Familienbesitz.« Er fuhr sich müde durchs Haar. »Arthur wird später Springwood Manor übernehmen. Das Haus, die Bibliothek und die Aufgabe.« Das Klingeln des Telefons unterbrach ihr Gespräch. »Entschuldigt mich.« Damit eilte der Professor aus dem Zimmer.

Arthur holte aus einer Plastikkiste, die am Boden stand, eine Decke, wickelte die beiden Bücher vorsichtig ein, legte sie in den Behälter und schloss den Deckel.

»Willst du mitkommen?«, erkundigte er sich, als er sich wieder aufrichtete. »Du könntest mir helfen.«

»Nach Galbridge? Ist das nicht zu weit zu Fuß?«

»Aber nicht mit dem Fahrrad. Soviel ich weiß, gibt es noch ein altes Damenrad im Schuppen. Auf dem Ding bin ich als kleiner Junge immer rumgedüst. Vielleicht lässt es sich noch aufpumpen.«

Tatsächlich hing im Gartenschuppen noch ein altes schwarzes Damenfahrrad an der Wand. Arthur gelang es wirklich, Luft in die alten Reifen zu pumpen. Josie beobachtete ihn dabei. Er war größer als sie, dünn und schlaksig, eher schmalschulterig, seine Haut blass. Die Augen bernsteinfarben, das Haar kastanienbraun und im Nacken relativ lang. Für einen Jungen hatte er ungewöhnlich lange Wimpern. Er unterschied sich von den Jungs, die sie sonst noch kannte. Er ... Ja, er strahlte etwas Kluges aus! – So viel hatte sie aus den wenigen Sätzen, die sie gewechselt hatten, schon entnommen.

»Glück gehabt«, sagte Arthur, als er mit festem Daumendruck die Dichtigkeit überprüfte. »Wäre die Klapperkiste auf dem Boden gestanden, hätten wir die Reifen vergessen können.«

Nachdem er noch etwas Schmieröl auf Kette und Pedalgelenke geschmiert hatte und Josie mit einem Lappen den schlimmsten Dreck weggewischt hatte, fuhr sie Probe. »Es geht!«, rief sie nach einer Runde in der Einfahrt. »Super sogar!«

Arthur wählte die direkte Strecke nach Galbridge, am Waldrand entlang, über einen holprigen Feldweg. Josie musste ordentlich in die Pedale treten, denn ihr antiquiertes Vehikel besaß keine Gangschaltung. Aber der Junge fuhr eigens langsam, damit sie mit ihm mithalten konnte.

»Man merkt, dass dein Großonkel eine Menge von dir hält«, sagte sie, um ein Gespräch in Gang zu setzen. »Er möchte wohl, dass du später die Bibliothek übernimmst.«

Arthur lächelte verlegen. »Na ja, unsere Familie ist etwas schwierig, weißt du.«

Josie warf ihm einen fragenden Seitenblick zu.

Arthur richtete den Oberkörper auf und drehte sich, nur noch eine Hand am Lenker, zu ihr hin. »Da muss ich etwas ausholen. Die O'Reardons sind Nachkommen einer alten Bardenfamilie. Bis ins 12. Jahrhundert oder noch weiter zurück geht diese Tradition, nur gibt es darüber halt nichts Schriftliches. – Sagt dir der Begriff was? Barde?«

»Der Professor hat's mir erklärt. Barden waren Geschichtenerzähler. Angeblich sehr angesehene Leute.«

»Hat Onkel Aaron dir auch erzählt, dass der Name Reardon ursprünglich ›Dichter des Königs‹ bedeutete?«

Josie schüttelte den Kopf.

»Einer unserer Vorfahren muss vor Urzeiten in königlichem Dienst gestanden haben«, fuhr Arthur fort und Josie sah ihm an, wie stolz er auf die ruhmvolle Vergangenheit seiner Familie war. »Bei den Kelten waren die Barden fast den Druiden, also den Priestern, gleichgestellt. Man sprach ihnen sogar magische Kräfte zu, weil man glaubte, das Wort besitze Magie – vor allem das gereimte Wort. Ursprünglich erzählten die Barden nämlich in Versen oder sie sangen sie zur Harfe.« Arthur warf in einer ungeduldigen Bewegung eine Haarsträhne zurück, die ihm der Wind ins Gesicht geblasen hatte. »Die Sänger waren an den Königshöfen sehr angesehen und ...« Er hielt inne. »Sorry! Bestimmt langweile ich dich mit meinem Vortrag. Ist so ein Spezialthema von mir.« Er grinste unsicher.

»Nein, erzähl weiter. Interessiert mich.«

»Wirklich?«

»Wirklich!«

»Okay! Also, viele Barden standen fest im Dienst der Königshöfe, und so wurde aus dem Bardenamt ein erbliches Amt, das vom Vater auf den Sohn übertragen wurde. Damit das Erzählgut korrekt weitergegeben wurde, wurden dann irgendwann Bardenorden gegründet. Es ging ja nicht nur um Unterhaltung, sondern auch um die Geschichte des Landes, um berühmte Kämpfer und gewonnene Schlachten – und um Religion, die alten Götter und so. Angeblich musste ein Barde eine zwanzigjährige Lehrzeit hinter sich bringen und mindestens dreihundertfünfzig Heldengedichte und Göttersagen auswendig draufhaben.«

»Wahnsinn!« Josie prustete. »Warum haben die nicht einfach alles aufgeschrieben?«

»Fragt man sich. Tatsache ist, dass man, selbst als Schrift längst bekannt war, keine Aufzeichnungen gemacht hat. Onkel Aaron meint, man glaubte damals, durch Aufschreiben würden die Worte ihre Magie verlieren. Außerdem, nur durch die rein mündliche Weitergabe konnte man sicher sein, dass die alten Epen Geheimwissen der Barden blieben, das nur Eingeweihten offenstand.«

»Aber …« Josie deutete auf die gelbe Plastikkiste, die Arthur auf seinem Gepäckträger festgebunden hatte, »trotzdem gibt es Bücher mit den alten Mythen.« Sie grinste. »In Springwood Manor eine ganze Bibliothek davon.«

Gerade da rumpelte Arthurs Vorderrad über einen Feldstein. Geistesgegenwärtig sprang er ab. »Uff! Ich sollte mich mehr aufs Fahren konzentrieren.«

Die Kiste war in gefährliche Schieflage geraten. Josie hielt ebenfalls an. Sie beugte sich über ihr Rad und half, die Gurte wieder festzuziehen. »Warum haben sie die Geschichten denn dann doch noch aufgeschrieben?«, nahm sie den Faden wieder auf.

Arthur schüttelte den Kopf »Das waren nicht die Barden, sondern christliche Mönche. Schon eigenartig, dass die sogar die Sagen über die alten keltischen Götter aufgezeichnet haben.«

»Ein Glück«, sagte Josie. »Sonst wüssten wir jetzt wahrscheinlich nichts mehr darüber.«

»Wahrscheinlich. Obwohl es noch lange Geschichtenerzähler in Irland gegeben hat. Männer, die von Hof zu Hof zogen. Onkel Aaron hat mir davon erzählt. Sein Vater hat diese Tradition noch aufrechterhalten – wenn auch nur hobbymäßig.«

»Dein Großvater – nein, das war ja dann dein Urgroßvater …«, verbesserte sich Josie, »war noch Barde?«

»Nicht mehr hauptberuflich, er besaß einen Verlag, in dem er Märchen und Sagen aus aller Welt veröffentlichte. Aber die Liebe dazu hat er bestimmt von seinen Vorfahren geerbt.«

»So wie du und dein Großonkel«, bemerkte Josie.

Arthur seufzte. »Ja, wir sind die letzten zwei Aufrechten. Das ist ja das Problem.«

»Das ist doch gut, wo ist das Problem?«

»Wie ich schon sagte – es geht um Springwood Manor. Und vor allem um die Bibliothek. Beides wird traditionell an denjenigen O'Reardon vererbt, der sich am meisten um das alte Volksgut kümmert. Mein Urgroßvater Brian O'Reardon – also der mit dem Verlag – hatte zwei Söhne, Aaron und Richard. Richard ist mein Großvater – er ist schon gestorben. Er hat sich nie besonders für die Bibliothek interessiert und sich für ein Architekturstudium entschieden. Er war sogar ziemlich erfolgreich damit. Mein Vater hat dann ebenso einen Abschluss in Statik und Architektur gemacht. Nach Großvaters Tod hat er das Baubüro übernommen und so viel Geld damit gemacht, dass ihm heute halb Galbridge und Umgebung gehört.«

»Dann seid ihr doch bestimmt stinkreich und habt ein tolles Haus!«

Arthur grummelte etwas Unverständliches vor sich hin und trat in die Pedale, als ginge es um sein Leben.

Josie hechelte hinter ihm her. »Du willst mich wohl abhängen?«

Arthur verlangsamte sein Tempo. »Tut mir leid, aber das Thema nervt mich.«

»Wir müssen nicht weiter drüber sprechen«, sagte Josie, als sie wieder auf gleicher Höhe fuhren.

»Ist schon gut. Onkel Aaron hat jedenfalls damals Springwood Manor geerbt, was auch gerecht war. Immerhin hat er Kulturanthropologie und Englische Literatur studiert und sich sein Leben lang um die Bibliothek gekümmert. Außerdem hat er die alten Erzählungen an seine Studenten weitergegeben. Dass ihm Springwood Manor nach der alten Familienregel deshalb eindeutig zustand, hat sein Bruder, also mein Großvater, bis zuletzt nicht einsehen wollen. Die zwei haben jahrzehntelang um das Testament ihres Vaters prozessiert – und sich bis zu Großvaters Tod nicht versöhnt. Mein Dad ist leider genauso ein Sturkopf, wie sein Vater einer war.« Er verzog das Gesicht. »Und mein Bruder tickt genauso.«

»Du hast einen Bruder?«

»Brian. Er studiert schon. Auch Architektur. Macht gerade ein Praktikum bei Dad. Der baut zurzeit ein Mammutprojekt.« Er deutete finster Richtung Westen. »Ein Großkino.«

»Was ist damit nicht in Ordnung?«

Arthurs Nasenflügel bebten. »Damit ist überhaupt nichts in Ordnung! Aber er hat die Genehmigung trotzdem durchgesetzt. Die ziehen doch alle den Schwanz ein, wenn mein alter Herr aufkreuzt.« Arthur schnaubte. »Was lernen wir daraus? Geld regiert die Welt!«

»Wieso …?«, setzte Josie an, doch Arthur ließ sie nicht weiterreden.

»Sorry, aber darüber will ich jetzt echt nicht sprechen. Ich krieg sonst einen riesen Kropf!«

Josie schwieg. Zu seinem Vater hatte Arthur anscheinend kein sehr gutes Verhältnis. Sie wechselte das Thema. »Was willst du eigentlich später mal machen?«

Arthur neigte versonnen den Kopf. »Auf jeden Fall was mit Geschichte oder Ethnologie, vielleicht aber auch Archäologie.« Er hob wieder den Arm. »Schau! Da drüben zum Beispiel, der Hügel – ein Tumulus, ein keltisches Hügelgrab. Wenn du hier aufgewachsen bist, wo du überall von alten Kultstätten umgeben bist … Na ja, Irland ist ein ganz besonderes Land. Es wimmelt von Geheimnissen.«

Josie beäugte den Hügel misstrauisch. Obwohl darauf friedlich Schafe weideten, ließ er düstere Bilder in ihr aufsteigen. Ob sie sich Arthur anvertrauen konnte?

Vor ihnen tauchte ein verlassenes Cottage auf, der weiße Kalkputz abgeblättert, das Reetdach struppig wie das Fell einer räudigen Katze. Aus dem dunklen Grün einer verwilderten Fuchsienhecke glühten Tausende roter Blüten. Hundert Meter weiter verschmolz der Feldweg mit einer Teerstraße, an der sich kleine Häuser wie bunte Perlen an einer Schnur aufreihten, mit Blumen vor den Fenstern und fröhlichen Bauerngärten, in deren buchsbaumumrandeten Beeten Malven, Cosmeen und Sonnenhut um die Wette blühten.

Sie hatten gerade das Ortsschild hinter sich, als Josie einen ersten Tropfen fühlte. »Es fängt an zu regnen!«

Arthur blickte zum Himmel. »Ein Wunder, dass es so lange gehalten hat. Alte irische Weisheit: ›Zwischen den Schauern ist das Wetter schön‹. – Das verzieht sich, so schnell es gekommen ist. Außerdem sind wir sowieso gleich da.«

Hatte Josie am Morgen nicht viel von dem Städtchen mitbekommen – der Besuch auf dem Polizeirevier hatte sie zu sehr beschäftigt –, nahm sie nun mit offenen Augen das hübsche Bild einer typisch irischen Kleinstadt in sich auf. Wie Bauklötze, rot, blau, grün, gelb und weiß, schmiegten sich die zumeist betagten Häuser aneinander. Josie hatte den Eindruck, dass aus jedem zweiten Gebäude ein Pub-Schild ragte. *Bleeding Horse*, *Dead Mans Inn*, *Bloody Stream.*

»Bloody Stream? – Das sind ja vielleicht gruslige Namen!«

Arthur lachte. »Ja, wir Iren haben manchmal einen ziemlich schwarzen Humor. Aber eigentlich sind wir liebenswürdige Leute.«

Vor einem einstöckigen Gebäude machte er halt. *Kenny's Photo Shop* stand in leicht verblichenen Folienlettern auf dem Glas des kleinen Schaufensters, in dem Kameras, Rahmen, Alben und die Fotografien strahlender Brautpaare und ernst blickender Kommunionkinder um die Aufmerksamkeit der Passanten warben.

Arthur wuchtete die Kiste vom Fahrrad und stieß die Tür auf. Das durchdringende Klingeln eines Glockenspiels vibrierte durch den lang gezogenen Verkaufsraum.

Er stellte seine Last auf der Glastheke ab. »Kenny?«

»Tá mé anseo!« Einen Augenblick später trat ein junger Mann mit kurz geschorenen Haaren und einem Piercing in der Augenbraue aus dem Hinterzimmer. »Dia daoibh.«

»Hi, Kenny! Arthur deutete auf Josie. »Sprich bitte Englisch! Das Mädchen ist Deutsche, sie versteht kein Gälisch.«

»Willkomm Froilein!« Kenny verneigte sich theatralisch.

Josie grinste verlegen. »Sprechen Sie Deutsch?«

Kenny schüttelte lachend den Kopf. »*Just* Sauerkraut *and* ick libbe dick *and* Froilein ...«

»Also lasst uns anfangen!« Damit packte Arthur die Bücher aus.

Kenny führte sie ins Hinterzimmer. Die Vorrichtung zum Abfotografieren der Buchseiten bestand in einem Stativ, in das man eine Kamera so einhängen konnte, dass die Linse ein darunterliegendes Buch vollkommen erfasste. Eine starke Leuchte sorgte für ausreichend Licht.

»Ich habs mir ausgedacht und Kenny hat das Ding gebaut«, sagte Arthur nicht ohne Stolz. »Wenn diese Kamera nicht so schweineteuer wär, hätte ich mir längst selbst eine gekauft.«

Als sie den Laden wieder verließen, war es schon Spätnachmittag. Josie stöhnte. »Mann, das ist ja Sklavenarbeit!«

Arthur bugsierte die Bücherkiste aufs Fahrrad zurück. »Wenn ich allein bin, dauert es fast doppelt so lang. Danke, dass du immer umgeblättert hast.«

Er zeigte Josie zufrieden einen Speicherchip. »So, auf diesem Miniding sind die dicken Wälzer jetzt drauf. Nachher verfrachte ich sie auf meine Festplatte und mach noch ein Back-up. Damit bleiben sie der Nachwelt erhalten.« Er steckte den Chip in seine Geldbörse. »Hast du Lust auf 'ne Cola? Meine Zunge fühlt sich an wie Pergament.«

Josie nickte. »Super Idee, ich zerbrösle gleich zu Staub wie die Bücher!«

Sie schoben die Räder bis zu einer kleinen Rasenfläche mit zwei

Bänken, deren Mittelpunkt ein bestimmt drei Meter hohes, ornamentiertes Steinkreuz bildete.

Arthur stellte sein Fahrrad ab. »Warte hier einen Moment auf mich!«

Aus dem Imbissstand gegenüber wehten Wolken fischigen Frittierfetts. Während Arthur hinüberging, setzte sich Josie hin und ließ den Charme des irischen Städtchens auf sich wirken.

»Hier!« Arthur reichte ihr das Getränk und nahm neben ihr Platz. »Übrigens, was ich dich vorhin schon fragen wollte. Onkel Aaron hat erzählt, dass Dorothy zwei Mädchen erwartet. Wo ist eigentlich deine Freundin?«

Josie antwortete nicht gleich. Sie nahm einen tiefen Schluck und spielte dann gedankenvoll mit dem Aluring der Coladose.

Arthur warf ihr einen unschlüssigen Blick zu. »Hast du meine Frage überhaupt gehört?«

»Ja, ich überleg nur grade, wo ich anfangen soll. Eine definitiv abgefahrene Geschichte. Ich fürchte, du wirst sie kaum glauben.«

Arthur legte einen Ellbogen über die Lehne und drehte sich neugierig zu ihr hin. »Hört sich ja spannend an!«

»Spannend? Eher schon ein Thriller!«

Obwohl Josie sich so kurz wie möglich fasste, dauerte es, bis sie Arthur ihre Geschichte erzählt hatte. Anfangs hatte Arthur noch Zwischenfragen gestellt, doch dann war er immer ruhiger geworden.

Als Josie verstummte, hatte sie nichts ausgelassen – nur, dass ihr zu allem Überfluss in Springwood Manor auch noch eine Zwergin begegnet war, behielt sie, wie sie es Rosalinde versprochen hatte, für sich.

»Bloody hell!« Arthur lehnte sich zurück, streckte seine langen Beine aus und starrte ins Leere.

Josie sah ihn unsicher an. »Hältst du mich jetzt für total durchgeknallt?«

»Was sagt Onkel Aaron zu der Story?«

»Ich denke, er glaubt mir. Er hat Moma und mir aus einer Prophezeiung vorgelesen, von diesem Calie…«

»Sicher meinst du Caliesin.« Arthur lächelte. »Das wundert mich nicht. Onkel Aaron ist fest von der Existenz der anderen Seite überzeugt.«

»Anderwelt?«

»Anderwelt!« Der Junge nickte. »Was das angeht, ist er …«, er zögerte. »Na ja, sagen wir mal – sonderbar.«

»Und du?« Josie blickte ihn in banger Erwartung an.

»Ich?« Arthur zog die Brauen hoch. »Weiß nicht so genau. Deine Geschichte ist wirklich verdammt abgedreht. Obwohl es ja schon immer Leute gegeben hat, die Stein und Bein behaupten, Wesen aus der Anderwelt begegnet zu sein.« Er kratzte sich am Kopf. »Allerdings ist mir persönlich bisher nicht ein einziges Mal so ein antiker Alien begegnet, obwohl ich ja zu gern mal einen sehen würde.« Arthur zwinkerte ihr zu.

Josies Gesicht verschloss sich augenblicklich. Sie rückte unbewusst einige Zentimeter weg und ließ die Drachenfibel, die sie Arthur gezeigt hatte, wieder unter ihrem Shirt verschwinden. Verdammt noch mal, warum hatte sie nicht einfach gesagt, dass Amy in Chicago geblieben war! Arthur hielt sie vermutlich auch für – wie hatte er sich ausgedrückt? – sonderbar! Und jetzt stand sie da wie eine Idiotin.

Sie sprang abrupt auf. »Es ist schon spät, ich muss heim. Meine Großmutter wartet sicher schon auf mich. Und vielleicht hat sich Amy ja inzwischen gemeldet.«

»Warte doch!« Arthur richtete sich auf. »Ich bring dich zurück!«

Josie stieg aufs Fahrrad. »Danke, ich find den Weg schon, ich bin ja nicht blöd.«

Josie trat in die Pedale, ohne sich noch einmal umzusehen. Ihre Gedanken überschlugen sich. Was hatte sie eigentlich von Arthur erwartet? Jeder, der so eine Geschichte hörte, musste sie für verrückt halten. Sogar Moma hatte Zweifel, auch wenn sie es nicht offen sagte. Nur der Professor schien ihr zu glauben. – Wenigstens einer! Mit jedem Meter, den sie vorankam, mischte sich aber auch mehr und mehr Unsicherheit in ihre Überlegungen. Hatte sie Arthurs Zwinkern vielleicht falsch interpretiert? Gesagt hatte er doch eigentlich nichts. War ihre Reaktion womöglich überzogen gewesen? Verdammt, ihre Nerven lagen wirklich bloß!

Ein wütendes Hupen schreckte Josie auf. Sie sprang kreidebleich vom Rad. Schwein gehabt! An diesen Linksverkehr würde sie sich nie gewöhnen!

Sie schob das Fahrrad auf die andere Straßenseite und fand sich unter der überdimensionalen Guiness-Werbung eines Pubs mit dem Namen *Black Dragon* wieder. Josie sah sich unsicher um. Hier waren sie vorhin nicht vorbeigekommen, so viel war sicher. Nach kurzem Zögern entschloss sie sich, einfach weiter geradeaus zu fahren. Irgendwie würde sie den Weg zum Waldrand schon finden.

Die Straße führte tatsächlich aus Galbridge hinaus, doch war sie breiter als die, die Arthur genommen hatte. Josie durchquerte ein Neubaugebiet mit vielen kleinen Einfamilienhäusern. Dazwischen Geschäfte, rechts ein Supermarkt, links eine Tankstelle und ein Autohaus. Am Ortsende hielt sie an einer Kreuzung und studierte die zweisprachigen Straßenschilder. *Baile Átha Cliath* – wie sprach man das denn aus? Was für ein umständlicher Ausdruck für Dublin! Das war jedenfalls die falsche Richtung! Und *Navan*? Navan lag zu weit nördlich, so viel wusste sie. Sie entschied sich, nach links abzubiegen.

Trotz des Regens am Nachmittag, zeichneten sich auf der schmalen geteerten Straße, die von einer hohen Hecke aus Schlehen, Wildrosen und Haselnussbüschen gesäumt war, breite Spuren lehmverschmutzter Räder ab. Ein einsames Schaf trottete ihr entgegen.

»Wo gehörst du denn hin?«, rief ihm Josie zu. Aber das Schaf hob nicht einmal den Kopf.

Kurz darauf entdeckte sie durch eine Lücke in der Hecke die zugehörige Herde. Ein Deutscher Schäferhund und ein Collie lagen träge im Schatten und ließen die Schafe Schafe sein. Schlafmützen!, dachte Josie gerade, als sie zusammenfuhr. In rasantem Tempo näherte sich ein Laster. Sie stoppte erschrocken und drückte sich in die Büsche. Eine Fontäne Schmutzwassers spritzte aus einer Pfütze, als das Fahrzeug an ihr vorbeidonnerte.

»Idiot!« Hoffentlich kamen nicht noch mehr von dieser Sorte! Verärgert an sich herumputzend stieg Josie wieder auf. Das nächste Stück hatte sie die kleine Straße ganz für sich, sie schien nicht sehr befahren zu sein. Die Heckenrosen dufteten, eine Amsel hüpfte über den körnigen Asphalt. Josie kniff die Augen zusammen. Eine Amsel? – Ja, diesmal war es wirklich nur eine Amsel.

Nur hundert Meter später wehte der Wind Maschinengeräusche zu ihr hin. Das Stöhnen schwerer Fahrzeuge, das wasserfallartige Rieseln von Kies, der abgeladen wurde. Nach der nächsten Biegung lichtete sich die Hecke und erlaubte Josie den Blick über eine von bizarren Wolkenschatten überzogene Landschaft. Jetzt war ihr auch klar, welches Ziel der rücksichtslose Fahrer angesteuert hatte. Zu ihrer Linken zäunten flatternde Plastikbänder ein weites Areal ein, in dem Bagger und andere Baufahrzeuge Planierarbeiten durchführten. Unmittelbar daran grenzte, etwas erhöht im umgebenden Weideland, eine Insel aus Büschen und niedrigen Bäumen, in die die Bulldozer bereits eine klaffende Wunde gerissen hatten.

Je näher sie kam, desto unangenehmer wurde der Lärm. Dieselabgase krochen in ihre Lungen. Was bauten die hier eigentlich mitten in der Pampa? Und warum noch um diese Zeit? Es musste doch schon längst Feierabend sein. Während sie sich beeilte, die Baustelle hinter sich zu lassen, suchte sie nach einem Schild, irgendeinem Hinweis darauf, was hier entstehen sollte. Aber sie fand nichts. Doch waren es nicht nur der Krach und die Abgase, die Josie Unbehagen bereiteten. Es lag etwas Unheilvolles über dem Terrain, etwas, das ihr die Kehle zuschnürte, ohne dass sie es hätte näher beschreiben können. Es war nur ein Gefühl, ein kohlrabenschwarzes Gefühl, das sie schnell vorbeifahren ließ.

Der Lärm begleitete sie noch bis zur nächsten Abzweigung, von wo aus sie erleichtert den Wald entdeckte und auch den Feldweg, den sie vorhin gekommen waren.

Ihre Gedanken kehrten zu Arthur zurück. Sie hätte wenigstens die Bücherkiste mitnehmen können, damit hätte sie ihm den Weg nach Springwood Manor abgenommen. Andererseits – so würde Arthur wahrscheinlich bald wieder dort aufkreuzen. Bestimmt sogar!

Sie hatte den Forst fast erreicht, als sie schon wieder erste Tropfen spürte. Besorgt sah sie zum Himmel. Aus den vereinzelten Wolken hatte sich unbemerkt eine Front aufgetürmt, die nichts Gutes verhieß. Hier in Irland war das Wetter offenbar wirklich launenhaft. Während die Tropfen sich mehrten, wurde es bedrohlich dunkel. Das Blätterdach am Waldrand würde ihr etwas Schutz bieten. Josie legte an Tempo zu, bis sie das Gehölz erreichte. Obwohl der Regen auf die Blätter prasselte, konnte sie ihren Weg hier tatsächlich, nahezu ohne nass zu werden, fortsetzen. Dennoch fühlte sie sich unbehaglich. Der Wald schien ihr mit einem Mal düster und bedrohlich. An Arthurs Seite hatte sie das nicht so empfunden.

Ein beklemmendes Gefühl beschlich sie, das Gefühl, beobachtet zu werden. Die Ereignisse der vergangenen Nacht wühlten in ihrem Magen. Verdammt, sie war noch immer ganz schön durch den Wind! Aber war das ein Wunder? Sie spähte angestrengt ins Unterholz, konnte jedoch niemanden entdecken. Als sie aber den Blick wieder nach vorn wendete, gerann ihr das Blut. Rundherum, auch da, wo eben noch ein offenes Getreidefeld gelegen hatte, sah sie sich jetzt von einem undurchdringlichen Ring schwarzer Fichten und Dornengestrüpp umzingelt. Wie war das möglich? Hatte sie sich doch noch verfranzt! Sollte sie besser umdrehen?

Josie sprang vom Fahrrad, blickte hinter sich und blanke Angst wirbelte durch ihren Kopf. Sie war eingekesselt. Von allen Seiten griffen die schwarzgrünen Krallen des Waldes nach ihr. Der Weg zurück war verschlossen. Außer sich vor Entsetzen versuchte sie, sich mit der Fahrradkarosse einen Weg zu bahnen. Einen atemlosen Moment später schlang sich etwas um ihre Knöchel. Sie ließ das Rad los, um die Fesseln wegzureißen, doch da knallte sie schon hart auf den Boden. Ehe sie noch begriff, wie ihr geschah, wanden sich in rasender Geschwindigkeit die giftigen Ranken einer höchst lebendigen Efeupflanze um ihren Körper, verschnürten sie wie einen Rollbraten und machten sie völlig bewegungsunfähig.

Ein gellendes NEIN! steckte in ihrem Hals, ohne dass sie fähig gewesen wäre, es herauszuschreien. Wie gelähmt hörte sie das knisternde Wachsen des Efeus, der ihr bereits die Gurgel abdrückte. Fast gleichzeitig drängte sich grotesk quietschendes Gekicher und Glucksen in die rasende Flut ihrer Gedanken.

Sie schielte zur Seite. Im Halbdunkel sah sie, wie sich ein vollkommen grünes gnomartiges Wesen heranpirschte. Es war kaum größer als ein Meerschweinchen, ging jedoch aufrecht. Auf seinem plumpen Körper von der Größe und Form einer Birne saß auf einem dürren Hals ein kugelrunder Kopf mit winzigen spitzen Ohren. Über dem breiten, triumphierend grinsenden Mund prangte eine schnorchelartige Nase unter zwei eng stehenden, dumpf blickenden Äuglein. Der Rumpf war über und über mit etwas bekleidet, das stark an Moos erinnerte. Die Arme lang und spindelig, die Beine dünn und kurz. Hände und Füße hatten etwas von Mäusekrallen.

Das Wesen schlich vorsichtig heran. Nachdem es sicher sein konnte, dass sein Opfer wehrlos war, drehte es sich um. »Herbei,

herbei zum Schepselspaß!« Sein penetrantes Stimmchen klang schrill und schadenfroh.

Mit Freudengeheul stürmten nun aus allen Ecken seine Kumpane, und Josie sah sich in Sekundenschnelle von moosgrünen, diabolisch kichernden Gnomen umringt. Dann sprangen schon die ersten auf ihren hilflosen Körper. Wie viele es waren, konnte sie nicht ausmachen. Aber es waren viele. Sehr viele.

Unter begeistertem Jauchzen begannen sie, Josie zu zupfen und zu kneifen. Sie konnte sich nicht erinnern, jemals etwas derart Widerliches durchgemacht zu haben. Fluchend wälzte sie sich hin und her. Aber ihre Peiniger ließen sich nicht abschütteln. Josie versuchte, nach der Fibel zu greifen, aber ihre Arme waren eingepackt wie die einer Mumie. Verdammt! Was sollte sie bloß machen? Ob man mit diesen grünen Biestern reden konnte?

Sie stöhnte auf. »Warum macht ihr das? Was hab ich euch denn nur getan?«

»Ihr böses, schlimmes Schepsel, Ihr! Wir zwacken Euch. Hier! Da! Und hier!« Damit zwickte sie einer der kleinen Moosteufel in die Ohren und biss sie schließlich in die Nasenspitze. Verzweifelt schlug Josie den Kopf hin und her, während sie mit sich überschlagender Stimme brüllte: »Hilfe, Druid Dubh!«

Fiebernd versuchte sie, aus dem Geplärre der Mooswichte die Melodie des Vogelwesens herauszufiltern.

»HIIILFEEE!«

Sie schrie aus Leibeskräften, aber der ersehnte Klang blieb aus. Dennoch hatte jemand ihren Hilferuf gehört. Mit einem Mal erfüllte ein zartes Sirren die Luft. Josies Angreifer hielten auf der Stelle inne und blickten beunruhigt nach oben. Ein Schwarm Schmetterlinge schwirrte herab. Schmetterlinge? Josie sah genauer hin. Das waren keine Schmetterlinge! Das waren ... Ja, das mussten Elfen sein! Zierliche, nahezu durchsichtige Wesen mit strahlenden Gesichtern und hauchfeinen Flügeln, die in den Farben des Regenbogens schimmerten. Zwei silberne, fühlerähnliche Gebilde,

die in winzigen Kristallen endeten, ragten aus ihren hübschen Köpfchen. Jetzt bildeten die Elfen einen flatternden, flimmernden Kreis über dem Schauplatz.

»Moosboggels!« Mit unerwartet strenger Stimme herrschte die größte und schönste der Elfen die Gnome an. »Was macht ihr da, ihr dummen Dinger? Nehmt eilends weg die grünen Finger!« Unter betretenem Gemurmel und Gebrabbel ließen die Mooszwerge sofort von Josie ab und kletterten von ihr herunter.

Der Anführer der grünen Bande trat, verlegen mit seinen überlangen Armen schlackernd, vor. »Nur ein wenig Schabernack mit dem bösen Schepselpack!«

»Was fällt euch ein! Was denkt ihr euch. Wisst ihr nicht, wen ihr vor euch habt? Sie trägt das Zeichen auf der Stirn. Habt ihr denn Moos nur im Gehirn? Und selbst die Fibel lässt euch kalt. – Ihr seid das dümmste Volk im Wald!«

»Das Feenzeichen?« – »Die Drachenfibel?«, quäkte es von allen Seiten, kleinlaut und gar nicht mehr vergnügt. »Verzeiht, das wussten wir doch nicht. Wir sahen nicht in ihr Gesicht!«

»Zssss!«, zischte die Elfe.

Ihr hübsches Köpfchen war rot vor Zorn. Mit einer fast unmerklichen Handbewegung gab sie ihren Begleiterinnen einen Wink, den die Moosboggels sofort verstanden, denn sie heulten angstvoll auf. Im Senkrechtflug stürzten sich die Elfen auf die grünen Gnome und versetzten ihnen mit ihren Fühlern Klapse, die wie Stromstöße zu wirken schienen. Die Moosboggels fuhren zusammen und begannen auf der Stelle schrecklich zu hicksen. Ihr Anführer fiel auf die Knie.

»Elvinia, hicks Meisterin des Waldes, hicks erbarmt Euch, hicks lasst uns hicks Boggels laufen. hicks Mit Schluckauf hicks kann man hicks, oh auweh, hicks nicht fressen hicks und erst recht nicht saufen! hicks«

Aber die Elfe blieb hart. »Der Schluckauf bleibt euch dummen Tröpfen bis hin zum nächsten Vollmondschein. Er bläst die Luft aus euren Köpfen, vielleicht weht dafür Grips hinein.«

Unter vielstimmigem Gehickse und Gejammer trollten sich die Moosboggels ins Unterholz.

Josie hatte alles mit aufgerissenen Augen verfolgt. Elvinia, die Meisterin des Waldes ... War sie in einem Märchen gelandet?

Nachdem sie mit den Mooswichten fertig war, kreiste Elvinia über Josies Kopf. Aus den Kristallen ihrer Silberfühler sprühte hauchzarter Staub, der aus reinem Licht zu bestehen schien. Augenblicklich spürte Josie, wie sich die Efeufesseln lockerten und sich zurückzogen wie davonkriechende Schlangen. Im selben Moment lichtete sich auch das Dickicht und der Wald entließ sie aus seiner Umklammerung. Josie setzte sich benommen auf.

Die Elfe ließ sich auf einer blühenden Brombeerranke nieder. »Verzeiht dem dummen Waldgesindel! Moosboggels sind doch gar zu blöd. Wenngleich ihr Zorn nicht unbegründet. Die Schepsel treiben's gar zu schnöd.«

Josie rieb sich den Hals. »Was sind denn Schepsel?«

Ein leises Kichern wie Glöckchenläuten schwirrte durch die Luft, während sich nun auch die anderen Elfen in der blühenden Brombeere verteilten. Die hübschen Blüten und die irisierenden Flügel der kleinen Flatterwesen gaben dem Busch etwas so Bezauberndes, dass Josie die unangenehme Begegnung mit den Boggels für einen Moment beinahe vergaß. Es verletzte sie auch nicht, dass das Kichern ganz offenbar ihrer Frage galt.

Elvinia schüttelte das Köpfchen. »Psst! Seid brav und zeigt Benehmen! Ich will mich doch nicht für Euch schämen!« Das Kichern verstummte augenblicklich. Dann wandte sich die Meisterin des Waldes an Josie. »Die Sterblichen wir Schepsel nennen, die in der Welt der Dinge leben. Die meisten lernen niemals kennen die Wunderwelt am Rand der Träume. Der alten Mythen weite Räume missachten sie als bunte Schäume. Doch menschlich blinder Unverstand stürzt unsre Völker ins Verderben. Wenn die Malaise dauert fort, müssen wir alle elend sterben.«

»Ach so! Schepsel, das sind die Menschen«, murmelte Josie.

Elvinia nickte. »Die Boggels haben nicht erkannt, dass Ihr es seid, nach der gesandt, zu retten unser Gold'nes Reich. Sie war'n in blinder Wut entbrannt. – Seht ihnen nach den üblen Streich!«

Josie rappelte sich auf und klopfte den Schmutz von ihren Sachen. Erst jetzt bemerkte sie, dass ihre Arme schmerzten. Aus zahlreichen kleinen Kratzwunden lief in dünnen Rinnsalen Blut. »Autsch!« Sie verzog das Gesicht.

Wieder gab die kleine Meisterin des Waldes ihren Elfen einen Wink, worauf diese gleich wegflatterten. Noch während Josie den letzten nachsah, kehrten schon die ersten mit ovalen Blättern zurück und berührten im Vorüberschweben ihre Wunden. Es fühlte sich an wie ein heilsamer Hauch, mild und tröstlich. Mit ungläubigem Staunen beobachtete Josie, wie sich ihre verletzte Haut zusehends schloss und die Rötungen verschwanden. Kurz darauf war nicht einmal mehr die Spur eines Kratzers zu erkennen. Sie strich sich erstaunt über die Arme. »Was sind denn das für Wunderblätter?«

»Es ist das Laub der lieben Linde, das wirkt, dass jeder Schmerz verschwinde«, sangen die Elfen im Chor, sanft und wohlklingend, aber wie aus der Pistole geschossen.

Elvinia lächelte. »Nun geht, die Dämmerung setzt ein – da seid Ihr sicherer daheim.«

Elvinias Worte ließen Josie erschaudern. Sie hatte von unliebsamen Begegnungen wirklich die Nase voll. Mit einem Ruck stellte sie das Fahrrad auf und blickte sich zweifelnd um. In welche Richtung sollte sie sich halten?

Als hätte Elvinia ihre Unsicherheit gespürt, gab sie ihrem Schwarm einen Wink, worauf die Elfen einen pfeilförmigen Verband bildeten, wie ihn Josie schon oft bei Zugvögeln gesehen hatte.

Sie folgte ihren zart geflügelten Lotsen wie im Traum. Es duftete nach Wald und Wiesenchampignons. Über dem regenfeuchten Gras schwebten Nebelschleier. Ein letzter Streifen Sonnenrot glühte am Horizont. Süßes Sirren begleitete die Flügelschläge der Elfen. Im schwachen Abendlicht schimmerten ihre bunten Schwingen wie Perlmutt und die Kristalle ihrer Silberfühler glommen wie Glühwürmchen. Wie hübsch das aussah! Ach, wenn Amy doch nur hier wäre! Mit ihr könnte sie diesen wunderschönen magischen Moment teilen.

Eine Stimme holte sie jäh in ihre bizarre Wirklichkeit zurück. »Josie!«

Noch im Fahren drehte sie sich um. In einigem Abstand radelte Arthur hinter ihr her. Josie bremste und wartete auf ihn. Die Elfen hielten ebenfalls. Mit rotierenden Flügeln wie Kolibris standen sie um Josies Kopf und blickten neugierig in Arthurs Richtung.

Hechelnd strampelte der Junge auf Josie zu. »Gott sei Dank, da bist du ja!« Mit einem Prusten sprang er vom Rad und wischte sich den Schweiß von der Stirn. »Mann, ich hab mir schon schwer Gedanken gemacht! Warum bist du denn einfach abgehauen? Ich war schon in Springwood Manor. Onkel Aaron hat mir ganz schön die Hölle heißgemacht, dass ich dich nicht heimbegleitet hab. Wollte ich ja. Hab doch nur die leeren Dosen zum Mülleimer gebracht. War sicher, dass ich dich gleich einhole. – Fehlanzeige. Du bist ja losgeradelt wie von der Tarantel gebissen. Bin dann noch mal zurückgefahren, um dich zu suchen.« Er sprach abgehackt und nach Luft schnappend.

Über Josies Kopf tuschelte es, Arthur schien den Elfen zu gefallen. »Welch hübsch' Gestalt!« – »Welch schön' Gesicht!« – »Und seine Aura ist so licht.«

Josie sah irritiert nach oben, die Elfen kicherten. Ein kleines, tänzelndes Kichern, das wie Triangeln klirrte.

Auch Arthur hob den Blick. »Komisch«, sagte er. »Eine Glühwürmchenversammlung direkt über dir, sieht fast aus wie 'n Heiligenschein. So was hab ich ja noch nie gesehen.«

»Jaaa«, sagte Josie gedehnt und beobachtete ihn gespannt. »Wirklich komisch.«

Arthur nahm also die Leuchtkristalle auf den Fühlerspitzen der

Elfen wahr. Für einen Moment überlegte sie, ob sie ihm von ihrem Abenteuer mit den Moosboggels und ihrer Rettung durch Elvinia erzählen sollte. – Aber wie es schien, bemerkte er außer den Lichtpünktchen nichts von den Elfen. Unsicher, wie er ihre Geschichte aufnehmen würde, beschloss sie, die Sache für sich zu behalten.

Sie schob verlegen eine rote Locke hinters Ohr. »Na ja, irgendwie hab ich wohl eine andere Straße aus dem Ort erwischt. Tut mir leid, dass du meinetwegen Ärger gekriegt hast.«

Arthur schüttelte den Kopf. »Halb so wild. Hab inzwischen noch mal über deine Geschichte nachgedacht. Und da ist mir *Hamlet* eingefallen, du weißt schon, Shakespeare. Haben wir im letzten Schuljahr gelesen. Da heißt es nämlich – ich hab mir das gemerkt, weil der Spruch von Onkel Aaron stammen könnte: ›Es gibt mehr Dinge zwischen Himmel und Erde, als eure Schulweisheit sich träumen lässt.‹« Er lächelte verlegen. »Ich wollte dir nur sagen, bloß weil ich nicht selbst dabei war, kann es ja trotzdem passiert sein. Du bist weiß Gott nicht die Erste, die die Wilde Jagd gesehen haben will. Darüber gibt es zahllose Geschichten.«

Josie lächelte versöhnt. »Trotzdem versteh ich, dass es schwer ist, so was Aberwitziges zu glauben. Mein Dad tickt ganz ähnlich wie du, er sucht auch immer für alles logische Erklärungen.«

Arthur machte eine Kopfbewegung nach vorn. »Komm, die machen sich schon Sorgen um dich.«

Josie stieg erst wieder auf, als Arthur schon losradelte, dann winkte sie den Elfen zu. »Danke für alles!«

Arthur wandte den Kopf nach hinten. »Hast du was gesagt?«

Josie ließ rasch den Arm sinken. »Nichts. Alles klar!«

Elvinia und ihre Schar erwiderten ihren Gruß. Dann kreisten sie in einer zauberhaften Lichterscheinung noch einmal über sie hinweg, ehe sie wie ein Sternenregen im Wald verschwanden.

Der Professor und Moma saßen auf einer Bank vor dem Haus, als Arthur und Josie endlich in die Auffahrt bogen. Wolf lief ihnen freudig entgegen.

Josies Großmutter sprang auf. »Ich bin schier umgekommen vor Sorge! Nachdem Amy auf so mysteriöse Weise verschwunden ist, verfolgen mich schon die reinsten Wahnideen. Was ist passiert?«

Für den Bruchteil einer Sekunde überlegte Josie, ob sie erzählen sollte, was ihr wirklich passiert war. Als sie aber in Momas besorgtes Gesicht blickte, verwarf sie den Gedanken.

Sie lehnte das Rad an die Hauswand. »Hab mich nur verfahren«, antwortete sie hastig.

O'Reardon sah sie prüfend an. Und obwohl er nichts sagte, spürte sie, dass er ihr nicht recht glaubte.

»Ich hab schrecklich Hunger!«, sagte sie dann, um das Thema zu wechseln.

Der Professor stand auf und winkte sie ins Haus. »Wir haben mit dem Abendessen auf dich gewartet. Maude hat das *Bacon and Cabbage* von heute Mittag aufgewärmt.« Ohne Josies gerümpfte Nase zu bemerken, denn er wandte sich bereits Arthur zu, sagte er: »Es ist genug da, isst du mit?«

»Danke, ich muss jetzt heim.« Arthur hob die Hand. »Wir sehen uns. Danke nochmal für deine Hilfe, Josie. Vielleicht ...« Er zögerte. »Vielleicht komm ich morgen wieder.« Damit schwang er sich auf sein Rad und fuhr los.

Maude hatte im Speisezimmer gedeckt und das Essen im Ofen warm gestellt, bevor sie heimgegangen war. Wie die meisten Räume des alten Hauses besaß auch das Speisezimmer eine halbhohe Holzvertäfelung. Rechts neben der Tür stand ein Cembalo, dessen Deckel Intarsien aus purpurfarbenem Holz zierten. Josie strich bewundernd darüber.

»Amaranth«, merkte der Professor an, »auch Purple Heart oder Purpurholz genannt, ein Hartholz, mit ungewöhnlich rotvioletter Tönung.«

Um einen ovalen Tisch mit einem schweren, säulenförmigen Mittelfuß drängten sich sechs grün gepolsterte Mahagonistühle, deren Lehnen in Form von Harfen gestaltet waren.

An der Wand über dem schönen alten Instrument hingen in schweren schwarzen Rahmen zwei Ölbilder. Josie blieb davor stehen. Eines zeigte einen ernst, ja traurig blickenden jungen Mann mit einer weißen Perücke. Er trug eine Jacke aus dunkelblauem Samt, darunter ein weißes Hemd mit einer schleifenartigen Krawatte. In der einen Hand hielt er eine kleine silberne Dose, in der anderen ein in purpurfarbenes Leder gebundenes Buch, auf dem ein eingeprägtes Zeichen prangte. Josie blieb schier die Luft weg. Schon wieder!

»Wer ist das?«, fragte sie erregt.

Der Professor, der gerade dabei war, eine Flasche Wein zu entkorken, sah hoch. »Das ist Conall O'Reardon, der Erbauer des Hauses, von dem wir heute schon gesprochen haben.«

»Der Alchemist?« Moma war neugierig geworden.

Der alte Herr nickte. »Genau der. Schau!« Er deutete mit dem Korkenzieher auf das Buch. »Auf dem Einband ist ein Caduceus – ein alchemistisches Symbol.«

»Ein was …?« Josie starrte auf das Bild.

»Ein Caduceus. Ein uraltes Symbol, das schon die Ägypter kannten. Man findet den Schlangenstab aber auch bei den Griechen und Römern. – Ein kosmisches und spirituelles Symbol, ein Symbol des Gleichgewichts. Die beiden Schlangen bedeuten die Gegensätze, die sich um alles Sein winden. Materie und Geist, Hell und Dunkel, Sonne und Mond und so weiter. – Und auch das menschliche Herz trägt Gutes und Böses in sich.«

Jetzt war Josie auch klar, warum das Motiv das Fenster im Treppenhaus schmückte. Über all den Aufregungen hatte sie völlig vergessen, danach zu fragen. Sie fingerte mit flatternden Händen die Drachenfibel aus dem Ausschnitt. »Sieht sie nicht fast genauso aus?«

O'Reardon kramte die Brille aus der Brusttasche und beugte sich vor. »Ja, das ist allerdings ein Caduceus!« Er blickte zwischen dem Gemälde und der Fibel hin und her. »Dass mir das nicht gleich gestern Abend aufgefallen ist! – Meine Augen! Bei schlechtem Licht brauche ich inzwischen leider eine Leselupe. – Jedenfalls ...« Er senkte die Stimme. »Dorothy – die Dinge verdichten sich zusehends. Spürst du es auch?«

»Aaron ...« Josies Großmutter atmete tief, sprach aber nicht weiter.

Josie deutete erregt auf das zweite Gemälde, das Bildnis einer schwarz gekleideten dunkelhaarigen Frau mit verkniffenen dünnen Lippen, die im Lächeln wenig geübt zu sein schienen. Unter einer ebenfalls schwarzen Satinhaube erwiderte sie die Blicke ihrer Betrachter aus kalt wirkenden Augen. »Ist das Conalls Frau?«

»Ja, seine zweite Frau Deidre. Das Glück in der Liebe war auch ihm nicht gerade hold. Seine erste Frau soll eine Schönheit gewesen sein. Aber sie starb ihm im Kindbett weg. Damit das Kind nicht ohne Mutter aufwachsen musste, hat Conall sich dann rasch wiederverheiratet.« O'Reardon verzog das Gesicht. »Ein Fehlgriff – schlimm, wenn man das über eine Urahnin sagen muss. Aber man sieht es ihr doch schon an! Ein zänkisches boshaftes Weib soll sie gewesen sein. Mit ihr hatte er zwei Söhne.« Er strich sich über den Bart. »Ja, eine Frau kann einem Mann den Himmel, aber auch die Hölle bereiten. – Es heißt, Conall sei an einem selbst gebrauten Elixier gestorben – angeblich versehentlich.« Er starrte auf das Porträt. »Wenn ihr mich fragt – daran glaub ich nicht.«

»Er hat sich umgebracht?«, fragte Moma entsetzt.

Der alte Herr räusperte sich. »Nun, ich fürchte, ja.«

»Und die Kinder?«

»Ihren Söhnen soll Deidre eine gute Mutter gewesen sein. Aber die Stieftochter hat sie sofort nach Conalls Tod weggegeben.«

Josie warf der Schmallippigen einen vorwurfsvollen Blick zu. »Wohin denn?«

»Das weiß ich nicht«, sagte der Professor. »Damals ist man unliebsame Kinder oft als billige Arbeitskräfte an Bauern losgeworden.« Er schob nachdenklich das Kinn vor. »Aber es wäre schon interessant zu wissen, was aus Aislinn – ihr Name steht in der Familienchronik – geworden ist. Schließlich war sie auch eine O'Reardon.«

Moma ging kopfschüttelnd zur Tür, die in die Küche führte. »Familiengeschichten können die reinsten Dramen sein. Trotzdem – ich hol jetzt mal das Essen.«

Josie folgte ihr. Als sie mit dampfenden Schüsseln zurückkamen, entzündete O'Reardon gerade die Kerzen eines Silberleuchters. »Ein bisschen Romantik darf schon sein.« Er zwinkerte Moma zu, die verlegen zurücklächelte.

Der Kerzenschein vergoldete den im grauen Abendlicht versunkenen Raum und gab ihm etwas Verwunschenes. Die magische Atmosphäre zog Josie ganz in ihren Bann. Für einen Moment kam es ihr ganz selbstverständlich vor, dass in Springwood Manor Geister lebten. Ob das mit seinem Erbauer zu tun hatte? Ihr Blick wanderte zu den Porträts zurück. Der gemalte Conall sah sie unverwandt an, fast, als wolle er ihr etwas mitteilen. Quatsch!, wies sie sich zurecht. Sie sah ja wirklich schon überall Gespenster! Und dennoch – es lag etwas Eigenartiges in diesem Blick, etwas, das sie nicht deuten konnte.

Der Zauber dieses Moments wurde durch einen Schwall heißen Kohldampfes zerstört, als Moma den Deckel der Terrine öffnete.

»Willst du?« Den Löffel in der Hand, sah Moma Josie fragend an. Sie wusste genau, was ihre Enkelin von Kohl hielt.

»Nicht viel, bitte«, antwortete Josie, die den Professor nicht vor den Kopf stoßen wollte.

»Du musst es probieren. Maudes Kohl ist der beste weit und breit.« O'Reardon sah ihr erwartungsvoll zu, wie sie ein wenig von der blassgrünen, verkochten Masse auf die Gabel schaufelte.

»Hmm, schehr gut!«, log Josie, während sie den Bissen herunterwürgte und mit einem Seitenblick auf Wolf hoffte, er würde ihr den Rest abnehmen. Aber der große Hund, der neben ihrem Stuhl lag, zeigte nicht den Anflug von Interesse, als sie ihm in einem unbeobachteten Moment etwas Gemüse andrehen wollte. Erst als sie sich dem Schinken widmete, hob er den Kopf.

»Übrigens«, sprach Moma Josie an. »Heute Nachmittag hab ich noch mal die Aufzeichnungen durchgesehen, die mein Vater gemacht hat. Aaron und ich werden morgen nach Glasglean fahren, um zu sehen, ob noch Pfarrmatrikel existieren, die den Stammbaum weiter zurückverfolgen lassen. Der Ort ist nur ein paar Meilen von hier entfernt. Kommst du mit?«

Josie legte das Besteck beiseite. »Weiß nicht ...«

Der Professor lächelte ihr verschwörerisch zu. »Es könnte ja sein, dass jemand Bestimmtes vorbeikommt.«

Josie wurde rot. »Na ja, vielleicht braucht er mich. Die Bücher und so ...«

»Daher weht der Wind!«, sagte Moma. »Ja, er sieht nett aus, dieser Arthur. Gefällt er dir, Josie?«

»Hm.« Josie überlegte fieberhaft, wie sie von dem Thema Arthur ablenken konnte. Sie deutete zu dem Cembalo hinüber. »Ist es sehr alt?«

O'Reardon nickte. »Ziemlich. Es dürfte fast so alt sein wie das Haus. Meine Mutter hat oft darauf gespielt.«

Moma erhob sich und ging zu dem Instrument. »Darf ich?«

»Aber ja!« Der Professor lächelte ihr zu. »Es ist sehr lange nicht mehr gespielt worden. Trotzdem lasse ich es jedes Jahr stimmen. Es gehört schließlich zum Haus und soll nachkommenden Generationen erhalten bleiben.«

Josies Großmutter klappte den Deckel zurück und setzte sich auf den davorstehenden Drehhocker.

»Das sind ja komische Tasten!«, bemerkte Josie staunend.

Moma schlug einige Töne an. »Bei vielen Cembali sind die großen Tasten schwarz, häufig aus Ebenholz«, sagte sie. »Nur die Halbtöne sind weiß. Und wie du hörst, klingt es auch etwas anders als ein Klavier.«

Josie stand auf und stellte sich hinter ihre Großmutter. »Es klingt mehr wie ein Saiteninstrument, finde ich, so glasklar. Aber sehr hübsch.«

Dann begann Moma zu spielen. Moma spielte zu Hause oft Klavier und auch Josie hatte einige Jahre lang Unterricht genommen. Aber genau wie ihrer Großmutter lag es auch Josie nicht besonders, nach Noten zu spielen. Viel lieber klimperte sie frei improvisierend, was ihr gerade so einfiel. Und genau das machte jetzt auch Moma. Es war eine kleine Melodie, die leicht und beschwingt in Orange- und hellen Grüntönen durch den Raum tanzte. Der Professor lehnte sich zurück und ließ kein Auge von der Pianistin, deren schneeweiße Haare locker zusammengeschlungen in den Nacken fielen. Trotz ihres Alters besaß sie etwas Mädchenhaftes, ja Feenhaftes. Federleicht, wie die einer jungen Frau, schwebten ihre schlanken Finger über die Tasten.

Während ihre Großmutter ganz versunken am Cembalo saß, begann Josie, das schmutzige Geschirr in die Küche zu tragen. Sie kam gerade wieder ins Speisezimmer zurück, als Wolf jaulend aus dem Speisezimmer floh. Ihr verwunderter Blick folgte ihm noch, als sie wie gebannt stehen blieb. Purpurrote Wolken schwebten durch den Raum, eine süße anrührende Melodie, die Josie nur zu gut kannte.

»Woher kennst du dieses Lied?«

Ihre Großmutter legte die Hände in den Schoß. »Das von eben? Weiß nicht. Vielleicht aus dem Radio.«

Der Professor erhob sich und gesellte sich mit bedächtigen Schritten zu ihnen. »Das ist jetzt wirklich eigenartig«, sagte er bewegt. »Dieses Lied hat mich durch meine Kindheit begleitet. Meine Mutter hat es oft auf diesem Cembalo gespielt. Und ebenso meine Großmutter. Haltet mich für verrückt oder nicht, man könnte fast meinen, das Instrument erinnere sich daran.«

Moma sah ihn in einer Mischung aus Zweifel und Besorgnis an. »Aber Aaron! Was du immer für Ideen hast.«

Josie starrte auf die Tasten. »Es ist das Lied von Druid Dubh. Genau diese Melodie. Das Lied der Amsel.«

Der Professor warf ihr einen bestürzten Blick zu. »Für mich besteht kein Zweifel mehr! Ihr seid nicht von ungefähr hierhergekommen«, sagte er rau. »Ich spüre es in jedem meiner alten Knochen. – Glaubt mir. Ihr tragt beide das Feenzeichen! Und heute die Sache mit dem Caduceus und die Melodie ...«

Der Ernst in seinen Worten erstickte Momas Widerspruchsgeist. Um der irrealen Situation ein Ende zu bereiten, stand sie auf, und klappte mit einer resoluten Bewegung das Cembalo zu. »So, Josie und ich machen jetzt die Küche fertig.« Sie ging zum Tisch und nahm einen großen Schluck Wein. »Andererseits ...« Sie stellte das Glas wieder ab. »Andererseits – warum überlassen wir den Abwasch nicht einfach den Hausgeistern.« Sie sah ihren Gastgeber herausfordernd an. »Die gibt es doch in Springwood Manor! Stimmt's, Aaron?«

»Die gibt es, Dorothy! Die gibt es!«, sagte der Professor und es lag nicht das kleinste Augenzwinkern in seinen Worten.

Josie gähnte herzhaft, als sie an diesem Abend in ihr Zimmer trat. Was für ein Tag lag hinter ihr! Einen Augenblick später war sie wieder hellwach. Irgendetwas hatte sie aufgeschreckt. »Hallo?«

Raschelnd blähte sich die Gardine vor dem halb geöffneten Fenster. Josie atmete auf. Gott sei Dank – nur der Wind! Allmählich litt sie schon unter Verfolgungswahn. Sie schob das Fenster zu und zog das Nachthemd an, das jemand für sie über den Stuhl gelegt hatte. Nachdem sie in das einladend aufgeschlagene Bett geschlüpft war, schnupperte sie. Mhm, das duftete! Lavendel? Sie hob das Kopfkissen und entdeckte darunter ein lila blühendes

Kränzchen. Ob Rosalinde hier gewesen war? Oder hatte Maude alles so nett für sie hergerichtet?

Josies Blick wanderte zur Holztäfelung, aber die kleine Tür war in der Struktur des Paneels heute nicht auszumachen. Von Rosalinde keine Spur. Sie griff nach dem grünen Bändchen, das sie heute Morgen aus der Bibliothek mitgenommen hatte, und lehnte sich zurück. *Zwerge, Gnome, Hausgeister – Eine kleine Enzyklopädie von Thomas Williams Mahony, 1795.* Sie öffnete den abgestoßenen Leinwanddeckel. Hatte sie den Titel noch ohne Probleme lesen können, musste sie schon nach wenigen Zeilen feststellen, dass sich ihr das, in antiquierter Schrift gedruckte, altertümliche Englisch kaum erschloss. Sie blätterte enttäuscht durch die Seiten und verweilte bei den Abbildungen. Etwa in der Mitte des Buches blieb ihr Blick an einer Zeichnung hängen. »Bean Tighe«, buchstabierte sie leise. Fast genauso sah Rosalinde aus! Josie schob die Unterlippe vor. Wie schade, dass sie nur die Hälfte von dem mitbekam, was da geschrieben stand! Sie hätte wirklich zu gern etwas über die Zwergin erfahren. Während sie sich abmühte, den Text zu entziffern, spielte ihre Hand beiläufig mit der Drachenfibel, die an dem Purpurband um ihren Hals hing. Urplötzlich, so als hätte jemand in ihrem Gehirn das Licht angeknipst, erfasste sie die fremden Wörter und Wendungen wie selbstverständlich. Es dauerte eine Weile, bis sie dahinterkam, dass diese Erhellung mit der Drachenfibel zu tun hatte. Als ihr der Zusammenhang endlich aufging, dachte sie, dass es doch wirklich ein Jammer war, wie wenig sie von den Regeln der Magie verstand, die so unerwartet in ihr Leben geplatzt war. Musste sie denn auf alles selbst kommen? Dennoch erleichtert, das Büchlein nun lesen zu können, vertiefte sie sich in die Zeilen.

Bean Tighe: ein weiblicher irischer Hausgeist mit dem Aussehen einer älteren Frau. Diese Zwerginnen schätzen einfache bäuerliche Kleidung. Zumeist sind sie etwas mollig und zeigen ein freundliches, fast kindliches Gesicht. Eine Bean Tighe macht sich gern nützlich, so erledigt sie zum Beispiel Arbeiten, die im Haushalt liegen geblieben sind. Auch gilt sie als gute

Kinderfrau, die die Kleinen stets im Auge behält. Mit ein wenig Sahne und ein paar Erdbeeren entlohnt, bleibt eine Bean Tighe dem Menschen, den sie ausgewählt, ein treuer Freund.

Josie legte das Buch auf die Decke. Kein Zweifel, Rosalinde war eine Bean Tighe! Sicher hatte der gutmütige Hausgeist ihr Bett gemacht, nachdem sie es heute Morgen völlig zerknüllt zurückgelassen hatte. Sahne und Erdbeeren, dachte sie dann. Es war sicher nicht leicht, um diese Jahreszeit Erdbeeren aufzutreiben. Aber vielleicht gab es noch Walderdbeeren, die trugen doch den ganzen Sommer über. Ein kalter Schauder durchrieselte sie. Nach den Ereignissen des heutigen Tages ging ihre Lust auf einen Waldspaziergang gegen null. Sie ließ den Kopf ins Kissen fallen. Sollte sie Arthur fragen, ob er sie begleiten würde? Und Wolf? Wolf kam bestimmt mit!

Sie las noch ein paar Seiten, legte das Büchlein dann auf den Nachttisch zurück und knipste das Licht aus. Unglaublich, was es alles für Wesen gab! *Unglaublich* war das einzig treffende Wort. Und trotzdem gab es sie. Einige von ihnen hatte sie heute schon kennengelernt. Die Anderwelt schien eine Parallelwelt zu sein. Eine Welt neben – oder sollte man besser sagen *zwischen* – der ihr vertrauten Realität. Wie hatte Elvinia die Menschenwelt genannt? – *Welt der Dinge*. Ja, so hatte sie sich ausgedrückt! Die *Welt der Dinge*, die Welt der Schepsel. Josie lächelte. Schepsel – was für eine komische Bezeichnung.

Allmählich beruhigte der Lavendelduft ihr unruhig flackerndes Denken. Erste Traumbilder kamen und gingen, dann schlummerte sie ein.

Sie hätte nicht sagen können, wie lange sie schon geschlafen hatte, als aufgeregtes Flüstern sie aus ihren Träumen schreckte. Josie setzte sich erschrocken auf und versuchte, in dem spärlichen Mondlicht, das durch die Gardinen schimmerte, etwas zu erkennen. Augenblicklich war es mucksmäuschenstill im Zimmer. Dennoch spürte Josie deutlich, dass jemand da war. Dann hörte sie plötzlich ein Hicksen, es folgte ein kräftiger Gurgellaut. Unzweifelhaft ein Rülpser! Eine weibliche Stimme tuschelte ärgerlich.

»Rosalinde?«

»Verzeiht!«, tönte Rosalindes Stimme aus der Dunkelheit.

Josie knipste die Nachttischlampe an. Und jetzt sah sie, wer ihren Schlaf gestört hatte. Zum einen stand da, mit äußerst betrübtem Gesicht, tatsächlich Rosalinde. Aber sie war nicht allein. Neben ihr hielt sich ein alter, ganz offensichtlich ziemlich betrunkener kleiner Mann schwankend an der Bettkante fest. Unter seinem Arm klemmte eine Whiskeyflasche, die im Verhältnis zu seiner Körpergröße riesig wirkte. Er war noch kleiner als Rosalinde, worüber auch sein hoher, zylinderartiger grüner Hut, der ziemlich schief auf seinem großen Kopf saß, nicht hinwegtäuschte. Aus seinem verschrumpelten Gesicht wuchs unter zwei kleinen glasigen Augen eine rote Kartoffelnase, der man ansah, dass ihr Besitzer sie gern in Alkohol steckte. Ein zerzauster weißer Bart umrahmte seinen runden Kopf. Er trug einen erbsenfarbigen Rock mit großen goldenen Knöpfen, darunter eine Bundhose mit Strümpfen, die in altmodischen schwarzen Schnallenschuhen steckten, denen Putzen nicht geschadet hätte.

»Wer ist das denn?« Josie machte eine verschlafene Kopfbewegung in Richtung des Zwergs.

Rosalinde funkelte ihren Begleiter zornig an »Verzeiht! Ich hatte grade Streit mit diesem faulen Trunkenbold, der frech und dreist von jetzt auf gleich Euch so bezecht besuchen wollt.«

Der kleine Mann zuckte zusammen, als Rosalinde ihn derart ungestüm anfauchte. Dann setzte er die Flasche an den Mund und nahm einen ordentlichen Schluck, dem sich ein gewaltiges Aufstoßen anschloss. »Ge-gemach, gemach lieb-liebholde Maid, wie oft hab ich um Euch gefreit. – Wie-wiewohl, es hat nicht so-sollen sein, drum bleib ich damit halt all-allein.« Er strich liebevoll über die Flasche und tröstete sich mit einem weiteren Schluck.

Aber seine Worte trugen keineswegs dazu bei, Rosalinde zu beschwichtigen. Im Gegenteil, ihr sonst so gutmütiges Gesicht überrollte eine Welle des Zorns. »Ich bin nicht Eure holde Maid! Ich wär' ja wirklich nicht gescheit! Glaubt mir, ich werd' es niemals sein! Was fällt Euch altem Zausel ein!«

Josie beobachtete das Geplänkel der zwei in einer Mischung aus Belustigung und Verärgerung. Sie beugte sich vor, um den Zwerg näher zu betrachten. »Dann bist du also nicht Rosalindes Mann?«

Aber der kleine Mann antwortete nicht, seine Aufmerksamkeit galt gerade wieder ganz und gar der Flasche.

Dafür antwortete ihr Rosalinde, mit Wangen knallrot wie ein überhitzter Ofen. »Der Cluricaun – mein Mann? Was fing ich mit dem Saufkopf an? Er wohnt im Haus – doch ging's nach mir, wäre er ganz gewiss nicht hier!«

»Er ist ein – was?«, fragte Josie.

Der Zwerg verbeugte sich, wobei er mit der freien Hand seinen Zylinder absetzte. »Ein Clu-Cluricaun vom al-alten Schlag, aus gutem Haus und von Kul-Kultur. – Was will der alte Besen nu-nur?« Ein kräftiger Rülpser platzte aus den Tiefen seiner Eingeweide. Unglücklich beäugte er die mittlerweile leere Flasche. »Ver-verzeiht, ich hab es mit dem Magen. – Kann lee-leere Flaschen nicht vertragen.«

»Pah!« Rosalinde verdrehte die Augen.

»Du bist also ein Cluricaun«, sagte Josie und nahm sich vor, gleich morgen in dem Buch nachzulesen.

»Ein Clu-Cluricaun von Kopf bis Fuß, ein Wächter ü-über Hof und Söller – do-doch schätze ich, ich geb' es zu, be-besonders eines Hauses Kell-ell-ler.« Er wankte wie ein Matrose auf Landgang.

»Ein Wächter!« Rosalinde lachte spöttisch. »Er wacht, bis alle Fässer leer und alle Flaschen ausgetrunken. – Den Keller schätzt er wahrlich sehr. Dort konviniert es dem Halunken.«

Josie nickte dem Cluricaun auffordernd zu. »Wie heißt du eigentlich?«

Der Zwerg sah schwankend zu ihr hoch. Für einen Moment

schien er zu zaudern. »Mo... MoDain«, brabbelte er schließlich mit schwerer Zunge.

»MoDain«, wiederholte Josie. »Das ist doch kein Name.«

Rosalinde lachte. »Ihr habt ganz recht! Doch würde er ihn niemals nennen und sei er noch so sehr bezecht. Denn den, der seinen Namen weiß, müsst er als Meister anerkennen.«

»Weißt du, wie er wirklich heißt?«

Rosalinde schüttelte den Kopf. »Doch MoDain ist sein Name nimmer. Denn MoDain heißt nur: Wer-auch-immer.«

Josie lächelte. Kein Wunder, dass der Cluricaun seinen Namen nicht preisgab, Rosalinde hätte ihn sicher mit Vergnügen unter die Fuchtel genommen. Sie wandte sich wieder an den Cluricaun. »Und was wolltest du hier, mitten in der Nacht?«

Der kleine Alte zupfte sich verlegen am Bart. »Das Schep-Schepselkind wollt ich beseh'n, von dem im Um-Umlauf Märlein sind, die von Mund zu Munde geh'n.« Wieder verbeugte er sich tief, so tief, dass er beinahe ins Stolpern geriet.

Josie horchte auf. »Wer spricht denn über mich?«

Der Cluricaun klammerte sich sicherheitshalber am Bettpfosten fest. »Ihr seid in all-ller Munde.«

Mit einem abfälligen Blick auf den Zwerg mischte sich Rosalinde wieder ins Gespräch. »Es stimmt schon, was der Saufbold sagt, die Neugier hat ihn wohl geplagt. Denn seit der große Trusadh naht, durchs Gold'ne Reich Gerüchte weh'n, dass zu dem großen Völkerrat ein Schepselkind ist auserseh'n, welches das Wagnis könnt' besteh'n.«

»Der große – was?«

»Der Trusadh ist der große Rat. Die Königin zusammenbat Narrandas Völker, Stämme, Rassen, um endlich einen Schluss zu fassen.«

»Eine Versammlung?«

»Es werden diesmal alle kommen.« Rosalinde blickte betrübt auf ihre Fußspitzen. »Ist auch die Hoffnung fast zerronnen.« Dann straffte sie sich. »Nun schlaft! Ihr müsst jetzt wieder ruh'n, wir haben hier nichts mehr zu tun.« Sie zog den Cluricaun am Ärmel. »Komm, alter Schlucker, folge mir, du warst schon viel zu lange hier!« Damit zerrte sie den Zylinderzwerg zu der offen stehenden Tür in der Vertäfelung.

Trusadh, Wagnis ...? Verdammt! Wut brodelte in Josie hoch. Ihr lagen tausend Fragen auf dem Herzen und niemand redete Klartext mit ihr?

»Moment mal!«, rief sie. »Allmählich hab ich die Nase definitiv voll! All diese Andeutungen! Ich hab nicht die blasseste Ahnung, wie ich überhaupt nach Narranda kommen soll – geschweige denn, was mich dort erwartet.«

Rosalinde blieb stehen, und während der Cluricaun, den sie nach wie vor fest am Schlafittchen hielt, um Gleichgewicht kämpfte, drehte sie sich mit sehr ernstem Gesicht noch einmal um. »Ich sag es nicht, um Euch zu necken – den Weg müsst Ihr allein entdecken.«

Sie versetzte dem betrunkenen Hausgeist einen ungeduldigen Rempler. »Auf, auf!« Unter unwilligem Brummeln ließ sich MoDain durch die Tür schieben. Dann schloss sich das Paneel und die nächtlichen Besucher waren verschwunden.

Josie seufzte, ihr war klar, von den beiden würde sie auch nicht mehr erfahren als von Druid Dubh.

Ein Knall riss sie aus ihrem Unmut. Es folgten ein gelallter Fluch und Gepolter, als würde jemand eine Treppe hinunterkugeln. Offenbar hatte der gute MoDain die Nase doch ein wenig zu tief in die Flasche gesteckt.

Josie ließ sich zurück ins Kopfkissen fallen.

Elfen, Moosboggels, eine Bean Tighe und ein sturzbetrunkener Cluricaun waren ein bisschen viel für einen einzigen Tag! Sie knipste das Licht wieder aus und zog die Decke über den Kopf. Und selbst wenn jetzt das Ungeheuer von Loch Ness in ihrem Zimmer auftauchen würde – sie würde es einfach nicht beachten.

Am nächsten Morgen wurde Josie durch Sonnenstrahlen und das Zwitschern der Gartenvögel geweckt. Rosalinde zeigte sich nicht, als Josie in ihre Sachen schlüpfte. Vermutlich kümmerte sie sich um den Cluricaun. Bestimmt hatte er sich alle Knochen gebrochen. – Konnten sich Geister überhaupt etwas brechen?

Beim Hinausgehen stolperte sie. Sie konnte sich gerade noch am Abschlussbrett der Vertäfelung festhalten. Verdammt! Mo-Dains leere Whiskeyflasche! Der Cluricaun hatte sie einfach liegen lassen. Josie hob sie grimmig auf.

Als sie kurz darauf die Treppe hinunterlief, kam ihr der Professor entgegen. »Morgen! Gut geschlafen?«

»Teilweise«, antwortete Josie. Unentschlossen, ob sie ihm von ihren nächtlichen Besuchern erzählen sollte, versteckte sie die Flasche rasch hinterm Rücken. Aber zu spät. O'Reardon streckte die Hand aus. »Woher hast du die?«

Josie reichte ihm die Flasche mit einem verlegenen Grinsen. »Ich hab sie in meinem Zimmer gefunden.«

Der alte Herr musterte das Etikett. »Einer meiner guten Malt Whiskeys.« Er kratzte sich nachdenklich am Kopf.

Josie fühlte sich unbehaglich. »Sie denken doch nicht etwa ...«

Der Professor sah hoch. »Du meinst – dass du ...?« Er schüttelte den Kopf. »Nein, wirklich nicht. Ich glaube vielmehr ... Schon mal was von einem Cluricaun gehört?«

Josie kratzte sich nervös am Arm.

O'Reardon sah sie prüfend an. »In Springwood Manor hat es von jeher Hausgeister gegeben. Sie zeigen sich nicht jedem, aber ich bin überzeugt, dass sie noch da sind. Als ich klein war, habe ich einmal einen Cluricaun unten in der Küche gesehen. Es kommt nicht oft vor, dass sie sich einem Sterblichen zeigen. Aber in besonderen Nächten – und es war eine besondere Nacht, denn es war Samhain – sind die Schleier zwischen den Welten durchlässiger.«

»Samhain?«

Der Professor nickte. »Ein altes keltisches Fest, das bis heute noch am 31. Oktober gefeiert wird, du kennst es …«

»Halloween?«, fragte Josie erstaunt.

»Genau – oder Allerheiligen. Die Christen haben vielen heidnischen Festen neue Namen gegeben. Samhain ist das Fest des Sommerendes, der Beginn der dunklen Jahreszeit. Es gibt auch noch andere keltische Feste, wie Beltane, vom 30. April auf den 1. Mai, das Frühlings- und Fruchtbarkeitsfest.«

»Vom 30. April auf den 1. Mai«, wiederholte Josie tonlos. »Die Nacht, in der Edna verschwunden ist.«

Der alte Herr strich sich über den Bart. »So, so«, murmelte er. »An Beltane also.«

Gemeinsam gingen sie die Treppe hinunter in die Diele. O'Reardon stellte die leere Flasche auf die Garderobenablage. »Da muss ich wohl ein Auge auf meinen Keller haben. Es ist lange Zeit kein Alkohol mehr verschwunden. Ich glaube, du hast etwas, das die Geister anzieht.«

»Das glaub ich inzwischen allerdings auch.«

Der alte Herr sah Josie gespannt an. »Hast du ihn gesehen?«

Josie überlegte kurz. Sie hatte Rosalinde Stillschweigen versprochen, nicht aber dem Cluricaun.

»Hmm«, brummelte sie.

Über das Gesicht des Professors flog ein Lächeln der Erinnerung. »Mein Gott, ich hab mich damals fast zu Tode erschrocken. War damals ein Steppke von höchstens sechs Jahren und kaum größer als der Zwerg. Er deutete mit der Rechten die Höhe des Cluricauns an. »Etwa so. Grüner Zylinder, Schnallenschuhe und große Goldknöpfe.«

Josie nickte.

»Dann war er es! Cluricauns sind sehr standorttreu. Sie bleiben in einem Haus, bis das letzte Glied der Familie stirbt.«

»Und er tankt wie ein Loch«, sagte Josie.

O'Reardon lachte. »Allerdings. Da werd ich wohl auf das alte Hausmittelchen Achillea zurückgreifen müssen. Damit hat schon meine Mutter die Flaschenvorräte geschützt.«

Josie blickte ihn fragend an.

»Schafgarbe, du weißt schon, diese weißen und gelben Blumen, die so fürchterlich stinken. – Ein Sträußchen Schafgarbe um den Flaschenhals, und der Cluricaun hat schlechte Karten. Er verabscheut Achillea wie die Pest.«

»Wer hat schlechte Karten?« Josies Großmutter kam die Treppe herunter.

»Der Cluricaun«, sagte Josie.

»Wer?«

»Ein Hausgeist!«, ergänzte der Professor.

»Schon vor dem Frühstück Geistergespräche! Da haben sich ja zwei gefunden!« Kopfschüttelnd verschwand Moma in der Küche.

Auch heute früh hatte Maude draußen gedeckt. Josie genoss die Morgensonne, die hausgemachte Orangenmarmelade und Maudes selbst gebackenes Brown Bread. Wolf lag ausgestreckt neben ihren Gartensessel und blinzelte sie an. Es war kein aufdringliches Betteln, wie Josie es von vielen Hunden kannte. Verstohlen ließ sie ein kleines Stück Brot fallen und ebenso verstohlen leckte es Wolf mit seiner langen rosa Zunge auf.

O'Reardon griff nach der Zeitung, die neben seinem Teller lag, und kramte die Brille aus der Hemdtasche.

»Seht euch das an!« Er deutete auf die Schlagzeile. »Krieg. Schon wieder! Immer muss es irgendwo auf der Welt Krieg geben. Warum können sich die Menschen nicht vertragen?«

Moma goss sich Tee nach. »Weil im Menschen beides liegt, Gut und Böse. Deshalb ist es ja so wichtig, dass wir das Gute in unseren Herzen zum Schwingen bringen.«

»Du hast recht, Dorothy, sonst gerät die Welt aus den Fugen.« Damit blätterte er den Regionalteil auf.

Plötzlich spannte sich seine Haltung, seine Augen jagten über die Zeilen. Dann nahm er abrupt die Brille ab. »Es ist nicht zu fassen!«

Josie und ihre Großmutter sahen ihn erschrocken an.

»Ryan, mein Neffe!« Er klopfte zornig mit dem Brillenbügel auf das Blatt. »Er baut einfach weiter!«

»Arthurs Vater?«, erkundigte sich Josie.

»Genau der«, brummte der Professor. »Der Sohn meines Bruders Richard. Baut ein Großkino mitten in die Landschaft, noch dazu in einen *Rath*. Ohne Rücksicht auf Verluste.«

»Das muss die Baustelle sein, an der ich gestern vorbeigeradelt bin, die haben noch am Abend dort gearbeitet«, sagte Josie.

»Eine Schande für unsere Familie ist das. Ausgerechnet ein O'Reardon! Eine Schande!«

»Gehört deinem Bruder das Gelände?«, fragte Moma.

»Dieses Gelände gehört keinem Menschen, und wenn er zehnmal im Grundbuch eingetragen ist. Es ist tabu! Es ist ein *Rath*!« Der alte Herr bebte vor Zorn.

»Und?« Moma rührte in ihrer Tasse.

»Wie mir scheint, weißt du nicht, was ein *Rath* ist.« Er atmete tief, als wolle er sich damit beruhigen. »Ein *Rath* ist eine antike Wallanlage, die vermutlich kultischen Zwecken diente. Die Ältesten stammen noch aus der Bronzezeit. *Raths* sind wichtige Kulturdenkmäler!«

Ach so, dachte Josie. Jetzt verstand sie, warum Arthur sich so über das Bauprojekt aufgeregt hatte.

»Und überdies ...« Der Professor zögerte und fuhr dann umso nachdrücklicher fort. »Und überdies sagt man, dass sie von Sidhe bewohnt werden. Das weiß hier jedes Kind.«

»Ich bitte dich, Aaron!«, sagte Moma. »Wir leben doch nicht mehr im Mittelalter!«

»Dorothy, entschuldige, aber davon verstehst du nichts!« Seine Stimme klang ungewöhnlich ruppig. »Wir sind hier in Irland und da gibt es nun mal bestimmte Spielregeln zwischen den Welten.«

Josies Großmutter setzte sich gekränkt zurück. »Und die wären?«

»Achtet, was den Sidhe gehört, dann achten die Sidhe, was den Menschen gehört. Man baut nicht in Sidhe-Gebiet! Punktum! Es ist ein alter und guter Brauch, ihren Frieden nicht zu stören. Kein Bauer hätte es früher gewagt, einen solchen Ort zu pflügen, geschweige denn zu bebauen. Und kluge Bauherren respektieren diese Orte bis heute. Als zum Beispiel der Shannon-Airport gebaut wurde, hätte eine der Trassen mitten durch Feengebiet geführt. Der Architekt, ein Engländer natürlich, verstand einfach nicht, warum sich die Baugesellschaft weigerte, den Platz zu planieren. Schließlich hat man dann doch noch eine andere Streckenführung gefunden. Ryan aber denkt nicht daran, solche Rücksichten zu nehmen. Er hat das Land für ein Butterbrot aufgekauft. Der ehemalige Grundbesitzer war froh, dass er es loswurde – eben weil es Sidhe-Gebiet ist, das niemand haben will. Das Großkino ist ja nur der Anfang! Es soll ein ganzes Gewerbegebiet mit einem Einkaufszentrum und einer Diskothek entstehen. Jahrelang lief das Genehmigungsverfahren. Die Gemeinderäte waren sich alles andere als einig. Auf der einen Seite profitiert Galbridge natürlich von einer guten Infrastruktur. Auf der anderen Seite wird nicht nur viel Natur zerstört, sondern auch noch ein Gebiet angetastet, das – selbst, wenn man nicht an die Sidhe glaubt – doch zumindest Kulturerbe ist!« Er schlug mit der flachen Hand auf den Tisch. »Und das ist *Rath Doire* nun mal!«

»Aber warum wurde es dann überhaupt genehmigt?«, erkundigte sich Moma.

»Warum?« Die Augen des Professors funkelten. Josie wunderte sich, wie viel Wut in dem sonst so sanft wirkenden Mann steckte. »Das kann ich dir sagen: Die Abstimmung war mehr als knapp. Es brauchte nur die einfache Mehrheit. Und Geld stinkt nicht!«

»Bestechung?«, fragte Moma.

»Allerdings, davon gehe ich aus!« O'Reardon holte tief Luft. »Aber Ryan wird schon sehn, was er davon hat, und eine erste Lektion hat er auch schon bekommen!«

Josie hing an seinen Lippen. »Wieso?«

»Gleich in der ersten Woche wurde ein Arbeiter tödlich verletzt. Eine der Planierraupen ließ sich auf einmal nicht mehr steuern, der Mann wurde mit dem Rücken zur Böschung buchstäblich überrollt.«

Moma setzte erschrocken die Teetasse ab. »Das ist ja furchtbar!«

»Allerdings. Danach hatte Ryan ein Problem! Die einheimischen Arbeiter sind ihm alle abgesprungen. Ich dachte schon, der Sturkopf kommt endlich zur Vernunft. Aber nein!« O'Reardon klopfte wieder auf die Zeitung. »Jetzt schreiben sie, dass er mit Gastarbeitern vom Festland weiterarbeitet. Und weil er so viel Zeit verloren hat, sogar in zwei Schichten.«

O'Reardon schüttelte vergrämt den Kopf.

Moma legte beruhigend die Hand auf seinen Arm. »Aaron, es hat keinen Sinn, sich über Dinge aufzuregen, die man nicht ändern kann. Mir macht viel mehr Sorge, was mit Amy passiert ist. Irgendwie passt mir gar nicht, dass wir einfach abwarten, was geschehen wird. Es muss doch etwas geben, das wir tun können.«

Ihr Blick fiel auf die Zeitung und ihr Gesicht hellte sich auf. »Ob es vielleicht etwas bringt, Amys Foto zu veröffentlichen?«

»Es schadet jedenfalls nicht«, sagte der Professor und schlug mit finsterer Miene den Regionalteil zu. »Vielleicht hat sie ja tatsächlich jemand gesehen. Wir können auf dem Weg nach Glasglean beim *Meath Report* vorbeischauen und das gleich erledigen.«

Moma warf Josie einen unsicheren Blick zu. »Was denkst du?«

Josie strich gedankenverloren Marmelade auf eine Scheibe Brot. »Ja, warum nicht ... « Sie sprach nicht weiter.

Jedem am Tisch war klar, dass auch diese Aktion nichts bringen würde. Der Professor und Josie sprachen es nicht aus, um Moma

zu schonen. Und Moma behielt ihre Gedanken für sich, weil sie nicht zugeben wollte, dass der Professor wohl recht gehabt hatte, als er neulich gesagt hatte, dieser Fall sei nicht von dieser Welt. Überhaupt hatte Moma, seit Josie in Chicago ihre Familie ausfindig gemacht hatte, zunehmend Probleme, die Ereignisse vernünftig zu erklären. Dabei mochte sie es gar nicht, wenn sich die Dinge ihrem Verstand entzogen. Und je stärker dieses Gefühl wurde, umso mehr kämpfte sie dagegen an.

Ihre Großmutter wischte sich mit der Serviette über den Mund. »Josie, willst du wirklich nicht mitkommen? Die Pfarrmatrikel in Glasglean sind bestimmt interessant.«

»Danke, Moma, ich bleib lieber hier. Vielleicht lese ich ein bisschen und dann will ich mal sehen, ob es noch Walderdbeeren gibt.«

»Walderdbeeren?« Der Professor warf ihr einen prüfenden Blick zu.

»Verlauf dich bloß nicht!«, sagte ihre Großmutter und stand auf. »Am besten, du nimmst Wolf mit, dann hat er gleich ein bisschen Bewegung.«

»Und Arthur«, ergänzte der alte Herr verschmitzt und deutete zur Einfahrt, wo gerade ein großer schlaksiger Junge von seinem Rad sprang.

Josie atmete innerlich auf. Arthur war gekommen, er hatte ihr die beleidigte Tour von gestern also nicht krummgenommen.

Auch für heute plante Arthur, in Galbridge zwei weitere Folianten abzufotografieren, womit er, mit einem verlegenen Lächeln, seinem Großonkel gegenüber den Besuch rechtfertigte. »Zu zweit geht es um vieles schneller, das muss ich unbedingt ausnützen.«

Josie war einverstanden. Sie besorgte sich bei Maude eine Dose und bat Arthur, auf dem Rückweg einen Abstecher in den Wald zu machen, um ein paar Beeren zu sammeln, wobei sie aber für sich behielt, für wen sie gedacht waren. Wieder zwei dicke Bücher im Gepäck radelten sie los. Wolf trabte, glücklich, mitkommen zu dürfen, zunächst mit wehenden Ohren vor ihnen her. Doch schon nach der Hälfte des Wegs wurde er kurzatmig und blieb zurück, sodass Josie und Arthur etwas langsamer fuhren. Wolf war eben nicht mehr der Jüngste.

Eingeklemmt zwischen Kartons und einem unaufgeräumten Regal lag der große Hund wenig später in Kennys Laden und döste vor sich hin, um neue Kräfte zu sammeln, während seine zweibeinigen Begleiter ihre Arbeit erledigten.

»Was bist du für ein Braver!«, lobte ihn Josie, als sie wieder auf die Räder stiegen. »Und jetzt ab in den Wald!« Wolf wedelte gut erholt mit dem Schwanz.

Diesmal wählte Arthur die Route, die Josie am vergangenen Tag genommen hatte. Wolf lief auch jetzt wieder voraus und schloss unterwegs flüchtige Bekanntschaft mit dem Collie und dem Deutschen Schäferhund, die auch heute ihre Schafherde hüteten und sich sichtlich über die Abwechslung freuten. Anders als Josie gestern bog Arthur jedoch kurz nach der Schafwiese in einen Feldweg ein und Josie musste feststellen, dass sie einen Riesenumweg gemacht hatte.

Sie vermied es, heute über Dinge zu sprechen, die Arthur »sonderbar« finden könnte. Und so unterhielten sie sich über Lieblingsfächer und Musik, und welche Bücher sie mochten. Arthur hatte den Tolkien-Zyklus *Der Herr der Ringe* bereits komplett gelesen. Auch hatte er die Filme gesehen, womit er Josie etwas voraushatte.

»Die sind gut gemacht«, sagte er. »Aber wenn man die Bücher gelesen hat, wird man doch irgendwie enttäuscht.«

Josie nickte. »Das kenn ich. Zum Beispiel bei *Harry Potter*. Die Bücher sind um Längen besser!«

Als sie den Waldrand erreicht hatten, sprang Arthur ab und lehnte sein Rad an einen uralten Baum, eine knorrige Persönlichkeit, die das grüne Haupt hoheitsvoll in den Himmel reckte. »Als ich noch in der Grundschule war, haben mein Bruder und ich uns oft im Springwood rumgetrieben.« Er blickte nach oben. »Auf dieser Eiche sind Brian und ich immer rumgekraxelt. Siehst du die Bretter? Die haben wir damals festgebunden, das war unser Piratenausguck.«

Josie stellte ihr Fahrrad neben das seine. »Piraten?«

Arthur grinste verlegen. »Ist ja schon eine Weile her.« Er sah sich suchend um. »Irgendwo hier muss ein super Erdbeerplatz sein.«

»Such! Erdbeeren!«, feuerte Josie Wolf an. Die Nase gesenkt, schnupperte der große Hund eifrig den Boden ab.

Arthur grinste. »Fürchte, Wolf zieht weniger wohlriechende Dinge vor.«

Auch heute wieder überkam Josie das untrügliche Gefühl, beobachtet zu werden, aber anders als gestern, empfand sie es nicht als bedrohlich. Die Zweige knacksten unter ihren Füßen, der krächzende Alarmruf eines Eichelhähers warnte die Waldbewohner vor den Eindringlingen. Josie bildete sich für einen Moment ein, ein leises Hicksen zu hören. Hatten die Moosboggels noch immer Schluckauf? Sie fingerte das Purpurband heraus und umfasste sicherheitshalber die Drachenfibel.

Und dann geschah etwas Merkwürdiges. Von einem Moment auf den anderen verwandelte sich das Erscheinungsbild des Waldes in ein von Leben waberndes Gebilde. Josie blieb fasziniert stehen. Jeder Baum schien sein Wesen, ja, sein Gesicht zu zeigen. Die jungen Birken strahlten von unbändiger Lebenslust, während eine alte Fichte mit hängenden Stachelzweigen übellaunig vor sich hin rauschte und dabei den Geruch von Unzufriedenheit und Missmut verbreitete. Farbige, formlose Lichterscheinungen schwebten über den Pflanzen, den großen, wie den kleinen. Josie erinnerte sich, Momas Garten als kleines Kind manchmal ähnlich erlebt zu haben. Eigenartig, das hatte sie fast vergessen.

Arthur, der vorausgegangen war, riss sie aus ihrer Verzauberung. »Hier!«, rief er. »Ich hab die Stelle gefunden!«

Josie stakste auf Zehenspitzen zu ihm hin, ängstlich darauf bedacht, kein noch so kleines Kräutchen zu beschädigen.

Arthur beobachtete sie verwundert. »Hast du dir wehgetan? Du gehst so komisch.«

Josie schüttelte den Kopf. »Ich möchte bloß nichts zertreten.«

Dann beugte sich Arthur nach unten. »Schau! Sie sind tatsächlich noch da.«

Vor ihren Füßen wuchsen zierliche Büschel zwischen Moos und Waldklee. Weiße Blüten und rote Früchte wechselten sich an lichtgrünen Stängeln ab. Mit ihren zart gezackten Blättern kamen Josie die Pflänzchen wie Kunstwerke vor. Rote und weiße Lichtpunkte schwebten wie Seifenblasen darüber. Hatten Erdbeeren eine Seele?

Josie kniete sich hin und strich mit dem Zeigefinger sanft über eine der prallen Früchte. »Die sind so schön. Darf man die denn einfach pflücken?«

Arthur hob die Augenbrauen. »Du stellst ja Fragen! Was denkst du, wie sich Erdbeeren vermehren? Die Samen verteilen sich nur, wenn sie gegessen werden.«

Josie nahm die Hand von der Fibel. Augenblicklich hörte der Spuk auf. Arthur sollte sie nicht schon wieder für »sonderbar« halten. Und außerdem hatte er völlig recht. Der Zweck einer Frucht war es, verspeist zu werden, und dabei spielte es sicher keine Rolle, wenn ein Hausgeist das erledigte.

Die Dose war schnell gefüllt. Während sie schon auf dem Rückweg zu den Rädern waren, schob sich Arthur eine Beere in den Mund. »Mhm, die schmecken wirklich. So aromatisch! Vielleicht kann uns Maude ein bisschen Sahne dazu schlagen.«

Josie sah ihn so erschrocken an, dass er lachte. »Hast wohl Angst, ich ess dir alle weg?«

Das rasch näher kommende Rotorengeräusch eines Helikopters lenkte ihre Aufmerksamkeit unwillkürlich nach oben.

Josie kniff die Augen zusammen. »Ein Rettungshubschrauber! Da ist irgendwo was los!«

Arthur wurde blass. »Verdammt!« Er rannte zu der alten Eiche und zog sich an einem Ast hoch.

Josie blickte ihm perplex nach. »Was ist denn?«

»Die Baustelle! Er landet bei der Baustelle!«, rief Arthur völlig außer sich vom Baum herunter. »Bloody hell! Es muss schon wieder was passiert sein!«

Hals über Kopf kletterte er abwärts. Die letzten eineinhalb Meter sprang er. »Shit!« Mit einer schmerzverzerrten Grimasse raffte er sich hoch.

»Hast du dir wehgetan?«, rief Josie erschrocken.

»Egal!« Arthur rieb sich den rechten Knöchel. Dann humpelte er, so schnell es der Fuß zuließ, zu seinem Fahrrad. »Komm!«

Diesmal nahm er keine Rücksicht auf Josie, die ihm mit ihrem alten Vehikel kaum nachkam. Obwohl ihm jeder Tritt ins Pedal höllisch wehtun musste, gewann er rasch Vorsprung. Josie verließ sich auf Wolf, der alles gab, Arthur hinterherzuhecheln, aber immer wieder anhielt, um auf sie zu warten. Es gefiel ihm offensichtlich gar nicht, dass sein Rudel nicht zusammenblieb.

Als Josie vom Feldweg auf die Straße einbog, raste ihr ein Krankenwagen mit Blaulicht entgegen.

Wenige Minuten später öffnete sich vor ihr das Baustellengelände. Arthurs Rad lag neben dem Bauzaun im Gras. Auf der angrenzenden Wiese wartete mit rotierenden Blättern der Hubschrauber. Zwei Sanitäter schoben in höchster Eile eine Krankentrage in die Kabine. Arbeiter standen in der Nähe der Absperrung und unterhielten sich, laut und gestikulierend. Die Atmosphäre war zum Bersten gespannt. Nicht nur wegen des höllischen Hubschrauberlärms verstand Josie keinen einzigen der aufgeregten Wortfetzen, die der Wind an ihr Ohr trieb. War das Polnisch oder Rumänisch? Sie warf ihr Rad neben Arthurs und wies Wolf an, gut darauf achtzugeben. Der Hund legte sich folgsam hin und hielt die Stellung, auch als Josie unter dem Zaun hindurchschlüpfte.

Arthur saß mit hängenden Schultern auf den Stufen eines Bauwagens.

Josie rannte zu ihm hin. »Was ist denn passiert?«

Der Junge deutete in einer mutlosen Bewegung nach vorn. »Der Kran. Das Seil ist gerissen, die Armierungseisen, eine ganze Ladung ...«

Josie sah mit Schaudern zu dem schier endlos hohen Kran, an dem, trostlos wie ein Galgenstrick, ein zerfetztes Stahlseil baumelte. Auf dem Boden darunter ein Durcheinander von massiven Eisenträgern. Josie stöhnte. »Du lieber Himmel! Sind die etwa alle runtergeknallt?«

Arthur schluckte. »Brian wollte den Arbeiter noch wegstoßen, dabei hat er selbst was abgekriegt.«

»Dein Bruder?«

»Er ist beim Sturz mit dem Rücken übel auf einen T-Träger geknallt.«

Der Hubschrauber startete mit ohrenbetäubendem Getöse. Josie hielt sich die Ohren zu. »Ist Brian da drin?«, brüllte sie.

Arthur schüttelte den Kopf. Er wartete, bis der Lärm etwas verklungen war, ehe er Josies Frage beantwortete. »Brian haben sie ins Kreiskrankenhaus nach Galbridge gebracht. Da drin ist der Arbeiter. Sie bringen ihn nach Dublin.«

»Furchtbar!« Josie ließ sich neben Arthur auf die Treppe fallen.

Mit einer gewaltigen Staubwolke bremste ein Polizeiwagen neben der Unglücksstelle. Zwei Beamte stiegen aus. Ein großer dunkelhaariger Mann löste sich aus einer Gruppe von Arbeitern und ging mit großen Schritten auf die Polizisten zu.

Josie rollte eine ihrer kupferfarbenen Locken über den Zeigefinger. »Das ist dein Vater, oder?«

»Hmm.« Arthurs Augenbrauen zogen sich zusammen. »Es ist schon der zweite schlimme Unfall auf dieser Baustelle.«

»Ich weiß«, sagte Josie. »Er sollte den Bau besser aufgeben. Dein Großonkel hat gesagt, es sei Sidhe-Gebiet.«

»Aufgeben?« Arthur lachte bitter. »Da kennst du meinen Alten aber schlecht!«

Ein älterer Mann mit einem Schutzhelm bewegte sich mit gesenktem Kopf auf sie zu. Als er Arthur sah, blieb er stehen und wies mit einer deprimierten Handbewegung zum Kran. »Dia linn!«

Arthur nickte bedrückt. »Ja, Thomas, möge Gott uns beistehen! Meinst du, der Arbeiter kommt durch?«

»Níl a fhios agam.« Der Mann fuhr sich in einer tristen Bewegung übers Gesicht.

»Was hat er gesagt?«, erkundigte sich Josie, als er ohne Gruß einfach weitergegangen war.

»Er sagt, er weiß es nicht«, antwortete Arthur rau. »Der alte Thomas hat schon für meinen Großvater gearbeitet. Er hat Dad von Anfang an geraten, die Finger von dem Gebiet hier zu lassen. Aber mein Vater hört ja auf keinen.«

»Glaubst du auch, dass die Sidhe die Hand im Spiel haben?« Josie sah Arthur prüfend an.

Arthur blickte zu seinem Vater hinüber, der heftig mit den Polizisten diskutierte. »Allmählich halte ich alles für möglich.«

Trotz der bedrückenden Situation fühlte Josie, wie sich etwas in ihr entkrampfte. Arthur stemmte sich hoch. »Autsch!« Er ging in die Knie und umfasste seinen Knöchel.

»Tut's sehr weh?«, erkundigte sich Josie mitfühlend.

»Wird schon gehen.« Damit humpelte Arthur auf seinen Vater zu, der noch immer mit den Beamten sprach.

Josie beobachtete Vater und Sohn. Selbst von Weitem konnte man an der Körperhaltung der beiden erkennen, wie angespannt ihr Verhältnis sein musste. Arthurs Vater schüttelte ein paarmal den Kopf. Mitten im Gespräch nahm er plötzlich ein Handygespräch an und übergab das Telefon kurz darauf an Arthur.

Dann kam Arthur zurück. »Komm, ich bring dich jetzt heim, damit du nicht wieder verloren gehst. Meine Mutter holt mich nachher in Springwood Manor ab. Sie hat eben angerufen. Sie operieren Brian noch heute. Mum und ich fahren dann zusammen ins Krankenhaus.«

Josie deutete auf sein Bein. »Schaffst du das überhaupt?«

»Klar!«

Wolf begrüßte sie mit verhaltenem Wedeln, als sie zu den Rädern zurückkamen, ganz so, als spüre er, dass etwas Schlimmes passiert war.

Obwohl sich Arthur mächtig zusammenriss, entging Josie nicht, dass er kaum noch Rad fahren konnte. Hatte die Aufregung seine Schmerzempfindung zunächst unterdrückt, ließ sich die Verletzung jetzt nicht mehr ignorieren. Am Waldrand hielt Arthur an. »Ich glaub, ich brauch 'ne Pause.«

Josie stoppte ebenfalls. Sie beugte sich über den Lenker. »Ups, der Knöchel ist ja total geschwollen! Du musst ihn dir vorhin ordentlich verknackst haben.«

Arthur stöhnte. »Dammit!«

Josie verzog den Mund. »Also, wenn du mich fragst, solltest du so nicht mehr weiterfahren.«

Arthur hinkte zu einem umgefallenen Baumstamm und ließ sich vorsichtig nieder. »Wir können ja nicht gut warten, bis der Knöchel wieder abgeschwollen ist.« Er grinste schief. »Jetzt könnte ich eine gute Fee gebrauchen!«

In diesem Augenblick schoss Josie ein Gedanke durch den Kopf. »Probieren können wir's!«

Noch ehe Arthur ihr, mit mehr als einem verwirrten Blick, antworten konnte, griff Josie nach der Drachenfibel. Für einen Moment zögerte sie noch. Wenn es nicht klappte, blamierte sie sich jetzt gleich tödlich.

Sie schloss die Lider und konzentrierte sich. »Elvinia, Meisterin des Waldes. Komm und hilf!« Ihre Stimme brach in das Konzert des Waldes, in das Vogelgezwitscher und das leise Rauschen der Blätter.

Höchst unsicher, ob ihr Ruf gehört worden war, öffnete sie die

Augen. Ihr Blick traf den Arthurs, der sie anstarrte, als zweifle er an ihrem Verstand.

Josie wünschte sich schon, im Boden zu versinken, als die Fibel sich erwärmte und das Purpurherz zu leuchten begann. Dann ertönte das Sirren zarter Flügelschläge. Elvinia und ihre Elfenschar schwebten herbei und umschwärmten mit ihren blitzenden Kristallfühlern Josies Kopf.

Arthur blinzelte. »Schon wieder diese komischen Glühwürmchen! Um diese Zeit?«

»Das sind keine Glühwürmchen. Es sind Elfen.«

Arthur sagte nichts, aber Josie wusste auch so, was er dachte. Wolf hingegen schien die kleinen Geisterwesen wahrzunehmen. In seinen Bernsteinaugen spiegelten sich unruhige Lichtpunkte. Er legte sich leise jaulend auf den Boden und klopfte unsicher mit der Rute.

Elvinia landete auf einem Birkenast. »Ihr habt gerufen, wir sind hier.«

»Elvinia, mein Freund hat sich am Bein verletzt. Könnt ihr Elfen ihm nicht helfen?«

»Redest du mit den Glühwürmchen?«, erkundigte sich Arthur mit einem Anflug von Spott in der Stimme.

Die Elfen kicherten ihr glöckchenhelles Kichern. Offenkundig fanden sie es lustig, für Glühwürmchen gehalten zu werden.

Elvinia gab ihnen einen kleinen Wink, und wie am Tag zuvor schwirrten sie aus, um in Sekundenschnelle mit Lindenblättern zurückzukehren.

Das blanke Entsetzen im Blick, beobachtete Arthur, wie bei völliger Windstille hellgrüne Blätter auf ihn zuschwebten und seinen Knöchel umstrichen. Völlig perplex sah er sich um. Woher kamen die bloß? Verblüfft fühlte er, wie der Schmerz nachließ und sein Knöchel zusehends abschwoll. »Ich versteh das nicht!«, murmelte er.

»Geht es dir schon besser?«, fragte Josie.

Arthur bewegte den Fuß vorsichtig hin und her. »Viel besser. Aber wie zum Teufel …«

Josie lächelte. »Lindenblätter sind ein elfisches Heilmittel. Aber du glaubst mir ja doch nicht.« Sie reichte ihm die Hand, um ihm beim Aufstehen zu helfen.

Arthur ergriff sie und zuckte zusammen. Seine Augen tasteten die Umgebung ab wie die eines Blinden, der soeben sehend geworden war. »Sie sind winzig!«, stieß er aus. Atemlos und kreidebleich.

»Du siehst sie? Du siehst sie auch?«

Dann begriff Josie. Noch immer umfasste sie die Drachenfibel. Sie musste die Magie der Fibel durch Berührung an Arthur weitergegeben haben.

»Sind sie nicht wunderschön?« Josie genoss das Staunen in seinem Gesicht.

Arthur nickte stumm.

»Ich bin froh, dass du sie sehen kannst.«

»Ich habe es mir immer gewünscht«, sagte Arthur leise. »Sie sind noch viel schöner, als ich sie mir vorgestellt habe.«

»Es gibt auch andere«, sagte Josie. »Aber die haben zurzeit Schluckauf.«

Die Elfen kicherten, während sie sich auf einer jungen Birke niederließen. Arthur sah Josie verständnislos an. Und mit einem Mal wurde sich Josie bewusst, dass sie noch immer seine Hand hielt. Sie räusperte sich verlegen und ließ ihn los. »Wir sollten weiter, deine Mutter kommt sicher schon bald.«

Arthur blinzelte. »Jetzt sind sie weg.«

»Sie sind noch da«, sagte Josie. »Du siehst sie bloß nicht mehr.« Sie drehte sich zu Elvinia und den Elfen um. »Danke, liebe Elfen! Danke für eure Hilfe!«

Mit einem Geräusch wie zartes Gläserklingen breiteten die Elfen ihre Flügel aus und stiegen, angeführt von Elvinia, hoch. Gleichzeitig setzte ein bezaubernder Singsang ein, der sie wie eine perlmuttschillernde Wolke umgab. »Es naht Lughnasadh, der Große Trusadh. Möget Ihr finden die Pforte, und möget Ihr sprechen die Worte. Möge der Ruf Euer Herz durchdringen! Und möge Euch, was Ihr wirkt, gelingen!«

Der Segensspruch der Elfen überschwemmte Josie mit einer unerwarteten Woge des Glücks. Verzaubert sah sie den zarten Gestalten nach, bis sie sich im flirrenden Grün der Blätter verloren. Auch Wolf blickte ihnen mit weit geöffneten Bernsteinaugen nach, während sein struppiger Schwanz leise hin und her schwang.

»Was ist?«, fragte Arthur scheu.

Josie zuckte zusammen, als wäre sie eben aufgewacht. »Die Elfen«, sagte sie. »Eben sind sie weggeflogen.«

Arthur strich eine Haarsträhne zurück. »Mir ist noch ganz schwindlig.«

Josie stellte abwesend ihr Fahrrad auf. »Ich fühle mich auch ganz eigenartig. Lu..., Lughnasadh. Hast du eine Ahnung, was Lughnasadh – oder so ähnlich – bedeutet?«

»Lughnasadh?«, wiederholte Arthur, der die Elfen nicht gehört hatte. »Lughnasadh – doch, das weiß ich. Lughnasadh ist eines der Großfeste im keltischen Jahreskreis.« Damit stieg er auf sein Rad, um versuchsweise ein paar Meter zu radeln. »Mann, der Fuß tut überhaupt nicht mehr weh!«, rief er über die Schulter zurück. »Nicht zu fassen!«

Josie beeilte sich, ihn einzuholen. »Ist es so ein Fest wie Beltane oder Samhain – ich meine Halloween?«

Arthur nickte. »Lughnasadh wurde um den 1. August gefeiert beziehungsweise am nächstgelegenen Vollmond. Das Fest des Erntebeginns. Wieso fragst du?«

»Den Wievielten haben wir heute?«

»Den 30. Juli.«

»Den 30. Juli«, murmelte Josie.

Als sie auf den Kiesweg einbogen, stand ein großer weißer Jeep in der Einfahrt.

Arthur sprang ab. »Mum ist schon da.«

Die Haustür öffnete sich. Wolf begrüßte seinen Herrn erfreut. Aaron O'Reardon tätschelte den Hund geistesabwesend. Hinter ihm traten Moma und eine zierliche dunkelhaarige Frau ins Freie. Die Gesichter der Erwachsenen wirkten ernst. Keiner sagte etwas.

»Ist mit Brian was passiert?« Arthurs Frage schoss wie ein Pfeil in das unheilvolle Schweigen.

Seine Mutter, in der Josie viel von Arthurs Gesicht wiedererkannte, schüttelte unglücklich den Kopf. »Von Brian weiß ich noch nichts Neues, er wird gerade operiert. Aber ...« Ohne den Satz zu beenden, presste sie mit einem Aufschluchzen den Kopf an die Schulter des Professors. Hilflos legte der alte Herr den Arm um sie.

Josie suchte den Blick ihrer Großmutter.

»Der Arbeiter.« Momas Lippen zitterten. »Er hat es nicht geschafft!«

Arthurs Mutter wandte sich, sichtlich um Beherrschung kämpfend, ihrem Sohn zu. Tränen rannen über ihre Wangen. »Ryan hat eben angerufen. Der Mann ... Er ist noch im Hubschrauber gestorben.« Sie kramte ein zerknülltes Papiertaschentuch aus ihrer Jackentasche und putzte sich die Nase. »Die arme Frau – zwei Kinder ...«

Als wäre er am Lenker seines Rads festgefroren, stand Arthur da. Dann sprach er aus, was Josie in aller Mienen las: »Und er ist schuld!«

Seine Worte hingen in der Luft wie Raureif, schneidend kalt.

Das Wetter war, passend zur allgemeinen Stimmung, schlechter geworden. Hatte der Tag heiter und sonnig begonnen, lagen nun graue Wolken über Springwood Manor.

In ihrer Muttersprache enttäuscht vor sich hingrummelnd, nahm Maude die Terrine mit Irish Stew entgegen, die Josie nach dem Lunch so gut wie unberührt in die Küche zurückbrachte. Der tragische Unfall war allen auf den Magen geschlagen.

»Hoffentlich ist mit Brian nichts Schlimmes passiert«, sagte der Professor, während er lustlos in dem Karamellpudding stocherte, den es zum Nachtisch gab.

Moma strich ihm beruhigend über den Ärmel. »Er ist jung. Junge Knochen heilen schnell. Mach dir nicht so viele Sorgen!«

Josie beobachtete ihre Großmutter. Wenn sie mit dem Professor sprach, veränderte sich ihre Stimme, klang weicher – liebevoller. Josie stolperte für einen Moment über diesen Gedanken. Doch!, dachte sie dann. Liebevoller!

Moma lächelte ihrem Tischnachbarn aufmunternd zu. »Das Konzert heute Abend wird dich ablenken, Aaron.«

»Welches Konzert?«, erkundigte sich Josie.

»In Saint Patrick spielt eine Gruppe auf historischen Instrumenten«, sagte Moma. »Wir haben das Plakat gesehen und Karten vorbestellt.« Sie hielt inne, und ergänzte dann schnell: »Wenn du möchtest, ruf ich an und lass für dich auch eine zurücklegen.«

Josie entging die Halbherzigkeit in Momas Angebot nicht. Ganz offensichtlich wollten die beiden allein ausgehen.

Sie verbiss sich ein Schmunzeln. »Nee, danke. Ich habe noch so viel zu lesen. Außerdem will ich Taddy eine E-Mail schreiben. Darf ich den PC benutzen?«

»Aber sicher doch«, sagte der Professor. »Du weißt ja, wo er steht.« Er hüstelte unsicher. »Soll ich nicht besser Maude fragen, ob sie heute Abend hierbleibt?«

»Danke, aber ich brauch wirklich keinen Babysitter mehr. Und außerdem hab ich doch Wolf.« Wolf, der zu ihren Füßen lag, klopfte mit dem Schwanz, als Josie seinen Namen nannte. Plötzlich fiel ihr etwas ein. »Sagt mal, ihr wart doch heute in Glasglean. Habt ihr im Pfarramt noch etwas herausgefunden?«

»Stimmt, darüber haben wir ja noch gar nicht gesprochen.« Moma seufzte. »Diese schreckliche Sache mit dem Unfall ...«

Josie sah sie erwartungsvoll an. »Und?«

Ihre Großmutter schob den Dessertteller von sich weg. »Viel weiter bin ich nicht gekommen. Alan O'Leary ...«, sie räusperte sich, »ich meine, mein Vater, hat schon ziemlich alles zusammengetragen, was noch nachvollziehbar war. Leider sind die Tauf- und Sterbebücher der Saint Mary's Church bei einem Brand 1798 vernichtet worden, sodass nur noch vorhanden ist, was danach aufgezeichnet wurde.«

Der Professor nickte. »Wir haben mit der Suche nach Mollys Mutter angefangen. Schließlich kannten wir Mollys Geburtsdatum. Und wir sind tatsächlich fündig geworden. Der Pfarrer war sehr hilfsbereit. Er hat die alten Bände freundlicherweise aus dem Archiv geschleppt. Der Ärmste hat sich dabei völlig eingestaubt.«

»Ja«, sagte Moma. »Ein netter Mann – allerdings durften wir uns dafür auch einen Vortrag über den maroden Glockenturm von St Mary's anhören.« Sie zwinkerte. »Und so ganz nebenbei hat er uns dann noch den Opferstock gezeigt.«

O'Reardon lächelte sie verschmitzt an. »Die Spende wird dir am Jüngsten Tag sicher strafmildernd angerechnet.«

Josie wurde allmählich ungeduldig. »Und was habt ihr rausgefunden?«

Moma nahm den Faden wieder auf. »Mollys Mutter war eine gewisse ...« Sie stockte. »Mein Gott, diese unaussprechlichen gälischen Namen kann sich doch kein Mensch merken!«

»Eine gewisse Caoimhe aus Droichgal«, ergänzte der Professor. »Den Ort kenne ich allerdings nicht. Und sie hat auch ihren Nachnamen nicht angegeben, ebenso wenig den Namen des Kindsvaters.«

»Aber warum denn?«, fragte Josie.

»Nun, ich vermute stark, das Kind war unehelich. Damals eine Heidenschande, wenn nicht rasch geheiratet wurde. Damit der Name der Familie nicht beschädigt wurde, hat man schwangere Mädchen in solchen Fällen oft von zu Hause weggejagt. Wenn sie

Glück hatten, konnten sie irgendwo als Dienstmagd unterschlüpfen. Molly wurde 1820 geboren, ihre Mutter Caoimhe starb nur ein Jahr später an Diphterie.«

Josie zog die Stirn in Falten. »Wieder ein viel zu früher Tod nach der Geburt eines Mädchens.«

»Ja, das ist wahr«, sagte ihre Großmutter befangen. »Und ich muss zugeben, die Häufung solcher Fälle gibt einem wirklich zu denken.«

Ganz in Gedanken zeichnete Aaron O'Reardon mit dem Finger Buchstaben auf die Tischdecke.

»Was machst du da?«, erkundigte sich Moma.

»Droichgal«, murmelte er. »Dass mir das nicht gleich aufgefallen ist! Droichead heißt Bridge, Droichgal könnte eine schlampige Kurzform von Droichead Gael sein – die alte gaelische Bezeichnung für Galbridge.«

Moma runzelte die Stirn. »Das Ganze wird allmählich mehr als unheimlich. Es sieht fast so aus, als liefen hier in Galbridge alle Fäden zusammen.«

»Das sieht nicht nur so aus, Dorothy«, sagte der Professor.

Josies Großmutter spielte gedankenvoll mit einem Löffel. »Dazu das mysteriöse Verschwinden von Amy. Hoffentlich bringt das Foto im Meath Report etwas.«

»Ihr wart bei der Zeitung?«, fragte Josie. »Veröffentlichen sie das Bild?«

Der alte Herr zuckte mit den Achseln. »Ja, aber ich verspreche mir offen gestanden nicht viel davon. Ihr kennt meine Meinung.«

»Ja, ich weiß«, sagte Moma mit belegter Stimme. »Und allmählich glaube selbst ich, du hast recht. Das ist kein Fall von dieser Welt.«

Da es wieder einmal regnete, zog sich Josie nach dem Mittagessen in ihr Zimmer zurück. Das Schüsselchen Walderdbeeren, das sie nach ihrer Rückkehr hochgebracht hatte, war leer. Rosalinde war also hier gewesen und hatte sich revanchiert, indem sie für Josie das Bett gemacht und einen frischen Strauß Lavendel aufs Fensterbrett gestellt hatte.

Josie knüllte das Kopfkissen zusammen und legte sich auf die Tagesdecke. Unentschlossen blickte sie zum Nachttisch. Warum konnte man nicht zwei Bücher gleichzeitig lesen? Letztendlich nahm sie doch wieder das grüne Bändchen zur Hand. *Der Herr der Ringe* musste eben noch warten. Auch heute ließ sich der altertümliche Text mithilfe der Drachenfibel leicht erschließen. Was es für seltsame Geister gab! Und nicht alle waren so harmlos wie Rosalinde und MoDain. Da gab es Boggarts, die wie Termiten Dachstühle zerfraßen, Poltergeister, die größten Spaß daran fanden, Menschen den Schlaf zu rauben. Phukas, die ständig ihr Erscheinungsbild wechselten und sich in Tiergestalt auf schlafende Menschen stürzten – oder Banshees, die den Tod eines nahen Verwandten anzeigten. Josie blätterte rasch weiter. Im nächsten Kapitel ging es um einen Zwerg, der rein äußerlich sehr dem Cluricaun ähnelte.

Leprechaun buchstabierte sie, *ein nur in Irland vorkommender, einzelgängerischer Geist, der zumeist in Büschen haust, wo er mit flinker Hand Schuhe für die Anderwelt fertigt. Leprechauns sind darüber hinaus die Wächter einstmals vergrabener Schätze. Dem es gelingt, eines Leprechauns Blick zu bannen, kann ihn zwingen, die Fundstellen preiszugeben.*

Himmel, wie verschieden all diese Wesen waren! Manche waren gut, manche böse. Es gab große und kleine, und sie unterschieden sich in Vorlieben und Fähigkeiten – genau wie die Menschen. Sie schlug das Buch weiter vorn auf.

Sidhe, las sie, *sind Geisterwesen unterschiedlichster Art. Feen und Elfen gehören ebenso zu den Völkern der Sidhe wie Zwerge und Gnome. Doch sind die Lichtwesen von den Dunkelwesen zu trennen. Wohnt im menschlichen Gemüte sowohl Gutes als auch Niedertracht und tritt nach Umstand und Charakter zutage, sind in der Anderwelt die Gegensätze viel mehr abgesondert und stets im Kampfe um Vorherrschaft. Und doch sind Hell und Dunkel, Gut und Böse nur zwei Seiten aller Existenz. Und ist*

das eine ohne das Andere nicht. So wie die Anderwelt nicht ohne unsre Menschenwelt.

Josie ließ das Buch sinken. Sie erinnerte sich an das Tischgespräch, bei dem der Professor gesagt hatte, das Verhältnis der Kräfte müsse ausgewogen bleiben, damit die Welt nicht aus den Fugen geriete.

Sie schloss die Augen. Bilder zogen an ihr vorüber, Bilder von Moosboggels und kleinen Elfen, die mit Lindenblättern durch die Luft schwebten – von einem weißen Palast und purpurroten Rosen …

Als sie erwachte, saß Rosalinde auf der Bettkante.

»Rosalinde!« Josie stützte sich benommen auf. »Ist MoDain auch da?« Sie blinzelte zum Paneel.

Rosalinde gluckerte. »Der Herr des Hauses hat die Flaschen, die unser Cluricaun so liebt, bestückt mit Achilleas Blüten, ein kluges Mittel zu verhüten, dass sich der Zwerg daran bedient. Im Keller sitzt der Schlucker nun und sinnt, wie er den nächsten Rausch gewinnt.«

»Ich muss eingeschlafen sein.« Josie gähnte.

Rosalinde lächelte verschmitzt. »Ihr habt ein wenig ausgeruht. Ihr braucht viel Kraft! Ihr braucht viel Mut! Wenn alles nach dem Plan wird geh'n, seid ihr schon bald im Reich der Feen, wo Euer Geist Euch Nacht für Nacht, auf Traumes Schwingen hingebracht.«

Josie setzte sich hektisch auf. »Wenn ich mich bloß an meine Träume erinnern könnte. Ich versteh das alles nicht. Ich weiß, man erwartet mich. Ich weiß, ich muss Amy und Edna helfen. Aber ich weiß immer noch nicht, wie ich in die Anderwelt komme.«

»Der rechte Ort. Das rechte Wort«, erwiderte Rosalinde lächelnd und rutschte von der Bettkante auf den Fußboden, bückte sich, stellte mit einem resoluten Handgriff Josies Schuhe ordentlich nebeneinander, und steuerte dann auf die Tür in der Holzverkleidung zu.

Auf garstigen Spinnenbeinen krochen dunkle Zweifel in Josie hoch. Alle Zuversicht, die Elvinias Segensspruch in ihr geweckt hatte, hatte sich in grauen Dunst aufgelöst. Amy und Edna war die Begegnung mit der Anderwelt gar nicht gut bekommen. Sie musste verrückt sein. Worauf ließ sie sich da nur ein?

»Und wenn ich das Portal nicht finde?«, rief sie.

Rosalinde drehte sich noch einmal um. Ein ungeduldiger Zug umspielte ihren herzförmigen Mund. »Ihr habt Gefährten hier wie dort. Wer suchet, der auch findet! Denkt stets daran, dass zaudernd Wort Misslingen an sich bindet!«

Damit verschwand sie in der Geheimtür, die sich lautlos schloss.

Josie starrte noch eine Weile auf das Paneel und fühlte sich höchst unwohl. Rosalinde hatte recht, sie musste dagegen ankämpfen. Unversehens klang das Elfenlied in ihr wieder, heilsam und tröstend. »Möge der Ruf Euer Herz durchdringen! Und mög' Euch, was Ihr wirkt, gelingen.« Sie gab sich einen Ruck und stand auf.

Es hatte aufgehört zu regnen, Moma saß mit ihrem Notebook auf der Terrasse. Ein aufgeschlagenes Buch lag vor ihr. Josies Herz war übervoll. Wie gerne hätte sie mit ihrer Großmutter über Rosalinde gesprochen, aber das durfte sie ja leider nicht. Sie wischte mit der Hand die letzten Regentropfen von einem Gartenstuhl und setzte sich. »Störe ich?«

Moma schüttelte den Kopf. »Ich hab mir nur ein paar Notizen gemacht. So verrückt die ganze Situation auch ist ... Alles hier ist wahnsinnig inspirierend. Für einen Fantasyroman eine geradezu ideale Umgebung. Allmählich hab ich das Gefühl, selbst in einem Fantasyroman zu stecken.«

»Das hab ich seit Chicago«, sagte Josie, während sie das Buch umklappte, um den Titel lesen zu können. »Über Ogham-Steine? Interessant?«

Ihre Großmutter nickte. »Mir kam heute so ein Gedanke. Vielleicht könnte so ein Stein in dem Roman eine Rolle spielen. So zum Beispiel: Ein verrückter alter Mann hat vor langer, langer Zeit den Stein – der natürlich Zauberkraft besitzt – irgendwo in sein Haus eingebaut, und die Protagonisten finden ihn und dann …« Sie stockte und blickte sinnend auf den Bildschirm.

»Und dann?«, fragte Josie nach.

»Weiter weiß ich noch nicht, aber eine gute Geschichte braucht Zeit.«

An diesem Abend aßen sie früher. Josie räumte nach dem Essen allein den Tisch ab, da Maude schon freihatte und Moma und der Professor sich für das Konzert fertig machten.

Wolf folgte ihr auf dem Fuß, als spüre er die Unruhe, die in seiner zweibeinigen Freundin tobte. Jetzt bereute Josie, dass sie so großspurig angegeben hatte, sie bräuchte keinen Babysitter mehr. Mit der robusten Maude im Haus hätte sie sich jetzt definitiv sicherer gefühlt! Während sie das Geschirr in die Spülmaschine stellte, lag der große Hund mit der Würde einer Sphinx auf dem schwarzweiß gefliesten Küchenboden und tat möglichst unbeteiligt, obwohl Josie genau wusste, dass er auf die Fleischreste schielte, die noch auf ihrem Teller lagen. »Mein Pech und dein Glück, dass ich mir aus der irischen Küche nicht viel mache«, sagte Josie und hielt ihm ein Stück Lammfleisch hin. Behutsam, als wolle er nicht der Gier bezichtigt werden, nahm Wolf es entgegen.

Den Tolkien unter dem Arm öffnete Josie eben die Tür zur Bibliothek, als sie hörte, wie draußen ein Auto wegfuhr. Jetzt war sie also allein. Wolf drängte sich neben ihr in den Raum, als wolle er sagen. »Hör mal, ich bin schließlich auch noch da!«

Die Stehlampe spendete warmes Licht. Hinter dem Funkengitter des Kamins flackerte ein Feuer. Der Professor hatte es nach dem Abendessen noch für sie entzündet. »Du sollst es doch wenigstens gemütlich haben, wenn wir nicht da sind«, hatte er gesagt und ihr gezeigt, wie sie die brikettähnlichen Torfstücke, die man hier traditionell verheizte, nachlegen sollte, ohne dass Glut auf den Fußboden spritzte. Sie schob einen der mächtigen Sessel näher zum Feuer und begann zu lesen. Aber auch heute flatterten Buchstaben und Wörter wirr durch ihren Kopf und wollten sich einfach nicht zu Bildern formen. Nachdem sie einen längeren Satz dreimal gelesen hatte, ohne seine Bedeutung erfasst zu haben, klappte sie das Buch entnervt zu. Gut, dann würde sie eben zuerst die E-Mail an Taddy schreiben! Sie stemmte sich hoch und ging zum Schreibtisch, wo sie zunächst die Terrassentür öffnete. Nur einen Fingerbreit, um ein wenig frische Luft hereinzulassen, die das würzige Aroma des Torffeuers abmildern sollte.

Bezaubert blickte sie in den Garten. Die Abenddämmerung hatte den Tag in eine graue Decke gehüllt, unter der er dem neuen Morgen sanft entgegenschlummerte. Im Hintergrund der Wald. In seinen dunklen Wipfeln schwebte, noch halb verborgen, weiß und geheimnisvoll, der Mond. Josie überrieselte ein seltsamer Schauer. Vollmond!

Wolf, der ihr auf leisen Pfoten gefolgt war, hob den Kopf und stieß einen Laut aus. Einen gedehnten, inständigen Laut, der Josie durch und durch ging. Ein Heulen, das nicht klagte, sondern vielmehr wie ein Jubel klang. Ein Jubel, mit dem man etwas begrüßte, auf das man lange gewartet hat.

Fröstelnd zog Josie die Vorhänge wieder zu. Wolfs kluge dunkle Bernsteinaugen blickten zu ihr hoch. Und sie konnte sich des befremdenden Gefühls nicht erwehren, er lächle.

Als könne sie die beängstigende Ahnung, die ihr schon den ganzen Abend wie ein lästiger Käfer im Nacken saß, damit loswerden, schüttelte sie sich unwillkürlich. Dann schaltete sie den Computer ein.

Taddy hatte erst gestern wieder angerufen, leider war Josie nicht da gewesen, und durch die Zeitverschiebung hatte sie ihn auch noch nicht zurückrufen können. Ihr Vater war über Amys Verschwinden, und darüber, dass Edna noch immer nicht aufgetaucht war, mehr als beunruhigt, denn er machte sich große Sorgen, dass auch Josie etwas zustoßen könnte.

Sie überlegte eine ganze Weile, was sie ihrem Vater an Informationen zumuten konnte, ohne dass er sie für völlig übergeschnappt halten musste, und entschied sich dann, ihm zu schreiben, dass Amy mittlerweile über ein Foto in der Zeitung gesucht wurde. Ansonsten berichtete sie noch von Arthur und der Digitalisierung von O'Reardons Bibliothek.

Sie hatte die E-Mail eben weggeschickt, als es läutete. Josie zuckte zusammen. Wer kam denn um diese Zeit noch nach Springwood Manor? Wolf trottete schnurstracks zur Tür. Josie pfiff ihn leise zurück. Unschlüssig, was sie tun sollte, blieb sie angespannt sitzen und horchte, ob sich das Klingeln wiederholen würde. Es dauerte nicht lang, und der altmodische Glockenton erklang erneut. Hatten Moma und der Professor den Schlüssel vergessen? Aber für ihre Rückkehr war es definitiv zu früh! Zögernd erhob sie sich, öffnete leise die Bibliothekstür und schlich auf Zehenspitzen in die Diele. Vorsichtig spähte sie aus dem kleinen Fenster neben der Außentür. Das Außenlicht brannte, sodass sie den Eingangsbereich genau überschauen konnte. Aber da war niemand. Eigenartig. Wolf stand schnuppernd neben ihr, schien aber nicht beunruhigt. Vielleicht war die Klingel ja von allein losgegangen. Momas alte Türanlage hatte auch manchmal einfach so geläutet – irgendetwas mit Überspannung.

»Was meinst du?«, fragte sie den großen Hund.

Wolf wedelte schwach mit dem Schwanz und zockelte zurück in die Bibliothek. Die Gelassenheit ihres vierbeinigen Begleiters beruhigte Josie etwas. Sie ging in die Küche, um sich ein Glas Wasser zu holen. Als sie eben den Kühlschrank schloss, huschte am Küchenfenster ein Schatten vorüber. Hatte vielleicht jemand beobachtet, wie Moma und der Professor weggefahren waren? Und hatte derjenige durch Klingeln nur ausprobieren wollen, ob jemand daheim war? Ihr Herz raste im Takt galoppierender Pferdehufe. Verdammt! Die Terrassentür stand noch offen! Mit einem verzweifelten Griff schnappte sie sich aus der Spüle Maudes großes Fleischmesser und schlich zurück in die Bibliothek. Vielleicht schaffte sie es, die Terrassentür zu schließen, ehe der Einbrecher bemerkte, dass sie nur angelehnt war.

»Wolf!«, zischte sie. Der große Hund, der es sich eben wieder vor dem Kamin gemütlich machen wollte, trottete gemächlich zu ihr hin. »Ein schöner Wachhund bist du«, flüsterte Josie vorwurfsvoll. »Komm!«

Sie hatte erst wenige bange Schritte zurückgelegt, als sich der schwere rote Vorhang bewegte. Kreidebleich blieb sie stehen. Dann zeichnete sich die Kontur eines Körpers ab. Verdammt, da drang jemand ein! Josie stand da wie aus Erz gegossen. Verdammt! Wenn sie das Messer benutzen wollte, musste sie es jetzt tun. Wie fremdgesteuert ging sie vorwärts, holte aus – und ließ mit einem Wutschrei den Arm sinken.

»Du? Bist du wahnsinnig? Ich bin schier gestorben vor Angst!«

Wolf trabte schwanzwedelnd auf den Eindringling zu.

»Bloody hell!« Arthur deutete auf das Messer, das Josie immer noch umklammerte. »Wolltest du mich massakrieren?«

»Verdient hättest du's«, gab Josie in einer Mischung aus Erleichterung und Ärger zurück. »Dich einfach hier reinzuschleichen!«

»Es hat keiner aufgemacht und im Haus brannte Licht. Da hab ich gedacht, dass ihr das Klingeln nicht gehört habt. Wo ist eigentlich Onkel Aaron?«

Josie legte das Messer auf den Schreibtisch. »Ich bin allein im Haus.« Mit einem kleinen Schnauben nickte sie zu Wolf hin, der Arthur die Hand leckte. »Und dieses Riesenlamm ist definitiv nicht sehr hilfreich, wenn Einbrecher kommen.«

Arthur grinste schief. »Ich bin eben kein Einbrecher! Ich denk

schon, dass man sich auf Wolf verlassen kann.« Stirnrunzelnd begutachtete er das Fleischmesser. »Du weißt dich zu wehren! Dammit, da hab ich Massel gehabt!« Mit einem schiefen Grinsen ging er zum Kamin und legte ein Stück Torf nach.

Josie kam ihm nach und setzte sich wieder in den Sessel. »Sag mal, was machst du eigentlich hier um diese Zeit?«

Arthurs Gesicht verfinsterte sich augenblicklich. Er wischte sich den Torfstaub an der Hose ab und streckte sich. »Super Zoff mit meinem Alten. Ich hab ihm echt mal die Meinung gesagt! Und dann bin ich abgehauen.« Mit einem Seufzer ließ er sich ins Sofa fallen.

»Und deine Mum?«

»Die ist nochmal ins Krankenhaus gefahren. Brian geht es nicht besonders.«

Arthurs Pupillen glänzten und Josie hätte nicht sagen können, ob es nur der Widerschein der Flammen war. »Brian hat bei dem Sturz mehr abgekriegt, als sie gedacht haben. Er kann die Beine nicht bewegen. Spinales Trauma haben sie gesagt. Er muss sich einen Rückenwirbel gebrochen haben. Er ist wahrscheinlich ...« Arthur schüttelte verzweifelt den Kopf. »Der Arzt sagt – wahrscheinlich Querschnittslähmung.«

Von Mitgefühl überwältigt, setzte sich Josie neben Arthur und strich ihm schüchtern über den Arm. »Vielleicht wird er ja doch wieder gesund. Bestimmt kann man da was machen.« Sie schluckte, als steckte ihr eine Klette im Hals. Querschnittslähmung, das war ihr völlig klar – das bedeutete Rollstuhl.

Stumm saßen sie vor dem knisternden Torffeuer.

Ein Glockenschlag zerriss das Schweigen und ließ sie zusammenzucken. Ein weiterer Glockenschlag folgte. Ein dritter, ein vierter, ein fünfter, ... ein zwölfter. Josie wurde kalkweiß. Die Melodie, die sich aus den Schlägen formte und nun in purpurroten Wellen durch den Raum schwebte, kannte sie gut. Wolf war bereits beim ersten Ton aufgesprungen. Mit zitternden Flanken fixierte er die gegenüberliegende Wand.

Arthur drehte sich um. »Die Uhr!«, stellte er verblüfft fest. »Es ist die Uhr. – Aber wie …? Sie geht doch gar nicht! Ich meine – sie ist nie gegangen!«

Josie starrte auf das Zifferblatt. »Ist es echt schon Mitternacht?«

Arthur hob seine Armbanduhr und nickte.

Josie beobachtete den großen Hund, der ohne Eile die Bibliothek durchschritt. Arthur erhob sich und folgte ihm. Josie kam zögernd nach. Hoch über ihren Köpfen standen die verschnörkelten Zeiger deckungsgleich auf Punkt Zwölf. Darüber leuchtete ein kleiner silberner Vollmond.

»Sogar die Mondphasenanzeige funktioniert wieder«, wunderte sich Arthur. »Versteh ich nicht. Angeblich hat schon mein Urgroßvater versucht, die Uhr reparieren zu lassen. Hat aber bisher noch kein Uhrmacher geschafft. Oder hat Onkel Aaron jetzt doch noch einen gefunden?«

»Nicht dass ich wüsste!« Josie ging die wenigen Schritte zur Terrassentür und sah hinaus. Ein strahlender Perlmuttmond, von unglaublicher Größe, wie ihn Josie noch nie vorher gesehen hatte, blickte auf sie herab.

»Was für ein unwirklicher Mond!«, murmelte Arthur, der ihr nachgekommen war.

»Lughnasadh«, murmelte Josie und ein Gedanke platzte jäh in ihr Bewusstsein. »Heute ist Lughnasadh.« Sie wurde kreidebleich. »Heute. Ich muss das Portal finden!«

Arthur sah sie scheu an. »Meinst du das Portal …«

Josie nickte stumm und hoffte, dass Arthur darauf verzichtete, sie mit skeptischen Fragen zu verunsichern. Jetzt hieß es, alles daranzusetzen, nach Narranda zu kommen. Und sie wusste, jeder noch so kleine Zweifel würde dieses Ziel behindern.

Pfotenscharren riss sie aus ihrer Gedankenflut. Wie besessen kratzte Wolf an der Vertäfelung.

»Wolf! Aus!«, wies ihn Arthur zurecht, während er schon auf ihn zulief, um ihn wegzuziehen. »Du ruinierst ja die Schnitzereien!«

Eine ahnungsvolle Erregung überrieselte Josie. »Komisch! Ich meine, warum kratzt er ausgerechnet hier? Unterhalb der Uhr!« Ihr Blick tanzte die breite, mit Rosenranken verzierte Halbsäule aufwärts bis zum Zifferblatt. »Sieh nur!«, sagte sie mit bebenden Lippen. »Alle anderen Säulen sind viel schmaler. Warum hat man hier bloß so viel Regalplatz verschenkt?«

Wolf klopfte mit dem Schwanz auf den Boden und jaulte.

Josie seufzte. »Sieht aus, als wolle er uns etwas sagen. Wenn er doch nur sprechen könnte!«

»Wolf?« Arthur runzelte die Stirn, was Josie entging, da sie den Hund anstarrte, als wolle sie seine Gedanken lesen.

»Diese breite Säule ...«, sagte sie bedächtig. »Ich meine, alte Häuser haben doch oft Geheimtüren.«

Arthur klopfte gegen das Holz. »Schwer zu sagen, klingt zwar massiv, aber ...« Er schüttelte zweifelnd den Kopf.

Fiebernd tastete Josie die Schnitzereien ab. Gab es einen Riegel, einen Schieber, irgendetwas, das auf eine Tür hinwies?

»Warte!« Arthur rannte zum Schreibtisch. »Ich hole Onkel Aarons Leselupe. Vielleicht finden wir damit irgendwo einen verborgenen Riegel.«

Josie wartete nicht. Sie streckte sich hoch, so hoch sie irgend konnte. Obwohl ihre Schultern von der starken Streckung höllisch schmerzen, begann sie Blatt für Blatt, Rose für Rose zu untersuchen. Wolf war erneut aufgesprungen, jeder Muskel seines Körpers zitterte vor Erregung. Arthur, der befürchtete, der Hund könne erneut seine Krallen wetzen, hielt ihn, bereits die Lupe in der Hand, mit seinem ganzen Gewicht zurück.

Dann schien eine der Knospen unter Josies Fingern nachzugeben. »Da, die hier ...!«, rief sie aufgewühlt, und versuchte die geschnitzte Blüte nach rechts zu drehen. Aber es tat sich nichts.

Völlig gegen seine Gewohnheit gebärdete sich Wolf wie ein Verrückter, heulte, warf den Kopf, bebte am ganzen Leib. Josie probierte es mit einer Linksdrehung. Wieder nichts!

»Verdammt!« Sie donnerte mit der Faust gegen das Schnitzwerk. »Autsch!« Und während sie sich noch die Hand rieb, enthüllte Springwood Manor sein Geheimnis.

Unter schaurigem Knarren sprang die Rankensäule zur Seite.

Wolf bellte. Ein dunkles, unmissverständlich Beifall bekundendes Bellen.

»Bloody hell!«, stieß Arthur aus.

Josies Gedanken brodelten. Wie konnte das sein? Konnte Moma hellsehen?

Arthur trat einen Schritt vor. »Ich werd verrückt! Er ist wieder aufgetaucht. Ist er nicht wunderschön?« Ehrfürchtig strichen seine Hände über einen länglichen Stein, der ihn um einige Zentimeter überragte.

»Der Ogham-Stein!«, presste Josie hervor.

Arthur tastete behutsam die eingekerbten Schriftzeichen ab. »Hat dir Onkel Aaron von Conall O'Reardon und dem Stein erzählt?« Josie nickte abwesend. Arthur ließ kein Auge von dem Fund. »Er ist unglaublich gut erhalten! Wahnsinn! Man hätte eigentlich schon viel früher darauf kommen können, dass er im Haus versteckt sein muss. Conall hat Springwood Manor um den Stein herumbauen lassen. Um das Kernstück des Hauses – die Bibliothek.«

Josie hörte ihm kaum zu. Im Pulsschlag ihres Herzens hämmerte ein Gedanke in ihrem Kopf. Der rechte Ort, das rechte Wort. – Der rechte Ort, das rechte Wort ... »Der Stein ist der Schlüssel«, sagte sie erregt. »Ich muss unbedingt herausfinden, was daraufsteht.« Sie lief zum Couchtisch, wo ihre Großmutter die Bücher abgelegt hatte, mit denen sie ihre Recherche fortsetzen wollte. Kurz darauf saß Josie mit dem Band über Ogham-Steine auf dem Parkett. Sie schlug mit der Handfläche auf den Einband. »Ob wir es schaffen, damit die Zeichen zu entziffern?«

Arthur strich sich ratlos durch die Haare. »Weiß nicht, wird nicht leicht sein. Auch wenn wir die Buchstaben herausfinden. Der Text ist bestimmt altgaelisch – und um Orthografie haben die sich früher auch nicht geschert. Sicher sitzen wir in vier Wochen noch hier, wenn wir den Stein dechiffrieren wollen. Wir sollten auf Onkel Aaron warten. Der kennt sich mit der alten Sprache ganz gut aus.«

Josie legte enttäuscht das Buch beiseite. Wolf steuerte auf seinen langen Beinen auf sie zu und stupste sie so fest gegen die Brust, dass sie fast umfiel. »Was soll das, alter Knabe?«

Noch während sie sich entrüstet hochrappelte, wurde ihr klar, was der Hund von ihr wollte. Sie sprang auf und zog die Drachenfibel hervor.

»Was machst du da?« Aber Arthur erhielt keine Antwort. Fassungslos beobachtete er, wie das Purpurherz mit einem Mal eine Funkenkaskade versprühte.

Dann sprach Josie wie in Trance die Worte:

Von den Dingen zu den Träumen,
zu den tief verborg'nen Räumen,
möge dieses Tor mich bringen.
Weiche, Stein, und lass mich ein!

Arthur wollte eben sein Erstaunen kundtun, als etwas so Eigenartiges geschah, dass es ihm die Sprache verschlug: Josie hatte kaum das letzte Wort gesprochen, da spaltete sich der Stein in zwei Hälften. Ein Gang tat sich auf. Eng, doch breit genug, ihn zu passieren. Wie eine Schlafwandlerin trat Josie durch die Pforte. Und Wolf folgte ihr, als hätte er auf diesen Augenblick nur gewartet.

»Josie! Warte!«, rief Arthur.

Doch bevor er nur daran denken konnte, ihr nachzukommen, fand er sich völlig verwirrt allein in der Bibliothek. Nichts, rein gar nichts wies auf das unfassbare Geschehen hin, dessen einziger

Zeuge er war. Keine Spur von einer Öffnung, keine von einem Stein. Die Halbsäule mit den geschnitzten Ranken glänzte im warmen Licht der Stehlampe. Sein Blick wanderte zur Uhr. Punkt Zwölf. Immer noch. Er horchte. Nein, sie tickte nicht.

3

Zwischen den Welten

Musst ins Breite dich entfalten,
Soll sich dir die Welt gestalten;
In die Tiefe musst du steigen,
Soll sich dir das Wesen zeigen.
Nur Beharrung führt zum Ziel,
Nur die Fülle führt zur Klarheit,
Und im Abgrund wohnt die Wahrheit.

FRIEDRICH V. SCHILLER
(1759–1805), dt. Dichter

Josie schritt mechanisch voran. In dem sicheren Wissen, dass es kein Zurück mehr gab, setzte sie einen Fuß vor den anderen wie eine aufgezogene Spielzeugpuppe. Dankbar spürte sie Wolf neben sich, seinen schweren Atem, die beruhigende Wärme seines großen Hundekörpers.

Der Gang war schmal und mit rotem Ziegel grob ausgemauert. Über schier unzählige Stufen führte er abwärts. Dann verbreiterte er sich allmählich und schien nun in rohen Felsen gehauen zu sein. Erst jetzt wunderte sie sich über die lodernd brennende Lichtquelle, die an der Decke vor ihnen hertanzte. Was ist das?

»Ein Feuersalamander«, antwortete eine dunkle, klangvolle Stimme auf ihre unausgesprochene Frage.

Josie wirbelte herum. »Hallo? Ist da wer?«

»Nur ich. Keine Angst! Es sind nicht deine Ohren, die mich hören. Es ist dein Herz.«

Josie blieb stehen. »Wolf?«

Der Hund blieb ebenfalls stehen. »Ganz recht, wir sind Gefährten.«

Sie starrte ihn entgeistert an. Wolf kommunizierte mit ihr über Gedankenaustausch. Hörst du mich jetzt?, dachte sie, um ihn zu testen.

»Ich fühle all deine Gedanken.«

Josie war hin und her gerissen zwischen dem Schock, dass der Hund, dem sie vor ein paar Stunden noch ihre Tellerreste überlassen hatte, zu ihr sprach – und der Erleichterung, einen starken vierbeinigen Weggefährten neben sich zu wissen, mit dem sie sich austauschen konnte.

Das seltsame Feuerwesen, das vom Kopf bis zur Schwanzspitze in Flammen zu stehen schien, huschte im Zickzack über die Decke, als würde es ungeduldig.

Josies Augen folgten seinem unruhigen Treiben.

»Warum verbrennt er nicht?«

»Salamander sind Feuerwesen«, hörte sie wieder Wolfs Stimme.

»Das Feuer ist sein Element. Ein Fisch ertrinkt im Wasser auch nicht.« Wolf schlug in einer auffordernden Geste mit dem Schwanz. »Lass uns weitergehen! Wir werden erwartet.«

Josie setzte sich wieder in Bewegung. Was war Wolf für ein Wesen? Woher wusste er das mit dem Salamander und dass sie erwartet wurden?

»Du willst wissen, wer ich bin? Dann möchte ich dir eine Geschichte erzählen«, begann ihr vierbeiniger Partner und Josie wurde klar, dass sie ihm tatsächlich keinen ihrer Gedanken verheimlichen konnte.

»Du hast ja bereits von Conall O'Reardon, dem Erbauer des Hauses gehört. – Es fällt mir schwer ...« Wolf machte eine trübsinnige Pause, die Josie nicht zu unterbrechen wagte. Dann begann er erneut: »Es ist nicht leicht, über Fehler zu sprechen, über Schuld und Verderben ... Nun gut. So hör mir zu!«

Während Wolf sprach, stand das ernste Gesicht Conalls auf dem Ölgemälde vor Josies innerem Auge. Sie erfuhr, dass sich Arthurs Urahn schon als Kind brennend für die alten Mythen interessierte, die sein Vater und Großvater als wandernde Erzähler von Ort zu Ort trugen, wie es die alte Tradition des Bardentums verlangte.

»Der Junge glaubte fest an die Existenz der Anderwelt. Von klein auf wuchs in ihm der Herzenswunsch, wenigstens einmal eine der wunderschönen Sidhe-Frauen zu sehen, von denen er so viel gehört hatte. Conall war gerade sechzehn geworden, stark, leichtsinnig und draufgängerisch ...« Wolf stockte und fügte dann entschuldigend hinzu: »... wie es junge Männer leider häufig sind, als er beschloss, den Feen aufzulauern. In jener Zeit waren sich die Menschen noch darüber bewusst, dass die Schleier zwischen den Welten während der Hochfeste der Sidhe durchlässiger wurden. Und so wählte Conall die dritte Nacht des Lughnasadh-Festes. Wohl wissend, dass er damit ein Tabu brach, schlich er sich zu einer Lichtung im Springwood, einer Stätte, auf der ein alter, heiliger Stein stand. Einer Stätte, von der es hieß, sie diene den Sidhe als Tanzplatz, denn man hatte dort Feenringe gefunden.«

Wolfs Stimme in Josies Bewusstsein klang voller Wehmut, als er nun erzählte, was weiter geschah.

»Fiebernd wartete der junge Mann hinter einer Hecke. Mondglanz schimmerte wie Raureif auf dem Gras, dahinter, schwarz der Springwood. Im Silberlicht, der Stein, stumm und doch geheimnisvoll beredt. Dann zerriss das nächtliche Schweigen. Weit in der Ferne schlugen die Glocken von Saint Patrick. Mitternacht. Und mit dem ersten Schlag teilte sich der Stein. Etwas wie Mondstaub, silbrig flimmernd, stob daraus hervor und wehte über die Wiese. Ein Sausen hob an, Grashalme knickten. Doch so stark Conall die Anwesenheit der Sidhe auch spürte, sie entzogen sich seinem Blick. Er zersprang schier vor Ungeduld, und so wagte er sich weiter vor. Einen Schritt, einen weiteren, und noch einen ... Niemand hielt ihn auf. Dann, unweit des Steins, betrat sein linker Fuß den Feenring. Conall blieb betört stehen. Ach, sie waren so unbeschreiblich schön ...«

Wolf hielt inne, als suche er nach Worten, um die Faszination des Augenblicks überhaupt wiedergeben zu können. »Die Feen vom Volk der Sidhoir, dem königlichen Geschlecht der gold'nen Sidhe. Ihre Gesichter strahlten wie die Morgenröte. Hochgewachsene, schlanke Gestalten von unglaublicher Anmut. Jadegrüne Augen. Rotgold'nes Haar – und herrlich ihre Gewänder. Dazwischen Elfen, niedlich klein und glänzend wie Flitterwerk, den Reigen tanzend. Buntes Geistervolk spielte auf. Zimbeln, Harfen und Flöten klangen. Purpurrot brannte sich die Musik in des Knaben sehnsuchtsvolles Herz.«

Wolf hob den Kopf und suchte Josies Blick. »Ich weiß, du kennst die Melodie.«

»Oh ja, ich denke schon! Aber – haben ihn die Sidhe entdeckt?«

»Ja, sie haben ihn entdeckt. Es war Nárbflaith, die jüngste Tochter der schönen Königin Órlaith, die ihn in den Kreis zog. Er gefiel ihr wohl, denn er war ein hübscher, gut gebauter Junge mit glänzendem Haar und bernsteinfarbenen Augen. Sie hat sich einen Schabernack gemacht und ihn die ganze Nacht umgarnt. Nur mit ihm allein hat sie getanzt.«

»Haben die Sidhe ihn danach einfach gehen lassen?« Josie glaubte sich zu erinnern, dass der Professor neulich gesagt hatte, Feen könnten sehr nachtragend sein, wenn man sie störte.

Wolf gab einen Laut von sich, der wie ein Seufzen klang. »Sie haben ihn freigelassen – und auch wieder nicht. Als Saint Patrick ein Uhr schlug, verschwanden sie – husch! – im Stein. Verloren blieb Conall auf der Lichtung zurück. Alles, was ihm geblieben war, war ein gold'nes Haar der schönen Nárbflaith. Es hing an seinem Wams. – Doch musst du wissen: Wer ein Feenhaar mit in die Welt der Dinge nimmt, bleibt gebunden – bis ans Ende aller Zeiten. Von jener verhängnisvollen Nacht an war Conall ein Besessener. Besessen von unstillbarer Sehnsucht nach Nárbflaith. Das war die Strafe, die ihm die Sidhe zugedacht.«

»Und?«, fragte Josie bewegt. »Hat er Nárbflaith wiedergesehen?«

Wolf verstummte und Josie schien, dass er soeben nicht alle Gedanken, die ihm durch den Kopf gingen, mit ihr teilte. Erst einige Schritte weiter setzte er seine Erzählung fort.

»Das Bild Nárbflaiths sprengte schier sein Herz. Ein Feenhaar besitzt mächtigen Liebeszauber. Er trug es immer bei sich. Vollmond für Vollmond wartete Conall bei dem Stein – aber der Schleier lichtete sich für ihn nie wieder. Zu guter Letzt reifte in ihm der verzweifelte Gedanke, Nárbflaith auf magische Weise für sich zu gewinnen. Ein wahrhaft gefährliches Unterfangen! Doch sein Streben, sie in die Menschenwelt zu holen, um sie zu seiner Frau zu machen, ließ ihn alles wagen.«

Auf magische Weise?, wiederholte Josie in Gedanken. Wahrscheinlich wurde er deshalb Alchemist?

»So ist es!«, bestätigte Wolf. »Conalls Vater und Großvater hat-

ten von ihren Reisen viele Bücher mitgebracht, einige davon uralte Folianten. Teilweise noch handgeschriebene Bände, die während der Säkularisation aus Klöstern gestohlen worden waren und danach auf Märkten verschachert wurden. Darunter auch Bücher über Magie und Alchemie. Und während die anderen Burschen sich auf dem Tanzboden amüsierten, studierte Conall heimlich die verbotenen Künste. Sieben Jahre zog er sich zurück, sieben lange Jahre ...«

Wolf schwieg. Und wieder fühlte Josie, dass er sie von seinen Gedanken aussperrte.

»Hat er das Zaubern gelernt?«

»Nun, er lernte, Geister zu beschwören, die kleinen und geringen, die mit wenig Macht. So zwang er einen Leprechaun in seinen Blick und fand am Ende eines Regenbogens einen lange verborgenen Schatz. Conalls plötzlicher Reichtum machte ihn den Leuten unheimlich. Sie mieden und fürchteten ihn. Gerüchte gingen um, er könne fliegen und stünde mit dem Teufel im Bunde.«

»Mit dem Teufel?« Josie schauderte.

»Magie besitzt, wie alles andre auch, zwei Pole«, fuhr Wolf fort. »Man spricht von weißer und schwarzer Magie. So stehen dem Adepten helle Kräfte bei, wenn sein Wirken heilsam ist – doch nutzt er auch die dunkle Seite, will er über ein Wesen Macht erlangen. Und selbst beim Liebeszauber ist das so.«

»Liebeszauber«, murmelte Josie. »Hat er es denn geschafft, die schöne Fee zu gewinnen?«

Wolf ging langsamer, als laste eine schwere Bürde auf ihm. »Oh ja, das hat er. Er machte sich einen Phuka gefügig, einen dunklen Wandelgeist von zweifelhaftem Ruf, und schickte ihn als weiße Taube ins Reich der Feen, dass er Nárbflaith einen Brief überbringe. Magische Verse, geschrieben mit seinem eignen Blut, in das er eine Prise ihres zerriebenen Haars gemischt hatte. Als Nárbflaith die Zauberworte las, entflammte sie sogleich in unstillbarer Sehnsucht und Liebe zu Conall. Und als der Vollmond wieder über der

Lichtung stand und Saint Patrick Mitternacht schlug, entstieg sie dem Stein und verließ für immer ihre Welt.«

Vor Josies innerem Auge erstand das Bild einer wunderbaren Liebesszene. Ein junges, sich innig umarmendes Paar auf einer mondbeschienenen Lichtung. Sie seufzte. »Wie romantisch! Sie müssen sehr glücklich gewesen sein.«

Ihr vierbeiniger Gesprächspartner ließ den Kopf hängen. »Das Glück währte nur kurz, denn du musst wissen – verfällt eine Sidhoir einem Sterblichen, wird sie durch einen uralten Fluch aus ihrer Welt verstoßen. Sie opfert alles. Glück und Leben. An menschlichen Verhältnissen gemessen, verfügen die goldenen Feen über eine nahezu endlose Lebensspanne. Doch in der Welt der Dinge zerreißt ihr Lebensfaden schon nach kurzer Dauer. Und jede ihrer Töchter trägt den Fluch in sich und gibt das Erbe weiter. Und keine wird ihr Liebesglück je finden.«

Josie stutzte. Wolfs Geschichte, die Dramen ihrer eigenen Familie, dazu das, was der Professor neulich darüber gesagt hatte. Alles rollte sich im Bruchteil einer Sekunde vor ihr ab. – Aber war das möglich? War dieser Conall …?

»Du bist ein kluges Mädchen«, unterbrach Wolf ihre Gedankenflut. »Nun, es kam so, dass Nárbflaith ihrem Conall alles schenkte. Und als ihr Jawort durch Saint Patrick klang, raste ein Sturm durchs Kirchenschiff, ein wütendes Zischen, ein rasendes Heulen, dass den entsetzten Hochzeitsgästen Hören und Sehen verging. Man hielt es für ein schlechtes Omen. Und ganz zu Recht. Doch Conall wollte nichts davon hören. Er ließ für Nárbflaith ein prächtiges Haus errichten, genau auf der Stätte ihrer ersten Begegnung.«

»Springwood Manor«, sagte Josie erregt, der die Zusammenhänge wie Schuppen von den Augen fielen. »Um das Portal zur Anderwelt, den Ogham-Stein herum.«

»Der von da an in der Bibliothek verborgen war«, bestätigte Wolf ihre Vermutung. »Denn trotz ihrer großen Liebe zu Conall verspürte Nárbflaith großes Heimweh nach dem Reich der Feen. Doch war und blieb der Weg zurück für sie verschlossen. Ein Jahr und ein Tag vergingen, da entband sie ein Töchterchen.«

»Aislinn«, murmelte Josie.

»Aislinn«, wiederholte Wolf. »Ein hübsches kleines Mädchen mit rotblondem Haar und jadegrünen Augen, das Feenzeichen auf der Stirn.« Seine Stimme in Josies Kopf brach. »Doch starb Nárbflaith, ehe das Kind noch in der Wiege lag.«

Josie würgte an einem Klumpen Blei. »Wie furchtbar«, murmelte sie.

Sie gingen einige Meter schweigend, während der Salamander ihnen wie eine brennende Fackel den Weg wies.

»Aber dann hat sich Conall doch wieder verheiratet«, bemerkte Josie nachdenklich.

»So ist es. Ein Kind soll nicht ohne Mutter sein! Deshalb heiratete Conall Deidre, eine junge Witwe von gutem Ruf, doch schwierigem Charakter. Sie gebar ihm zwei Söhne. Jedoch lehnte sie Aislinn von Anfang an ab, denn ihre Vorgängerin war ihr zutiefst verhasst.«

»Ich weiß, sie hat sie weggegeben, als Conall sich ...« Josie sprach nicht aus, was der Professor vermutete.

»Die Ehe war ganz ohne Liebe. Deidre spürte schmerzlich, wie sehr ihr Gatte sich Tag und Nacht nach der schönen Nárbflaith sehnte. Und so war es auch. Conall verging vor Pein und Schuld. Er hatte sie aus dem Gold'nen Reich ins Verderben gerissen. Mehr und mehr zog er sich in den Kerker seiner düsteren Gedanken zurück. Melancholie umwölkte seinen Sinn, und da das Diesseits ihm nichts mehr bedeutete, entschloss er sich, seiner geliebten Nárbflaith zu folgen. Bewandert, wie er war, mit Kräutern und Magie, braute er ein Elixier und ging von dieser Welt.«

Josie spürte Tränen hochsteigen. Sie schluckte ein paarmal, ehe sie die Frage stellte: »Sind sie denn wenigstens im Tod vereint?«

Wolf blieb stehen. Er hob den Kopf und stieß ein herzzerreißendes Heulen aus, das von den kahlen Wänden schauerlich widerhallte. Josie lief es kalt den Rücken hinunter.

Seine verschleierten Bernsteinaugen suchten ihren Blick. »Das Tier an deiner Seite ist Conall!«

»Du?« Josie starrte ihn an. »*Du* bist Conall. Aber ...«

Ein gepresstes Stöhnen drang aus seiner Kehle, ehe er weitersprach. »Conall heißt *der starke Wolf*, ein alter Name aus vergang'ner Zeit. Seit Hunderten von Jahren bin ich der Hund im eigenen Haus und Wandrer zwischen den Welten. Denn meine arme Seele ist verdammt, der Weg zu der Geliebten mir verschlossen.«

»Ein Fluch der Sidhe?«

»Ein Fluch der Sidhe! Doch ist die Zeit gekommen und es besteht Hoffnung, dass mein Schicksal sich wendet.«

Damit verstummte Wolf und Josie hatte wieder das Gefühl, nicht mehr klar zu empfangen, was er dachte. Aber vielleicht kam es auch daher, dass ihre eigenen Gedanken durcheinandersprangen wie Heuschrecken in einem Topf.

Stück für Stück puzzelten sich die Bruchstücke von Erlebnissen und Informationen zu einem noch lückenhaften, doch erkennbaren Bild zusammen.

Conall, der Urahn Arthurs und des Professors, war demnach auch einer ihrer Urahnen – und was noch viel aufregender war: Nárbflaith, die Feenfrau, musste folglich ihre Urahnin sein. Das Erbe, das rechte Erbe, von dem Druid Dubh immer wieder gesprochen hatte, war tatsächlich das Vermächtnis der Sidhe, wie der Professor schon vermutet hatte. Es steckte tief in ihrem Wesen, es war der Grund ihres Andersseins. Es war sicher auch die Erklärung, warum sie Synästhetikerin war und warum sie so supersensibel wahrnahm, was andere dachten und welche Stimmung sie umtrieb.

Sie befühlte mit dem Zeigefinger ihre Stirn. Die Ader – das Feenzeichen. Der Professor hatte recht gehabt. Sie trug das Feenzeichen, ebenso wie Moma, Amy und Edna. Ein Vermächtnis, das ihre Gene bewahrten. In einer merkwürdigen Allelkonstellation, die Taddy sich nicht erklären konnte. – Kein Wunder! Denn es war ein Wunder!

Das Gespräch mit Wolf und die Schlussfolgerungen, die sie daraus zog, hatten sie ganz von dem Abenteuer abgelenkt, in dem sie gegenwärtig steckte. Mechanisch war sie dem Licht des Salamanders gefolgt. Doch jetzt hielt das Feuertier über ihnen an.

Josie sah sich um. Der Gang hatte sie in eine nicht sehr große Höhle mit kreisförmigem Grundriss geführt, von der verschieden große, seltsam geformte Türen abgingen. Und während Josie noch darüber nachdachte, was sich wohl dahinter befinden könnte, öffnete sich eine niedrige, rot lackierte Tür und heraus trat Rosalinde.

Sie klatschte vor Freude in die Hände, als sie Josie erblickte. »Den rechten Ort, das rechte Wort. Ihr habt die Pforte wohl gefunden!« Mit einem Blick auf Josies vierbeinigen Gefährten kippte ihre Stimmung abrupt in Verdrossenheit. »So sei des Frevlers Fluch nun auch bald überwunden«, brummelte sie vor sich hin.

Wolf wich ihrem Blick aus. Und Josie dachte, dass Rosalinde ihn anscheinend nicht besonders mochte.

»Leider stimmt das«, drangen Wolfs Gedanken wieder zu ihr durch. »Diese Bean Tighe und alle andere haben mir nie verziehen, was damals mit Nárbflaith geschah.« Er senkte den Kopf. »Und sie haben ja recht ...«

Rosalinde schob Josie in die Tür »Kommt, junge Herrin! Rasch herein! Ein anderes Gewand tut not. Das Kleid, aus lila Taft gar fein, mit der Schärpe purpurrot.« Sich noch einmal umwendend wies sie Wolf zurück, der ihnen folgen wollte. »Du Zotteltier bleibst draußen mir!«

Wolf knurrte, ließ sich aber auf die Hinterbeine nieder und

blieb auch sitzen, als Rosalinde die Tür hinter sich schloss. Mit großen Augen sah sich Josie um. Der Raum war so rund wie die Höhle, von der er abging. Durch einen Schacht in der gewölbten Decke fiel durch ein sonnenhutgroßes Fenster Licht herein. Zarter Lavendelduft schwebte in der Luft. Rechts neben der Tür stand ein altmodischer Herd, auf dem ein verbeulter Teekessel vor sich hin zischte. Darüber ein Regal mit allerlei Küchenutensilien, Geschirr und blank geputzten Kupfertöpfen. Gegenüber ein hölzernes Bettgestell. Kissen und Decke mit Lavendelblüten bestickt und millimetergenau ausgerichtet. Daneben eine altertümliche Truhe. Alles wirkte sehr ordentlich und sauber. In der Mitte des Raums stand ein runder Tisch mit zwei Stühlen.

»Eine hübsche Wohnung hast du«, bemerkte Josie.

»Das freut mich sehr, das freut mich sehr!«, bedankte sich die Zwergin und strich verlegen ihre Schürze glatt. »Wenn du im Herzen Frieden hast, wird dir die Höhle zum Palast.«

Dann trippelte sie auf die Truhe zu. Geschäftig schlug sie den Deckel hoch und entnahm ihr das hübsche zartlila Taftkleid mit der Purpurschärpe, das Josie am Tag ihrer ersten Begegnung anprobiert hatte.

Sie hielt es Josie auffordernd hin. »Ich rat Euch sehr, Euch umzukleiden, um schmähend Blicke zu vermeiden. – Es passt, Ihr habt's ja schon probiert, zieht es rasch an, seid ungeniert!«

»Ich weiß nicht«, sagte Josie, die sofort an den Spiegel denken musste. »Ist das wirklich nötig?«

Rosalinde stemmte die Hände in die Hüften. »Lughnasadh ist ein heilig Fest! Zum Großen Trusadh rufen lässt Órlaith, die Königin der Feen. Es folgt dem Ruf, was Rang und Namen, es kommen hohe Herrn und Damen. Drum muss ich wirklich drauf bestehn, dass meine junge Herrin nicht in diesem ...«, sie blickte abschätzig auf Josies Jeans, »in diesem derben Ding wird geh'n. Zieht Euch nun um, seid ganz befreit, man wird es seh'n – das schöne Kleid!«

Josie gab ihren Widerstand auf. Hoffentlich hatte Rosalinde

recht und sie stand am Ende nicht in der Unterhose da. Während sie in das lange raschelnde Kleid schlüpfte, begann Rosalinde, ihre Sachen zusammenzulegen. Sie faltete sie kleiner und kleiner und stopfte sie dann in einen Fingerhut, den sie unter der Schürze hervorgekramt hatte. Josie sah ihr mit offenem Mund zu. »So, so winzig …«, stammelte sie.

»Was klein, was groß, hat nichts zu sagen. Es lässt sich so viel besser tragen.« Damit steckte die Zwergin den Fingerhut in Josies Rocktasche, als etwas ganz und gar Unerwartetes geschah. Jäh, als hätte jemand ein schwarzes Tuch über den Lichtschacht geworfen, verdunkelte sich Rosalindes gemütliche Behausung.

Josie hob den Kopf. »Warum ist es auf einmal so stockfinster?«

Rosalinde seufzte. »Das sind die Nebel Dearmadons …«

»Dearmadon?«

Rosalinde schlug die Hände vors Gesicht und schüttelte betrübt den Kopf. »Verzeiht! Ich mag dazu nichts sagen. Die Sache ist mir gar zu schwer. Drum bitt' ich Euch, mich nicht zu fragen …«

Typisch Rosalinde, dachte Josie. Über Unangenehmes redete sie nicht gern. Dann bemerkte sie, dass allmählich wieder etwas Licht in den Raum sickerte.

Einige Sekunden später war die Höhle wieder taghell. Rosalinde atmete auf. »Bei Odin, es ist wieder Licht! Noch bleibt der üble Nebel nicht.« Dann ging sie einen Schritt zurück und klatschte zufrieden in die Hände. »Wohlan, Ihr seid hübsch anzuseh'n. Doch wird es höchste Zeit, zu geh'n.«

Josie stand auf. Der Seidentaft knisterte, der weite lange Rock schwang um ihre Beine, als sie sich zur Tür bewegte. Wie ungewohnt! Trotzdem fühlte es sich richtig an, jetzt dieses Kleid zu tragen. Ebenso richtig, wie sich ihre Alltagsklamotten in der realen Welt anfühlten. Real? – War das hier nicht real?

Die pummlige Zwergin war ihr vorausgeeilt, um ihr zu öffnen. Wolf sprang auf die langen Beine, als er Josie erblickte. Er jaulte auf, ein Laut des Schmerzes, in den sich der staunende Beiklang von Wiedererkennen mischte.

»Wie wunderschön du bist. Ach, seh ich doch in deinen Zügen …« Der Strom seiner Gedanken in Josies Kopf brach ab, aber sie wusste dennoch, an wen er dachte.

Rosalindes Augen verengten sich. »Du Hund! Zum Jammern ist's zu spät, verwirkt das Leben von Nárbflaith!« Ihre aufgebrachte Stimme mäßigend, fuhr sie fort: »Zu sühnen deine Missetat, dem Mädchen dien' mit gutem Rat. Denn nur ihr kühn beherztes Streben kann dir den Frieden wiedergeben.«

Wolf senkte betroffen den Kopf. Josie tat er leid. Musste Rosalinde so auf ihm herumhacken? Sie trat neben ihren Gefährten und verabschiedete sich. »Danke, liebe Rosalinde! Danke für alles!«

Rosalinde nickte bewegt und zog sich in ihre Wohnung zurück.

Der Feuersalamander züngelte wie eine lang gezogene Flamme an der Decke. Obwohl er lichterloh brannte, schien er zu schlafen. Josie blickte zweifelnd von Tür zu Tür. Durch welche sollten sie jetzt bloß gehen? Ob Wolf es wusste? Doch unversehens beantwortete sich ihre Frage von selbst. Denn plötzlich sprang ein zweiflügliges Tor auf. Ein Wasserfall strahlenden Lichts schoss auf sie zu. Ein erregendes Gefühl durchwirbelte sie. Freude, Erwartung. Das unerklärliche Gefühl nach langer, langer Zeit heimzukehren.

Mit klopfendem Herzen trat sie hindurch und fand sich in einer Art Treppenhaus wieder. Unzählbare weiße Marmorstufen schienen endlos nach oben zu führen. Doch schon beim ersten Schritt stolperte sie. Verdammt! Das Kleid! Sie raffte den Rock und stapfte erwartungsvoll aufwärts. Wolf hielt sich dicht an ihrer Seite. Es wurde heller und heller, als führte die Treppe geradewegs zur Sonne. Josie hätte unmöglich sagen können, wie viele Stufen sie schon gestiegen waren, als sich in das gleißende Licht ein purpurfarbener Ton mischte. Erst kaum vernehmbar, dann immer deutlicher ertönte eine Melodie, die Josie nur zu vertraut war. Das Lied von Druid Dubh.

»Es ist die Hymne Narrandas«, vernahm sie Wolf in ihrem Kopf. »Nárbflaith hat sie so oft auf dem Cembalo gespielt.«

Die Trauer in seiner Stimme, ließ in Josie die Erinnerung aufblitzen, wie panisch er das Speisezimmer verlassen hatte, als Moma dem Cembalo genau diese Melodie entlockt hatte.

Nachdem sie endlich die letzten Stiegen erreicht hatten, wölbte sich über ihnen ein unwirklich blauer Himmel. Staunend sah sich Josie um. War dies die Stadt aus ihren Träumen? Noch nie im Leben hatte sie so etwas Prachtvolles gesehen. Oder doch? Tief in ihr keimte etwas wie Wiedererkennen auf. Im unwirklich klaren Licht standen eng an eng kleine saubere Häuser mit rundem Grundriss und glänzend gedeckten, kegelförmigen Dächern. Sie kniff die Augen zusammen. Waren die Ziegel aus Gold?

Etwas Schwarz-Weißes flog ihnen entgegen. Druid Dubh, in der Gestalt des Vogelmanns, landete auf einem Rosenstock, dessen prächtige Purpurblüten betörend dufteten. »Im Reich der Feen seid willkommen! Ihr habt die Pforte überwunden und den verborg'nen Weg gefunden. Auch habt den Hund Ihr mitgenommen.« Neben dem abfälligen Ton, mit dem er Wolf erwähnte, entnahm Josie seiner Stimme offensichtliche Erleichterung.

Ohne Josies Begleiter eines einzigen Blickes zu würdigen, forderte Druid Dubh sie mit einer Geste auf, ihm zu folgen. »Es ist ein ganzes Stück zu gehen. So könnt Narranda Ihr besehen.«

Josie tätschelte Wolf tröstend am Hals. Mach dir nichts draus. Ich jedenfalls bin sehr froh, dass du bei mir bist, teilte sie ihm stumm mit.

»Wer Schuld auf sich lädt, muss auch die Konsequenzen tragen«, antwortete die dunkle Gedankenstimme, die Josie mittlerweile schon so vertraut war, dass sie über die befremdende Form ihrer Kommunikation gar nicht mehr nachdachte.

Die Stadt, die sie nun durchschritten, nahm Josie ganz in ihren Bann. Sämtliche Häuser waren rund oder oval. Gold und Weiß dominierten das Bild und gaben den Gebäuden trotz ihrer Schlichtheit etwas Prunkvolles. Farbenprächtige Vögel, größere und kleinere, aber alle mit herrlich geschwungenen Schwanzfedern, zwitscherten auf maigrünen Bäumen. Schwärme von exotischen Schmetterlingen flatterten durchs Himmelblau. Über Wänden und Mauern rankten sich purpurfarbenen Rosen, die betörend dufteten. Wie wunderschön! Sie blickte zum Himmel und wandte sich geblendet ab.

»Das ist Solaria, ihre Sonne, die niemals untergeht«, meldete sich Wolf zu Wort. »Narranda kennt keine Nacht. Doch sind die Sidhe seit jeher große Bewunderer des Mondes, dem sie magische Kräfte zusprechen. Vor allem in Vollmondnächten suchen sie deshalb die Welt der Dinge auf.«

Waren die Straßen das erste Stück noch unbelebt, tauchten plötzlich erste Wesen auf, die unterschiedlicher gar nicht hätten sein können. Feine junge Mädchen und Jünglinge in prächtigen Gewändern, daneben gnomenhafte Männlein und Weiblein in bizarrer Kleidung, viele mit riesigen Hüten und unförmigen Hauben. Etwas Grünes huschte an ihnen vorüber. Josie wirbelte herum. War das ein Moosboggel gewesen? Fragile Elfchen, von fingernagel- bis daumengroß sirrten einzeln und in Scharen durch die Gassen. Während Josie versuchte, all die märchenhaften Eindrücke für immer in sich aufzunehmen, wurde sie von den Bewohnern Narrandas nicht weniger bestaunt. Wo sie und ihr zottliger Begleiter auch hinkamen, wurden sie angegafft. Und es entging Josie nicht, dass man hinter ihnen hertuschelte. Der Cluricaun hatte recht gehabt, ihr Kommen war wohl tatsächlich in aller Munde.

Allmählich schienen sie sich dem Zentrum zu nähern. Immer mehr Volk drängelte sich auf den Straßen. Dann öffnete sich vor ihnen ein Platz. »Oh!« Josie blieb entzückt stehen. Offenbar feierte man anlässlich Lughnasadhs ein Volksfest! Jeder schien sein Festgewand zu tragen. Zwergenhafte Händler priesen ihre Waren. Töpfe und Geschirr, glänzende Stoffe und Kopfbedeckungen in den sonderbarsten Formen. Ein kleiner Mann mit struppigem roten Vollbart und grünem Zylinder, der Josie sehr an den Cluricaun erinnerte, bot Schuhe feil. Josie musterte ihn verstohlen.

»Er ist ein Leprechaun«, teilte ihr Wolf mit, der ihre Frage aufgefangen hatte. »Sie sehen Cluricauns sehr ähnlich, doch sind sie weniger der Flasche zugetan. Einem ihrer Zunft verdanke ich – wie schon gesagt – mein Vermögen.«

Mitten im Getümmel führten Gaukler ihre Kunststücke vor. Ein kleinwüchsiger Jongleur, mit einer Nase, deren Länge seine Größe um einiges überragte, warf etwas wie schillernde Seifenblasen in die Luft und brachte sie dann unter skurrilen Verrenkungen mit seinem langen Zinken zum Platzen, worauf winzig kleine Elfen wie Sonnenstaub davonstoben. Das Publikum applaudierte begeistert. Josie hätte ihm gern noch länger zugesehen, doch Druid Dubh winkte ungeduldig.

Sie wollte sich gerade losreißen, als, gleich einer monströsen Fledermaus, ein Schatten den Platz verdüsterte. Trompetenfanfaren zerfetzten die fröhlichen Klänge. Augenblicklich erstarb der ausgelassene Trubel. Dann schwappte Dunkelheit über die Stadt, wie ein Eimer schwarzen Wassers. Jammern und Klagen setzten rundherum ein.

»Zum Teufel, was ist das?«, rief Josie in die Finsternis.

»Die Nebel des Vergessens wallen! Die schwarzen Nebel Dearmadons!«, hörte sie jemanden rufen. »Wir werden bald zum Opfer fallen den bösen Horden Dykerons.«

Josie drängte sich näher an Wolf. Es tat gut, seinen warmen starken Körper neben sich zu spüren. Dearmadon. Verdammt! Wer oder was war Dearmadon? Ob Wolf es wusste? Aber während sie noch versuchte, seine Gedanken zu lesen, kam Sturm auf. Ihre Haare peitschten um ihr Gesicht. Doch mit dem Wind verzog sich der schwarze Nebel wie eine drohende Gewitterwolke an einem

Sommertag. Aufatmen rauschte durch die Menge. Nur wenig später setzten die Jahrmarktsbesucher das bunte Spektakel fort, als wäre nichts gewesen. Wie es schien, war man an solch beängstigende Vorfälle gewöhnt.

Josie sah sich unruhig nach dem Vogelmann um. Hoffentlich hatten sie ihn nicht verloren! Endlich entdeckte sie ihn.

»Dort. Wir müssen dort hinüber.« Erleichtert lief sie los, während ihr Wolf ruhig und gemessen folgte. »Was um Himmels willen bedeutet das alles?«, rief sie Druid Dubh atemlos entgegen.

Das Gesicht ihres Führers wirkte grau. »Ihr fragt Euch, was es auf sich hat, dass Dunkelheit und tiefe Nacht den Tag uns so verleiden? – So kommt denn mit, ich will's Euch zeigen!«

Damit flog er hoch. Josie folgte ihm, Wolf dicht an ihrer Seite. »Weißt du etwas über diese schrecklichen Nebel?«, fragte sie ihn in Gedanken.

»Caliesins Weissagung hat sich erfüllt«, erwiderte Wolfs dunkle Stimme in ihrem Kopf.

»Das Buch der Prophezeiungen«, murmelte Josie vor sich hin. »Der Professor hat Moma und mir eine Passage daraus vorgelesen. Aber ich könnte sie nicht mehr genau wiedergeben.«

Wolf schwieg – jedenfalls hatte Josie für einen Moment keinen Zugang zu ihm. Nach kurzer Pause meldete er sich zurück: »Die Prophezeiung heißt: ›Und es wird kommen eine Zeit, in der, was einst der hohen Barden Gut, verlischt durch blindes Wort und Denken. Und des Vergessens graue Nebel verdunkeln das einst Gold'ne Reich.‹«

Damit verschloss er Josie wieder den Zutritt zu seinen Gedanken und ließ sie mit den ihren allein.

Druid Dubh führte sie vom Treiben des Marktes weg.

Nach und nach veränderte sich das Stadtbild. Die Häuser wurden größer und prächtiger, die Gärten weiträumiger und von Blüten schier berstend. Purpurrosen, wo man hinsah. Honigduft lag in der Luft. Hier lebten wohl die besseren Sidhe, denn die wenigen Passanten, die über das reinliche Pflaster gingen, waren hochgewachsene, schlanke Gestalten mit ebenmäßigen Gesichtern und jadegrünen Augen. Kleinwüchsige sah man kaum. – Vor ihnen her ging – nein, schwebte – eine Feenfrau mit goldglänzenden Haaren, neben ihr ein Zwerg, anscheinend ihr Diener, gebückt unter den Einkäufen, die er für sie schleppte.

Wolf verschlang sie mit den Augen. Seine Stimme drang zu Josie durch, traurig und sehnsuchtsvoll. »Was für ein wunderschöner Gang, ihr gold'nes Haar bringt mich zum Weinen.«

Josie legte tröstend ihre Hand auf seinen struppigen Kopf. Wie sehr er noch immer litt! Der Weg führte sie durch einen Park. Blumenrabatten, in kunstvoll verschlungenen Mustern angelegt. Skurrile Figuren aus geschnittenem Buchsbaum. Auf der Wiese stolzierten Pfaue. Bunte Paradiesvögel zwitscherten aus dem üppigen Blattwerk der vor Gesundheit strotzenden Bäume. Die Natur schien hier ein Freudenfest zu feiern. Ein Zwerg mit Mütze und Gärtnerschürze harkte ein Beet. Josie betrachtete ihn im Vorübergehen. Unwillkürlich fielen ihr die deutschen Gartenzwerge ein, die Moma so abscheulich kitschig fand. In den Gesang der Vögel mischte sie Glöckchenklang. Ein Schwarm winziger blau geflügelter Elfen huschte an ihnen vorüber.

Josie sah ihnen noch nach, bis sie im dichten Geflecht einer beeindruckenden Rosenhecke verschwanden. Mindestens drei Meter hoch bildete das dornige Gestrüpp die Grenze des Parks. Josie stieg süßer Rosenduft in die Nase, der umso betörender wurde, je näher sie kamen. Druid Dubh flog ihnen durch einen Rosenbogen voraus. Als sie wenig später an der Seite Wolfs das blühende Portal durchschritt, blieb Josie schier die Luft weg.

Vor ihnen lag ein Schloss. Ein schneeweißer Palast, mit Erkern, Altanen, Türmen und Türmchen, auf denen purpurfarbene Fahnen wehten.

Es war das Schloss aus ihren Träumen. Das Schloss, von dem auch Amy geträumt hatte.

Eine Freitreppe, die rechts von einem silbernen und links von einem goldenen Drachen flankiert wurde, führte zum Hauptportal, vor dem unbewegt, als hätte man ihnen Beton eingeflößt, zwei riesenhafte Kerle in purpurroten Uniformen finsteren Blicks Wache hielten.

Das Schloss schien ihrer Seele so vertraut wie Momas altes Haus. Sie steuerte schlafwandlerisch auf den Eingang zu, als Druid Dubh sie zurückrief. »Bevor Ihr den Palast betretet, sei Euch ein Ausblick noch gewährt, der uns're allergrößte Sorge und misslich' Lage Euch erklärt.«

Wie in Trance folgte sie Druid Dubh. Sie durchquerten den rosenbewehrten Palastbezirk, an den sich eine Siedlung kleiner Gesindehäuser anschloss, die ganz offensichtlich für Zwerge gebaut waren. Die angrenzenden Remisen und Ställe machten Josie neugierig. Welche Tiere sich die Sidhe wohl hielten? Sie gelangten zu einer weiten Koppel, auf der zwei blütenweiße Pferde weideten. Aufgescheucht galoppierten sie davon, als sie näher kamen. Josie bewunderte ihre kraftvollen Bewegungen, als eines der Tiere stehen blieb und sich zu ihnen umblickte. Ihr Herz begann zu rasen.

»Einhörner«, stieß sie aus. »Sieh nur, wie wunderschön sie sind!«

»Oh ja«, gab Wolf zurück. »Sie sind so bezaubernd wie scheu.« Doch gleich wurde sein Ton wieder schwermütig. »Nárbflaith vermisste sie so sehr.«

Ein ohrenbetäubendes Bellen riss Josies Blick von den Einhörnern weg nach hinten. Kreidebleich presste sie sich an Wolf, als nun das seltsamste Tier, das sie je gesehen hatte, wild kläffend und belfernd auf sie zuzockelte. Es war etwa von der Größe einer Riesenschildkröte und besaß den Kopf einer Schlange. Sein gefleckter Körper erinnerte an den eines Leoparden, während Hinterteil und Schwanz mehr dem eines Löwen ähnelten. Die behuften Beine sahen aus, als hätte es sie von einem Hirsch geborgt. Scheu näherte es sich, wie ein ängstlicher Hund, der aber dennoch erschnüffeln wollte, wer sich da durch sein Revier bewegte. Das nervenzerrei-

bende Bellen, das das sonderliche Tier nun einstellte, um die Fremden eingehend zu beschnuppern, schien Josie wenig zu seinem unverkennbar furchtsamen Verhalten zu passen. Mit angehaltenem Atem fühlte sie den kalten Reptilkopf des eigenartigen Tiers an ihren Füßen.

»Was ist das?«, flüsterte sie gepresst.

»Ein Questentier, ein Glatisant«, beantwortete Wolf ihre Frage. »Hab keine Angst, es ist ganz harmlos, auch wenn es kläfft, als säßen ihm dreißig hetzende Hunde im Leib. Dabei ist es kein Jäger – im Gegenteil, ein Glatisant ist stets selbst die Jagdbeute. Es ernährt sich ausschließlich von Wasser.«

Druid Dubh, der jetzt erst bemerkte, dass Josie und Wolf stehen geblieben waren, kam zurück. Ungehalten herrschte er das Questentier an. »Hinweg, du dummer lauter Beller!« Das Glatisant zuckte angstvoll zusammen. »Ich mach dir Beine, geht's nicht schneller!« Als er nun gereizt in die Hände klatschte, jaulte das Questentier auf und trollte sich unter so scheußlichem Gekläffe, dass Josie sich die Ohren zuhielt.

Der Vogelmann sah ihm kopfschüttelnd nach. »Verzeiht! Der Königin Bestiarium gewährt so manchem Tier Quartier, das vom Vergessen ist bedroht.« Dann seufzte er. »In Zeiten, wie wir sie durchleben, tut dies ganz besonders not.«

Da ihr fliegender Führer sie erneut zur Eile gemahnte, erhaschte Josie von all den seltsamen Tieren, an denen sie anschließend noch vorbeikamen, nur einen flüchtigen Blick. Die Königin schien sich jedenfalls einen ganzen Zoo der merkwürdigsten Fabeltiere zu halten. Ein geflügelter Löwe döste, ohne ihnen mehr als einen müden Blick zu schenken, unter einem Apfelbaum. In einer Voliere hockte ein kleiner, grün schillernder Vogel mit dem hässlichen Kopf eines Geiers. Als sie vorübergingen, begann er lauthals zu schreien. Traurig und zutiefst verzweifelt. Josie zerfloss in Mitleid. Warum war er nur eingesperrt?

»Weil er ein Augurey ist«, erklärte Wolf, der ihre Frage aufgefangen hatte. »Und Augureys fressen leider mit Vorliebe kleine Elfen.«

»Du lieber Himmel!« Josie sah erschrocken über die Schulter zurück.

Dann verließen sie das Bestiarium. Die eingezäunten Gehege und Koppeln machten Gärten und Wiesen Platz, dazwischen saßen, wie Eier im Nest, vereinzelt kleine Häuser.

Vor einer Festungsanlage mit Wachtürmen, Wehrgang und Schießscharten endete ihr Weg. Hatte Narranda bisher freundlich, heiter und frühlingshaft auf sie gewirkt, fühlte Josie, dass hinter dieser lang gezogenen Mauer Unheil drohte. Der Vogelmann stand mit ausgebreitetem Mantel auf einem Sims, der einen Wehrturm zierte, und wies sie an einzutreten.

Eine steile, enge Wendeltreppe, die Josie an das Innere einer Spiralmuschel erinnerte, führte schier endlos nach oben. Den langen Rock mühsam hochgerafft, erklomm sie Stufe um Stufe. Auch Wolf quälte sich. Seine alten Knochen wollten ihm nicht recht folgen, hechelnd und stolpernd kam er nur schleppend voran, weshalb Josie immer wieder auf ihn warten musste.

Endlich erreichten sie die Plattform. Josie versuchte, sich zu orientieren. Zur Stadt hin öffnete sich eine sanfte Hügellandschaft mit Wiesen, Feldern und Wäldern. Dann stutzte sie. Auf jeder Kuppe stand eine Windmühle. Komisch, die waren ihr vorhin gar nicht aufgefallen. Dabei mussten sie riesig sein! Und so viele! Sie dachte an Windkraftwerke. Gewann man hier auch Energie aus Wind? Die Stadt lag in ihren Mauern wie eine träumende Prinzessin, ihre goldenen Dächer funkelten im Licht wie wertvoller Schmuck. Das Schloss schimmerte wie eine Perle, goldgefasst und edel. Alles erschien ihr friedlich und heiter und auf eigenartige Weise wohlbekannt.

»Seht dort!« Druid Dubhs schwermütige Stimme störte ihre Betrachtungen.

Josie und Wolf drehten sich um.

Druid Dubh stand, ihnen den Rücken zugewandt, auf einer Zinne und blickte schweigend in die Ferne. »Seht dort! – Das weiland Gold'ne Land an der schönen Träume Rand im Nebel bald verdirbt. Und alles, was ist hell und licht, in schwarzen Dünsten stirbt.«

Josie wich bestürzt einen Schritt zurück. War die Welt in Richtung ihres bisherigen Blicks intakt, zeigte die Perspektive, die ihnen Druid Dubh nun wies, ein völlig anderes Bild. Mit einem schmerzlichen Stich traf Josie die Erkenntnis, wie es außerhalb Narrandas Mauern aussah.

Am Horizont bäumte sich vor bedrohlich dunklem Himmel die pechschwarze Silhouette eines Gebirges auf. Da, wo das Felsmassiv seine dunklen Finger ins Tal bohrte, war alles tot. Unter aschgrauen Nebelschleiern verödete Felder und trostlos verdorrte Wälder.

Druid Dubh streckte in einer müden Bewegung den Arm aus. »Seht ihr des Nordgebirges Rand? Er trennt das helle Gold'ne Land von des Bösen schwarzem Hort, von Dorchadon, dem dunklen Ort. Dazwischen liegt Riamh Mhuir, das endlos tiefe Niemalsmeer, es schützt uns vor der Schwarzen Gier. Doch ist es eine schlechte Wehr. Denn Dearmadon, die graue Insel, treibt schweigend über seine Wogen ...«

Josie, die versuchte, Druid Dubhs Ausführungen zu folgen, unterbrach ihn. »Eine Insel? Dearmadon ist eine Insel?«

Der Vogelmann nickte ernst. »Wir leben nur in den Geschichten von menschlich Wunderdingberichten. Die Welt der Dinge ist der Ort, in dem durch Fantasie und Wort erschaffen wird, was hier zu seh'n. Doch sind die Märchen, Mythen, Sagen scheint's nicht mehr wert zum Weitertragen. Vergessen müssen sie vergeh'n auf der Insel Dearmadon, wo sie als düst'rer Nebeldunst unser Gold'nes Reich bedroh'n. Denn ohne Rast und ohne Ruh bläst Orcarracht, der böse Drache, die Schwaden auf Narranda zu.«

Josie blickte zum Horizont. Obwohl sie nicht alles verstanden hatte, hatte sie zumindest verstanden, woher die Nebel kamen. Und wenn sie sich weiter ausdehnten, würden sie bald ganz Narranda einhüllen! Eine tiefe Traurigkeit überwältigte sie und drückte ihr die Brust ab.

»Dem einäugigen Satansdrachen geht nur das Eine durch den Sinn«, fuhr Druid Dubh fort und seine Pupillen verengten sich, »in tiefe Finsternis zu stürzen das Gold'ne Reich der Königin. Der Schwarzen Augen leiden nicht das helle, klare, gold'ne Licht.«

Josie malte sich eben die schrecklichen Folgen aus, als der Vogelmann weitersprach: »Was dann geschieht, woll'n wir nicht denken – denn alle mutlosen Gedanken dem Übel nur mehr Leben schenken.« Damit wendete er den Blick zur Sonnenseite der Stadt. »Nun kommt, der Große Trusadh hat begonnen, es ist schon zu viel Zeit verronnen.«

»Wusstest du das alles?«, fragte Josie betroffen, während sie vor Wolf den Turm hinabstieg.

Das große Tier mühte sich mit den Stufen. War es aufwärts schon eine Qual für seine langen Beine gewesen, ging es abwärts nicht besser. Wolf blieb schwer atmend stehen. Seine klugen Augen suchten Josies Blick, die, schon ein Stück weiter, auf ihn wartete. »Durchaus, die Lage war mir bekannt. Jedoch ...«

Trompetenstöße, die wie glühende Pfeile durch die kleinen Turmfenster schossen, unterbrachen ihren Gedankenaustausch. Josie spähte hinaus. Auf den Hügeln herrschte plötzlich emsiges Gewimmel. Von allen Seiten rannten Zwerge zu den Windmühlen. Dann setzten sich die ersten Windmaschinen auch schon in Bewegung. Auf dem ihnen zunächst gelegenen Hügel konnte Josie nun auch erkennen wie: Laufräder, in denen zahllose Zwerge wie Hamster strampelten, trieben die Flügel an.

Josie ahnte nun, was das Ganze zu bedeuten hatte. Über dem Nordgebirge stieg eine nachtschwarze Wolkenwand hoch, die wie ein graues, alles verschlingendes Ungeheuer vorwärtskroch, um sich mit den Nebeln, die das öde Tal bedeckten, zu zähen Schwaden zu verbinden, die rasend Richtung Süden trieben. Die Sicht wurde schlechter und schlechter und wieder verblassten die Farben der Stadt im Dämmergrau. Erst jetzt liefen die Windmaschinen mit voller Kraft. Was Josie anfangs nur als Luftzug wahrgenommen hatte, wuchs sich zu einem Sturm aus. Von allen Hügeln brauste und sauste es. Dann zerriss der graue Schleier und wich Stück für Stück zurück. Josie hielt sich mit der einen Hand die Haare aus dem Gesicht, raffte mit der anderen den Rock und setzte mit klopfendem Herzen ihren Weg nach unten fort.

Druid Dubh bestätigte Josies Beobachtung, als er sie am Ausgang des Turms empfing. »Noch treiben unsre Windmaschinen die schwarzen Nebel von der Stadt, doch steht zu fürchten, dass dies Mittel bald jeden Sinn verloren hat. Es werden mehr und mehr der Dämpfe, die übers Nordgebirge weh'n. – Orcarracht faucht aus vollen Kräften, weil wir Lughnasadh heut begeh'n.«

Sie folgten Druid Dubh zum Schloss zurück. Offenbar hatte er Sorge, sie könnten sich verspäten, denn er flog so rasch vor ihnen her, dass sie kaum nachkamen.

In Josies Kopf wirbelten die Gedanken wie die Flügel der Windräder. Was konnte man nur tun?

Und wieder meldete sich Wolfs Stimme in ihrem Bewusstsein. »Nur die Menschen können die alten Geschichten und Mythen retten. Es sind die Nebel des Vergessens, die das Gold'ne Land verfinstern. Und denk nur an die Bibliothek – der Verfall hat in jüngster Zeit dramatisch zugenommen.«

»Der Verfall der Bücher?« Josie sah ihn mit großen Augen an. »Willst du damit sagen …«

Wolf machte eine Kopfbewegung, die Josie als ein Nicken deutete. »Es ist nicht damit getan, die alten Überlieferungen aufzuschreiben. Sie müssen weitergegeben werden. Nur in den Herzen und Köpfen der Menschen bleiben sie lebendig. Sonst nützt auch ihre Aufzeichnung nichts, speisen sie sich doch allein aus menschlicher Imagination. Geschieht dies nicht mehr, vergehen sie. Auf Dearmadon zu Nebeln – und in der Bibliothek zerfallen die vergessenen Bücher zu Staub.«

»Aber Wolf!« Josie blieb für einen Moment stehen. »Die Insel Dearmadon, Riamh Mhuir, das Niemalsmeer, der Drache! Das ist alles Anderwelt! Aber Springwood Manor ist real!«

»Die Bibliothek der O'Reardons ...« Wolf hielt kurz inne, um dann sehr betont weiterzusprechen. »*Meine* Bibliothek, darf ich wohl sagen – immerhin habe ich sie eingerichtet –, ist keine gewöhnliche Bibliothek. Durch den magischen Stein war sie von jeher mit der anderen Seite verbunden. Das dürfte dir wohl kaum entgangen sein.«

Josie nickte. Das war also die Erklärung für den mysteriösen Zerfall der Bücher! Himmel, war das alles kompliziert! Und wieder drängte sich ihr die Frage auf, die sie von Anfang an beschäftigt hatte: Welche Rolle spielte sie bei all dem? Ob sie beim Großen Trusadh mehr erfahren würde?

Druid Dubh marschierte sichtlich ungeduldig auf der weißen Freitreppe auf und ab, als seine Schützlinge endlich vor dem Palast erschienen. Noch während Josie und Wolf zwischen den beiden Drachen die Marmorstufen emporschritten, öffnete sich das Tor. Vorbei an den versteinert blickenden Wächtern betraten sie eine Halle mit ovalem Grundriss, deren kunstvolle, mit Rosenornamenten dekorierte Deckenkonstruktion auf weißen, rundherum angeordneten Marmorsäulen ruhte, zwischen denen wundervoll ornamentierte Türen abgingen. Josie blickte sich verzaubert um.

»Hier entlang!« Der Vogelmann riss sie aus ihrer Bewunderung und steuerte auf die prächtigste und größte der Türen zu, die dem Hauptportal genau gegenüberlag.

Mit nervösen Händen strich Josie ihr zerknittertes Kleid glatt, nestelte die Purpurschärpe zurecht, und kämmte sich mit gespreizten Fingern durch die Haare. Bestimmt sah sie nach der Exkursion von eben nicht gerade aus, wie es eine königliche Audienz verlangte. »Wie seh ich aus?«, zischte sie Wolf zu.

Wolf schenkte ihr einen prüfenden Blick. »Wunderschön. Dein Erbe lässt sich nicht verleugnen.«

Geräuschlos öffneten sich die Flügel der Tür, ohne dass jemand erkennbar Hand an sie legte. Josie trat zögernd einen Schritt vor und blieb fasziniert im Türbogen stehen.

Ein weiträumiger, kreisrunder Saal tat sich vor ihr auf, der sich zu einer gewaltigen Gewölbedecke aufschwang, in deren Mitte, durch einen kunstreich geschliffenen Kristall von der Größe eines Mühlsteins, Licht fiel. Licht, das sich in Tausenden Facetten brach und den fensterlosen Raum mit der Farbenpracht des Regenbogens überschwemmte.

Die beeindruckende Architektur und das herrliche Spiel der Farben waren schon überwältigend genug, doch die zahllosen Augenpaare, die die Eintretenden mit skeptischen Blicken empfingen, raubten Josie den Atem. Für einen Moment fürchtete sie umzukippen. Sie lehnte sich taumelnd an Wolf und fühlte am Druck seines sehnigen Körpers, dass auch er Halt suchte.

Was immer sie erwartet hatte – die Szenerie übertraf ihre kühnsten Fantasien.

In einem Halbrund zogen sich, ansteigend wie bei einem Hörsaal, Sitzreihen fast bist unter die Decke. Wie viele es waren, konnte Josie unmöglich ausmachen. Aber es waren sehr viele. Gegenüber an der einzigen freien Wand stand ein hochlehniger Sessel aus Marmor, dessen einzige Bequemlichkeit in einem purpurroten Samtkissen bestand. Josie war sich sicher, dass es sich um den Thron handelte.

Ihre Augen wanderten zurück zur Tribüne. Sämtliche Plätze waren besetzt. Sie empfand es als äußerst unangenehm, die geballte Aufmerksamkeit auf sich zu spüren. Um jedoch keine Schwäche zu zeigen, erwiderte sie die unverhohlen neugierigen, teilweise sogar feindseligen Blicke so gleichmütig, wie es ihr nur möglich war.

Das war also die Versammlung der Sidhe! Obwohl die kunterbunte Ansammlung skurriler Gestalten nichts mit den Parlamenten, die Josie kannte, gemein hatte, drängte sich ihr dieser Vergleich auf. Alle Völker der Sidhe schienen vertreten zu sein. Auf schmalen Simsen, die sich oberhalb der Sitzreihen an der Wand entlangzogen, wimmelte es von winzigen Elfen. Josie versuchte, Elvinia zu finden, doch es gelang ihr nicht.

Die vorderen Ränge schienen den Kleinwüchsigen vorbehalten zu sein. Kindlich aussehende Gnome, Männlein und Weiblein mit sittichblauen Haaren und winzigen rosa Händen. Zwerge mit grünen Mützen und ebensolchen Nasen, deren herzförmige Ohren von ihren kugelrunden Köpfen abstanden wie die Henkel einer Suppenterrine. Ebenfalls in der ersten Reihe – jeweils drei auf einem Sitz – ungestalte, unentwegt mit den Köpfen wackelnde, spindeldürre Kobolde, mit unglaublich langen Zeigefingern. Die meisten Wesen sahen Menschen im Großen und Ganzen ähnlich, aber etwas weiter oben saßen auch solche mit Schweinerüsseln, feisten rosa Wangen und Borstenohren und so beleibt, dass sie kaum auf die Sitze passten. Unmittelbar daneben weiße, hasenartige Kreaturen von der Größe eines Sechsjährigen, mit seidigen Fellohren, menschlichen Gesichtern und vierfingrigen Händen.

Am äußersten rechten Rand der zweiten Reihe entdeckte sie alte Bekannte, mit viel zu langen Armen und nur mit grünem Moos bekleidet. Sie zog die Augenbrauen hoch. Moosboggels! Hatten sie den Schluckauf also überstanden! Etwas weiter hinten saßen alte kleine Männer mit Wuschelbärten und grünen Zylindern. Waren das jetzt Cluricauns oder Leprechauns? Und war MoDain unter ihnen?

Eine kleine fleischige Hand, die ihr zuwinkte, lenkte sie von ihrer Suche ab. Rosalinde? Ja, es war Rosalinde! Wie gut es sich anfühlte, dass sie auch hier war! Neben der Bean Tighe saßen ihre Kolleginnen, alle mit frischen Häubchen und Schürzen. Josie glaubte sogar, ihren Lavendelduft bis hier unten wahrnehmen zu können. Je weiter ihr Blick nach oben wanderte, umso größer wurden die Sidhe, wenn auch nicht unbedingt ansehnlicher. Da gab es einäugige, aber auch vieräugige Wesen, glatzköpfige und welche mit so üppigem Haarwerk, dass man ihre Gesichter kaum erkennen konnte. Zottlige Trolle, nur mit ihrem braunen Fell bekleidet, hockten neben einer Reihe kurios hässlicher Schnabelwesen. Diese wiederum saßen neben wunderschönen Elfenfrauen und -männern, die um vieles größer waren als Elvinias Schar, sodass sie ihre schimmernden Flügel auf den engen Plätzen kaum unterbrachten. Eine Gruppe silberblonder Elbenmädchen fiel Josie auf, da sie sich fragte, ob sie unter ihren durchscheinenden Kleidern überhaupt Körper besaßen. Rechts der Sitzreihenpyramide tummelten sich in einem geräumigen Wasserbecken, das von lebendigen Wasserspeiern gespeist wurde, die aus nichts als spitz gehörnten Fratzen zu bestehen schienen, große und kleine Nixen. Wie Silberfischchen wuselten sie mit ihren Flossenschwänzen hin und her. Ein vollkommen grüner dickbäuchiger Wassermann, dem Tang in dicken Büscheln aus den Ohren wuchs, glotzte träge über den Rand.

Der linke Flügel war mit purpurrotem Samt gepolstert und schien ganz besonderen Sidhe vorbehalten zu sein. Die schönen Feenfrauen mit den rotgoldenen Haaren und ihre männlichen Begleiter, die ihnen an Grazie und Wohlgestalt in nichts nachstanden, mussten zum Geschlecht der königlichen Sidhe, der Sidhoir, gehören.

Ein Fanfarenstoß riss alle Blicke zu einem Seitenportal, das Josie erst jetzt wahrnahm. Sie trat mechanisch einen Schritt vor, um besser sehen zu können. Ein Zwerg in altertümlicher Uniform erschien und klopfte mit einem Stab, der neben ihm wie ein Fahnenmast wirkte, dreimal auf den Marmorboden. Die merkwürdige Versammlung sprang von den Plätzen hoch.

Dann trat, begleitet von der purpurfarbenen Hymne Narrandas, eine Lichtgestalt ein, die Josie alles andere um sich vergessen ließ. Órlaith, die Königin der Sidhe. An ihrer Seite schritt ein großer alter Mann, dessen langer silberweißer Bart bis zum Gürtel seines weißen Gewands fiel. Josie riss die Augen auf. Auf seiner Schulter saß eine Amsel. War das etwa Druid Dubh? Sie hatte überhaupt nicht darauf geachtet, wo er geblieben war. Gefolgt wurde die Königin von ihrer Leibgarde, Hofdamen und etlichen Elfen, deren Aufgabe es war, ihre lange Schleppe aus Purpurseide vom Boden fernzuhalten.

Órlaith war so berauschend schön, dass Josie gar nicht wegsehen konnte. Trotz ihres hüftlangen schneeweißen Haars war ihr Gesicht von alterslosen Jugend. Auf ihrem Kopf saß, kunstvoll in das perlmuttschimmernde Haar eingeflochten, ein mit Perlen verzierter Goldreif, dessen Mittelpunkt zwei ineinandergeschlungene Drachen bildeten, deren Köpfe ein Purpurherz umschlossen. Das Symbol der Fibel! Das Antlitz – Josie drängte sich unmittelbar dieses altmodische Wort auf – der hohen Fee strahlte, ja es schien in die Herzen aller Anwesenden zu strahlen.

Als sie die Mitte des Saals erreicht hatte, blieb Órlaith stehen, worauf sich das bunte Volk der Sidhe tief vor ihr verneigte. Dann verstummte die Musik.

»Gesegnet sei die Königin, die Herrscherin Narrandas.« Im Chor erschallte der Gruß durch den Saal.

Lächelnd hob die Königin die schlanken Hände wie zu einem Segen. »Willkommen, ihr geliebten Völker, die ihr euch hierher aufgemacht. Wir danken jedem für die Mühen, die seine Reise mitgebracht.«

Órlaith neigte das Haupt zu einer angedeuteten Verbeugung. Dann blickte sie ernst in die Runde.

»So lasst den Trusadh nun beginnen, die Dinge steh'n für uns nicht gut. Doch lasst uns heut auf Rettung sinnen, voll Zuversicht und Kraft und Mut.«

Damit schritt sie auf den Thron zu, neben dem sich ihr Gefolge bereits aufgestellt hatte. Nachdem sie sich niedergelassen hatte, gab sie ihren Untertanen mit einer Handbewegung zu verstehen, dass sie sich nun ebenso setzen sollten.

Der Zwerg mit dem Stab trat vor und wies Josie einen Stuhl zu, von dem aus man den ganzen Saal überblicken konnte. Zögernd folgte sie der Aufforderung. Wolf begleitete sie. Trotz ihrer eigenen Aufgeregtheit entging ihr nicht, dass auch er sich ganz und gar nicht wohl in seiner Haut fühlte.

Dann war der Große Trusadh eröffnet.

Zunächst hielten die Abgesandten aller Völker ihre Ansprachen, die zwar mit blumigen Grußworten begannen, aber zumeist in Klagen endeten. Die vielen Nebelalarme, die ständige Bedrohung ängstigte alle. Ganz besonders litten diejenigen, die im Nordgebirge und seinen Tälern beheimatet waren, unter der Finsternis, die die Nebel mit sich brachten. Die dünnen Kopfwackler, die sich – soweit Josie verstanden hatte – von Holzmehl ernährten, jammerten, dass selbst die Holzwürmer die Gegend verlassen hätten, weshalb sie gezwungenermaßen in den Silberwald hätten umsiedeln müssen. Worauf sich sofort die hellhäutigen Silberelben in den durchsichtigen Hemden beschwerten, die Kopfwackler störten ihre Ruhe, da diese rastlos durch den Forst zappelten und mit ihren langen Zeigefingern gegen die Bäume klopften, um an Wurmmehl zu kommen.

Es gab einige solcher Missstimmungen zwischen Auswanderern des Nordgebirges und Einheimischen. Nicht nur die Kopfwackler hatten sich eine neue Bleibe suchen müssen. Die Bunnypuks – so hießen die Sidhe mit den Hasenohren – jammerten zum Beispiel über eine Rotte Zotteltrolle, die sich in ihrem Tal eingenistet hatte und sich nun einen Spaß daraus machte, die Bunnypukkinder zu erschrecken.

Nur die unscheinbar grauen Grottenschlecker, kleine, unbekleidete, nicht eben ansehnliche Kerlchen mit breiten Mäulern, die bei jedem quäkenden Wort ihre fleischigen Zungen herausstreckten, schienen sich von den Nebeln nicht beeinträchtigt zu fühlen. Sie profitierten sogar von der Klimaveränderung, da sie sich von dem Niederschlag ernährten, der an den zunehmend feuchten Felswänden herablief.

Aber neben den Sorgen, die durch die Nebel verursacht wurden, gab es noch andere Probleme, die die Sidhevölker mindestens ebenso sehr bedrückten. Zu Josies Überraschung meldeten sich die Moosboggels zu Wort. Allen voran natürlich wieder ihr großmäuliger Anführer.

Als Josie jedoch hörte, was er vorzubringen hatte, begann sie zu verstehen, warum die Moosboggels so wütend auf die Schepsel waren. In den vergangenen Jahren war ein Großteil ihres angestammten Gebietes abgeholzt und bebaut worden. – Josie sah unwillkürlich das Neubaugebiet vor sich, durch das sie neulich geradelt war. – Und selbst die alten Kultstätten, die noch vor hundert Jahren kein Mensch anzurühren gewagt hätte, würden heute nicht mehr respektiert. *Rath Doire* sei von riesigen Maschinen teilweise schon zerstört worden.

Arthurs Vater!, dachte Josie erschrocken.

An dieser Stelle meldete sich ein grün bemützter Zwerg zu Wort. Seine Augen funkelten böse, als er mit seltsam knarzender Stimme loslegte:

»Dem Boggel kann nur recht ich geben! Es schert doch heute kaum noch einen, ob wir in *Raths* und Dolmen leben. Dass *Rath Doire* ein Sitz der Kleinen, war indes immer wohlbekannt. Doch gieren sie nach unsrem Land. Uns fällt die Decke auf die Mützen. Wie sollen wir uns anders schützen, als mit dem tödlich bösen Blick, mit einem magisch faulen Trick?«

Josie stockte der Atem. Es waren also tatsächlich die Sidhe gewesen, die die Unfälle auf der Baustelle verursacht hatten.

Kaum hatte der Zwerg ausgesprochen, prasselte es von allen Rängen Wortmeldungen. Beschwerde reihte sich an Beschwerde. Straßen wurden durch Sidhegebiet gebaut, durch eine von Kobolden bewohnte Höhle hatte man einen Tunnel geschlagen. Aber auch da, wo die Kultstätten bewahrt wurden wie in New Grange, geschah das auf eine Weise, mit der man die Ruhe der Anderweltbewohner empfindlich störte. Es hagelte bittere Klagen über die vielen Touristen, den Lärm, den Müll, das Getrappel Tausender von Füßen. Josie senkte den Blick. Sie persönlich war an all dem zwar völlig schuldlos, dennoch schämte sie sich für ihre Artgenossen.

»Nun lasst mich auch mal etwas sagen«, meldete sich ein bärtiger Zwerg, dem eine so große Kartoffelnase im Gesicht saß, dass er kaum darübersehen konnte. »Man muss sich doch auch einmal fragen, warum das alles kann gescheh'n. Es sind vorbei die alten Tage, da Barden durch die Dörfer geh'n und von der Anderwelt berichten. Doch das Vergessen der Geschichten ...« Er hielt inne, da Seufzen durch die Reihen wogte, und fuhr dann unglücklich fort: »wird uns bald ganz und gar vernichten.«

Nun erhob sich eine der schönen Sidhoir. Ihre helle Stimme klang bedrückt und melancholisch. »Die Menschen sind nicht mehr geübt in der Magie der Illusion, sich eine Vorstellung zu machen von nie gesehnen Wundersachen. Es herrscht ein rüder, trister Ton. Das Böse scheint mit Macht zu walten in vielen der verarmten Seelen. Es scheint sie gut zu unterhalten, zu sehen, wie sich andre quälen. Des schwarzen Fürsten Kraft nimmt zu. Sein Heer wächst an und gibt nicht Ruh, eh hier das letzte Licht verglommen – eh uns das Dasein ist genommen.«

Als sie sich wieder setzte, herrschte gedankenvolles Schweigen. Auch Josie dachte über die Worte der schönen Rednerin nach. Es stimmte leider. Wer las heute eigentlich noch Märchen? Und wer glaubte heute noch an Feen oder Magie? Und auch das stimmte: Viel zu häufig dienten Horrorgeschichten zur Unterhaltung, selbst in der Fantasy-Literatur gab es immer mehr Blut und Tod.

Die Königin hörte allen Rednern aufmerksam zu, griff ab und zu schlichtend ein oder machte eine beipflichtende Bemerkung. Als der Letzte gesprochen hatte, blickte sie in die Runde. »Will jemand nun noch etwas sagen, gibt es noch weit're wicht'ge Fragen?«

Ein kleiner Kerl mit schief sitzendem Zylinder stand auf. Josie erkannte ihn sofort. Es war MoDain, der mit wichtiger Miene um sich sah. »Ich möchte auch noch etwas sagen. Auch ich hab etwas zu beklagen. Die Schepocl werden immer schlimmer, sie gönnen mir den Weinbrand nimmer. Als ich mir einen zwitschern wollt' in meinem Keller unten, hat das Gesindel Achillea um jeden Flaschenhals gebunden.«

Für einen Moment lockerte sich die Stimmung im Saal. Einige Sidhe gaben spöttische Zwischenrufe ab, andere lachten, wieder andere schüttelten über so viel Unverstand die Köpfe. Josie konnte sich kaum ein Grinsen verbeißen. Doch jemand anderes fand MoDains Auftritt gar nicht lustig.

Rosalinde sprang wie eine Furie auf. »Wir haben wirklich andern Kummer, du Trunkenbold, du Tropf, du dummer!«

MoDain verkrümelte sich, vor sich hin grummelnd, wieder auf seinen Sitz.

Die Königin sorgte mit einer beschwichtigenden Handbewegung für Ruhe. »Uns drücken andre Sorgen – in der Tat. Wir bitten nun Myrddin, den Magier, um seinen weisen hilfreich Rat.«

Myrddin trat vor.

Augenblicklich herrschte andächtige Stille. Das weiße Haar, das in Zöpfe geflochten über seine Schultern hing, sowie die tiefen Kerben in seinem gleichmäßigen Gesicht schienen nur eine Maske zu sein, hinter der sich ein junger Mann verbarg. Die Amsel saß noch immer auf seiner Schulter und Josie war jetzt überzeugt, dass es Druid Dubh war, denn sie hatte den Brustfleck entdeckt.

Der Magier verneigte sich. Dann breitete er die Arme aus und schloss die Augen wie zu einem stummen Gebet.

»Narrandas Völker!«, hob er an. »Unsere Mittel sind am Ende. Wir brauchen menschlich helfend Hände, denn in der rauen Welt der Dinge hat nichts Bestand aus Geisterhand. Es sind die Mythen, die uns tragen. Doch leben sie vom Weitersagen.«

So bunt gemischt die Zuhörerschar auch war, so einmütig hing sie an den Lippen des Magiers, als er nun weitersprach: »So hört! Was einst ein Frevel und geschmäht, kann heut für uns zum Segen werden. Der Barde, der das edle Kind Nárbflaith dereinst aus unsren Reihen nahm, hat unser Erbe doch gesät in seinem tollen Liebeswahn. – Doch liegt, ihr wisst's, auf ihren Töchtern jener Fluch, der Liebesglück vergällt, sodass sich unser edles Erbe nicht streu'n kann in der Dinge Welt.«

Josie versuchte, ihm zu folgen. Aber so weit hatte sie verstanden: Natürlich gab es nur wenige Nachkommen, wenn nahezu jeder Geburt ein Todesfall folgte. Während sie noch überlegte, redete Myrddin weiter. »Die Menschen, die das Erbe tragen, oft sind's Erzähler und Poeten, die Nacht für Nacht in ihren Träumen die Räume unsrer Welt betreten. Es gilt, solch Herzen zu vermehren, die die alten Sagen ehren und in die Welt der Dinge bringen, in der wir heut ums Leben ringen. – Und darum muss hinweg der Fluch!«

Er legte eine Pause ein, die die Versammlung zu einem tuschelnden Austausch nutzte. In Josies Kopf jagten sich die Gedanken. Myrddin schlug also vor, den Fluch zurückzunehmen. Die Gründe leuchteten ihr vollkommen ein. Aber würden damit auch Wolf und Nárbflaith befreit? – Und Amy? Sie stutzte betroffen. Warum dachte sie erst zuletzt an Amy, sie war ja wohl das Wichtigste ...

Der Magier hob die Arme, sofort kehrte wieder Ruhe ein. »So wie die alte Weisung sagt, kann Heldentat den Fluch aufheben, drum muss dem Kind, das auserwählt, ein tapf'res Herz sein mitgegeben.« Mit einer feierlichen Bewegung gab er Josie ein Zeichen, vorzutreten.

Josie atmete tief. Heldentat? Mit weichen Knien schritt sie nach vorn, überzeugt, ihr hämmernder Herzschlag übertöne ihre Schritte, die durch die gespannte Stille über die Marmorplatten klackerten. Wer mehr zitterte, sie oder Wolf, der eng an sie gepresst mit ihr ging, hätte sie nicht entscheiden können.

»Seht her!«, sprach der Magier weiter, als sie in der Mitte stand. »Mit dem Vermächtnis wohl beseelt, ist dies das Kind, das auserwählt.«

Raunen wogte durch den Saal.

»Vier Herzen, die das Erbe tragen, hat unser Bote aufgespürt, doch nur die ungeküssten Töchter wurden für den Test gekürt.« Wohlwollend lächelnd wies er auf Josie. »Sie hat die Proben absolviert.«

Josie hielt den Atem an. Warum sie? Würde sie jetzt etwas über Amy erfahren? Doch Myrddin richtete das Wort nun an die Königin.

»Mein Rat ist, lasst dies Kind es wagen, es wird das Erbe weitertragen und Solarias gold'nen Schein von den Nebeln kühn befrei'n.«

Die unwirklich grünen Augen der Königin durchdrangen Josie wie Röntgenstrahlen, dann begann sie zu sprechen: »Wohlan, Ihr seid dazu bestimmt. Ihr seid ein Mensch- und Feenkind. Ihr seid erwählt, den Fluch zu wenden, es liegt allein in Euren Händen, auch Eure Töchter zu befrei'n …« Sie unterbrach sich mit einem traurigen Blick auf Josies vierbeinigen Begleiter, der, den Schwanz eingezogen, vor ihr stand, und sprach mit erhobener Stimme weiter: »Ein Hund ist, wer ein Feenkind in die Welt der Dinge nimmt!«

»Die arme Nárbflaith«, hallte es von den Sitzreihen. »Das arme Kind …«

Josie beobachtete, wie Rosalinde und die anderen Bean Tighes sich mit ihren weißen Schürzen die Augen wischten.

Nach außen gab Wolf keinen Ton von sich. Innerlich, das fühlte

Josie, schien ihn der Schmerz über seine Schuld schier zu zerreißen. Sie verspürte das unbeherrschbare Bedürfnis, ihn zu rechtfertigen, er selbst konnte sich ja nicht verteidigen. Trotz ihrer Scheu hier vor allen zu sprechen, ergriff sie das Wort.

»Verzeihen Sie«, sagte sie leise. Und unsicher, wie man denn mit einer Königin spricht, schob sie sicherheitshalber noch ein »Majestät« hinterher. »Verzeihen Sie, Majestät. Conall O'Reardon bereut zutiefst, was damals geschehen ist. – Aber ...« Sie legte die Hand auf Wolfs Zottelkopf. »Aber er hat es doch nur aus Liebe zu Nárbflaith getan.«

»Ihr habt ein gutes Herz, mein Kind. Ihr seid mit ihm im Schicksalsbund, ist doch der Hund des Fluches Grund. Es sei verzieh'n ihm, ist die Tat vollbracht, in der dritten Vollmondnacht.«

In Josies Stirnader hämmerte das Blut. Würde sie jetzt endlich erfahren, worin ihre Aufgabe bestand?

»Ihr habt gehört von Orcarracht, dem Drachen aus dem Reich der Nacht. So seid Ihr von dem Fluch befreit, wenn Ihr das Ungeheuer schlachtet, das die Nebel vorwärtstreibt, und uns nach dem Leben trachtet.«

Josie blieb fast das Herz stehen. Sie sollte diesen schrecklichen Drachen töten?

»Allein ein Mensch kann es vollbringen, den Satansdrachen zu bezwingen, da Menschenwahn ihn hat erdacht und Grausamkeit ihn hat gemacht. – Doch hören Wir uns vorweg an, was das Volk zu sagen hat. Und wie es steht zu Unsrem Plan, die Maledictio aufzuheben und dem Hund Pardon zu geben.«

Nun setzte eine heftige Diskussion ein. Josie war überrascht, dass bei Weitem nicht alle einverstanden waren. Die Wut auf die Schepsel, auf die gesamte Welt der Dinge, von der ja tatsächlich alles Übel in Narranda herrührte, erschreckte sie. Vor allem aber richtete sich der Zorn gegen Wolf.

Wieder meldete sich der Zwerg mit der grünen Mütze. »Dem Hund Pardon? Selbst seine Erben bringen unsrem Volk Verderben!« Seine knarzende Stimme überschlug sich. »Sein Nachfahr ist's, der unsern *Rath* gestohlen! – Den Hund soll doch der Teufel holen!«

Viele pflichteten ihm bei, andere nicht, alle schrien durcheinander. Wolf bebte vor Erregung und Scham und Josie hatte wieder das Gefühl, für ihn sprechen zu müssen. Sie hob schüchtern den Finger. Die Königin erteilte ihr mit einem Nicken das Wort, worauf die erhitzte Diskussion verstummte.

Josie räusperte sich und bemühte sich um eine feste Stimme. »Verehrte Versammlung! Die Familie Conall O'Reardons hat nicht nur Verderben über euer Volk gebracht. Seit Generationen sorgen seine Nachfahren dafür, dass die Mythen nicht vergessen werden. Die O'Reardons sind eine alte Bardenfamilie. Aaron O'Reardon hütet die Bibliothek, in der die ältesten Epen und Lieder noch aufgezeichnet sind und die mein Begleiter«, sie deutete auf Wolf, »mit großem Einsatz eingerichtet hat. Und der junge Arthur O'Reardon kämpft gegen den Verfall, indem er die Bücher digitalisiert, und so der Nachwelt erhält. Damit die Geschichten über das Internet bald in der ganzen Welt gelesen werden können.«

Hunderte von ratlosen Gesichtern starrten ihr entgegen. Internet war anscheinend kein Begriff, mit dem die Wesen der Anderwelt etwas anfangen konnten. Josie überlegte gerade, wie man einem Moosboggel am besten das Internet erklärt, als Myrddin sich erhob. »Denkt Euch ein weltumspannend' Netz, gewirkt nur aus Gedanken, ein Netz, von Mensch zu Mensch gewebt, ganz ohne dinglich Schranken. Was je in dieses Netz geschickt, geheime Kräfte leiten, sodass das Wissen über uns sich wieder wird verbreiten.«

Nach der Erklärung des Magiers herrschte zunächst nachdenkliches Schweigen, dann rauschte Gemunkel durch die Reihen.

Nun erhob sich wieder der Kartoffelnasenzwerg. »Dies Netz, gewirkt nur aus Gedanken, scheint mir ein gutes Ding zu sein. So lasst uns nun nicht länger zanken, mir fällt auch nur die Lösung ein, Orcarracht zu massakrieren, dass wir nicht noch mehr Land verlieren.«

Die Worte des Zwergs fanden bei vielen Beifall, sodass in der anschließenden Abstimmung mehrheitlich für den Vorschlag Myrddins und der Königin gestimmt wurde.

Nachdem das Volk seine Wahl getroffen hatte, und sich alle wieder beruhigt hatten, sprach die Königin Josie an.

»Nun gut, das Volk hat sich entschieden, doch sagt, seid *Ihr* denn auch bereit? Wollt Ihr dem Biest die Stirne bieten? – Sagt! Fühlt Ihr Euch genug gefeit?«

Josie antwortete nicht gleich, ihre Hände klebten. Die hohen Erwartungen aller im Saal lasteten auf ihr wie ein Bleirucksack. Nicht sehr überzeugend, aber auch nicht imstande, sich zu verweigern, nickte sie zögernd.

Das Gesicht Órlaiths erhellte ein Strahlen. Sie hob die Hand. »Mögen die Götter hold Euch sein! Und möget Ihr den Kampf besteh'n! Doch sollt Ihr's wagen nicht allein. Ein treuer Freund soll mit Euch geh'n. Der Hund allein wird nicht viel nützen, Euch vor dem Drachen zu beschützen. Ein Knabe wird sich bieten an. Und weil der Frevler ist sein Ahn, kann er die alte Schuld begleichen, wählt er das wahre Bardenzeichen.«

Arthur?, dachte Josie und ihr Herz machte einen Satz. Die Königin konnte nur Arthur meinen. Doch platzte in ihre Erleichterung sofort wieder der Gedanke an den Drachen. Ein Gedanke, der ihr den Hals zuschnürte.

Sie räusperte sich. »Majestät, ich will alles tun, um Narranda zu retten. Aber … Ich meine, dieser Drache muss riesig sein, wenn er derart kräftige Lungen hat.«

Órlaith nickte verständnisvoll. »Ist Orcarracht auch respektabel, so ist er dennoch vulnerabel. Allein die Kraft der Fantasie kann finden jene schwache Stelle, die tötet das einäugig' Vieh. – Denn menschlich Herz ist doch die Quelle, aus der der Drache ward gemacht, drum sei er so auch umgebracht.« Sie lächelte aufmunternd. »So wünschen wir Euch Kraft und Mut. Und denkt stets: Es wird alles gut! Dann wird gelingen Euch die Tat. – Kehrt nun zurück zur Welt der Dinge, und höret auf des Boten Rat!«

Órlaith hatte kaum ausgesprochen, da öffneten sich die Flügel des Eingangportals und Josie schritt mechanisch wie ein Roboter aus dem Saal. Aber bereits in der Vorhalle fiel ihr siedend heiß ein, dass sie völlig vergessen hatte, nach Amy zu fragen. Wie hatte ihr das nur passieren können?

Wolf, der ihr wie ein Schatten folgte, schien hingegen wieder ruhig. Während sie, an den reglosen Wächtern vorbei, aus dem Schloss traten, schwebte Druid Dubh, diesmal wieder in der Gestalt des Vogelmanns auf sie zu.

»So will ich Euch zurück nun bringen, zur Pforte zu der Dinge Welt. Denn nur von dort aus könnt ihr dringen in die kalte Dunkelwelt.«

Josie fröstelte. »Und dann? Was ist mit Amy?«, rief sie, verärgert, dass sie es versäumt hatte, nach Amy zu fragen. Doch da flog ihnen der geflügelte Bote schon voraus.

Während sie ihm folgten, versuchte Josie, das Chaos in ihrem Kopf zu ordnen. Ihr brannten unzählige Fragen auf der Seele. Die Geschehnisse hatten sie in eine magische Welt katapultiert, von der sie so gut wie nichts wusste. Nach welchen Regeln funktionierte sie? Und wie war sie überhaupt entstanden?

Wolf, der ihre Gedanken aufgefangen hatte, meldete sich.

»Nun, ich will versuchen, die Dinge etwas zu klären. Fangen wir am besten ganz vorn an.« Und damit begann Wolf, ihr den großen Mythos von der Entstehung der Sidhe zu erzählen.

»Vor ewigen Zeiten gab es nur die Titanen, die Götter, die Schöpfer der Welten. Sie schufen Licht und Dunkel, die Pole, aus denen alles ersteht, und formten daraus die Wesen, die Menschen, und damit die Sidhe – die Traumgestalten aus der Welt der Dinge sind. Lange Zeit lebten alle im Gleichgewicht der Kräfte und in Frieden. Nun ist den Menschen Gut und Böse aber eingeboren.

Und so gewann fatalerweise das Böse die Oberhand und ein erbitterter Kampf um Macht und Herrschaft setzte ein. Unvermeidbar fand dies seinen Niederschlag auch in der Welt der Sidhe. Denn nichts, was Menschenherz bewegt, bleibt ohne Wirkung auf der anderen Seite. So erwachte aus den Abgründen menschlicher Triebe der einäugige Drache Orcarracht zum Leben. Neid, Herrschsucht, Krieg und Tod, die Übel aller Welten lagen in seinem Atem und vergifteten das Reich am Rand der Träume. Und schließlich spie der Satansdrache seinen Handlanger und Statthalter Dykeron aus, den Herrscher über die schwarzen Horden, welche die Völker der Sidhe bedrängten und drohten, alles was gut und edel, auszulöschen. In ihrer Verzweiflung beschworen die Lichtwesen die Götter. Da ließen die Titanen eine gewaltige Flut kommen und teilten die Welt der Sidhe in zwei Teile. So entstand Dorchadon am Rand der schlechten Träume – und Narranda am Rand der schönen Träume. Seit damals sind die Reiche durch das Niemalsmeer Riamh Mhuir getrennt. Die Flut riss Familien und Stämme auseinander, Kinder und Eltern, Liebende und Freunde. Und jene Unglücklichen, die unfreiwillig dem dunklen Statthalter Orcarrachts zugeschlagen wurden, wünschten schon bald, sie wären in den tobenden Wassern untergegangen. Wie ein Magnet zog Dorchadon sogleich das übelste Pack an. Und leider ist das bis heute so. Dykerons Macht wächst gefährlich!« Wolf schlug erbost mit dem Schwanz. »Die Menschen und ihre schändlichen Fantasien! Weil es der üblen Brut jedoch bald an Land mangelt, streckt sie ihre gierigen Krallen nach Narranda aus. Doch – wie Druid Dubh schon richtig bemerkte – vertragen die schwarzen Meuten kein warmes helles Licht.«

Josie blickte zum Himmel. Solaria hüllte die Stadt in ihren Strahlenmantel, die goldenen Dächer blitzten wie Christbaumschmuck. Allmählich glaubte sie zu verstehen. »Und deshalb bläst der Drache die Nebel nach Narranda?«

»Ganz recht«, erwiderte Wolf. »Die Nebel der vergessenen Geschichten. Denn während einerseits menschliche Horrorfantasien das Schwarze Reich mit negativen Energien speisen, geraten andererseits viele alte Überlieferungen in Vergessenheit, und geistern auf der Insel Dearmadon, der Insel des Vergessens, bis sie sich zuletzt in Rauch auflösen«

Josie erinnerte sich daran, was Druid Dubh ihnen auf dem Turm erzählt hatte. Puzzleteil für Puzzleteil setzte sich alles zu einem Bild zusammen. »Die Nebel sind also die Überreste vergessener Geschichten.«

Wolf gab etwas wie ein bestätigendes Seufzen von sich. »Unglücklicherweise zerfallen in letzter Zeit auch die Bücher der Bibliothek schneller denn je. Es muss bald etwas geschehen, und deshalb bitten dich die Sidhe Narrandas um Hilfe.«

»Uns«, verbesserte ihn Josie.

»Nun ja. Unsere Schicksale sind gewissermaßen miteinander verwoben. Nur an deiner Seite vermag ich den Kreislauf der Wiedergeburten zum Wolfshund endlich zu durchbrechen und Nárbflaith auf die Insel zu folgen.«

»Nach Dearmadon?«, fragte Josie erschrocken.

»Aber nein«, gab Wolf zurück. »Es gibt noch eine weitere Insel im Niemalsmeer, Memoron, die Insel der Erinnerungen. Sie ist den Toten vorbehalten, so wie Dearmadon den Vergessenen. Und all mein Hoffen geht dahin, bald dort sein zu dürfen.«

»Auf eine Toteninsel? Hast du denn keine Angst?«

»Warum sollte ich? Auf Memoron erwarten den Hinübergegangenen die Erinnerungen derer, die ihn zu Lebzeiten gekannt haben. Und ich habe nur gute Erinnerungen an Nárbflaith, und sie an mich – wie ich hoffe – auch.«

Josie dachte wehmütig an ihre Mutter. »Ist das dann wie im Himmel?«

»Nicht für jeden, fürchte ich«, antwortete Wolf und blieb stehen.

Überrascht bemerkte Josie, dass sie offenbar schon am Ziel waren, denn der Vogelmann saß, auf sie wartend, auf einem Rundbogen aus weißem Marmor, der ins Nichts zu führen schien.

»Wohlan, hier ist das Tor zurück, geht nun allein das letzte Stück. Soviel denn noch auf Eure Fragen: Myrddin, der Magier, lässt Euch sagen, Ihr möget Euch beim Kreis einfinden – es ist die Stelle bei den Linden. Gleich morgen und bei Vollmondschein. Dann seid bereit! Doch jetzt geht heim!«

Ohne weitere Erklärungen flog Druid Dubh hoch und entschwand im glasklaren Himmel.

Josie sah ihm stirnrunzelnd nach. »Und schon ist er weg. Ich hätte ihn gern noch nach Amy gefragt.« Unvermittelt fiel ihr etwas ein, das sie schon seit ihrer ersten Begegnung mit dem Vogelmann beschäftigte. »Weißt du eigentlich, warum die alle so eigenartig reden?«

»In Reimen? – Nun, das liegt an den alten Epen und Mythen. In Zeiten rein mündlicher Überlieferung eine sinnvolle Form der Weitergabe von langen Texten, da man sich Gereimtes leichter merken kann. Ich persönlich liebe diese Sprache. Sie erinnert mich an meine süße Nárbflaith!«

Mit hängender Rute übertrat er die Schwelle – und war auch schon verschwunden, als hätte er sich in Luft aufgelöst. Josie stand noch einen Moment perplex da, dann schritt auch sie durch das Portal, und fand sich, auf höchst verwirrende Weise, in dem geheimnisvollen Treppenhaus wieder, durch das sie gekommen waren.

Die Treppe führte sie zurück in die Höhle, wo sie der Feuersalamander wieder in Empfang nahm, um durch den sich anschließenden Gang wie ein Leuchtfeuer vor ihnen herzuhuschen. Stöhnend quälte sich Josie voran. Jetzt, wo es steil bergauf ging, fand sie das Kleid schrecklich hinderlich, ständig trat sie auf den Saum. Ob der Fingerhut noch da war? Sie blieb stehen und tastete danach. Ach, da war er ja! Intuitiv steckte sie ihn auf den Mittelfinger und fühlte augenblicklich ein eigenartiges Kribbeln über ihren Körper rauschen. Wolf, neben ihr, war ebenfalls stehen geblieben.

»Nicht schlecht«, hörte sie seine Stimme. »Wenn das keine Magie ist!«

Josie sah verblüfft an sich herab. Sie trug tatsächlich wieder ihre Alltagsklamotten! Es reichte also, den Finger in den Fingerhut zu stecken, um die Kleidung zu wechseln. Was für ein seltsames, aber äußerst praktisches Geschenk hatte ihr Rosalinde da gemacht!

Wenig später hatten sie das Ende des Gangs erreicht, wo ihnen der Ogham-Stein den Weg zurück versperrte.

»So lies!«, forderte sie Wolfs dunkle Stimme auf.

Erst jetzt entdeckte auch Josie im flirrenden Licht des Feuersalamanders die Schriftzeichen auf der Rückseite des Steins. Diesmal nahm sie gleich die Drachenfibel zu Hilfe.

Aus den Träumen zu den Dingen,
möge dieses Tor mich bringen!
Weiche, Stein, und lass mich ein!

Wieder spaltete sich der Stein und gab knarzend den Weg frei.

Drei Köpfe fuhren erschrocken hoch, als die Säule unterhalb der Uhr aufsprang und Josie dicht neben Wolf in die Bibliothek trat.

»Josie!« Moma blickte sie mit schreckgeweiteten Augen an. »Wo um Himmels willen …?«

Josie blinzelte, als wäre sie eben aus einem Traum erwacht. Sie war wieder zurück! Und alles war so normal! So unglaublich, beruhigend normal! Im Kamin flackerte noch immer das Torffeuer. Moma und der Professor, die inzwischen offensichtlich von dem Konzert zurückgekehrt waren, saßen mit Arthur um den Couchtisch, auf dem die gemütliche Wedgwood-Kanne stand, und tranken Tee.

Moma sank mit einem Stöhnen in den Sessel zurück. »Josie! Wo um Himmels willen! Wo wart ihr – du und Wolf?«

»Was …? Anderwelt. Narranda«, antwortete Josie noch ganz abwesend und setzte sich neben Arthur aufs Sofa.

Alle starrten sie an. Warteten in angespanntem Schweigen, auf ihren Bericht. Doch Josie versuchte zuerst, zu ihrem vierbeinigen Gefährten Kontakt aufzunehmen. »Wolf?«, murmelte sie, nachdem sie nicht einmal einen Fetzen seiner Gedanken auffangen konnte. Aber der große Hund lag bereits, als wäre nichts gewesen, vor dem Kaminfeuer und genoss die streichelnden Hände seines Herrn.

»Josie!« Momas Fingernägel bohrten sich in die Armlehnen. »Allmählich befürchte ich, den Verstand zu verlieren. Nach dem, was wir von Arthur wissen …«

Josie beugte sich vor und nahm einen Schluck aus Momas Teetasse. »Ich glaube ja selbst noch zu träumen …«, begann sie, während sie die Tasse zurückstellte.

Keiner unterbrach sie. Der Professor folgte ihrem Abenteuer mit geschlossenen Augen. Moma sah wie versteinert ins Nirgendwo. Arthur blickte unverwandt in den Kamin, als bildeten sich Josies Erlebnisse in den Flammen ab.

Nachdem Josie verstummt war, lehnte er sich zurück. »Seit du heute in der Bücherwand verschwunden bist, ist mir klar, dass …« Er zögerte, nach Worten ringend. »Dass man sich gewissen Dingen nicht entziehen kann, selbst, wenn sie noch so absurd erscheinen.« In seinen Bernsteinaugen spiegelte sich das Feuer, und doch schien es Josie aus seinem tiefsten Inneren zu lodern.

Arthur schob das Kinn vor. »Ich komme mit!« Knapp und entschlossen kam das Versprechen über seine Lippen.

Josie lächelte den dunkelhaarigen Jungen scheu an, dankbar und erleichtert. Ja, sie hatte Arthur von Anfang an gemocht. Ohne Zweifel war er der treue Freund, von dem Órlaith gesprochen hatte. Und er hatte die Aufgabe, die man ihm zugedacht hatte, als die seine anerkannt.

»Übrigens glaube ich sogar zu wissen, welchen Kreis Druid Dubh gemeint hat«, ergänzte Arthur, und fuhr sich mit einem Seufzer durch die Haare. »Was für eine Nacht! – Wenn doch mein Vater hier wäre!«

Wolf sprang auf und leckte seinem Nachkommen schwanzwedelnd die Hand. Obwohl Josie seine Gedanken nicht wahrnehmen konnte, schien er seinerseits alles mitzubekommen.

Arthur tätschelte ihn. »Na, Urahn! Da hast du uns ja was Schönes eingebrockt!«

»Oder ich ...«, sagte eine erstickte Stimme.

Josie blickte ihre Großmutter überrascht an. »Wie meinst du das? Was hast du denn damit zu tun?«

Moma war leichenblass. Mit zittrigen Händen führte sie die Tasse zum Mund und stellte sie klirrend wieder ab. »Es ist die Geschichte meines neuen Romans.«

»Was?«, kam es dreistimmig zurück.

»Dorothy, bist du sicher?«

»Sicher? Ich weiß nicht, Aaron«, sagte Moma zögernd. »Aber ich hab doch heute Nachmittag an dem Plot weitergearbeitet. Ideen notiert und einige Erzählstränge festgelegt, was man halt so macht, wenn man mit einem Buch beginnt.«

Josie nickte. »Das mit dem Ogham-Stein hast du mir erzählt. Das fand ich auch gleich eigenartig.«

»Aber das ist nicht alles«, fuhr Moma fort. »Wolf lag eine ganze Weile neben mir auf der Terrasse und da kam mir die Idee ...«

»Das mit Wolf auch?«, mischte sich nun der Professor ein.

»Ja, das auch – jedenfalls sehr ähnlich. Die Sache mit dem Fluch geht mir ja schon durch den Kopf, seit Josie uns den Stammbaum gezeigt hat. So ein Fluch – der natürlich aufgehoben werden muss –, eine Feenkönigin, ein Magier und Drachen, das ist doch alles wunderbarer Stoff für einen Fantasyroman.« Sie verschränkte die Hände im Schoß, um sie zur Ruhe zu zwingen. »Natürlich hat mich auch inspiriert, dass die Bücher der Bibliothek zerfallen, das

wollte ich noch irgendwie einbauen – wie, wusste ich allerdings noch nicht. Insofern geht Josies Abenteuer über das hinaus, was ich mir überlegt hatte. Auch die Namen der Charaktere und Schauplätze waren noch nicht festgelegt. Meine Aufzeichnungen sind, wie ihr seht, noch sehr grob und nicht mit Details ausgeschmückt. Aber in vielem stimmt, was Josie erlebt hat, mit dem überein, was ich mir ausgedacht hatte.« Ihr Blick versank im Feuer. »Und da ist noch etwas. Während Josie von Narranda erzählt hat, war das wie ein Déjà-vu. Die weißen runden Häuser, die goldenen Dächer. Ich weiß sicher, dass ich von dort schon geträumt habe.« Ihre Füße wippten nervös. »Aber das gibt es doch nicht! Das ist doch geradezu wahnhaft!« Ihre Stimme flatterte.

Der Professor ergriff ihre Hand. »Dorothy, du verfügst über ein hohes Maß an Intuition. Das ist ja eben das Erbe der Sidhe! Eigentlich verwundert mich das Ganze nicht. Ich bin nur erstaunt, auf welch frappierend unmittelbare Weise deine Fantasie Geschehnisse in der Anderwelt hervorruft. Ich denke, das kommt daher, dass du von Geburt an unbewusst mit der anderen Seite verbunden bist und in besonderem Maße über die Fähigkeit verfügst, Geschichten zu erzählen, die auf die Anderwelt wirken. Ihr beide zusammen – Josie, die dasselbe Erbe trägt, und du ...« Er lächelte Moma aufmunternd zu. »Gemeinsam seid ihr regelrecht ein Kraftwerk der Imagination.«

Josie hatte gebannt zugehört. »Heißt das, unsere Fantasie erschafft die Ereignisse in der Anderwelt?«

Der Professor strich sich über den Bart. »Teils teils, denke ich. Es ist ein Zusammenspiel. Das Problem heutzutage ist die zunehmende Fantasielosigkeit und der mangelnde Glaube an die andere Seite. Dazu kommt die allgemeine Verrohung in der Unterhaltungsindustrie – Grausamkeiten – Horror. Auch das wirkt sich negativ auf Narranda aus. Denn ohne, dass sich die Menschen darüber bewusst sind, stärken sie damit Dykerons Kräfte und bringen damit das Gold'ne Reich in Bedrängnis. Die Sidhe Narrandas haben Kontakt zu Josie aufgenommen, weil sie das Vermächtnis der Feen in sich trägt und damit leichter erreichbar ist als Normalsterbliche.«

»Amy trägt es ebenso«, warf Josie ein.

Aaron O'Reardon nickte nachdenklich. »Ja – was da mit Amy und ihrer Großmutter passiert ist, ist mir allerdings weiterhin ein Rätsel.«

Plötzlich schoss Josie ein Gedanke durch den Kopf. »Wisst ihr eigentlich, dass Edna an einem Drehbuch gearbeitet hat?«

Moma überlegte. »Du hast gesagt, dass sie welche schreibt, und ich hab mir noch gedacht, wie schön es ist, dass wir auch noch gemeinsame Interessen haben. Film und Buch, das ist doch sehr ähnlich.«

Josie nickte ungeduldig. »Amy hat erzählt, Edna hätte einen Auftrag für einen Fantasy-Film. Dark Fantasy.«

»Für einen Horrorfilm?«, erkundigte sich Arthur.

»So was Ähnliches, glaub ich. Jedenfalls hat's ihr nicht sehr viel Spaß gemacht – sagte Amy. Und in der Nacht, als sie verschwunden ist, hat sie auch daran geschrieben.« Josies Pupillen weiteten sich, ihr war noch etwas eingefallen. »In dem Film soll es um ein Mädchen gehen, das sich mit den dunklen Mächten einlässt. So kam Amy überhaupt auf die Idee, sich die Haare schwarz zu färben.«

Moma schloss die Augen, ihr Atem flatterte, kurz und stoßartig.

Nach einigen Sekunden des Schweigens meldete sich der Professor wieder zu Wort. »Ein neues Puzzleteil im Spiel. Ein wichtiges Puzzleteil, das meine Theorie stärkt. Wenn ich richtigliege ...« Er strich sich wieder über den Bart und blickte gedankenversunken in den Kamin.

Abrupt erhob sich Moma. »Das ... Das ist alles zu viel für mich. Ich will über all diese Dinge jetzt nichts mehr hören. Mein Kopf zerspringt. Ich nehme jetzt eine Aspirintablette und leg mich hin.«

Ihr Gastgeber lächelte sie besorgt an. »Ist ja gut, Dorothy. Es war für uns alle ein bisschen viel heute. Und es ist ja auch schon sehr spät.«

Während ihre Großmutter in gehetztem Schritt die Bibliothek verließ, wandte sich Josie an Arthur. »Übernachtest du hier?«

»Ja, Onkel Aaron ist einverstanden, wenn ich ein paar Tage hierbleibe. Daheim ist dicke Luft. Mum hat vorhin noch mal angerufen …«

»Dein Bruder. Wie geht es ihm?« Josie sah in teilnahmsvoll an.

»Unverändert.« Arthur stützte die Ellbogen auf die Knie und vergrub das Gesicht in den Händen.

Der Professor stand auf und klopfte ihm auf die Schulter. »Sie haben noch nicht alle Untersuchungen gemacht. Vielleicht sieht alles schlimmer aus, als es wirklich ist. Komm, geh jetzt ins Bett!« Er gab Josie ein Zeichen. »Wir sollten alle ins Bett gehen! Es war ein aufregender Tag und eine nicht weniger aufregende Nacht.«

Als wolle Josies Unterbewusstsein ihr nach den fantastischen Erlebnissen der letzten Stunden etwas Erholung gönnen, sank sie, kaum dass sie sich hingelegt hatte, in einen traumlosen Schlaf.

Ein Hauch von Lavendelduft lag in der Luft, als sie gut erholt erwachte. Rosalinde musste hier gewesen sein. Tatsächlich hatte jemand ihre achtlos hingeworfenen Kleider ordentlich auf den Stuhl gelegt. Josie nahm sich vor, der freundlichen Bean Tighe mit einem Kännchen Sahne zu danken.

Offenbar hatte sie am längsten von allen geschlafen, denn als sie zum Frühstück auf der Terrasse erschien, waren die anderen schon fast fertig. Momas Teller stand unbenutzt vor ihr. Grau und mitgenommen nippte sie an einer Tasse Tee.

»Hast du immer noch Kopfschmerzen?«, erkundigte sich Josie.

»Teuflisch!« Josies Großmutter presste die Hand auf die Stirnader. »Fürchte, das wird ein Migränetag, der sich gewaschen hat. Ich leg mich nachher gleich wieder hin.«

Der Professor schob Josie den Zucker hin. »Arthur und ich haben vor, ins Krankenhaus zu fahren. Kommst du mit? Brian ist sicher froh um jede Ablenkung.«

»Klar. Gibt's denn was Neues?«

Arthur knüllte seine Papierserviette zusammen. »Das zweite CT ...« Er stockte.

»Das zweite Computertomogramm deutet auf eine irreversible Lähmung hin«, übernahm sein Großonkel das Wort, während der Junge die Fingernägel in das Zellstoffknäuel krallte.

»Irreversibel?«, wiederholte Josie erschrocken. »Heißt das, man kann nichts machen?«

»Genau das heißt es!«, presste Arthur hervor, sprang auf und lief ins Haus.

Betroffen sahen ihm alle nach.

»Es nimmt ihn ziemlich mit, das mit seinem Bruder«, sagte der Professor. »Die zwei waren als Kinder unzertrennlich. Erst als Brian mit dem Studium begonnen hat, haben sie sich auseinandergelebt. Mit meinem Bruder und mir war das leider genauso.«

Mit wenig Appetit aß Josie ein Rosinenbrötchen und griff, als sich die Frühstücksrunde auflöste und ihre Großmutter ihr schon den Rücken zukehrte, verstohlen nach dem Sahnekännchen, was ihrem Gastgeber jedoch nicht entging.

»Darf man fragen ...«, setzte er an, doch da schüttelte Josie schon heftig den Kopf.

»Verstehe.« Lächelnd folgte der alte Herr Moma ins Haus.

Was für ein Glück, dass Aaron O'Reardon mit den Dingen der Anderwelt so vertraut ist, dachte sie, als sie die Treppe hochging. Was würde Taddy zu all dem sagen? Ein Grinsen huschte über ihr Gesicht. Wahrscheinlich würde er die Bewohner von Springwood Manor für die komplett durchgeknallten Insassen einer psychiatrischen Anstalt halten.

Eine halbe Stunde später trafen sie sich vor dem Haus. Arthur schien sich einigermaßen gefasst zu haben, schwieg aber während der Fahrt zum Krankenhaus. Auch Josie und der Professor redeten nicht viel. Jeder hing seinen Gedanken nach, vielfältigen und wirren Gedanken, die sich kaum ordnen lassen wollten.

Das St.-James-Hospital in Galbridge bestand aus einem altertümlichen Ziegelgebäude, an dem ein eckiger weißer Neubau hing wie ein Frachtcontainer an einem Pferdefuhrwerk.

Arthurs Sneakers quietschten auf dem hellblauen Kunststoffboden des Krankenhausgangs. Auch jetzt sprachen sie nur das Notwendigste. Wie ein Felsbrocken lastete die Frage auf Josie, was man zu jemandem, der kaum zwanzig war und sein Leben lang gelähmt sein würde, sagen sollte. Josie wusste es nicht.

Arthur blieb vor einer der uniformen Zimmertüren stehen. »Wir sind da!«

Er griff nach der Klinke und atmete tief durch. Josie und der Professor warfen sich einen verstehenden Blick zu. Dann öffnete der Junge ruckartig die Tür – und wich postwendend zurück, wobei er Josie beinahe auf den Fuß trat.

Vor dem Krankenbett, in dem ein blasser junger Mann lag, der Arthur sehr ähnelte, standen ein Herr in einem Geschäftsanzug und eine Frau, Arthurs Mutter.

»Arthur?«, rief sie überrascht. »Aaron?«

»Wenn ich gewusst hätte, dass Dad hier ist, wäre ich später gekommen«, gab Arthur schneidend zurück.

Ryan O'Reardon beantwortete die barsche Bemerkung seines Sohnes mit einem Stirnrunzeln, das seine kräftigen Augenbrauen zu einem borstigen Balken zusammenwachsen ließ. Mit finsterem Nicken begrüßte er den Professor. »Wie geht's, Aaron?«

Josie hatte das Gefühl, als blicke der athletisch gebaute Mann mit den grauen Schläfen und dem ausgeprägten Kinn durch sie hindurch. Das war also Arthurs Vater! Sie machte einen verstohlenen Schritt zum offenen Fenster. Warum musste sie nur immer diesen verdammten Modergestank aushalten? Ja, es herrschte dicke Luft zwischen Arthur und seinem Vater. Und wie!

»Ryan, das ist Josie – aus Deutschland«, beeilte sich Mrs O'Reardon zu sagen. »Sie und ihre Großmutter sind Gäste deines Onkels.«

Aber mehr als ein grimmiges »Hmm« in ihre Richtung erntete Josie nicht.

Der junge Mann, der kaum mehr Farbe zeigte als das weiße Laken, auf dem er lag, hob müde die Hand. »Hallo – danke, dass ihr gekommen seid.«

Josie hielt sich im Hintergrund, als Arthur und der Professor nun ans Bett traten.

Arthur versetzte seinem Bruder einen sanften Fausthieb an die Schulter. »Na, Alter, wie geht's?«

»Bestens!« Brian verzog den Mund zu einem zynischen Lächeln. »Jedenfalls bis zum Bauchnabel.«

Arthurs Mutter brach in Schluchzen aus.

»Verdammt!«, stieß Arthur aus. »Und alles wegen diesem Scheißkino!« Er funkelte seinen Vater wütend an. »Sie hatten dich gewarnt!«

»Hör auf mit diesem esoterischen Schwachsinn!«, fauchte sein Vater zurück. »Wir haben jetzt andere Probleme, als uns um das Wohlbefinden von Zwergen zu sorgen.«

Aaron O'Reardon legte beschwichtigend die Hand auf Arthurs Arm. »Lass es!«, sagte er leise. »Es hat ja doch keinen Sinn – und hier am Krankenbett schon gar nicht.«

Doch da fiel ihm sein Neffe scharf ins Wort. »Von dir hat er doch den ganzen Unsinn. Zum Teufel mit deiner idiotischen Bibliothek! Du hast den Jungen mit diesem blödsinnigen Zeug ja geradezu infiltriert.«

Der Professor sandte ihm einen Blick, in dem unmissverständlich zu lesen war, was er dachte, doch er beherrschte sich und schwieg.

»Ryan, hör auf!«, sagte Arthurs Mutter. »Es ist alles schlimm genug. Ich halte diese ewigen Streitereien nicht länger aus! Und außerdem ist es nicht nur Arthur gewesen, der dich gewarnt hat. Es war schließlich nicht der erste schwere Unfall ...«

Arthurs Vater starrte sie fassungslos an. Sein Kopf wurde rot wie ein Glas, in das jemand Tomatensaft goss. »Du? – Meine eigene Frau? Fängst du jetzt auch mit Elfen und Feen an? Bin ich denn nur noch von Verrückten umgeben? In welchem Jahrhundert leben wir denn? Es ist furchtbar, was passiert ist. Und keiner bedauert es mehr als ich. Aber es war nichts weiter als verdammtes Pech! Unfälle. Punktum! Und der Bau geht noch heute weiter. Ihr könnt euch drauf verlassen!« Er holte tief Luft, dann richtete er das Wort an Brian. »Ich geh jetzt. Ich komm heute Abend wieder, wenn diese Spinner weg sind!« Mit dem Schnauben eines gereizten Stiers rauschte er aus dem Zimmer.

Josie atmete auf. Obwohl Arthur noch immer unter Dampf stand, wurde augenblicklich die Luft besser.

Arthur stöhnte. »Er kapiert's einfach nicht! Was muss denn noch alles geschehen?«

Seine Mutter wischte sich über die Augen. »Er ist kein schlechter Mensch, aber er ist eben ein totaler Realist.«

»Das wissen wir doch!« Der Professor legte den Arm um sie.

»Leute!«, sagte Brian schwach. »Dad hat ja auch recht. Es war ein Unfall. Und keiner kann was dafür. Es nervt, dass ihr euch darüber streitet. Ich hab tatsächlich andere Probleme.« Er blickte Josie an, die noch immer weitab vom Bett am Fenster stand. »Kannst schon ein bisschen näher kommen. Bist immerhin mein erster Damenbesuch hier.«

Josie bewunderte ihn wegen der Haltung, die er in seiner schwierigen Situation bewies. Um ein ungezwungenes Lächeln bemüht, folgte sie seiner Aufforderung.

Brian nickte ihr zu. »Habt ihr in Deutschland auch so Verrückte, die noch an Zwerge und Feen glauben?«

Josie räusperte sich. »Ich denke, die gibt es überall«, antwortete sie ausweichend.

Brian verzog spöttisch den Mund. »Na ja, so eine Simsalabim-ich-mach-dich-gesund-Fee könnte ich jetzt wahrscheinlich gut gebrauchen. Leider leben wir nun mal nicht im Märchenland.«

Elvinia!, schoss es Josie durch den Kopf. Ob die heilenden Kräfte der Elfen Brian helfen konnten?

Ein kurzes Klopfen, mit dem auch schon die Tür geöffnet wurde, unterbrach ihre Unterhaltung. Eine füllige Krankenschwester, die in Josie das Bild eines Nilpferds in weißem Kittel wachrief, wälzte sich ins Zimmer.

»So! Dann möchte ich die Besucher mal bitten, rauszugehen.« Mit einer drohenden Geste präsentierte sie eine Spritze. »Und anschließend bring ich den jungen Herrn gleich runter zum Röntgen. Der Chefarzt will ihn sich nochmal persönlich ansehen.«

Brian stöhnte, als sie auf ihn zusteuerte. »Geht lieber!«, sagte er matt. »Sie ist stärker!«

Ein breites Grinsen erhellte ihr gutmütiges Mondgesicht. »Worauf du dich verlassen kannst! Sei also lieber nicht so frech!«

Zurück nach Springwood Manor fuhren Josie und der Professor allein. Arthur war noch bei seiner Mutter geblieben, die darauf wartete, noch einmal mit den Ärzten sprechen zu können.

»Ryan ist ein verdammter Sturkopf!«, zischte der alte Herr, als er den Wagen anließ. »Ich hab eine Mordswut im Bauch! Aber in einem Krankenzimmer soll man sich nun mal nicht streiten! Außerdem hat es ja sowieso keinen Sinn.« Er stellte das Radio an und warf Josie einen fragenden Blick zu. »Stört's dich? Channel One – irische Musik.«

Josie schüttelte den Kopf.

»Gut«, sagte der alte Herr und trat aufs Gas. »Hilft mir vielleicht, etwas von meinem Groll runterzukommen.«

Umschwebt von den hellen Farbtönen melodischer Folklore

blickte Josie aus dem Fenster des alten MGs. Ihre Augen folgten den unregelmäßigen Linien von Hecken und halbhohen Steinmäuerchen, die Weiden und Felder eingrenzten. Linien, die, wie das Karomuster auf dem Kleid eines Bauernmädchens, die sanften Rundungen der Landschaft hervorhoben. Die Sonne goss warmes Licht über das Land, doch vom Meer her zogen schon wieder kleine Wolken über die Hügel, mischten sich milchig-grau ins Blau und erinnerten Josie daran, dass sich die Wetterlage jederzeit ändern konnte. Hier in Irland wusste man nie, was als Nächstes geschehen würde.

Moma hatte ihr Zimmer noch immer nicht verlassen, als sie zurückkamen. Manche ihrer Migräneanfälle zogen sich endlos hin.

Maude servierte den Heimkehrern einen kleinen Lunch in der Küche, danach ging Josie nach oben.

Wolf, der ihnen beim Essen Gesellschaft geleistet hatte, begleitete seine Gefährtin in die Diele. Josie streichelte ihn zwischen den Ohren. Schade, dass wir uns nur auf der anderen Seite miteinander verständigen können, dachte sie.

Wolf entzog sich ihrer Hand und stakste die Treppen hoch. Vor dem Buntglasfenster blieb er wie ein Ausrufezeichen stehen. Durch den gläsernen Caduceus fiel farbiges Licht auf seinen zerzausten Rücken.

Josie sah zu ihm hoch, dann stöhnte sie: »Natürlich!« Sie zog an dem Purpurband und umfasste die Fibel.

»Nun, du hättest selbst draufkommen können«, vernahm sie Wolfs Stimme.

»Diese magischen Dinge sind mir immer noch ganz fremd«, entgegnete Josie und setzte sich auf die unterste Stufe. »Aber gerade heute wünschte ich, ich verstünde mehr davon. Ich würde als Erstes Brian gesund machen.«

Wolf legte sich vor ihr auf den Dielenfußboden. »Vergiss nicht, dass du auch Mensch bist – vor allem Mensch. Nicht nur unser

Erbe prägt uns, auch unsere Umwelt. Und du bist nun mal in die Welt der Dinge geboren.«

Josie dachte wieder an Elvinia.

Wolf griff ihren Gedanken auf. »Ich glaube nicht, dass die Elfen Brian helfen können. Es handelt sich um eine Strafmaßnahme für einen Frevel. In den Augen der Sidhe ist das nur gerecht.«

Josie ließ die Schultern hängen.

»Mein Nachfahre Ryan O'Reardon hat sich in den letzten Jahren einfach zu viel zuschulden kommen lassen«, fuhr Wolf fort. »Die Sidhe Narrandas sind an sich ein gutmütiges Volk, aber man darf sie nicht zu sehr reizen. Sie können sehr nachtragend sein.« Er hob den Kopf. »Sieh mich an!«

Er stand auf, das verlockende Scheppern seines Blechnapfs zog ihn in die Küche. »Ich werde mich jetzt etwas stärken und dann ein wenig schlafen. Sobald der Mond aufgeht, werden unser aller Kräfte gefordert sein. – Ruh auch du dich noch etwas aus!«

Josie befolgte seinen Rat und zog sich in ihr Zimmer zurück. Wieder schwebte der süß-herbe Duft von Lavendel im Raum. Rosalinde legte eben Josies Nachthemd zusammen, als sie eintrat. Strahlend deutete die Zwergin auf den Stuhl neben dem Schrank, auf dem das leere Sahnekännchen stand.

»Habt Dank, es hat mir wohl goutiert, es war ein wahrer Festtagsschmaus. Hab auch die Socken schon sortiert, dass Ordnung herrscht in diesem Haus.«

Unvermittelt huschte ein Schatten über ihr sonst so sonniges Gesicht. »Auch wollt ich nochmal nach Euch seh'n, das Abenteuer steht bevor. Noch heute Nacht werdet ihr geh'n durch das schwarze Höllentor.« Ihr kleiner Herzmund verzog sich. »Ihr wisst nicht viel von den Gefahren an diesem lasterhaften Ort. Ach, Herrin, könnt ich Euch bewahren! Könnt ich doch selber mit Euch fort.« Rosalinde senkte den Kopf und fingerte mit ihren pummligen Händchen aufgewühlt an ihrem Schürzenband herum.

Josie wurde flau. Dass selbst Rosalinde, die niemals unkte, Besorgnis äußerte, schlug ihr auf den Magen. Sie fühlte sich wie vor einer Mathearbeit, für die sie nicht vorbereitet war. Mit kalkweißem Gesicht setzte sie sich auf die Bettkante. Hatte sie über den Ereignissen des Tages die bevorstehende Nacht erfolgreich verdrängt, ballte sich ihre unterdrückte Furcht nun zu einem gewaltigen schwarzen Abgrund zusammen, der sie zu verschlingen drohte.

Rosalinde schien zu bemerken, dass ihre Bemerkungen Josie Angst eingeflößt hatten. Sie hob beschwichtigend die Hände. »Ach, junge Herrin, nicht verzagen, nur weil mich die Sorgen plagen. Der Knabe, der Euch wird begleiten, steckt voller Klugheit, Kraft und Mut. Er wird an Eurer Seite streiten. Er trägt in sich des Frevlers Blut und ist befugt, für ihn zu fechten mit den bösen Dunkelmächten.«

Unerwartet wurde die geheime Tür im Paneel aufgestoßen und der Cluricaun spazierte ins Zimmer. Sein Zylinder saß schief wie eh und je, aber er schien diesmal nicht betrunken zu sein, denn er hielt sich auf seinen krummen Beinen einigermaßen aufrecht.

Mit einem Naserümpfen nahm er zur Kenntnis, dass Rosalinde da war. »Ich seh, das Zwergenweib ist hier, sie denkt wohl, dies sei ihr Revier.« Unter umständlichen Bewegungen zerrte er ein Silberkettchen aus der Jackentasche, an dem ein silberner Flachmann hing.

»Nehmt dieses Zauberfläschchen an! Sein Inhalt wird Euch hilfreich sein. Er regt die Lebenskräfte an, heilt Wunden, Krankheit, Qual und Pein.« Mit einem verschwörerischen Augenzwinkern fügte er flüsternd hinzu: »Ich hab vom besten Whiskey rein. Er wird sich nie verzehren und sich stets neu vermehren.« Damit trat er vor, überreichte Josie das Fläschchen, zog den Zylinder und verbeugte sich tief.

Josie nahm das Geschenk des Cluricauns überrascht entgegen. Damit hatte sie nun wirklich nicht gerechnet. Sie räusperte sich, während sie das Fläschchen von allen Seiten betrachtete. »Vielen

Dank, MoDain – Whiskey, aha ... Das ist wirklich sehr nett von dir.«

Rosalinde konnte kaum verbergen, wie sehr ihr missfiel, dass auch der Cluricaun Josies Sympathie erregte.

»Der Fingerhut, den ich Euch gab ...«, sagte sie wichtigtuerisch. »Er ist von ganz besondrer Art – wird Kleidung einem jeden schenken, der steckt den mittlern Finger rein. Desweit'ren muss man nur noch denken, von welcher Mode sie soll sein.«

Dass die Hausgeister sich so um sie sorgten, rührte Josie zutiefst. »Ich danke euch«, sagte sie gepresst. »Wir werden sicher jede Hilfe brauchen können.« Und schon war es wieder da, das mulmige Gefühl, und kroch ihr wie eine behaarte Raupe die Kehle empor.

»So geht!« Rosalinde gab MoDain einen Wink. »Die junge Herrin muss jetzt ruh'n, es ist ein großes Werk zu tun.« Dann wandte sie ihr rundliches Gesicht wieder zu Josie. »Lavendel wird Euch Ruhe schenken. Ihr sollt nun an was Schönes denken und für ein Stündchen schlafen ein, so werdet ihr gekräftigt sein, für diese Abenteuernacht ...« Sie blickte Josie liebevoll an. »Und wisst, es wird an Euch gedacht!«

Mit einem aufmunternden Nicken schob sie den Cluricaun zur Tür. Eine Sekunde später waren die Hausgeister hinter dem Paneel verschwunden.

Josie legte sich aufs Bett. Das Kissen duftete. Sie hob es an und lächelte. Rosalinde hatte ein frisches Lavendelkränzchen daruntergelegt. Sie ließ den Kopf zurückfallen und versuchte, ihre Gedanken zu sortieren. Die Verantwortung, die man ihr aufgebürdet hatte, lastete wie ein Zementsack auf ihr. Sie sollte Narranda retten, und damit ihre Nachkommen und Conall O'Reardon vom Fluch der Sidhe erlösen. Und dann war da noch Amy. Wer sonst sollte Amy und Edna aus Dorchadon befreien? Sie starrte an die Zimmerdecke. Was war nur los? Sie waren sich in Chicago auf Anhieb so unglaublich nahe gewesen. Warum fühlte sie sich seit einiger Zeit so von Amy abgeschnitten? Ob Amy überhaupt noch ...

Nein! Schluss damit! Rosalinde hatte gesagt, sie sollte an etwas Schönes denken. Josie drehte sich zur Seite und dachte an etwas Schönes. An einen großen, schlaksigen Jungen mit bernsteinfarbenen Augen.

Als sie aufwachte, war es schon vier Uhr nachmittags. Sie streckte sich und fühlte sich seltsam gestärkt, aufgetankt, und voll ungeduldiger Erwartung. Tropfen klickerten an die Scheiben. Josie sprang aus dem Bett und schob die Gardine zurück. Die harmlosen Wölkchen vom Morgen hatten sich, typisch für hier, zu Regenwolken ausgewachsen. Hoffentlich hörte es bis heute Abend wieder auf.

Arthur war mittlerweile zurückgekommen. Er saß mit Moma und seinem Großonkel beim Tee, als Josie die Bibliothek betrat. Wolf lag an seinem Platz vor dem kalten Kamin, aus dem der dumpfe Geruch abgekühlter Torfasche in den Raum quoll.

Unverkennbar darum bemüht, Zuversicht zu vermitteln, lächelte der Professor Josie zu. »Auch schon wach? Man kann euch junge Leute nur um die guten Nerven beneiden.«

Josie grinste unsicher, und verzichtet darauf, ihn über ihre wahren Gefühle zu unterrichten. Sie ließ sich neben Arthur ins Sofa fallen. »Brian?« Sie schob fragend den Kopf vor.

Arthur schüttelte bedrückt den Kopf. »Leider nichts, was einem Hoffnung macht. Der Chefarzt hat eigentlich nur bestätigt, was wir ohnehin schon wussten. – Es sieht ...« Arthur schluckte. »Es sieht nicht so aus, als würde Brian jemals wieder auf eigenen Beinen stehen.«

Josie sandte ihm einen betroffenen Blick.

Moma rührte versunken in ihrer Teetasse. Sie wirkte noch immer sehr bedrückt und mitgenommen. »Ich hab sicher nicht halb so gut geschlafen wie Josie«, sagte sie. »Ich werde dieses aberwitzige Gefühl nicht los, Teil dieser ganzen Vorgänge zu sein. Und die Sache mit Edna und ihrem Drehbuch …« Sie presste die Hand auf die Stirn. »Meine Gedanken machen sich irgendwie selbstständig. Ich meine, wenn ich an einem Buch arbeite, arbeite ich natürlich mit meiner Fantasie. Womit sonst?« Sie sah hoch, als wollte sie sich vergewissern, ob die anderen ihr folgen konnten. »Aber diesmal werde ich mit Bildern und Szenarien überschwemmt, die sich kaum steuern lassen.«

»Wenn du tatsächlich Einfluss auf die Geschichte hast, wäre das doch sehr nützlich«, sagte Josie. »Vielleicht hilft es uns bei der Mission. Was genau hast du gesehen? Erzähl!«

Ihre Großmutter stellte die Tasse ab und machte eine abwehrende Geste. »Das werde ich nicht tun.«

»Und warum nicht, Dorothy?«, mischte sich der Professor ins Gespräch.

»Weil erschreckende, ja furchtbare Bilder darunter sind. Bilder, die sich auf keinen Fall manifestieren sollen – nicht dürfen. Bilder, von denen ich nicht weiß, ob sie nur meinen Ängsten entspringen. Es ist …« Sie zögerte, als suche sie nach Worten, sich verständlich zu machen. »Ich weiß nicht wieso, aber der Verlauf ist offen. Es ist doch so: Normalerweise treffe ich die Entscheidungen, in welche Richtung sich eine Handlung entwickelt. Ich lag heute den halben Tag im Bett und hab herumgegrübelt. Aber immer, wenn ich versucht hab, die Story zu steuern, entglitt sie mir. Sie lässt sich einfach nicht fassen – nicht zu Ende denken. Es ist wie eine Blockade.« Angegriffen lehnte sich Moma zurück.

Keiner sagte etwas, nur Wolfs schwerer Hundeatem geisterte durch das nachdenkliche Schweigen.

Schließlich setzte sich Aaron O'Reardon auf. »Vielleicht ist es ja Unsinn. Aber könnte es nicht sein, dass an der Geschichte noch andere fantasiebegabte Menschen mitwirken?« Er deutete mit einer Kopfbewegung auf Josie. »Deine Enkelin zum Beispiel – und wie stark zu vermuten ist, auch Edna und Amy, die weiß Gott wo stecken. Ich meine, in jeder von euch steckt doch das Erbe der

Feen, ein Vermächtnis, das euch von anderen Menschen unterscheidet.« Er hielt kurz inne und fuhr dann mit einem versonnenen Blick auf seinen Neffen fort. »Womöglich sind auch Arthur und ich daran beteiligt. Und ...«, er tätschelte Wolf, der den Kopf zu ihm hob, »nach allem, was Josie erzählt hat – auch er.« Mit einem Räuspern strich er sich über den Bart. »Nun, während du, Dorothy, zu deiner Imaginationskraft für gewöhnlich mühelos Zugang hast – was ja deine Begabung zum Bücherschreiben ausmacht –, ist dies bei uns O'Reardons wohl eher ein schlummerndes Talent aus unserer Bardenvergangenheit. Aber ich denke trotzdem, es ist noch heute da.«

»Soll das heißen, wir gestalten selbst, was da vor sich geht?«, versicherte sich Arthur, der das Gespräch bisher stumm verfolgt hatte.

Sein Großonkel nickte. »Ja, sieht ganz so aus, so unglaublich es auch erscheinen mag. Wir alle, wie wir hier sitzen, sind schicksalhaft miteinander verbunden. Diese Verbindung geht schon Hunderte von Jahren zurück, wirkt aber noch immer fort. Und so sind wir Teil der Geschichte und ebenso gestalten wir sie.«

Josie wickelte versunken eine Haarsträhne um den Finger. »Bedenke stets des Wortes Macht, und nutze es nie unbedacht!«, murmelte sie.

Alle blickten sie überrascht an.

»Das hat Edna zu Amy in der Tornadonacht gesagt«, fügte sie leise hinzu. »Sie muss es gewusst haben.«

Moma strich abwesend über den Rand ihrer Teetasse. »Was für eine sonderbare Erfahrung. Man könnte an seinem Verstand zweifeln. Es ist die Magie des Wortes – des Gedankens, die uns hier auf eine Weise deutlich wird, wie ich es nie für möglich gehalten hätte. Und was Aaron eben gesagt hat, finde ich gar nicht so abwegig.« Mit flatternden Fingern stellte sie die Tasse auf den Tisch zurück und legte die Hände in den Schoß. »Am Anfang war das Wort. Damit beginnt die Bibel. Alles beginnt mit Gedanken, gedachten Wörtern. Alles Gute und alles Böse. Selbst die einfachsten Dinge.«

Sie deutete auf die Kanne. »Ich denke zum Beispiel: Jetzt könntest du eine gute Tasse Tee vertragen. Sofort entsteht das Bild einer dampfenden Tasse und meine Nase schnuppert schon den angenehm blumigen Aufguss. Das ist das Erste. Und obwohl das Ganze bisher nur in meinem Kopf stattfindet, lässt mir allein dieser Gedanke das Wasser im Munde zusammenlaufen. Dann gehe ich in die Küche, setzte Wasser auf, fülle das Teesieb, und so weiter und so weiter ... Und schließlich – voilà – steht der fertige Tee da. Alles, was wir in unserem Leben tun, hat seinen Ursprung in Gedanken und Wünschen, seien es die eigenen oder die von anderen. Nennen wir es die Magie des Alltags. Von einem inneren Bild zu etwas sinnlich Wahrnehmbaren.«

»Ein schöner Vergleich«, pflichtete der Professor bei. »Alles, was Menschen geschaffen haben, entsprang zunächst Gedanken, vom Steinzeithammer bis zu den großen Errungenschaften unserer Spezies.«

»Ich glaube«, fuhr nun wieder Moma fort, »die alten Völker haben zwischen Wirklichkeit und Vorgestelltem nicht so sehr unterschieden wie wir heute. Man nennt das: magisches Denken. Die Dinge – ich meine *alles* –, die ganze Natur war für sie beseelt. Man war sich der Kraft der Imagination noch viel mehr bewusst. In der Steinzeit haben sie Tiere an die Höhlenwände gemalt, um die Herden heraufzubeschwören. Man war fest davon überzeugt, dass Gedanken und Bilder – denn was sonst sind Imaginationen? – Einfluss auf die Realität haben.«

Der alte Herr nickte. »Im Laufe der Menschheitsgeschichte verlor sich diese Gewissheit jedoch, und zwar in dem Maße, in dem man die Welt und ihre Naturgesetze zu beherrschen glaubte. In dieser Welt der Dinge war kein Platz mehr für magisches Denken. Nur noch wenige besonders empfängliche Menschen waren sich darüber bewusst, dass ihre Worte und Gedanken etwas evozieren können. Im Mittelalter ein gefährliches Unterfangen, das viele mit dem Leben bezahlt haben.«

»Ja, die Hexenverbrennungen sind ein dunkles Kapitel unserer Kulturgeschichte«, sagte Moma düster.

»Aber war das nicht Aberglaube?«, warf Josie zögernd ein.

»Was ist schon Aberglaube?«, gab der Professor ihre Frage zurück. »Jedenfalls ist uns eine Menge verloren gegangen. Die Faszination der Fantasie, das Gefühl, allein über unser Denken etwas herbeizuführen.«

»Es gibt mehr Dinge zwischen Himmel und Erde ...«, sagte Arthur. »Hamlet.«

»Oh ja, Shakespeare war sich darüber völlig im Klaren«, bestätigte Aaron O'Reardon hörbar erfreut, dass sein Neffe den großen Dichter zitierte. »Es gibt da eine Stelle aus dem *Sommernachtstraum*. Mal sehen, ob ich sie noch zusammenbekomme ...« Er schloss für einen Moment die Augen, dann nickte er. »Ungefähr so: Und wie die Fantasie Gebilde von nie geseh'nen Dingen bringt hervor, so bildet sie des Dichters Feder, und gibt dem luft'gen Nichts Ort, Zeit und einen Namen.«

»Das trifft es genau«, murmelte Moma. »Und mir scheint, das erfahren wir eben hautnah.«

»*Die unendliche Geschichte*«, sagte Josie ganz in Gedanken. »Bastian, also der Junge, der alles erlebt, wird durch ein Buch nach Phantásien gezogen, und ganz allmählich bemerkt er, dass er diese andere Welt selbst erschafft.«

Moma blickte sie ernst an. »Ja, daran hab ich auch schon gedacht. Aber um ein Haar hätte der Junge vergessen, wer er ist, und nicht mehr aus der Geschichte herausgefunden. Nicht sehr beruhigend.«

In Josies Kopf drehte sich alles. Fantasie – Wirklichkeit. Was war was? Anderwelt – die Welt der Dinge. Rosalinde war für sie inzwischen ebenso real wie die gute Maude. Die vertrauten Grenzen ihrer Wahrnehmung schienen sich mehr und mehr aufzulösen. Zum Glück stand sie damit nicht allein. Jeder hier im Raum war Zeuge der unglaublichen Vorgänge und nahm sie ernst. Dankbar blickte sie von einem zum anderen, eingehüllt in eine tröstliche Aura von Nähe und Verbundenheit.

Beim Abendessen brachte Moma kaum einen Bissen herunter. Josie beobachtete sie. Welche Bilder quälten sie nur? Vielleicht war es gut, dass sie nichts davon preisgab. Doch selbst ihr Schweigen bereitete Josie Herzklopfen. Was stand ihnen in dieser Nacht bevor?

Nach dem Gespräch in der Bibliothek hatte sie noch mit Taddy telefoniert. Es war Josie heute schwergefallen, die Heitere zu spielen. Natürlich hatte er wieder nach Amy gefragt. Und natürlich hatte er wieder seine Sorge geäußert, dass auch Josie noch etwas zustoßen könnte, ahnungslos, wie berechtigt seine Befürchtungen diesmal waren. Vielleicht würde sie ihm von dem Abenteuer erzählen, wenn alles vorbei war. Ein beunruhigender Nachsatz drangte sich ihr jetzt auf: wenn sie dazu noch Gelegenheit haben sollte.

Sie biss sich auf die Unterlippe. Ihr Blick wanderte zu dem Gemälde von Conall O'Reardon und dann auf Wolf, der wie immer zu ihren Füßen lag. Leuchtete da etwas wie Hoffnung in den Bernsteinaugen des Frevlers, die so sehr denen ihres vierbeinigen Kameraden glichen? Nein, sie durfte auf keinen Fall an dem Erfolg der Mission zweifeln!

Alle aßen schweigend und ohne Appetit. Josie wagte einen Seitenblick zu Arthur. Er sah blass aus. Ob dies von der Sorge um seinen Bruder oder von der bevorstehenden Nacht herrührte, hätte sie nicht sagen können. Wolf lag auf dem Teppich und atmete schwer. Josie steckte ihm verstohlen ein Stückchen Fleisch zu. Der Jüngste war er tatsächlich nicht mehr. Hoffentlich würde er den drohenden Herausforderungen auch gewachsen sein.

Die Zeit nach dem Essen bis zum Mondaufgang lag prickelnde Nervosität über Springwood Manor, als stünde das schöne alte Haus unter Strom. Jeder versuchte, sich irgendwie abzulenken und zu beschäftigen.

Arthur tippte auf dem Computer des Professors herum. Moma legte auf dem Couchtisch Patiencen. Der alte O'Reardon verschanzte sich, nachdem er den Kamin befeuert hatte, mit grimmiger Miene hinter dem *Meath Report*, in dem heute ein langer Artikel über die Unfallserie auf der Baustelle seines Neffen stand. Wolf, der an seinem Stammplatz vor dem Kamin lag, verriet seine Anspannung in einem rhythmischen Zucken der Rute, die für das sonst so ausgeglichene Tier ungewöhnlich war.

Josie saß auf dem Sofa, den abgegriffenen Band der *Unendlichen Geschichte* auf dem Schoß. Sie strich liebevoll über den angestoßenen roten Leineneinband. Wie merkwürdig! Mit Macht waren fantastische Ereignisse in ihr eigenes Leben eingebrochen, genau wie in ihrem Lieblingsbuch. Sie schlug es, wie so oft, an einer beliebigen Stelle auf – und kniff verwirrt die Augen zusammen. Die Buchstaben schienen im Weiß der Seite zu verschwinden. Nur ein einziger Absatz stand klar und deutlich vor ihr: *Er war ein Glücksdrache, und nichts konnte seine Überzeugung erschüttern, dass doch noch alles gut enden werde. Was auch immer geschah, Fuchur würde niemals aufgeben.*

Wie ein Geschoss durchfuhr sie ein Gedanke. Sie sah hoch und starrte in das züngelnde Torffeuer. So oft hatte sie das Buch nun schon gelesen, und erst jetzt verstand sie: Fuchur, der Glücksdrache, war ein Symbol, er war die Personifizierung der Hoffnung. Wie eine Laufschrift tickerten Druid Dubhs Worte durch ihren Kopf. »Ihr müsst beharrlich sein und ringen. Zweifel, sei er noch so klein, vereitelt das Gelingen. Nur Glaube, Mut und Zuversicht wird Euch den Sieg erbringen.« – Und was hatte die Feenkönigin zu ihr gesagt: »Denkt stets: Es wird alles gut!« – Das war das Geheimnis!

Wolf hob den Kopf und sah sie an, zustimmend und aufmunternd.

Ein Aufstöhnen lenkte Josies Blick zu ihrer Großmutter. Moma warf mit hektischen Bewegungen die Kartenreihe durcheinander.

»Nicht eine einzige Patience geht auf!« Sie ließ sich kraftlos in den Sessel zurückfallen. »Ich kann mich einfach nicht darauf konzentrieren!«

Während Josie gerade dachte, dass sie ihre Großmutter selten so konfus gesehen hatte, erhob sich Wolf und schritt langsam zur Terrassentür. Alle Blicke folgten ihm. Mit einem leisen Heulen schob der große graue Hund die Schnauze durch die Gardinen.

»Der Mond ist aufgegangen«, sagte Arthur tonlos. »Wir sollten los!«

Josie legte das Buch aus der Hand und sprang auf. Eine eigenartige Anwandlung von Entschlossenheit überwallte sie. Sie musste auf ihr Glück vertrauen, auf den Glücksdrachen, der in ihrem Herzen wohnte!

»Gut. Packen wir's an!«

Die beiden Erwachsenen standen in der Tür, als Arthur die Taschenlampe seines Großonkels am Gürtel befestigte und aufs Rad stieg. Josie, ausstaffiert mit den Gaben der Hausgeister, schwang sich auf ihr altes Vehikel und folgte ihrem Gefährten, der ohne weiteren Gruß einfach losradelte. Sie hatten sich bereits verabschiedet. Und jetzt gab es nichts, was noch gesagt werden musste. Auch Wolf lief los, sich dicht an ihrer Seite haltend. Ehe sie am Ende der Auffahrt abbog, blickte Josie noch einmal zurück. Hell erleuchtet stand Springwood Manor gegen die Finsternis. Wie unwirklich anheimelnd in dieser Nacht der Gefahren! Der Professor hatte tröstend den Arm um ihre Großmutter gelegt. Stumm hob Moma die Hand. Josie winkte beklommen zurück.

Dann wandte sie sich nach vorn und trat kraftvoll in die Pedale.

4

Dorchadon

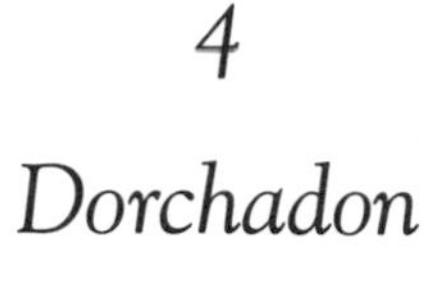

Der Eingang bin ich zu der Stadt der Schmerzen.
Der Eingang bin ich zu den ew'gen Qualen.
Der Eingang bin ich zum verlor'nen Volke ...

In dunkler Farbe sah ich diese Zeilen,
als einer Pforte Inschrift.

aus: *Die göttliche Komödie von*
DANTE ALIGHIERI
(1265–1321), ital. Dichter

Schweigend fuhren sie auf der Landstraße hintereinander her. Die Wiesen dufteten nach Champignons, feucht und würzig. Graublaue Wolkengaze verschleierte den Mond wie das bleiche Gesicht einer geheimnisvollen Dame. Sein milchig weißes Licht ließ kaum mehr als Umrisse erkennen. Schafe blökten irgendwo in der Nähe. An einem Weiher zerriss ein wenig musikalisches Froschkonzert die nächtliche Stille. Aus der Ferne fraß sich ein Ruf in Josies Ohr: »Kuwitt, kuwitt!« Sie fröstelte. Ein Käuzchen! Der Totenvogel! Es hörte sich tatsächlich an wie: Komm mit, komm mit!

»Ein alter Aberglaube!«, vernahm Josie Wolfs Stimme. »Nichts als ein dummer Aberglaube! Wir haben andre Sorgen.«

Überrascht blickte sie auf den grauen Schatten, der neben ihr herlief. »Mann! – Ich fang deine Gedanken wieder auf? Ganz ohne die Fibel.«

»Diese Nacht ist ganz und gar durchdrungen von Magie«, gab Wolf zurück.

Die Straße führte langsam, aber stetig bergan. Nach etwa einer Viertelstunde bog Arthur in einen von Büschen gesäumten Feldweg ein, der von Meter zu Meter steiler wurde. Josie musste nun mit aller Kraft treten, um ihn nicht zu verlieren. Arthur schien heute zu sehr mit sich beschäftigt, um auf sie Rücksicht zu nehmen. Dann stand wie aus dem Boden gestampft ein grimmiges Heer von Bäumen vor ihnen. Feindselig und drohend.

Josies Entschlossenheit schrumpfte wie ein Ballon, aus dem die Luft entwich. Man musste definitiv verrückt sein, auch nur einen Fuß in diesen finsteren Wald zu setzen.

»A... Arthur!« Ihr keuchender Ruf erreichte den Jungen, als er eben in die Dunkelheit des Forstes eintauchte. Erst jetzt schien er zu bemerken, dass sie kaum nachkam. Er stoppte.

»Komm! Nur noch ein paar Hundert Meter, das letzte Stück müssen wir zu Fuß gehen.«

Josie strampelte ihm völlig außer Atem nach. Verdammt! Arthur war so viel mutiger als sie. Beschämt würgte sie ihre Ängste hinunter. An Umkehr war jetzt wirklich nicht mehr zu denken!

Das Fahren wurde nun deutlich beschwerlicher, denn auf dem regendurchweichten Waldboden ging es weiter bergauf. Wurzeln wurden zu gefährlichen Stolperfallen. Josie hatte Mühe, ihr uraltes Stahlross zu steuern. Das Licht der Fahrradscheinwerfer sprang Irrlichtern gleich auf und nieder. Was rechts und links von ihnen lag, ließ sich nur erahnen. Doch spürte sie deutlich, dass der Weg enger wurde. Zweige zerkratzen ihre Arme. Mit zusammengebissenen Zähnen kämpfte sie sich voran. Dann verließen sie die Kräfte. Stöhnend sprang sie ab, um das Rad zu schieben. Sie drehte sich unsicher nach Wolf um. »Bist du noch da?«

»Aber ja«, meldete sich der große Hund. »Ich fürchte, dies ist nur der Beginn der Unannehmlichkeiten, die uns erwarten.«

Das Mondlicht versickerte nun fast völlig im dichten Blattwerk. Arthur quälte sich, eisern in die Pedale tretend, langsam vor ihnen her, nur das flackernde Licht seiner Fahrradlampe gab ihnen vage Orientierung. Ein Röcheln ließ sie wie erstarrt stehen bleiben. Dann wurde ihr schlagartig bewusst, dass es von Wolf stammte, dem die Steigung zu schaffen machte. Verdammt!, dachte sie. Hoffentlich wird das alles nicht zu viel für ihn!

Wolf blieb schwer atmend stehen. »Keine Sorge, nur der Hundekörper will nicht mehr recht. Das Wolfsherz gibt nicht auf, ehe die Mission erfüllt.«

»Bestimmt.« Josie bemühte sich, ihre Zweifel zu unterdrücken. »Du wirst es bestimmt schaffen!«

Nun sprang auch Arthur ab und lehnte sein Rad gegen einen Busch. »Okay. Weiter müssen wir zu Fuß.«

Jetzt, da keines der Räder mehr Licht spendete, war es nahezu stockfinster. Dankbar spürte Josie Wolfs warmen Körper neben sich, während Arthur, leise vor sich hin fluchend, die Taschenlampe vom Gürtel nestelte. Endlich leuchtete sie auf. Mit einer auffordernden Handbewegung, doch wortlos stapfte Arthur voran.

Der Weg verlor sich mit jedem Schritt mehr in einen steilen Wildpfad. Dickicht befingerte sie von allen Seiten. Nur mit Mühe kamen sie voran. Es knackste unter ihren Füßen, ein gelbes Augenpaar traf Josies Blick und verlosch nach kurzem Innehalten im Dunkel. Ihr Herz hämmerte gegen ihre Brust. Ständig schnalzten Zweige in ihr Gesicht, obgleich Arthur sich bemühte, den Weg für sie freizuhalten.

»Sind wir hier überhaupt richtig?«, flüsterte Josie nach einer Weile, da sie nicht wagte, laut zu sprechen. »Ich hab das Gefühl, wir geistern hier quer durch die Pampa.«

»Mein Bruder und ich sind hier früher überall herumgestromert«, gab Arthur ebenso leise zurück. »Es gibt hier in der Gegend etliche antike Kultstätten. Den Steinkreis bei den Linden haben wir irgendwann mal zufällig gefunden. Er wurde zu unserem Lieblingsplatz, weil er so versteckt liegt. Brian und ich haben dort mit unseren Holzschwertern oft Ritter gespielt, keine Sorge, ich würde blind hinfinden.«

»Der Steinkreis ist ein Platz deiner kindlichen Fantasien«, mischte sich Wolf ein.

Arthur blieb stehen. Er richtete die Taschenlampe auf den Vierbeiner. »Spinn ich oder kann auch ich den Hund jetzt hören?«

Wolf drehte geblendet den Kopf weg. »Nun, Ersteres würde ich ausschließen. Ich sagte es bereits: Diese Nacht ist magisch.«

»Seht nur!« Josie wies erschrocken auf den Lichtkegel der Lampe, den plötzlich dichter Dunst durchströmte.

»Nebel! Ein Zeichen, dass wir fast am Ziel sind«, bemerkte Wolf und übernahm wie selbstverständlich die Führung. Arthur und Josie stolperten ihm im schmierigen Licht der Lampe nach. Dann schien mit einem Mal das Gestrüpp zu weichen, und sie fanden sich rundum eingehüllt in eine mondhelle Nebelwand, in die sich, wie Beerensaft in einem Milkshake, purpurrote Schlieren mischten, während gleichzeitig eine süße Melodie in ihr Bewusstsein drang.

Einen Augenblick später war Wolf verschwunden. Seine menschlichen Begleiter blieben bewegungslos stehen. Ein schier unbeherrschbarer Impuls umzukehren, überwältigte Josie. Was erwartete sie hinter diesem geheimnisvollen Schleier? Doch ehe sie noch ein Wort herausbrachte, griff Arthur nach ihrer Hand.

»Komm!«, sagte er und zog sie mit sich.

Nur einen Schritt weiter befanden sie sich in einem Szenarium, das Josie wie die zum Leben erweckte Abbildung aus einem Märchenbuch vorkam.

Eine Lichtung lag vor ihnen, dicht von Bäumen und Weißdornbüschen umgeben. Drei Linden bildeten ein fast gleichseitiges Dreieck, in dem ein Ring aus mannshohen Findlingssteinen stand. Alle, bis auf einen, der eine Horizontale bildete und so an einen Altar erinnerte, waren hochkant aufgerichtet. Im unverhüllten Silberlicht des Monds, der seinen Schleier nun ganz abgeworfen hatte, glänzten die Menhire des Steinkreises wie polierter Stahl.

Inmitten dieser geheimnisvollen Kulisse tanzten, nein, schwebten Geschöpfe von solcher Schönheit, dass es den Zaungästen schier den Atem nahm.

»Es sind Sidhoir«, raunte Josie Arthur zu.

Das hüftlange Haar der Feen strahlte wie gesponnenes Gold. Ihre langen, hauchzarten Gewänder, gehalten von purpurfarbenen Bändern, schillerten in den Farben des Regenbogen. Arthur, der zum ersten Mal die Anmut der Sidhoir zu Gesicht bekam, wirkte wie behext.

Jetzt erst entdeckte Josie, dass auch Elvinia und ihre Schar hier waren. Was zunächst wie Lichtreflexe auf den schimmernden Steinen ausgesehen hatte, waren winzige Elfen, die in Grüppchen Reigen tanzten. Josie vergaß völlig, warum sie hergekommen waren. Ihr Gehirn war umnebelt, ihr Herz schwang im Gleichklang mit der betörenden Melodie, in die sich immer wieder das vertraute Purpurmotiv der Hymne Narrandas mischte. Arthur trat wie gebannt einen Schritt vor.

»Halt!« Wolfs Stimme schoss jäh in Josies Bewusstsein. »Sie tanzen den Lughnasadh-Reigen. So wie einst, als Conall Nárbflaith verfiel. Das Bild steht mir genau vor Augen. Geh nicht, Arthur. Geh nicht!«

Doch Arthur schien Wolfs Warnung nicht wahrzunehmen. Obwohl Josie versuchte, ihn zurückzuhalten, übertrat er mit einem weiteren schlafwandlerischen Schritt den Feenring, der sich wie ein Silberkreis im nachtfeuchten Gras abbildete. Lächelnd erfasste eine Sidhoir seine Rechte, während Josie seine Linke umso fester umklammerte. Mit einer unerwartet kraftvollen Bewegung schüttelte Arthur Josie ab.

Schockiert musste sie zusehen, wie die schöne Sidhe den Jungen in die Mitte führte, wo ihn die bezaubernden Erscheinungen sogleich umtanzten wie Haremsdamen aus einem Märchen aus Tausendundeiner Nacht.

Josie kniff die Lippen zusammen. Was sollte das? Zum Tanzen waren sie ganz bestimmt nicht hierhergekommen. Und verdammt nochmal, wo blieben Druid Dubh und Myrddin?

Wolf gab etwas wie ein Stöhnen von sich. »Die Vergegenwärtigung meiner Erinnerungen. Doch ist der Nachfahr so verführbar, wie Conall es einst war, sind wir allein auf uns gestellt.«

Diese Aussicht drehte Josie den Magen um. Während sie fieberhaft überlegte, was sie jetzt tun sollte, begannen die Sidhe zu singen:

Im Kreis bei den Linden, wir bannen und binden
Dein Herz ganz und gar mit goldenem Haar.

In grazilen Bewegungen wickelte das zauberhafte Geschöpf, das Arthur in den Kreis gezogen hatte, ein goldschimmerndes Haar um einen seiner Jackenknöpfe.

Josie zuckte zusammen. Ein Feenhaar band einen Sterblichen für immer und ewig. Panik wirbelte in ihr hoch.

»ARTHUR!« Aus Leibeskräften brüllte sie seinen Namen. Wieder und wieder.

Aber der Junge reagierte nicht. Er schien weit entfernt zu sein. Sein sonst so heller, intelligenter Blick war einem dumpfen Ausdruck gewichen. Ganz offenbar war er nicht Herr seiner Sinne.

»Sie haben ihn verhext!«, flüsterte Josie. »Verdammt, was mach ich jetzt bloß?«

»Du musst es selbst herausfinden«, antwortete Wolf. »Dies wiederum ist Teil deiner Geschichte.«

Die Sidhe umkreisten Arthur mit flatternden Gewändern und wehendem Goldhaar, wobei sie immer wieder denselben Vers sangen.

Im Kreis bei den Linden, wir bannen und binden

Dein Herz ganz und gar mit goldenem Haar.

Von Sekunde zu Sekunde, schien Arthur mehr wegzutreten. Josies Gedanken brodelten, ihre Stirnader pochte. Einer plötzlichen Eingebung folgend, fasste sie in die Jeanstasche und steckte den Mittelfinger in Rosalindes Fingerhut. Einen Augenblick später trug sie ein Feengewand, das sich in nichts von dem der Tänzerinnen unterschied. Und ehe Wolf mit mehr als einem bewundernden Blick sein Erstaunen kundtun konnte, hatte Josie sich schon unter die Tänzerinnen gemischt.

Mit dem Betreten des Kreises überflutete sie ein unbeschreibliches Gefühl. Für einen Moment verschmolz sie mit dem Reigen. Es war ihr unmöglich, sich der zauberhaften Melodie, den synchronen Bewegungen der Sidhoir zu entziehen. Fast hätte sie vergessen, weshalb sie in den Kreis eingedrungen war, hätte sie nicht ein schauerliches Jaulen aufgerüttelt. Josie kam für einen Moment zu sich.

»Arthur!«, raunte sie dem Jungen in der Mitte des Reigens zu.

Arthur aber schien sie überhaupt nicht wahrzunehmen. Er tanzte wie eine Marionette, wobei er ganz ohne Wimpernschlag in die strahlenden Jadeaugen seiner Tänzerin glotzte. Dann fühlte Josie, wie die Macht des Reigens auch über sie wieder mehr und mehr Gewalt errang. Mit jeder Drehung wich ihre Willenskraft einem wohligen Gefühl verträumter Harmonie, dem sie sich nur zu gern hingegeben hätte, als etwas um ihren Kopf flatterte. Sie hob schon die Hand, um die vermeintliche Motte wegzujagen, da wisperte ihr das Flügelding zu: »Die Drachenfibel wird Euch zeigen, dass Euch ist Magie zu eigen.«

Josie erwachte augenblicklich aus ihrer Trance. Die Fibel! Natürlich! Hatte sie sich denn immer noch nicht an den Gedanken gewöhnt, dass sie ja selbst über Magie verfügte. Wie dusslig war sie eigentlich?

Hastig zog sie das Seidenband hervor und umschloss das magische Schmuckstück mit der Hand. Unversehens erwärmte es sich, hüllte Josie in einen purpurnen Schein und begann, Funken zu sprühen. Augenblicklich fühlte sie sich hellwach und Herr der Lage.

Aus der Mitte des Kreises bis zu dessen Rand waren es vielleicht fünf Meter. Alles musste schnell gehen. Arthur würde kaum freiwillig mitkommen. Sie atmete tief durch, wirbelte auf ihren Gefährten zu, riss mit einem energischen Ruck den Knopf ab, um den die Sidhe das Haar gewickelt hatte, und warf ihn in hohem Bogen aus dem Kreis. Von unerklärlicher Kraft durchdrungen, zerrte sie den widerstrebenden Jungen mit sich fort, während sie ihm eindringlich zuzischte: »Arthur, denk an unsere Mission!«

Zu ihrer Überraschung unternahmen die schönen Tänzerinnen nichts, den Jungen zurückzuhalten. War die Magie der Drachenfibel am Ende mächtiger als die der Feen? Wie auch immer! Hauptsache, sie hatte Arthur aus dem Bann gelöst.

Ein merkwürdiges melodiöses Klimpern ließ Josie zurückblicken. Vor ihren erstaunten Augen verschmolzen die strahlenden Gestalten der Sidhe unversehens zu einer diffusen Wolke aus weißem Licht, die dampfend über der Lichtung aufstieg und sich im fahlen Mondlicht auflöste.

Während Josie bestürzt zum Himmel starrte, kam Arthur allmählich wieder zu sich.

Er blickte Josie an, als sei er aus einem tiefen Schlaf erwacht. »Josie?«

Josie ließ sich ins klamme Gras sinken. Sie fühlte sich erschöpft. Vollkommen ausgelaugt. Genau diese Art von Ermattung hatte sie in jener Schreckensnacht gespürt, nachdem Amy entführt worden war. Die Drachenfibel war hilfreich, doch zehrte ihr Einsatz ziemlich an ihren Kräften. Vor allem, wenn es um mehr ging, als nur darum, rasch ein paar unbekannte Schriftzeichen zu lesen.

Arthurs Gesichtszüge trugen noch immer etwas Tölpelhaftes. »Was hast du denn da Ulkiges an?«

»Die Feen!«, antwortete Josie matt und deutete auf die Lichtung. Aber außer einem ringförmig niedergetretenen Kreis im Gras, war von den Sidhe nichts mehr zu sehen.

»Die Feen ...« Arthur kratzte sich am Kopf. »Ich kann mich eigenartigerweise kaum noch daran erinnern.«

Während Wolf seinen Nachfahren über das eben durchgestandene Abenteuer aufklärte, suchte Josie das zarte Feengewand nervös nach Taschen ab. MoDains Fläschchen trug sie, neben der Fibel, an dem Silberkettchen um den Hals. Aber wo war der Fingerhut?

»Falls du den Fingerhut suchst, was ich vermute«, meldete sich Wolf, »der liegt hier!« Mit der Schnauze wies er ins Gras, wo etwas Silbernes im Mondlicht blitzte. »Ich würde dir empfehlen, in Zukunft besser auf ihn achtzugeben!«

Mit einem Aufatmen hob Josie Rosalindes Geschenk vom Boden auf. Einen Augenblick später trug sie wieder ihre gewohnten Sachen. Erleichtert klemmte sie den Fingerhut fest auf den Daumen. Hier schien er ihr am besten aufgehoben zu sein.

»Der Trick mit dem Fingerhut ist guinnessbuchverdächtig«, bemerkte Arthur grinsend. »Aber das durchsichtige Nachthemd hat mir, ehrlich gesagt, besser gefallen.«

»Durchsichtig?« Josie wurde rot. Sie wollte gerade etwas erwidern, als weißer Dunst sie einhüllte.

Josie sprang entsetzt auf. Wo sie auch hinblickte, stiegen in rasender Geschwindigkeit Nebelschwaden hoch. Schritt für Schritt wichen die Gefährten zurück und stolperten rückwärts in den Steinkreis. Von allen Seiten bedrängt von einem sich verengenden wabernden Ring aus Wolkenmasse, der sie zu ersticken drohte.

Josie griff nach der Drachenfibel, doch, wie sie schon befürchtet hatte, blieb die Fibel kalt, ihre Kräfte waren wieder einmal erschöpft. Stumm vor Schreck drängte sie sich an Wolf und Arthur, die ebenso machtlos zusehen mussten, wie sie mehr und mehr eingeschlossen wurden.

Arthur streckte tastend einen Arm in den Nebel. »Kommt, haltet die Luft an. Wir müssen da irgendwie raus!«

Ein zischendes Geräusch ließ ihn verstummen. Dann riss der Nebel auf und gab den Blick auf den mondglänzenden Altartisch frei. Dahinter stand, in einer blendend weißen Tunika, ein alter Mann, auf dessen Schulter eine Amsel saß.

Josie fiel ein Stein vom Herzen, ihre Stimme überschlug sich vor Erleichterung. »Myrddin! Druid Dubh!«

Der Vogel flatterte empor und nahm auf einem der Menhire Platz, wo er sich in den kleinen Vogelmann verwandelte. Arthur, der ihn heute zum ersten Mal sah, starrte ihn mit offenem Mund an.

Der Magier hob die Hand zu einem wohlwollenden Gruß. »So habt Ihr zu dem Kreis gefunden!« Sodann richtete er das Wort an Arthur, ein Schatten umwölkte seine Miene. »Doch wär' die Sache bald misslungen, Ihr wart ohn' Willen und Verstand. Habt Euch dem Tanz nicht selbst entwunden. Das Feenkind hat Euch abgerungen der Schönen lockend weißer Hand. Es ist nicht schwer, Euch zu verführen, das hat die Probe wohl erbracht. Doch hütet Euch vor solch Allüren und handelt nie ohne Bedacht – wie einst der Vorfahr, dessen Tat viel Leid und Schmerz verursacht hat.«

Arthur blickte beschämt zu Boden. Sie hatten ihn auf die Probe gestellt und er hatte versagt.

Noch ehe er etwas zu seiner Verteidigung vorbringen konnte, fuhr Myrddin schon fort: »So sollt Ihr Euch zuletzt beweisen, durch die Wahl der rechten Klinge. Auf dass das Euch zu eigen Eisen Euch schütze und den Sieg erringe.«

In einer weihevollen Bewegung hob er die Arme. Augenblicklich ertönte ein geräuschvolles Knistern, wie das Bersten einer Eisscholle. Dann riss die Steinplatte auf, und vor ihren ungläubigen Augen wuchsen drei Schwerter empor, die sanft hin- und herschwingend im Felsen stecken blieben.

Myrddin winkte Arthur zu sich. »Nun, junger Recke, wählt die Waffe, die Euch den rechten Hieb verschaffe!«

Gebannt von dem im Mondlicht blitzenden Metall, trat Arthur vor.

Josie beobachtete ihn atemlos. Welches Schwert würde er wählen? Eigentlich kamen nur zwei infrage. Das erste war von beeindruckender Größe und reichte dem hochgewachsenen Arthur bestimmt bis zum Ellbogen. Es besaß einen reich verzierten goldenen Griff, der in einem purpurroten Kristallknauf endete. Josie erinnerte sich, ein ähnliches Schlachtenschwert schon einmal im Museum gesehen zu haben. Dieser Waffentyp ließ sich nur mit zwei Händen handhaben und war für ihre Mission deshalb eigentlich indiskutabel, obwohl es Josie seiner Größe nach durchaus dazu geeignet schien, einen Drachen zu erlegen? Blieb da noch das zweite. Ein klassisches Ritterschwert, das ihr gerade richtig groß erschien. Ähnlich aufwendig gearbeitet wie das vorige, endete seine Parierstange in zwei silbernen Lilien. Außer Zweifel war es das Richtige! Das dritte Schwert hingegen war bestenfalls dazu geeignet, einen Zwerg zu kitzeln. Es sah mehr aus wie ein Spielzeug und war kaum größer als ein Taschenmesser, wenngleich es hübsch verziert war und der Griff, soweit sie es aus der Entfernung erkennen konnte, an einen Caduceus erinnerte.

Arthurs Blick wanderte unentschlossen von Waffe zu Waffe. Josie wurde unruhig. Warum überlegte er so lang? Wolf stand in regloser Anspannung neben ihr, als Arthur begann, etwas vor sich hin zu murmeln.

Josie bemerkte, dass der Schwanz des großen Hundes sachte hin und her schwang. »Er hat recht gewählt«, meldete sich seine dunkle Stimme. »Er kennt die Parole.«

Noch ehe sie nachfragen konnte, trat Arthur einen Schritt vor und sagte mit fester Stimme: »Verbum mihi gladius!« Damit griff er nach dem kürzesten Schwert und zog es aus dem Gestein. Der Knauf der kleinen Waffe sprühte purpurrote Funken in seiner Hand. Noch im selben Moment verloren die beiden anderen Schwerter ihre Substanz und lösten sich wie eine erlöschende Projektion im Mondlicht auf.

Das kluge Gesicht des alten Magiers verzog sich zu einem zufriedenen Lächeln. Er umschritt den Altarstein und ging auf Arthur zu. »Wohlan, Ihr wähltet mit Bedacht, die Klinge ist für Euch gemacht. Des Worts Gewalt gehorcht dies Schwert, es ist von unschätzbarem Wert. Es dient allein der Fantasie, es ist die Waffe der Magie.«

Arthur blickte wie benommen auf das taschenmessergroße Schwert in seiner Hand, als der Magier ihm einen Schwertgurt überreichte.

»So tragt es stets und nutzt es recht. Dann geht es Euren Feinden schlecht.«

Arthur nahm den Gürtel schweigend an sich. Gedankenvoll strich er über die goldglänzende Schließe und Josie erkannte, dass sie wie eine Harfe gestaltet war. Harfe und Schwert, das Wappen der O'Reardons.

Wie ein Blitz durchfuhr sie die Erinnerung an das, was Órlaith gesagt hatte: »Und weil der Frevler ist sein Ahn, kann er die alte Schuld begleichen, wählt er das wahre Bardenzeichen.« Und er hatte es gewählt. Das wahre Bardenzeichen.

Sie dachte an die Vermutung des Professors. Alles, was geschah, war nicht nur ihre und Wolfs Geschichte, es war auch die Arthurs.

Die ganze Szene hier auf dem Hügel galt vor allem ihm. Und war er es nicht auch gewesen, der den Steinkreis längst gekannt hatte? Ein Funke von Verstehen blitzte in Josie auf, ein kleiner heller Funke, der sich so rasch verflüchtigte wie das flackernde Licht eines Glühwürmchens in der Schwärze der Nacht.

Arthur legte den Gürtel an und steckte die Klinge in die Schwertscheide. Obwohl die Waffe lächerlich klein war, verlieh sie ihm eine geheimnisvolle Größe. Furchtlosigkeit und Abenteuerlust umgaben ihn wie eine schützende Aura. In einer altmodischen Geste neigte er den Kopf vor dem alten Magier. »Ich danke Euch, doch sollten wir das Abenteuer nun wagen. Ich werde das Schwert in Ehren tragen.«

Josie runzelte die Stirn. Warum redete Arthur so geschwollen daher?

Wolf beantwortete ihre unausgesprochene Frage. »Nun, obgleich sein Versmaß etwas holprig scheint, vergiss nicht, er trägt Bardenblut. Das Schwert verstärkt ganz offenbar seine Gabe zum magischen Wort.«

Wieder erleuchtete ein Lächeln das zerfurchte Gesicht Myrddins. »So gehet hin, ihr seid bewehrt, steht unserm Feenkind wacker bei, dass alles sich zum Guten kehrt und Euer Ahn sei alsbald frei.«

Dann blickte er Wolf an und winkte ihn zu sich. »Ihr seid ein Hund, denn zu vermessen habt Ihr die Kräfte angewendet, die Ihr als Alchimist besessen. Doch wie die Dinge heute liegen, mögt Ihr die Gabe, frei zu fliegen, zurückerhalten, damit die Sache günstig endet.« Myrddins lange weiße Hände zogen unter seinem weiten Obergewand eine Silberkette hervor, an der eine kleine Dose baumelte.

Etwas wie Erkennen leuchtete in Wolfs Bernsteinaugen auf, als er vortrat und der Magier ihm die Kette um den Hals legte.

Dann hob der Magier die Hand zum Gruß. »Nun folgt dem Boten, der Euch weist den Weg, den man den dunklen heißt.«

Die Worte Myrddins jagten Josie einen eiskalten Schauer über den Rücken. Sie schloss für einen Moment die Augen, um sich zu beruhigen.

»Wohlan, so lasst uns brechen auf!«, hörte sie Arthurs Stimme.

Josie öffnete die Lider. »Wo ist Myrddin?«

»Der Magier ist entschwunden!«

Josie blickte Arthur gereizt an. »Bitte rede nicht so abgehoben daher! Es hört sich bei dir definitiv bekloppt an!«

»Sorry!« Er grinste. »Aber von mir aus kann's jetzt losgehen. Ich bin richtig in Drachentöterstimmung!«

Etwas Schwarzes schwebte über ihre Köpfe. »So kommt! Da drüben geht es lang zu dem unheilvollen Gang.«

Der Nebel war gänzlich gewichen, als sie den Steinkreis verließen. Josie fühlte sich, als würde sie zur Hinrichtung geführt. Ihr Mund war trocken, ihr Schritt schleppend. Dankbar bemerkte sie, dass Elvinia und ihre Schar stumm vor ihnen herflogen. Das muntere Auf und Ab ihrer kleinen Licht spendenden Fühler hatte etwas Beruhigendes. Doch fehlte ihr das fröhliche Gekicher und Geplapper der sonst so lebhaften Elfen.

Wolf ging neben ihr. Die kleine Dose an seinem Hals glänzte im Mondlicht. Plötzlich glaubte sich Josie zu erinnern, dass sie den kleinen silbernen Gegenstand schon einmal gesehen hatte. Nach einigem Nachdenken, das sie von ihren Ängsten vorübergehend ablenkte, wusste sie auch wieder wo: auf dem Gemälde, in Conalls Hand.

»Du hast ganz recht«, mischte sich Wolf in ihre Gedanken. »Die Dose ist mir wohlbekannt, sie enthält *Unguentum pharelis*, ein probates Mittel, sich in die Lüfte zu erheben.«

»Zu fliegen?«, fragte Josie verblüfft.

»Oh ja, das Geheimnis des Fliegens liegt in dieser Salbe.«

»Eine Salbe?«, mischte sich Arthur ein. »Woraus besteht sie?«

Wolf schwieg für einen Moment, als krame er in den Windungen seines Gehirns, ehe er begann aufzuzählen: »Soweit ich mich erinnere: Solsequium, Lunaria, Verbena, Mercurialis, Barba Jovis, Capillus Verneris, etwas Vogelblut und Gefiederfett. Ich fand die Rezeptur zu dieser Flugsalbe in einer uralten Handschrift über magische Künste, die mein Urgroßvater einst erstanden hat.«

»Hauptsächlich Kräuter also«, sagte Arthur etwas enttäuscht. »Und damit soll man fliegen können?«

»Nun, wenn man die rechten Worte dazu weiß, durchaus.«

Wie unwirklich das alles war! Josie glaubte wieder einmal zu träumen. Doch Arthurs feste Schritte, unter denen die Blätter raschelten, holten sie in ihre bizarre Wirklichkeit zurück.

Druid Dubh flog in der Gestalt der Amsel vor ihnen her. Sein weißer Brustfleck blitzte ab und zu auf wie ein richtungsweisendes Signal. Zunächst führte der Weg steil bergab. Sie mussten mit der Lichtung den Kamm des Hügels überschritten haben.

Nach dem ersten Stück durch finsteres Dickicht lichtete sich der Wald. Hohe Föhren streckten ihre schwarzen Köpfe dem Himmel entgegen. Im Vergleich zum Aufstieg war das hier ein Kinderspiel. Josie hatte längst alles Zeitgefühl verloren, als sie ein beklemmend enges Tal erreichten. Sie folgten dem schmalen Pfad, bis sich vor ihnen ein Kessel auftat, eine rundum von dicht bewachsenen Hängen eingeschlossene Ebene. Die gespenstische Silhouette einer uralten Ruine wuchs aus den Mondschatten der wilden Vegetation.

»Buirios Abbey!« Arthur drehte sich zu Wolf um. »Buirios Abbey? – Brian und ich haben es wohl tausend Mal gesucht, aber nie gefunden.«

»Was kein Schaden ist«, erwiderte Wolf. »Es ist kein guter Ort. Es gibt da eine Sage ...«

»Ich weiß«, sagte Arthur. »Ich kenne sie.«

Josie, die neben ihm ging, sah ihn fragend an. »Was für eine Sage?«

»Eine der typischen Teufelssagen«, antwortete Arthur. »Es heißt, dass aus irgendwelchen Gründen der Brunnen des Klosters immer wieder einstürzte. Da versprach der Teufel dem Abt, einen Brunnenschacht zu bauen, der bis in die Ewigkeit halten würde, vorausgesetzt, er bekäme die Seele desjenigen, der als Erster am Sonntag Wasser holt.«

»Richtig«, bestätigte Wolf. »Am Tag des Herrn war es damals streng verboten, zu arbeiten, und dazu gehörte auch das Wasserholen.«

Josie schauderte. Wenn sie etwas jetzt nicht brauchen konnte, waren es Gruselgeschichten. »Mach's kurz!«, sagte sie nervös.

»Also«, fuhr Wolf fort, »der Abt ließ einen mehrfachen Mörder, der im Turm zu Galbridge auf den Galgen wartete, zum Kloster bringen, steckte ihn in ein Mönchsgewand und befahl ihm, den Eimer in den Brunnen zu lassen. Der Teufel stürzte sich auf sein Opfer und zog es in die Tiefe, natürlich in der Annahme, einen jungen Klosterbruder reinen Herzens ergattert zu haben. Als er feststellte, dass man ihn mit der schwarzen Seele eines Galgenvogels betrogen hatte, die ihm ohnehin schon gehörte, geriet er außer sich vor Wut. Noch in derselben Nacht soll er das Kloster mit Mann und Maus zerstört haben. Einzig der Brunnen blieb intakt – der war schließlich Teufelswerk und für die Ewigkeit gebaut.«

»Uff«, stieß Josie mit einem Blick auf die Ruine aus, die finster und bedrohlich vor ihnen lag. »Nicht grade ein Platz, den man bei Nacht besuchen möchte.«

Josie verspürte den starken Impuls, Arthurs Hand zu ergreifen. Da sie sich aber nicht traute, hielt sie sich so dicht wie möglich an Wolf. Wenige Schritte später hielten sie vor einem verfallenen Tor, dessen ehemalige Pracht man an den Bruchstücken verschlungener Ornamente noch immer erahnen konnte.

Elvinia und ihre Elfen landeten auf dem brüchigen Mauerwerk. In den Efeugirlanden, die das alte Gestein umrankten, hätte man sie, unter weniger beunruhigenden Umständen, für die blinkende Lichterkette einer Weihnachtsdekoration halten können. Dann erklang Elvinias glockenhelles Stimmchen: »Bis hierher reicht unsre

Eskorte, wir dürfen nicht mehr weitergeh'n. Was hinter dieser düstren Pforte, müsst Ihr ganz allein besteh'n. Möge das Gute und das Lichte getragen werden in die Nacht. Dass sich verwandelt die Geschichte durch Euer menschlich Wirken Macht.«

Damit wirbelte die kleine Meisterin des Waldes hoch, und ihr Schwarm folgte ihr. Wie das flüchtige Blitzgewitter eines Feuerwerks erlosch das Licht ihrer Fühler in der Dunkelheit.

Die drei Gefährten blickten ihnen ahnungsvoll nach, bis Druid Dubh, sie, nun wieder in der Gestalt des Vogelmanns, anrief: »Wohlan, es ist nur noch ein Stück. Geht strikt voran, seht nicht zurück!« Und schon schwebte er, den schwarz glänzenden Gefiedermantel weit ausgebreitet, durch das Tor.

Mit klopfendem Herzen folgte Josie Arthur, der die kleine Gruppe anführte. Fröstelnd stellte sie fest, dass sie sich auf dem ehemaligen Friedhof der Mönche befanden. Überall ragten steinerne Kreuze, oder das, was davon übrig geblieben war, aus dem Boden. Bei den meisten fehlte ein Stück, sodass man die Kreuzform nur noch erahnen konnte. Aufgeworfene Grabplatten, über und über mit Efeu und Gestrüpp überwachsen, lagen wild durcheinander, als hätte ein Riese eine Schachtel mit Dominosteinen ausgeschüttet.

»Efeu, Goldregen, Buchs«, zählte Wolf düster auf. »Liguster, Tollkirsche, Eiben. Die Giftküche der Natur. In der Tat – hier wächst alles, was zum Morden taugt.«

Erst jetzt bemerkte auch Josie, dass sich die Vegetation völlig verändert hatte, seit sie durch das Tor getreten waren. Düstere Eiben standen gegen einen bläulich kalten Mond, der Eiseskälte zu verbreiten schien. Josie zog ihre Jacke enger um sich. Die schwarzen Bäume kamen ihr mit einem Mal vor wie die grausamen Mönche eines teuflischen Ordens.

Nachdem sie den Friedhof endlich überquert hatten, ragten vor ihnen die Reste der Klosterkirche auf. Trümmer wechselten mit erhaltenen Mauerstücken. Frostblaue Mondstrahlen schienen durch

eine Steinrosette und malten ein geisterhaftes Muster auf die zerbrochenen Steinplatten des ehemaligen Sakralraums.

Ein Schatten jagte über Josies Kopf. Sie duckte sich und fuchtelte wild mit den Armen. Ihr Herz schlug in rasenden Trommelwirbeln. Dann riss etwas an ihrem Haar und raste davon. Erst jetzt brach ein Schrei aus ihr heraus. Arthur fuhr herum. »Was ist?«

»Nur eine Fledermaus!«, beantwortete Wolf seine Frage.

»Ach so!«, stöhnte Arthur. »Ich dachte schon, der Leibhaftige wollte Josie holen.«

Josie kämpfte mit den Tränen. Zitternd schlug sie die Hände vors Gesicht.

»Verdammt, ich schaff das nicht! Lasst uns zurückgehn! Ich bin nicht mutig. Ich will nicht ... Ich ...« Ein Schluchzen erschütterte sie.

Für einen Moment herrschte betretenes Schweigen, nur Josies leises Weinen war zu hören. Dann legte Arthur den Arm um ihre Schulter.

»Doch«, sagte er. »Du bist mutig! Denk an Amy und Edna! Denk an den Fluch der Sidhe. Dass dieses Unternehmen kein Spaß wird, haben wir doch von Anfang an gewusst.« Er wischte ihr mit dem Saum seines Ärmels eine Träne vom Gesicht. »Wir stehen das jetzt durch! Du und Wolf und ich. Es kommt jetzt nur auf uns an!«

Druid Dubh hatte die Szene von einem Steinpfeiler aus beobachtet, nun richtete er das Wort an sie. »Der Weg zurück ist Euch noch offen. Doch wisst, dass unser ganzes Hoffen auf Euch beruht, ich fleh Euch an, vertraut, dass alles werde gut.«

Josie gab sich einen Ruck. Sie putzte sich die Nase und nickte. Druid Dubh flog wieder hoch und führte sie, durch die Überreste eines alten Kreuzgangs, der ein im Viereck angeordnetes Gebäude abschloss, zu einem Innenhof.

Arthur deutete nach vorn. »Der Brunnen. Seht nur, da vorn, das muss der Teufelsbrunnen sein.«

Ein runder Ziehbrunnen, der, im Vergleich zu allem anderen

hier, erstaunlicherweise völlig intakt schien, bildete den Mittelpunkt des Klosterhofs.

Der Vogelmann landete auf dem Brunnenrand und wartete, bis die drei nachgekommen waren. Josie schwante Schreckliches, als er zu sprechen ansetzte: »Wir sind am Ziel, hier ist die Pforte, die beherzt Ihr müsst passieren. Sie führt Euch zu dem Höllenorte. Dort gilt's, den Kopf nicht zu verlieren. Seid wachsam, seht, wem ist zu trauen, denn selbst im Dunklen glimmt das Licht. Doch hütet Euch, auf Trug zu bauen, vertraut auf Eurer Herzen Sicht.«

Und ehe einer der Gefährten noch etwas hätte sagen oder fragen können, verwandelte sich der geflügelte Bote Narrandas vor ihren Augen zurück in die Amsel, flog hoch, durchquerte wie ein schwarzer Scherenschnitt die kühlblaue Mondscheibe und versank dann in der Dunkelheit der Nacht.

Josie atmete schwer.

Arthur räusperte sich. »Okay, dann sind wir jetzt wohl auf uns allein gestellt.«

»Und was jetzt?«, fragte Josie leise.

»Wir werden tun, was nötig ist«, meldete sich Wolfs warme Stimme, die besorgt, aber sehr gefasst klang.

Während seine Gefährten in respektvollem Abstand zum Brunnen stehen blieben, wagte sich Arthur als Erster vor. Mit der Taschenlampe leuchtete er in den schwarzen Schlund. Dann bückte er sich nach einem Steinchen und warf es hinein.

Sie horchten.

Jede Sekunde ein Meter, dachte Josie, zählte und zählte, ohne jedoch einen Aufschlag wahrzunehmen.

Arthur, noch immer über den Brunnenrand gebeugt, hob frustriert den Kopf. »Mann, der scheint ja bodenlos zu sein.«

»Siehst du eine Leiter oder so etwas?« Josies Stimme klang rau.

Doch Arthur blieb die Antwort im Halse stecken. Unversehens raste ein graues, zotteliges Geschoss auf ihn zu und warf sich in die Tiefe.

»WOLF!« Josie schrie auf. Sie rannte los und warf sich über den Brunnen.

»WOOOLF!«

»WOOOLF – OOLF – OLF«, schallte es hohl zurück.

Am ganzen Körper bebend richtete sie sich auf.

»Er hat wahrhaftig das Herz eines Wolfes!«, sagte Arthur mit rauer Stimme. »Er hat uns vorgeführt, was zu tun ist.«

»Springen? Einfach springen?« Josies grüne Augen verwandelten sich in schwarze Fenster der Angst.

Arthur schob entschlossen das Kinn vor und erkletterte den Brunnenrand. Dann beugte er sich etwas, um ihr die Hand zu reichen. »Es ist richtig so! Ich weiß es!«

Josie fühlte Übelkeit aufsteigen, dennoch ließ sie sich hochziehen. Auch sie hatte mit einem Mal das sichere Gefühl, dass sie springen mussten. Sie mussten in dieses Abenteuer hineinspringen und alle Bedenken und Zweifel hinter sich lassen. Hoffnungsvoll griff sie nach der Drachenfibel, doch die Fibel blieb kalt, ihre magischen Kräfte hatten sich noch nicht regeneriert.

Einige endlose Sekunden standen sie Hand in Hand auf der Brüstung. Dann schloss Josie schicksalsergeben die Augen. Sie spürte, wie sich Arthurs Muskeln anspannten.

»Jetzt!« Damit stieß er sich ab und riss Josie mit sich.

Manchmal, in ihren Träumen war Josie gefallen, endlos, ewig gefallen, gefallen, gefallen, ins Nichts. Immer war sie mit einem Schrei aufgewacht. Auch jetzt schoss die rote Fontäne eines verzweifelten Schreis aus ihrer Kehle. Ein Schrei, der von den klammen Wänden des Brunnenschachts schrecklich widerhallte. Warum wachte sie nicht auf? Warum wachte sie bloß nicht auf? Sie öffnete für einen Moment die Augen, doch da war nichts. Nichts als Schwärze. Und während das letzte Echo versank, wurde sie sich Arthurs wieder bewusst. Sie presste seine kalte, blutleere Hand. Ihr Leidensgefährte blieb stumm. Das Entsetzen schien ihm die Stimme geraubt zu haben. Sie fielen kerzengerade nach unten, da war kein Wirbeln, kein Drehen. Es war wie ein Sprung vom Zehnmeterbrett, den Josie nie gewagt hatte, selbst nicht mit den Füßen zuerst, so wie jetzt. Ihr Zeitgefühl hatte sie längst verlassen, sie fühlte sich, als stürzte sie durch ein Loch in der Welt in die Unendlichkeit.

Dann jedoch schien sich etwas zu verändern. Der unangenehme Geruch nach faulen Eiern, der Josie, schon seit sie das Klostergelände betreten hatten, zu schaffen machte, wurde intensiver. Gerade als sie sich die Nase zuhalten wollte, schoss ein warnendes Aufjaulen durch ihren Kopf. Einen Wimpernschlag später landete sie in etwas, das sich wie ein Netz anfühlte. Wie ein hilfloser Käfer in einem Spinnennetz schwang sie, ein Stück weit von Arthur entfernt, in einem lockeren Gewebe aus klebrigen Fäden auf und nieder.

»Ich fürchte, unser Abenteuer beginnt in der Falle einer Riesenspinne«, teilte ihnen Wolf beklommen mit. »Hoffen wir, dass es nicht dort endet.«

Ehe sie noch richtig begriffen, wie ihnen geschehen war, entdeckten Josie und Arthur die kohlschwarze Weberin des Maschenwerks: eine Spinne von der Größe eines Monsterkraken, die sie aus acht blau glühenden Augen anvisierte und auf ebenso vielen widerlich langen Borstenbeinen auf sie zukroch.

Lautlos näherte sich das gewaltige Tier. Josie sah sich panisch nach einem Fluchtweg um. Angstschweiß brach aus all ihren Poren. Das Netz schien eine nassglänzende Höhle, deren Maße Josie nicht einschätzen konnte, komplett zu überspannen. Unter ihnen drohte ein unbekannter Abgrund, über ihnen gähnte der Brunnenschacht. Mit jeder Bewegung verhedderte sie sich mehr und mehr in den heimtückisch klebenden Fäden. Die Überreste zahlloser Opfer zeugten von der Tödlichkeit der Falle.

Dann hörten sie eine Stimme, die aus einer Kanne Öl zu fließen schien, glatt und zuckersüß: »Damhánalla bewacht die Pforte. Willkommen hier in meinem Horte. Welch Freude, frisches Schepselblut! Ein hochwillkommen Speisegut!«

Mit einem schnalzenden Geräusch, das ihren Appetit überdeutlich machte, kroch Damhánalla trotz ihrer sagenhaften Größe geschickt über ihr Gespinst.

Josie fürchtete, jeden Moment das Bewusstsein zu verlieren. Sie war unfähig, sich zu rühren. Arthur versuchte, an sein Schwert zu gelangen, verstrickte sich dabei jedoch immer weiter in den fatalen Fäden.

Das achtbeinige Borstenvieh war Josie inzwischen bedrohlich nah gekommen. Wie in Zeitlupe beugte sich sein abstoßender Kopf über ihren wehrlosen Körper. Josie fühlte sich vollkommen ausgeliefert, in ihrer Kehle steckte ein stummer Schrei, an dem sie zu ersticken drohte. Wie gelähmt sah sie dem Schrecken des Todes ins Auge, als Damhánalla völlig unerwartet den Kopf abwendete. Enttäuscht vor sich hin brabbelnd, zog sich die Spinne zurück. »So jung die Maid, so stinkt sie mir, Lavendel tötet die Begier. Ich lass sie besser etwas lüften von den degoutanten Düften, und nehm das Tier da neben ihr.«

Josie atmete auf. Rochen ihre Haare immer noch nach Rosalindes Lavendel? Die Spinne musste eine verdammt feine Nase haben! Doch war ihre Erleichterung nicht von langer Dauer. Denn nun richtete das borstige Scheusal seine Aufmerksamkeit auf Wolf. Ganz in sein sing-sang-ähnliches Selbstgespräch vertieft, zupfte es ihn mit seinen Gifthauern am Ohr. »Ein Hund, nun ja, es ist kein junger. Doch wenn der Magen knurrt vor Hunger, wird sein Saft wohl dennoch schmecken, ich werd ihn fein mit Gift belecken.«

Aus dem Spinnenmaul tropfte es begehrlich, während sich Wolf in Todesangst wand und wild nach allen Seiten schnappte, wobei er sich immer mehr in die klebrigen Fesseln verwickelte. In Josies Ohren rauschte das Blut. Sie presste die Lippen zusammen. Sie musste versuchen, klaren Kopf zu bewahren! Sie blickte zu Arthur, dem es inzwischen gelungen war, das kleine Schwert aus der Scheide zu ziehen. Der herzförmige Kristall des Knaufs glühte und sprühte Purpurfunken, wie Josie es von der Zauberfibel kannte. Doch was nützte ihnen das? Sicher, Arthur konnte das Netz durchschneiden, doch dann würden sie gut verschnürt in den Abgrund stürzen. Das war wohl kaum die Lösung.

Wolf wehrte sich unterdessen mit nachlassenden Kräften gegen die neckenden Angriffe Damhánallas, die sich einen Spaß daraus machte, ihn mit ihren Giftklauen mal hier, mal da zu zupfen.

Als wolle er auf sich aufmerksam machen, spürte Josie den Fingerhut an ihrem Daumen. Der Fingerhut! Urplötzlich, geradezu aus dem Nichts, kam ihr die rettende Eingebung. Mit aller Vorsicht streifte sie ihn in die Handfläche und steckte den Mittelfinger hinein – einhändig, angesichts ihrer Nervosität ein gefährliches Experiment. Entglitt ihr Rosalindes Zaubergabe, war sie für immer verloren. Mit pulsierender Stirnader imaginierte Josie ein Bild. Nur einen Augenblick später fand sie sich in einer schimmernden Ritterrüstung wieder, die lediglich Hände und Gesicht unbedeckt ließ.

»Halt durch!«, rief sie Wolf zu, und zerriss mit einigen heftigen Bewegungen die Spinnenfäden, die an der geölten Rüstung keinen Halt mehr fanden. Erleichtert, dass ihre Rechnung aufgegangen war, rappelte sie sich in dem schwankenden Netz auf.

Einige von Damhánallas blau blitzenden Augen verfolgten beiläufig, was vor sich ging, doch fühlte sich das Ungeheuer anscheinend so überlegen, dass es sein Spiel mit dem hilflos strampelnden Wolf nicht unterbrach. Es schien ihm ebenso viel Spaß zu bereiten wie einer Katze das Spiel mit der zappelnden Maus.

Sich auf dem schaukelnden Untergrund nur mühsam aufrechthaltend, beugte sich Josie zu Arthur hinunter, der wie ein Kokon im Netz hing und sie überrascht anstarrte. Während sie im zuflüsterte, was er zu tun hatte, steckte Josie ihm den Fingerhut auf den Mittelfinger. Arthur schloss die Augen, um sich besser konzentrie-

ren zu können. Und wie Rosalinde es versprochen hatte, wirkte der Zauber auch bei ihm. Nur einen Herzschlag später war auch er mit einer glänzenden Rüstung bewehrt. Wenngleich behindert durch das sperrige Kleidungsstück, doch voller Entschlossenheit, schwankte Arthur wie ein unbeholfener Roboter auf die Monsterspinne zu.

Damhánalla ließ, mit einem unwilligen Knirschen ihrer Giftklauen, von Wolf ab und funkelte Arthur achtfach an. »Nun, mein Kleiner, komm heran, damit ich dich belecken kann!« Ihre Stimme schlängelte sich wie eine Natter in die Ohren der Gefährten.

Arthur nahm sie beim Wort und trat ihr entgegen. Josie beobachtete mit flatterndem Herzen, wie er der Spinne, gleich einem Hundetrainer, der einen bissigen Köter abwehrt, den Arm bot. Blitzschnell schlug die Bestie ihre Giftwerkzeuge hinein. Ein gellender Jammerlaut, dessen hohe Frequenz Josie fast das Trommelfell sprengte, schrillte tausendfach von den Höhlenwänden zurück. Splitter von gebrochenem Horn schossen aus Damhánallas Maul. Die Spinne hatte sich an dem Metall der Rüstung die Gifthauer ausgebissen. Verrückt vor Schmerz riss sie den Kopf zurück.

Arthur nutzte den Augenblick. Er hob das Schwert und brüllte ihr entgegen: »Du Unglückstier aus schlechten Träumen, nun werd ich aus dem Weg dich räumen!«

Josie verfolgte atemlos, wie die Waffe in seiner Hand sich augenblicklich zu einem beachtlichen Schwert streckte, das zielsicher und wie von selbst eines der borstigen Spinnenbeine vom Leib trennte. Damhánalla zischte wie ein Geysir, bäumte sich auf und stürzte sich außer sich vor Schmerzen auf ihren Peiniger. Arthur, der ihr auf dem schwankenden Untergrund nicht mehr ausweichen konnte, umklammerte mit beiden Händen das Schwert, dessen Klinge jetzt purpurrot glühte. Mit der ganzen Wucht ihres Körpers ließ sich die Spinne auf ihren Gegner fallen. Ein grässlicher Laut, dem ein stoßartiges Stöhnen folgte, hallte grausig von den Höhlenwänden wieder. Dann war es ruhig. Grauenhaft ruhig.

Josies Puls hämmerte.

»Arthur?«, sagte sie bang.

»ARTHUR!« Rasend vor Angst schrie sie seinen Namen, der hämisch von den Höhlenwänden zurückhallte. Arthur jedoch antwortete nicht. Josie wurde schwindlig. Im Augenblick ihrer größten Verzweiflung bemerkte sie etwas Glänzendes, das unter dem gewaltigen Kadaver zum Vorschein kam.

»Arthur!« Ihre Stimme klang, als hätte sie einen Grabstein abgeworfen.

»Bloody Hell!« Arthur wischte sich keuchend schwarzblaues Blut vom Gesicht. »Hat sich direkt in mein Schwert gestürzt. Was für ein dämliches Vieh!«

»Mann, ich dachte, sie hätte dich zerquetscht!« Josie schlug die Hände vors Gesicht und atmete ein paarmal tief durch.

»Das Netz hat nachgegeben, aber ich kann dir sagen, etwas Widerlicheres habe ich in meinem ganzen Leben nicht durchgemacht.« Arthur schüttelte sich, während er verwundert auf das Schwert blickte, das nun wieder auf die Größe eines Spielzeugs geschrumpft war.

»Wir sollten nicht länger hier verweilen«, meldete sich nun Wolf zu Wort. »Wenn die Augen der Spinne verblasst sind, ist es hier stockfinster.«

Josie und Arthur blickten aufgeschreckt auf Damhánallas schlaffen Körper. Wolf hatte recht, das blau-kalte Licht ihrer Augen glomm. Aber wie lange noch? Wenn Wolfs Befürchtung eintrat, waren sie ganz auf die Taschenlampe angewiesen, doch wie lange würden die Batterien reichen?

»Verdammt!«, keuchte sie Arthur zu. »Und Wolf ist immer noch verschnürt wie ein Weihnachtspäckchen.«

Vorsichtig balancierte sie über das schwankende Netz zu ihrem zottligen Gefährten und begann, mit bloßen Händen seine Fesseln zu zerreißen. Wolf jaulte einige Male kräftig auf, da ihn die Aktion ganze Büschel von Haaren kostete. Erst als Arthur ihr mit seinem

Minischwert, das sich jetzt als scharfes Messer erwies, zu Hilfe kam, wurde die Prozedur für ihn erträglicher.

Als sie den großen Tierkörper endlich frei hatten, blickte Arthur besorgt in die Tiefe. »Der Höhlenboden liegt mindestens zehn Meter weg. Trotzdem – wir müssen da irgendwie runter! – Keine Ahnung, wie wir das schaffen sollen!«

Wolf richtete sich bedacht auf. »*Unguentum pharelis* könnte die Antwort heißen. Reibt mir die Schulterblätter damit ein, ich hoffe ich kann es noch.«

»Die Flugsalbe?« Josie sah ihn zweifelnd an.

Wolfs Klauen krallten sich unsicher ins Netz. »Ich fürchte, wir haben keine andre Wahl!«

Josie angelte, behindert durch die starre Rüstung, nach der Dose und öffnete sie. Eine gelbliche, ranzig riechende Salbe kam zum Vorschein.

»Beeil dich«, trieb Arthur sie an. »Es wird nicht heller hier. Schau, zwei von den Spinnenaugen sind schon blind!«

Zögernd nahm Josie ein wenig von der mysteriösen Masse und bestrich damit Wolfs Schultern.

»Und jetzt?«, fragte sie, nachdem die Dose wieder zugeschraubt um seinen Hals hing.

»Klettert schon mal auf meinen Rücken! Ich muss nachdenken, wie die magischen Worte lauteten.«

Josie schwang ein Bein hoch, kippte aber wie ein Sack nach hinten. Fluchend richtete sie sich wieder auf, um sich mithilfe des Fingerhuts von dem schweren Blechanzug zu befreien. Dann reichte sie Arthur den Fingerhut und bestieg Wolfs Rücken.

»Pinni crescate!«, hörte sie Wolf in ihrem Kopf. »Nein, das war's nicht … Pinna crascete!«

Arthur gab Josie Rosalindes Geschenk zurück und saß, nun auch wieder in seiner gewohnten Kleidung, hinter ihr auf. Er umfasste ihre Taille. »Hoffentlich kann er unser Gewicht tragen! Verdammt eng auf unserem Flughund!«

Josie durchrieselte ein unbekannt warmes Gefühl, das unzweifelhaft mit Arthurs Nähe zusammenhing. Noch während sie es zu analysieren versuchte, fand Wolf die richtigen Worte.

»Pinnae crescite!« Und dann geschah etwas wahrhaft Unglaubliches: Aus den Schulterblättern des großen Hundes wuchsen in rasanter Geschwindigkeit Flügel, wie die schillernden Schwingen eines Riesenvogels. Josie lehnte sich zurück, um ihnen Raum zu geben. Irritiert spürte sie Arthurs Atem in ihrem Nacken.

»Drückt die Daumen!«, rief Wolf ihnen zu. »In der Gestalt eines Hundes bin ich noch nie geflogen – und aus der Übung bin ich außerdem.«

Er breitete die Flügel aus und schwang sie reichlich unbeholfen auf und nieder.

»Ach du Schande!«, flüsterte Arthur Josie zu. »Hoffentlich ...«

Da durchfuhr sie ein Ruck und Wolf stieg in die Höhe.

»Er kann's noch, er hat's geschafft!«, jubilierte Josie.

Und tatsächlich! Wolf flog! Schwankend und an seinen Krallen Fetzen des Spinnennetzes hinter sich herziehend, hielt er sich in der Luft.

Anfangs noch etwas unsicher, dann zunehmend kühner, flog Wolf zunächst eine Runde, um die Flügel zu erproben. Josie klammerte sich krampfhaft an Wolfs Hals, während Arthur sich an ihr festhielt, als säßen sie auf einem Motorrad.

Das Netz überspannte tatsächlich die gesamte Höhle, doch wurde es erst zur Mitte hin engmaschiger, während sich von den Seitenwänden nur vereinzelte Haltefäden zum Zentrum zogen. Von oben sah es aus wie das überdimensionale Netz einer gewöhnlichen Hausspinne.

»Jetzt haltet euch gut fest!«, übermittelte ihnen Wolf und setzte zum Sturzflug an. Mit angelegten Flügeln stieß er durch eine Lücke zwischen zwei Spannfäden nach unten. Josies Magen sprang einen

Salto, kurz darauf schleiften ihre Füße über den Höhlenboden. Während sie und Arthur die Beine wegspreizten, kam Wolf einige Meter später zum Stehen.

Arthur sprang ab. »Gar nicht übel für einen alten Hund!«

Josie kletterte, noch immer kreidebleich, von Wolfs Rücken. »Ohne die Flugsalbe wären wir da oben verschimmelt.«

»Nun«, meldete sich Wolf, »dass Conall sich mit Alchemie beschäftigt hat, hat zumindest diesen Vorteil.«

Josie kniff die Augen zusammen. Das Restlicht aus Damhánallas Augen spiegelte sich an den feuchten Wänden, sodass man trotz der schlechten Beleuchtung die ungeheure Größe der Höhle erahnen konnte, deren unregelmäßig geschwungenen, jedoch glatten Felsformationen einen natürlichen Ursprung vermuten ließen.

»Hier muss ein unterirdischer See gewesen sein, womit erklärt wäre, woraus der Brunnen einstmals sein Wasser bezogen hat«, bemerkte Wolf. »Und seht nur, der Boden ist noch heute von Rinnsalen durchzogen.«

Arthur blickte sich um. »Irgendwoher muss das Wasser ja kommen. Wir sollten die Wände absuchen, vielleicht finden wir so einen Ausgang. Kommt!« Mit einer Handbewegung forderte er seine Gefährten auf, ihm zu folgen.

Dass der Untergrund noch sehr feucht und mit Rinnsalen durchwebt war, machte sich bald unangenehm in durchweichten Schuhen und Socken bemerkbar. Um mehr zu erkennen, nahm Arthur nun doch die Taschenlampe zu Hilfe, denn das Augenlicht der Spinne flackerte nur noch. Jetzt sahen sie, woher das Wasser kam. Es sickerte aus kleinen Öffnungen in den Gesteinswänden rundum, doch war nirgends ein Gang zu entdecken, der Hoffnung auf einen Fluchtweg machte. Josie zerbrach sich den Kopf, wie die Riesenspinne wohl in diese abgeschlossene Höhle gekommen war. Hatte sie jemals etwas anderes als dieses feuchte Loch gesehen? Für einen Moment tat ihr das scheußliche Untier fast leid.

»Mitleid«, meldete sich Wolf, »ist eine Anwandlung, die man

sich im Reich der Finsternis besser nicht leisten sollte. Solcherlei Empfindungen sind hier nicht sehr verbreitet. In Dorchadon sind vielmehr Misstrauen und Entschlossenheit gefragt.«

Sie hatten die Höhle beinahe schon umrundet, als der Lichtkegel der Taschenlampe in einen mannshohen Schlitz kroch, der wie eine schwarze Wunde in der Felswand klaffte.

Arthur leuchtete hinein. »Soweit ich sehen kann, geht der Riss tief durchs Gestein.« Er maß den Spalt mit dem Arm aus und drehte sich dann um. »Vielleicht ein halber Meter. – Was meint ihr?«

Josie biss sich auf die Unterlippe und zuckte unsicher mit den Schultern.

»Da es uns an Alternativen mangelt, bleibt uns wohl nichts andres übrig«, bemerkte Wolf. »Doch sollte ich mich vorher noch der Flügel entledigen – da sie wohl kaum durch diese Gasse passen.«

Während Arthur sich schon in den engen Gang quetschte, suchte Wolf sein Gedächtnis nach dem nötigen magischen Spruch ab. »Vermaledeit, er war ganz ähnlich«, drangen seine Gedanken zu Josie durch. »Pinnae cres… Nein – Pinnae decrescite!« Augenblicklich schrumpften die Flügel zusammen und Wolf sah wieder aus wie ein ganz gewöhnlicher Irish Wolfhound. »Nun komm!« Er schubste Josie mit der Schnauze. »Wer nicht wagt, der nicht gewinnt!«

Der Gang erwies sich, wie Josie schon befürchtet hatte, als beklemmend schmal. Die feuchte Kälte des Gesteins kroch mitleidlos durch ihre Kleider. Bibbernd und so gut wie blind, da die dunkle Enge den Schein der Lampe nahezu verschluckte, arbeitete sie sich hinter Arthur voran, wobei sie sich an der schroffen Oberfläche der Wände die Hände aufschürfte. Nach einigen Minuten weitete sich der Gang zwar, verlor aber an Höhe, sodass Arthur und sie nur noch gebeugt vorankamen.

Plötzlich jaulte Wolf auf. Josie wirbelte erschrocken herum, und schlug sich dabei heftig den Kopf an. Jäh fühlte sie einen scharfen Schmerz am Bein. Ein scheußlicher Gedanke durchzuckte sie. Ratten! Sie stieß einen Schrei des Ekels aus und trat wie besessen um sich. Aus dunklen Löchern huschten grauschwarze Schatten. Schrill quiekende Schatten mit langen Schwänzen und spitzen Zähnen, die es auf ihre Waden abgesehen hatten. Trotz ihrer heftigen Abwehr konnte sie nicht verhindern, dass immer mehr Beißer über sie herfielen.

»Dammit!« Das war Arthur, der mit hektischen Bewegungen versuchte, die kleinen Scheusale, die nun auch ihn attackierten, loszuwerden. Wolf schnappte unter wütendem Heulen nach ihnen, während Josie, außer sich vor Entsetzen, einen Veitstanz aufführte. Dass sie sich dabei überall blaue Flecken stieß, fühlte sie nicht. Alles, was sie empfand, war unbeschreibliche Abscheu. Arthur, der sich ebenso vor Ekel schüttelte, leuchtete den Boden ab, und machte dabei eine Entdeckung: Wurde eines der widerwärtigen Wesen vom unruhig pendelnden Strahl der Taschenlampe getroffen, verzog es sich unter Höllengekeife irgendwohin ins Dunkel der Wände. Geistesgegenwärtig jagte Arthur die Plagegeister mit dem Lichtstrahl in die Flucht.

Josie keuchte. »Sie sind weg! Mann! Waren das Ratten?«

Ein gellendes Quieken ließ sie herumschnellen. Arthur hob die Taschenlampe. Wolf schloss geblendet die Augen. In seinem Maul zappelte etwas, das ganz bestimmt keine Ratte war.

Arthur hielt die Lampe darauf. »Wahnsinn, was ist das denn?«

Das vollkommen nackte, kohlrabenschwarze Wesen von der Größe eines Maulwurfs hielt schützend seine dünnen Ärmchen vor die Augen. Sein runder kahler Kopf saß auf einem langen dürren Hals. Dünne Beinchen strampelten unter einem ballonförmigen, speckig glänzenden Bauch. Sein langer Schwanz, der in einer zottligen Quaste endete, schlackerte unter seinen verzweifelten Befreiungsversuchen hin und her. Aus seinem breiten Maul ragten zwei Reihen scharfer Zähnchen, die seitlich von winzigen Vampirhauern flankiert wurden.

Obwohl Wolf den kleinen Beißer zwischen den Fängen hatte, schien er unverletzt, wenngleich völlig verstört.

Josie rieb sich die Beine. »Ein Minivampir!«, stöhnte sie. »Uns bleibt wohl nichts erspart.«

»Es ist ein Greimling«, übermittelte ihnen Wolf, dem der Speichel aus den Lefzen floss. »Er schmeckt einfach grässlich!«

Josie nickte mitfühlend. »Wenn er so schmeckt, wie er riecht ...«

»Willst du ihn etwa fressen?« Arthur blickte ratlos auf Wolfs Fang.

»Gütiger Himmel, nein!«, wehrte Wolf entsetzt ab. »Der Greimling wird uns den Weg weisen. Greimlinge sind blutsaugende Höhlenbewohner, er kennt sich hier aus.«

Josie beäugte das stinkende, sich heftig wehrende kleine Biest und fragte sich, woher Wolf eigentlich so genau wusste, was da zwischen seinen Zähnen zappelte.

Und wie so oft antwortete ihr vierbeiniger Freund auf ihre unausgesprochene Frage. »Conalls wissenschaftliches Interesse galt selbstverständlich auch den Kreaturen der Dunkelwelt.«

Arthur musterte den Wadenbeißer zweifelnd. »Und wie machen wir dem klar, was wir von ihm wollen?«

»Greimlinge sind zwar nicht sehr klug, doch ich bin sicher, er wird euch verstehen«, gab Wolf zurück. »Und jetzt packt ihn beim Schwanz und nehmt ihn mir ab, sonst übergebe ich mich.«

Josie hob abwehrend die Hände. »Ich kann den unmöglich anfassen!«

Seufzend drängte sich Arthur an ihr vorbei und griff nach dem Schwanzende des Greimlings. Mit einem Würgen spuckte Wolf den Blutsauger aus. Nach kurzem, verdutztem Innehalten versuchte der Greimling, sich loszureißen, doch Arthur hielt ihn eisern fest. Wütend quiekend schnappte der Kleine nach seinen Beinen, doch da hatte ihn Wolf schon wieder am Schlafittchen.

»Wolf verspeist dich mitsamt Schwanz, wenn du uns nicht sofort zum Höhlenausgang bringst«, blaffte Arthur los. »Wenn du aber gehorchst, lassen wir dich danach frei!«

Der Greimling hörte auf zu quieken und beäugte Arthur furchtsam. »Lasst mich frei, lasst mich frei, bring Euch, bring Euch, auwei, auwei, hinaus, hinaus, geh voraus, voraus!«

Wolf spie ihn erneut auf den Boden. Spornstreichs schoss der Greimling los und zerrte Arthur, der ihn fest an der Schwanzquaste hatte, hinter sich her. Seine klapperdürren Beinchen liefen so flink, dass sie kaum nachkamen. Mal bog er rechts ab, mal nach links, lenkte sie durch immer neue Höhlen und unbehagliche Gänge, bis sich die Schwärze der Dunkelheit vor ihnen grau färbte.

»Wir sind da, da, da, hurra!«, quiekte der Greimling eifrig.

Arthur nahm das letzte Stück in großen Schritten. »Hier geht's tatsächlich raus!«, rief er den Nachkommenden zu, und ließ seinen unfreiwilligen Führer los.

Wie ein schwarzer Blitz sauste der Minivampir an Josie und Wolf vorbei zurück in die Höhle.

Josie sah ihm kopfschüttelnd nach. »Meine Beine sehen zwar aus wie perforiert, aber ohne das kleine Biest hätten wir aus diesem Labyrinth von Gängen niemals herausgefunden.«

Doch ihre Erleichterung verpuffte mit dem ersten Blick aus dem Höhlenausgang. Wieder öffnete sich vor ihnen ein Wald. Hatte ihr der nächtliche Forst um den Steinkreis schon Unbehagen bereitet, schien dieser hier ein zum Leben erwachter Albtraum zu sein. Aus einer grauen Bastion von Dickicht erhoben sich gigantische Bäume wie kampfbereite schwarze Riesen.

»Ombragon, der schwarze Wald der Schatten«, vernahmen sie Wolf.

»Ombragon«, wiederholte Josie leise. Schon das Wort klang ihr düster und Unheil kündend.

Arthur sprang vom Felsen auf den Waldboden und blickte sorgenvoll nach oben. Was das dichte farblose Laub an dumpfem

Licht durchließ, hing wie aschfahler Rauch über ihnen, als hätte der Himmel über Ombragon noch nie einen Sonnenstrahl gesehen. »Wir sollten trotzdem versuchen, die Batterie zu schonen. Ich fürchte, wir werden die Taschenlampe noch brauchen.« Damit knipste Arthur das Licht wieder aus. Er schob das Kinn vor und lächelte Josie aufmunternd zu. »Komm! Die Augen gewöhnen sich schon an die Dunkelheit! Lasst uns gehen!«

Josie bewunderte seinen Tatendrang. Nach dem gerade überstandenen Höhlenabenteuer verlockte es sie nicht im Geringsten, den Wald der Schatten zu durchqueren. Noch dazu im Dusteren. Bedrückt folgte sie Arthur, hielt aber schon nach wenigen Schritten wieder an. »In welcher Richtung liegt das Niemalsmeer überhaupt?«

Arthur, der schon vorausgegangen war, blieb ebenfalls stehen. Er drehte sich zu ihr um und zuckte mit den Achseln. »Gute Frage!«

»Seid unbesorgt!«, antwortete Wolf. »Der Weg wird sich weisen, wenn ihr euren Herzen folgt.«

Josie rollte mit den Augen. Wie oft hatte sie das nun schon gehört. Wolf bewegte den Kopf zu einer Art Nicken. »Nun, dann solltest du wissen, wie es gemeint ist. Folge deinem Herzen! Deiner Intuition, deiner Imagination, Fantasie, Vorstellungskraft – drücke es aus, wie du willst.«

Tatsächlich gewöhnten sich ihre Augen allmählich an das schlechte Licht und Josie erkannte überall die giftige Vegetation von Buirios Abbey wieder. Es roch nach vermodertem Holz und süßlich nach Aas.

Mächtige Eiben, von dichtem Dornengestrüpp unterwachsen, verschränkten ihre Äste zu einem feindseligen Bollwerk. Ihre Wurzeln krallten sich wie titanische Hände in den Untergrund, als wollten sie damit kundtun, dass sie dieses Stück Welt fest im Griff hatten. Dazwischen wucherten Pilze, einzeln und in Ringen. Die weiß gesprenkelten mussten Fliegenpilze sein. Doch war Josie überzeugt, dass alle anderen mindestens ebenso giftig waren.

Umgefallene Bäume und hartnäckiges Dickicht versperrten ihnen den Weg. Josie schien, als hätte sich der Wald gegen sie verschworen, als rückten die Zweige zusammen, als verdichteten sich die Dornenhecken.

Dann bemerkte sie plötzlich etwas unangenehm Kaltes an den Knöcheln. In der Annahme, in ein Wasserloch getreten zu sein, blickte sie nach unten und ließ einen Schrei los.

»Bloody Hell!«, rief Arthur fast gleichzeitig. »Was ist denn das schon wieder?«

Eine schleimige, graubraune Masse umwaberte ihre Beine. Josie versuchte, den Fuß zu heben, doch es gelang ihr nicht. Eine schäumende ekelbraune Pampe zog sie mit der Anziehung eines kolossalen Kaugummis nach unten. Sie blickte sich Hilfe suchend nach Wolf um, doch dem ging es nicht besser. Auch er steckte in dem unappetitlichen Glibber fest. »Ich fürchte, wir sind einem Schleimpilz auf den Leim gegangen. Schleimpilze haben die unerfreuliche Gewohnheit, ihre Beute bei lebendigem Leibe zu verdauen. Meine Pfoten kribbeln bereits unangenehm.«

Josie und Arthur, die Schuhe trugen und die wabbelige Masse noch nicht auf der Haut spürten, tauschten einen entsetzten Blick aus. Wie vom Donner gerührt mussten sie zusehen, wie von allen Seiten weitere Schleimpilze über den Waldboden krochen, um sich zu einem immer größeren schlammartigen Wesen zu verbinden, das weder Kopf noch Glieder besaß.

Josie war klar, jetzt hieß es, rasch zu handeln. Unwillkürlich fasste sie nach der Drachenfibel und stellte erleichtert fest, dass sich das Metall erwärmte. Mit pochender Stirnader richtete sie die Fibel auf die brodelnde, Schwefel ausdünstende Ekelmasse zu ihren Füßen. Wolf und Arthur beobachteten zwischen Furcht und Hoffnung, wie sich eine Funkenkaskade über den Schleimpilz ergoss und eine Unzahl von Löchern in den schmierigen Glibberleib brannte, die sich inwendig zischend fortfraßen, bis nur noch eine dünne pergamentene Schicht übrig war.

Es knisterte leise, als Arthur seine Füße hob. »Puh, verflixt gut reagiert!«, stöhnte er.

»Oh ja, sehr gut imaginiert!«, meldete sich auch Wolf, während er seine Pfoten erleichtert mit der Zunge säuberte.

Josie streifte ihre Sneakers angewidert an einem grauen Büschel Moos ab, wobei sie an etwas Hartes, Hohlklingendes stieß. Neugierig scharrte sie mit den Schuhspitzen danach und bückte sich, um das Fundstück aufzuheben. Mit einem erstickten Schrei ließ sie es sofort wieder fallen.

Arthur folgte ihrem entsetzten Blick auf den grauen Waldboden und schüttelte ungläubig den Kopf. »Du lieber Himmel! – Ein Totenschädel!« Seine Augen schweiften nach oben. Im Dornengebüsch hingen, in den ausgeblichenen Fetzen eines nicht mehr definierbaren Kleidungsstückes, die kopflosen Überreste des Körpers, dessen Schädel Josie soeben freigelegt hatte.

Josie schlotterte am ganzen Leib. »Da!« Ihre flatternde Hand deutete auf einige graue Knochen, die nur wenig weiter im Gestrüpp lagen. »Dieser Wald hat etwas Bösartiges, etwas Mörderisches«, flüsterte sie.

»Dein Gefühl trügt dich nicht«, bemerkte Wolf verdrossen. »Ombragon ist mehr als nur ein dunkler Wald. Ombragon ist ein dämonischer, gefräßiger Organismus. Seine unermessliche Fresslust gilt allem, was Leben in sich trägt. Allein die Schatten speit er aus. Dennoch – Ombragon ist unvermeidlicher Teil unseres Wegs.«

Arthur griff trotzig nach seinem Schwert. »Von ein paar Büschen und Bäumen lassen wir uns bestimmt nicht aufhalten.« Kaum hielt er die kleine Waffe in der Hand, fiel er wieder ins gereimte Wort. »Das Schwert wird hiermit zur Machete, und ...«, er stockte. »Trompete, Knete ...«

»Rakete – vielleicht«, half ihm Josie zögernd weiter.

Arthur warf ihr einen dankbaren Blick zu. »Das Schwert wird hiermit zur Machete, haut alles durch wie 'ne Rakete!«

Josie wartete zweifelnd. Würde ein derart holpriger Spruch die Magie des Schwerts entfalten können? Doch nur einen Atemzug später begann der herzförmige Knauf zu glühen. Dann streckte sich das Schwert, verwandelte sich aber diesmal zu einem beeindruckenden Buschmesser. Arthur versetzte der streitbaren Dickichtwand einen wütenden Schlag. Schauriges Knacken, wie das Brechen von Knochen, ertönte. Für einen Augenblick tat sich eine Schneise auf, die aber unverzüglich gespenstisch knisternd wieder zuwucherte.

Doch noch ehe Arthur einen zweiten Schlag setzen konnte, hatten sie es mit einem ganz anderen, gänzlich unerwarteten Feind zu tun. Wie aus dem Nichts senkte sich ein schwarzer Schwarm geflügelter Wesen auf sie, deren Größe und aggressives Surren Josie fatal an Bremsen erinnerte. Stumm vor Entsetzen kauerte sie sich zusammen und presste die Hände vors Gesicht. Arthur hingegen ließ einen angriffslustigen Schrei los. Das lange Messer nach oben gerichtet, trat er ihnen entgegen. Mit unglaublicher Leichtigkeit, fast wie von selbst, tanzte die schwere Waffe in wirbelnden Kreisen über seinem Kopf. Die Klinge glühte. Ein Staccato scharfer Zischlaute ertönte, so, als prasselten Tropfen auf eine heiße Herdplatte. Brenzliger Geruch verpestete die Luft. Wie schwarze Hagelkörner stürzten die Angreifer zu Boden. Die wenigen, die der Klinge hatten ausweichen können, ergriffen die Flucht.

»Widerwärtiges Gesindel, diese Schwarzelfen«, kommentierte Wolf die Begegnung und schüttelte die letzten Kadaver aus dem Fell. »Man fragt sich, welch kranke Fantasie derartige Kreaturen ersinnt.«

Arthur blickte düster auf die Hecke, die sich wieder zu einer dornigen Gefängnismauer verschlossen hatte. »Mir reicht's jetzt! Diese Bestie von einem Wald kann jetzt was erleben!« Er holte aus und schlug die Machete erneut ins Geäst. Wieder ertönte unheimliches Knacken und wieder klaffte eine Lücke, in der sich die durchtrennten Zweige wie verletzte Schlangen wanden. Doch diesmal setzte Arthur seine Hiebe in so rascher Folge, dass die Dornenhecke ihren Widerstand aufgeben musste.

Das lange Buschmesser wie eine Standarte vor sich hertragend und wachsam nach allen Seiten spähend, übernahm Arthur die Führung der kleinen Gruppe und schlug ihnen mit wachsendem Zorn den Weg frei. Kamen sie jetzt zwar ungehindert voran, erfasste Josie mit einem Mal das beklemmende Gefühl, verfolgt zu werden. Ihre Blicke streiften argwöhnisch durch das trostlose Grau, in dem alle Konturen verschwammen.

Und dann entdeckte sie sie: Schatten. Überall Schatten. Große, kleine, menschen- und tierähnliche Schatten. Manche rückten ihnen so nah, dass Josie einen kalten Luftzug zu spüren glaubte. Waren dies die Schatten der bedauernswerten Kreaturen, die dem Wald zum Opfer gefallen waren?

»Du hast ganz recht«, vernahm sie Wolf. »In Ombragon erfüllt sich das grausige Schicksal der Verstoßenen. Hier enden jene, die Dykerons Missfallen erregt haben. Der Wald hat sich ihre Körper einverleibt. Achtet gut auf eure eigenen Schatten, denn die Heimatlosen hier sind sehr erpicht auf einen neuen Leib.«

Josie drehte sich um. Ihr Schatten war da, undeutlich aufgrund des dämmrigen Lichts, aber es war eindeutig ihrer. Doch dann sah sie, wie etwas, wie ein Stück grauer Gaze, sich an Arthur heranpirschte. Bildete sie sich das bloß ein? Sie kniff die Augen zusammen. Nein, das war definitiv keine Einbildung! Der fremde Schatten, der einen Turban trug und wild mit einem Krummsäbel fuchtelte, forderte Arthurs Schatten zu einem lautlosen Gefecht, das der Angegriffene mit dem Schatten der Machete parierte, während Arthur, ohne irgendetwas davon zu bemerken, verbissen eine dichte Stelle im Unterholz freischlug. Ein Warnruf blieb Josie in der Kehle stecken, als ein weiterer Schatten heransprang, mit hoher Mütze und einem Stock, mit dem er heftig auf den Turbanträger einprügelte. Fraglos stritten sie sich um Arthurs Körper.

»Vorsicht!« Wolfs Stimme ließ sie herumwirbeln. Für einen

Moment setzte ihr Herz aus. Von allen Seiten strömten sie aus dem Gebüsch, sprangen von Bäumen, schienen aus Farnbüscheln und Astlöchern zu quellen.

Wolfs Warnung hatte auch Arthur aufgeschreckt. Leichenblass fand er seinen Schatten von einer Horde substanzloser grauer Figuren umringt. Josie versuchte, mit ihrem Schatten zu fliehen, aber die geisterartigen Wesen hängten sich an ihn, zerrten an ihm und drohten ihn zu zerreißen, sodass sie sich gezwungen sah, stehen zu bleiben. Selbst Arthurs magische Waffe schien die lautlos, aber unerbittlich um den Sieg kämpfenden Schatten nicht abzuschrecken. Was sollten sie nur tun?

»Arthur, die Lampe!«, vernahmen sie Wolfs verzweifelte Stimme, der erfolglos versuchte, einen vierbeinigen Schatten mit einer wirren Löwenmähne wegzubeißen, dem es schon gelungen war, seinen Schatten von der rechten Vorderpfote zu lösen. »Rasch! Mach das Licht an!«

Arthur tastete, wild um sich tretend, nach der Taschenlampe, und leuchtete hastig die Umgebung ab. Geräuschlos, ihrem Entsetzen nur mit abwehrenden Gesten Ausdruck verleihend, wichen die Schemen zurück. Doch gelang es nur den weiter entfernten, sich dem starken Sog der Lampe zu entziehen. Mit der Kraft eines Superstaubsaugers verschluckte der Lichtstrahl Schatten um Schatten.

Sprachlos verfolgten die Gefährten das stumme Spektakel.

»Sie sind weg«, stellte Josie endlich fest und wagte einen bangen Blick hinter sich. »Gott sei Dank, bei mir scheint alles okay zu sein.«

Arthur nickte, während er die Lampe wieder ausschaltete. »Mein Schatten auch, soweit ich sehen kann!«

»Ich hab allerdings ein kleines Problem«, meldete sich Wolf. »Meiner hängt nur noch an drei Beinen. Hoffe, er regeneriert sich wieder.« Er verrenkte den rechten Vorderlauf, um an das lose Schattenbein zu kommen.

Josie und Arthur stützten seinen Oberkörper, sodass es ihm

nach einigen Versuchen gelang, die Pfote auf das abgerissene Schattenglied zu stellen. »Leider bin ich nicht mehr der Jüngste. Das ist nichts für meine steifen Knochen«, ächzte Wolf. »Einen Moment noch! Das Bein muss sich erst wieder damit verbinden.« Als er jedoch nach kurzem Warten vorsichtig den Lauf hob, ging der Schatten mit.

»Sieht gut aus!«, stellte Arthur erleichtert fest.

»Ob sie wiederkommen?«, fragte Josie mit rauer Stimme.

Arthur klopfte auf die Taschenlampe. »Sollen sie ruhig, dann wird ihnen gleich ein Licht aufgehen.«

Weiterhin von dem unguten Gefühl begleitet, beobachtet zu werden, und in ständiger Erwartung neuer tückischer Fallen, setzten sie ihren Weg fort.

Endlich aber lichtete sich der Forst und unter ihnen lag ein Tal.

Einer Riesenschlange gleich durchschnitt ein tintenschwarzer Fluss die düstere Landschaft. Die Häuser eines kleinen Dorfs kauerten wie verängstigte graue Mäuse an seinem öden Ufer. Darüber thronte ein Felsmassiv, aus dessen grauem Stein eine Trutzburg wuchs. Kalt und bedrohlich. Türme, Wehrmauer und Zinnen standen gegen den trüben Himmel, über den ein eiskalter Wind dunkle Wolken trieb. Josie klapperte mit den Zähnen. Jetzt, da der Wald die frostige Luft nicht mehr abhielt, durchbohrte sie die Kälte wie Nadelstiche.

Wolf starrte finster in die Ferne. »Arcatrox, die Burg Dykerons.«

Arthur rieb sich die Arme. »Nicht gerade einladend hier, eisig und finster.«

»Was hast du erwartet«, erwiderte Wolf. »Wo nie die Sonne scheint, herrscht ewiger Frost. Auch bei Tag liegt Dorchadon im Dämmergrau, richtig hell wird es hier nie.«

»Ob Amy und Edna da oben gefangen sind?«, fragte Josie leise.

Arthurs Lippen waren blau vor Kälte, seine Stimme vibrierte. »Das werden wir herausfinden. Wolf wird uns mit seinen Flügeln hinüberbringen.«

»Das halte ich für keine gute Idee«, hielt Wolf dagegen. »Die Pfeile der Wachposten würden uns durchbohren, ehe wir auch nur an Landung denken können. Wir werden die Brücke nehmen müssen.«

»Die da drüben?« Josies bebender Finger wies ins Tal, wo ein schmaler hölzerner Übergang das Dorf mit der Burgseite verband.

»Nun«, erwiderte Wolf, »es ist die einzige weit und breit. Doch ehe wir uns auf den Weg machen, solltet ihr euch wärmer kleiden. In diesem Punkt hat die Gestalt des Hundes der menschlichen etwas voraus. Selbst ein Zottelfell wie meines hält schön warm.«

Josie steckte den Fingerhut auf den Mittelfinger, schloss die Augen, und stand kurz darauf in einer gefütterten roten Jacke da. Sie sah an sich herab. »Süß. Oder?«

Die buschigen Augenbrauen ihres vierbeinigen Beraters hoben sich. »Süß oder sauer. Schepselbraten ist hierzulande ein wahrer Leckerbissen. In dieser auffälligen Verpackung bist du leichte Beute für einen hungrigen Dämonen.«

»Dämonen?« Josie wurde blass.

»Dämonen, Werwölfe, Vampire, Hexen ... was du willst«, erwiderte Wolf ungeduldig. »Hier versammelt sich alles Gesindel der Anderwelt.« Er sah sie grübelnd an. »Es muss eine Gewandung sein, die der Mode hier entspricht und Kälte abhält. Wenn ich einen Vorschlag machen darf – wählt einen Umhang. Und nehmt eine dunkle Farbe!«

Seinem Rat folgend, schloss Josie erneut die Augen. Wolf warf einen zufriedenen Blick auf das braune, fast bodenlange pelzgefütterte Cape, das Josie einen Moment später einhüllte. »Ausgezeichnet!«

Arthur streckte die Hand aus. »Sieht warm aus.«

»Ist es auch!« Josie reichte ihm den Fingerhut.

Keine Sekunde später trug Arthur einen ganz ähnlichen Umhang. Er gab Josie den Fingerhut zurück und zog die weite Kapuze über den Kopf.

Der Weg führte sie von der Hochebene Ombragons hinunter ins Tal. Es hatte angefangen zu schneien, eisige bläuliche Schneeflocken, die auf der Haut brannten wie die Funken einer Wunderkerze. Josie zog die Kapuze tiefer. Der scharfkantige Schotter unter ihren Füßen machte das Gehen zur Qual. Wolfs Pfoten bluteten, noch ehe sie die Talsohle erreicht hatten. Josies besorgte Frage, ob sie nicht besser eine Rast einlegen sollten, wischte er mit einem unwilligen Knurren beiseite, während er noch an Tempo zulegte. Josie konnte es ihm nachfühlen. Jeder von ihnen wollte das Abenteuer so schnell wie möglich hinter sich bringen.

Dann erreichten sie das Dorf. Es war dunkler geworden, hatte aber aufgehört zu schneien, doch noch immer drangsalierte sie Eiseskälte. Josie mummelte sich noch fester in das Cape. Ein frostiger Wind jagte durch die Gassen, als sie das zerrissene Pflaster betraten. Unter dem Schutz der Kapuze wagte Josie einige Blicke. Wie grau und trostlos es hier war! Verfallene Häuser mit verrotteten Strohdächern drückten sich aneinander, Wand an Wand, Dach an Dach, als wollten sie sich gegenseitig stützen. Kein warmes Licht flackerte aus den blinden Fenstern, kein Schornstein rauchte. Wem konnte ein Dorf wie dieses Heimat sein?

Unerwartet wurde eine Tür aufgestoßen. Eilig drückten sich die Gefährten in eine dunkle Ecke. Ein unwirtlich blauer Schein spiegelte sich auf dem nassglänzenden Pflaster und schrilles Johlen schnitt sich in ihre Ohren.

Bloody Stream, las Josie auf einem Schild. Sie erinnerte sich an den Pub in Galbridge. Wie heimelig war die Gaststätte mit dem Gruselnamen *Blutstrom* in der realen Welt gegen diese hier! Drei obskure Gestalten wankten auf die Straße. Einer von ihnen deutlich kleiner als seine Begleiter. Josie schätzte ihn auf höchstens einen halben Meter. Sein Gesicht sah aus wie ein verschrumpelter Apfel, braun und faltig. Die Stirn beulte sich auffällig nach vorn, was ihm etwas Abstoßendes verlieh. Das ganze zwergenhafte

Männchen war in einen weiten grauen Umhang gehüllt, sodass man von seinem restlichen Körper nur die unpassend großen Hände erkennen konnte, Hände mit sechs Fingern. Josie wagte kaum zu atmen. Der scheußliche Geruch von Verwesung und Moder stieg ihr in die Nase, der Geruch abgrundtiefer Verdorbenheit.

Sie zerrte die Kapuze vor die Nase.

»Der Gnom ist ein Spriggan«, übermittelte ihnen Wolf. »Unangenehme Burschen, ein uraltes Volk von Taugenichtsen. Wenn sie ihr hässliches Maul auftun, lügen sie.«

Josie musterte die Begleiter des Spriggans. Irgendwie ... »Mann«, rutschte es ihr heraus.

»Psst!« Arthur blitzte sie warnend an.

Josie senkte die Stimme. »Seht nur! Die zwei haben Schlitzohren, genau wie der Taxifahrer, auf den Amy und ich reingefallen sind. Und sie tragen Sonnenbrillen, Mützen und Lederklamotten wie die Typen, die Amy die Fibel geklaut haben.«

»Die kann ich nicht einordnen«, gab Wolf zurück. »Sie entstammen wohl der jüngeren menschlichen Fantasie, einem Film womöglich.«

»Moment mal«, flüsterte Arthur. »Ich bin fast sicher, dass es Hellcs sind. Es gibt da dieses Computerspiel: *Die Rache der Finsternis* oder so ähnlich. Einer aus meinem Mathekurs hat es. Ziemlich wüste Burschen, diese Schlitzohren – und extrem lichtscheu.«

»Hey, Ku-Kumpel!« Das fistelige Lallen eines der Kerle unterbrach ihr Gespräch abrupt. »Ha-haste Lu-Lust auf 'ne Ru-Runde Spri-Sprigganwerfen?«

Obwohl der Kerl Mühe hatte, klar zu sprechen, erinnerte sich Josie schaudernd an die hohe Stimme des Taxifahrers.

»Imm-mmer!«, antwortete der andere, der sich an der Wand festhalten musste, um nicht umzukippen, und packte den Spriggan unter quiekendem Gelächter beim Kragen.

Der Spriggan stieß einen Jammerlaut aus. Keine Sekunde später wirbelte er schon wie ein Baseball durch die Luft. Mit einem entsetzlichen Schrei schlug er auf dem Pflaster auf.

»Du-du mu-musst ihn fa-fangen!«, beschwerte sich der Werfer bei seinem Kumpel.

Der Spriggan versuchte, sich aufzurappeln. Doch noch ehe er auf den Füßen stand, wurde er bereits wieder hochgeschleudert. Und wieder knallte er auf den harten Boden. Aber diesmal blieb er leblos liegen.

»Je-jetzt ist er hi-in«, sagte einer der beiden bedauernd.

»Wenn er ni-nich me-mehr plä-plärrt, isses la-langweilig«, nörgelte der andere, hob dann den Kopf und schnüffelte. »Sa-sag mal, rie-riechste da-das auch? Is ja wi-widerlich!«

Josie blieb schier das Herz stehen, als er einige Schritte auf ihr Versteck zu schwankte. Hing in ihren Haaren denn immer noch Lavendelduft? So brutal die Kerle auch waren, feine Nasen hatten sie leider!

»Und we-wenn schon«, sagte der andere und schob seinen Freund wieder in die Spelunke zurück. »Ko-omm, lass uns no-noch einen sau-aufen!«

Arthur schüttelte den Kopf, als die zwei wieder im *Bloody Stream* verschwunden waren. »Das sind ja nette Kameraden.«

Josie blickte betroffen auf den bewegungslosen Körper, der, nur einige Meter von ihnen entfernt, auf dem Pflaster lag. »Müssen wir dem Ärmsten nicht helfen?«

»Dem ist nicht mehr zu helfen«, bemerkte Wolf kalt. »Und außerdem gibt man sich besser nicht mit Spriggans ab.«

»Wisst ihr, was eigenartig ist?«, sagte Arthur nachdenklich. »Obwohl sie gelallt haben – diese Hellcs sprechen fast wie wir. Nicht gereimt, meine ich.«

»Stimmt, jetzt wo du's sagst …« Josie schob grübelnd die Unterlippe vor. »Das ist definitiv eigenartig.«

»Eigentlich nicht«, meldete sich Wolf zu Wort. »Hellcs gehören meines Wissens nicht zu den alten mythischen Figuren. Wie ich

Josie schon mal erklärt habe, wurden die mündlichen Überlieferungen früher in Reimen weitergegeben, damit man sie sich besser merken konnte. Im Theater, wo man lange Texte auswendig lernen muss, hielt sich das noch lange. Denkt nur an die Bühnenstücke von Shakespeare! Aber Fantasiefiguren von heute sprechen natürlich zeitgemäß.«

Arthur nickte. »Das leuchtet mir ein. Aber wie kommen diese modernen Schauergestalten bloß nach Dorchadon?«

»Gleich und gleich gesellt sich gern«, gab Wolf zurück. »Dorchadon zieht sie mit der Anziehungskraft eines schwarzen Loches an. Das ist genau das Problem! Dykerons Heerscharen wachsen durch die ungute Neigung der Menschen zu Brutalität und Horror. Es wird allmählich eng in Dorchadon. Deshalb bereitet der finstere Fürst die Eroberung Narrandas vor.«

Josie setzte eben zu einer weiteren Frage an, als sich jäh eine behaarte Hand auf ihren Mund presste. Einen atemlosen Moment später stieß sie jemand in eine Tür. Bis sie recht begriff, was vor sich ging, fand sie sich in einem niedrigen dunklen Raum wieder, in dem es widerwärtig nach Fisch stank. Ein nicht sehr großer, aber kräftiger Kerl mit einer klobigen Nase, der trotz der Kälte an seinen übergroßen behaarten Füßen keine Schuhe trug und dem Zottelhaare aus Hosenbeinen und Ärmeln quollen, schubste sie auf eine hölzerne Bank, wo Arthur mit einem nicht weniger haarigen Gesellen rang, während ein anderer von derselben Sorte den wütend bellenden Wolf im Schwitzkasten hielt. Arthur versuchte verzweifelt, an sein Schwert zu gelangen, was sein muskulöser Gegner aber zu verhindern wusste, indem er Arthurs Arme wie mit Schraubzwingen einklemmte. Josie war wie gelähmt. Abgrundtiefe Mutlosigkeit schlug über ihr zusammen. Tränen flossen über ihr Gesicht. Damhánalla und Ombragon hatten sie mit Müh und Not überwunden. Und jetzt waren sie Dykerons Leuten in die Fänge gegangen, ehe sie auch nur einen Bruchteil ihrer Mission ausführen konnten. Den Mächten der Finsternis waren sie nicht gewachsen. Es war dumm gewesen, es überhaupt zu versuchen. Sie würden genauso enden wie Amy und Edna – sicher lebten die beiden längst nicht mehr.

Ein wüster Fluch riss sie aus ihrer Verzagtheit. Arthur trat rasend vor Zorn nach den zottligen Füßen seines Angreifers, der seine Gegenwehr mit spöttischem Gelächter beantwortete.

Wolf kläffte und biss in blinder Wut um sich. Doch sein Entführer wich ihm, trotz seines plumpen Äußeren, erstaunlich flink aus. Letztlich gelang es ihm sogar, Wolfs Schnauze mit seinen bloßen behaarten Händen zuzupressen, sodass der Vierbeiner nur noch vor sich hin jaulen konnte.

»Trolle, die haben uns noch gefehlt!«, hörte Josie Wolfs aufgebrachte Stimme in ihrem Kopf.

In ihrem Gehirn explodierten die Gedanken. Obwohl die Augen ihres Bewachers fast unter seinen bürstendichten Brauen verschwanden, wusste sie, dass ihm keine noch so kleine Bewegung entgehen würde. Wenn sie versuchte, an die Drachenfibel zu gelangen, riskierte sie, dass er sie ihr entriss. Auf der Suche nach einem rettenden Einfall sah sie sich verstohlen um.

Der kleine, abscheulich stinkende Raum schien als Küche zu dienen. Auf einem altertümlichen Herd, in dem ein blaues Feuer glühte, das keinerlei Wärme abstrahlte, brodelte in einer seltsamen Gerätschaft aus Kupfer etwas vor sich hin, das widerwärtig nach Fisch und Abfall roch. Aus einem alten Eimer daneben hingen Gräten und Schwanzflossen von Fischkadavern.

Abgesehen von der Bank, auf der man sie festhielt, gab es noch ein paar abgestoßene Stühle und einen verschrammten Tisch, in dem ein Messer steckte. Für einen Augenblick erwog sie, es irgendwie an sich zu bringen, verwarf diese Möglichkeit aber gleich wieder. Mit Gewalt kam man diesen Kerlen nicht bei. Sie mussten auf eine Gelegenheit warten, ihre magischen Mittel anwenden zu können.

Plötzlich öffnete sich die Tür und eine gedrungene Gestalt, die

den Trollen wie aus dem Gesicht geschnitten schien, trat ein. Ein zerzaustes altes Trollweib mit einer schmuddligen Schürze über einem zerrissenen braunen Kleid, unter dem nackte behaarte Trollfüße hervorragten. In seinem breiten, halb geöffneten Mund, über dem ein stoppliger Damenbart wucherte, steckte, in eine Zahnlücke geklemmt, eine Zigarre.

»Tapan, Tipan, Tupan!« Qualmsträhnen vermischten sich mit muffigem Atem. »Ihr habt sie, ihr seid brave Jungen.« Die Trollfrau blickte verdrossen auf Wolf, der vor sich hin jaulte. »Ist das Gekläff endlich verklungen?« Sie riss das große Messer aus der Tischplatte und fuchtelte damit herum. »Wenn er verrät die ganze Chose, koch ich aus ihm Tölensoße. Köter war'n mir stets ein Graus. Ein Kläffer noch – und es ist aus!« Erbost funkelnd, gab sie den Brüdern einen Wink. »Bringt jetzt die Schepsel in den Keller und sorgt für Ruhe bei dem Beller.«

Josie gerann das Blut in den Adern. Die Trolle sahen ganz so aus, als würden sie zu einem Schepselbraten nicht Nein sagen. Verdammt, sie saßen in der Falle!

Unversehens erstarrte die Trollin, nahm die Zigarre aus dem Mund und legte den Finger auf die wulstigen Lippen. Ihre Ohren schienen sich aufzurichten, ihre Augen flackerten. Auch in den Mienen der Trollbrüder war Unbehagen zu lesen.

»Hufe«, flüsterte Arthur hoffnungsvoll.

Doch Josie hatte, ohne sagen zu können, warum, das beklemmende Gefühl, dass da draußen alles andere als Rettung auf sie wartete.

Das Trollweib musterte seine Söhne scharf. »Sie haben Lunte scheint's gerochen, hat sich da einer wohl versprochen …?«

Tipan, Tupan und Tapan schüttelten ungestüm die Köpfe.

»Was wartet ihr?«, fuhr die Alte sie an. »Setzt euch in Trab, wir kommen schneller sonst ins Grab, als einer von euch pupsen kann!« Sie wedelte aufgescheucht mit den Händen. »Nun macht! Nun macht! Nun macht voran!«

Augenblicklich kam Bewegung in das Trio. In höchster Eile zogen behaarte Hände einen zerfetzten Flickenteppich weg. Eine Falltür wurde hochgestemmt.

Arthur schielte zur Tür, was dem aufmerksamen Blick der Trollin nicht entging.

»Da draußen harrt euer Verderben, ein jeder hier wird grausam sterben, wenn …« Sie hielt inne. Wie man deutlich hörte, sprangen draußen Reiter von ihren Pferden.

Dann ging alles blitzschnell. Hastig wurden die Gefährten über steile, schiefe Stufen nach unten gestoßen. Keiner von ihnen wehrte sich, keiner wagte, ein Wort zu sprechen. Wolf gab kein Winseln mehr von sich. Tupan, der der Älteste unter den Trollbrüdern zu sein schien, reichte Arthur eine blau flammende Fackel, die Tipan rasch am Herdfeuer entzündet hatte.

»Das ist kein Spaß, nun eilt Euch flugs!« Und mit einem besorgten Blick zur Tür raunte er ihnen noch zu: »Merkt Euch: Libertatis Lux!« Rumms, schlug die schwere Klappe über ihnen zu.

Wie versteinert blickten die drei zur Falltür hoch. Unmittelbar darauf hörten sie laute Stimmen. Wer auch immer da gekommen war, er war kein Freund der Trolle.

Josie versuchte, im matten blauen Licht der Fackel zu erkennen, wo sie gelandet waren. Wieder lag ein unterirdischer Stollen vor ihnen. Verdammt! Sie hatte allmählich genug von kalten scheußlichen Gängen, die ins Ungewisse führten.

Arthur deutete nach oben. »Besser, wir machen uns auf die Socken. Es scheint Ärger zu geben, und ehe sie den Geheimgang finden, sollten wir hier weg sein. – Libertatis Lux – hört sich an wie ein Losungswort.«

»Glaub ich auch.« Josie horchte bang auf die beunruhigenden Geräusche, die aus der Trollküche drangen. »Zuerst dachte ich ja, die Trolle wären unsere Feinde, aber jetzt …«

»Libertatis Lux – der Freiheit Licht«, mischte sich Wolf in ihre Gedanken. »Wir müssen genau hinsehen, wem zu trauen ist. Der böse Schein täuschte uns soeben. Aber aus Gründen, die uns sicher noch bekannt werden, gehören diese Trolle wohl kaum zu Dykerons Freunden.«

In dem niedrigen Gang kamen Arthur und Josie wieder nur gebückt voran, darüber hinaus erwiesen sich ihre langen Umhänge nun als hinderlich. Die Luft roch abgestanden und schimmlig. Der Stollen war grob ins Erdreich gegraben. Wie es schien, war er in aller Eile gebaut und nicht weiter befestigt worden. Von der Decke rieselten Sand und kleine Steine, wenn ihre Köpfe dagegenstießen. Den Blick auf den Boden geheftet, setzte Josie vorsichtig einen Fuß vor den anderen. Plötzlich zischte ein kleiner, länglicher Schatten an ihr vorbei. Sie schrie auf.

Arthur drehte sich erschrocken um.

»Keine Sorge, diesmal sind es wirklich nur Ratten«, hörten sie Wolf. »Bereits im Haus der Trolle habe ich welche gerochen. Sie scheinen überall zu sein.«

»Hoffen wir, dass es tatsächlich bloß Ratten sind«, sagte Arthur und setzte seinen Weg ungerührt fort, während Josie ein Ekelschauer nach dem anderen überraste.

Nach einer schwer schätzbaren Strecke trafen sie auf einen breiteren, jedoch kaum höheren Gang, in den in unregelmäßigen Abständen weitere Abzweigungen mündeten. Offenbar bewegten sie sich durch ein weit verästeltes unterirdisches Netzwerk.

Unerwartet versperrte ihnen eine aus schweren Planken grobschlächtig zurechtgezimmerte Tür den Weg.

Josie sah Arthur bang an. »Ob das eine Falle ist?«

»Was immer sich auch dahinter verbirgt«, meldete sich Wolf, »wir müssen es wagen!«

Arthur schob entschlossen das Kinn vor und tastete unter der Kutte vorsorglich nach dem Schwert. Er machte sich schon an dem rostigen Schloss zu schaffen, als von der anderen Seite eine Stimme ertönte.

»Die Losung?«

»Libertatis Lux«, antworteten Josie und Arthur wie aus einem Munde.

Dann wurde ein quietschender Riegel zurückgeschoben.

Die flinken Äuglein eines Trolls, dessen Nase Josie stark an ein Schwein erinnerte, musterten sie.

»Ein Hund, zwei Schepsel im Verein ...«, murmelte er näselnd. »Was zaudert Ihr noch? Tretet ein!«

Arthur ging, sich nach allen Seiten argwöhnisch umblickend, voran, die anderen kamen ihm zögernd nach.

Mit einer ungeschickten Verbeugung lud der Rüsseltroll sie ein, ihm zu folgen. Seine plumpen Füße tappten geräuschvoll im Rhythmus des Schlüsselbunds, der an seinem Gürtel rasselte, über den lehmigen Untergrund. Alle paar Meter hielt er, weitere Türen und Gitter aufzusperren.

»Der reinste Hochsicherheitstrakt«, flüsterte Arthur Josie zu.

Der Troll drehte sich kurz zu ihm um. »Ihr hab ganz recht, wir müssen hüten die Kräfte, die um Freiheit ringen, vor Dykerons gemeinem Wüten.«

»Welche Kräfte?«, hakte Arthur nach.

Ohne weiter auf seine Frage einzugehen, deutete der Troll nach vorn. »Wir sind gleich da, man will euch seh'n. Ihr werdet alles bald versteh'n.«

Dann bemerkte Josie, dass es heller wurde. Ein schwacher goldener Lichtschein flackerte ihnen verheißungsvoll entgegen.

»Warmes Licht!« Sie stöhnte erleichtert und etwas wie Hoffnung flammte in ihr auf. Die Hoffnung eines verirrten Wanderers, dem im Dunkel der Nacht das anheimelnde Licht einer menschlichen Behausung Rettung verheißt.

Kurz darauf standen sie in einem runden unterirdischen Raum, in dessen Mitte eine Laterne den angenehm vertrauten Schein einer goldenen Flamme verbreitete. Um die Lichtquelle herum hatte sich eine Gesellschaft wenig vertrauenerweckender Gestalten geschart. Übergroß und Furcht einflößend geisterten ihre Schatten über die Höhlenwände. Soweit Josie sehen konnte, schienen die meisten Trolle zu sein, denn nahezu alle besaßen behaarte Körper und ungewöhnlich klobige Füße und Hände, wenngleich sie sich in der Größe, sowie in der Form ihrer Ohren und Nasen unterschieden.

Der anscheinend Älteste unter ihnen – sein Kopf war kahl und nur ein spärlicher grauer Bart stand von seinem zerfurchten Gesicht ab wie die Borsten eines Wildschweins – saß etwas erhoben auf einem thronähnlichen, unförmig zubehauenen Holzklotz. Er winkte die drei Besucher zu sich.

In seinen kleinen erdfarbenen Augen lag großer Ernst, aber keine Feindseligkeit, als er zu sprechen begann. »So seid Ihr also nun gekommen, den Streit mit Dykeron zu wagen, der uns die Freiheit hat genommen, sodass nichts bleibt, als zu beklagen, was einst das Volk der Trolle war: ein tapf'rer Stamm mit forschen Recken. Heut sind wir aller Mittel bar und müssen uns vor ihm verstecken. Vor ihm und seinen üblen Horden, die niedermetzeln und ermorden, was nicht von gleichem bösen Blut. Die alles, was ist hell und gut, und sei's auch nur ein Funke dessen, aus jedem Herzen schandhaft pressen.«

Er verstummte und starrte betrübt in das Licht der Laterne, während die anderen zustimmend murmelten.

»Das muss Torun der Kahle sein, ein Trollkönig«, hörten Josie und Arthur Wolfs Stimme. »Als die Welten vor Urzeiten getrennt wurden, wurde sein Reich Dorchadon zugeschlagen.«

Mann!, dachte Josie. Das hat uns noch gefehlt! Was haben wir mit dem Freiheitskrieg der Trolle zu tun? Sie nahm all ihren Mut zusammen. »Wir würden Euch gern behilflich sein, doch erlaubt unsere Mission keinen Aufschub. Das müsst Ihr verstehen. Wir müssen auf dem schnellsten Weg nach Arcatrox und zwei Gefangene befreien. Und wir stehen im Wort …«

»Josie!« Arthur unterbrach sie. »Erzähl ihnen nicht so viel! Wer weiß, ob man ihnen vertrauen kann. Außerdem ...«

»Ihr könnt ihnen vertrauen.« Die warme Stimme, die aus dem dämmrigen Hintergrund der Höhle zu ihnen sprach, ließ ihn verstummen. Dann löste sich aus der Dunkelheit eine Gestalt und trat in die Mitte.

Josie erkannte sie sofort. Die zierliche alte Dame, deren langer weißer Zopf über die rechte Schulter floss und die jetzt mit ausgestreckten Armen auf Josie zuschritt, war ... »Edna«, stieß Josie aus.

Die Frau ergriff Josies Hände. »So hast du also doch hierhergefunden. In allerletzter Minute ...« Sie drückte Josie an sich. »Wir haben so auf dich gehofft!«

»Ist Amy auch hier?« Josie blickte sich verwirrt um.

Arthur musterte die Fremde misstrauisch. »Woher wussten die Trolle von unserer Ankunft?«

Spöttisches Gelächter aus der Runde um die Laterne quittierte seine Frage. Torun der Kahle sorgte mit einer Handbewegung für Schweigen und wandte sich dann an Arthur. »Ein jeder Schritt, den ihr gemacht, wurde von Spähern überwacht.«

Edna nickte. »Wir müssen enorm auf der Hut sein.«

Josie dröhnte der Kopf. »Ich versteh das alles nicht.«

Edna legte den Arm um ihre Schultern. »Auch ich verstehe nicht alles«, sagte sie mit einem neugierigen Blick auf Wolf und Arthur. »Amy hat mir von dir und dem kleinen Vogelmann berichtet, aber warum bist du in Begleitung dieses Jungen und eines Hundes?«

»Mir scheint, es gibt einiges zu erzählen«, meldete sich Wolfs dunkle Stimme.

Edna zuckte zusammen und sah ihn verblüfft an. »Ich kann ihn hören. Er scheint mir ein ganz außergewöhnlicher Hund zu sein.«

»Allerdings!«, erwiderte Josie. »Dann kommuniziert er also auch mit dir. Eigenartig ...«

»Nun«, ließ sich Wolf vernehmen. »Sie gehört doch zur Familie.«

Edna warf ihm einen verständnislosen Blick zu.

Torun wies seine Leute an, zusammenzurücken und winkte die Gäste zu sich. »So nehmt denn Platz am Freiheitslicht! Ein jeder gebe nun Bericht, was ihm gescheh'n, wie's ihm ergangen, damit wir klar die Dinge seh'n und einen klugen Plan erlangen.«

Arthur steckte die blaue Fackel in den weichen Lehmboden und nahm neben einem rothaarigen Troll Platz, der bereitwillig zur Seite gerutscht war. Josie raffte ihr Cape und setzte sich neben Edna, die sich bereits neben dem Trollkönig niedergelassen hatte. Etwas Graues huschte unter die Bank. Aufgeschreckt zog Josie die Beine hoch und schüttelte sich. »Sind denn hier überall Ratten?«

»Was ein wahres Glück ist«, entgegnete Edna. »Du wirst noch hören, wieso.«

An ihre Entführung konnte sich Edna kaum mehr erinnern, sie war rasch ohnmächtig geworden und erst im Kerker Dykerons wieder zu sich gekommen.

»Es ist alles so verrückt«, seufzte sie unvermittelt. »Wisst ihr, manchmal frage ich mich, ob ich durch meine Arbeit an diesem fatalen Fantasy-Drehbuch den ganzen Schlamassel nicht geradezu herausgefordert habe. Ich weiß, das hört sich absurd an. Aber die Filmgeschichte dreht sich, vereinfacht gesagt, um ein Mädchen, das aus purer Langeweile und Leichtsinn die Mächte der Finsternis heraufbeschwört – was ihr nach einigem Experimentieren auch gelingt. Allerdings führt dieses Spiel mit dem Feuer zu einem unerwünschten Ergebnis. Als nämlich ihre Bemühungen endlich fruchten, wird sie von den Geistern, die sie rief, entführt, um in einem grausamen Ritual einem Drachen geopfert zu werden.«

Josie riss die Augen auf. »Amy hat mir davon erzählt. Aber das mit dem Drachen ...«

Edna verschränkte nervös die Finger. »An sich ist das ein uraltes, oft behandeltes Thema. Jemand beschäftigt sich mit Schwarzer Magie und es passiert irgendetwas Schreckliches. Meine Geschichte aber spielt heute. Und das Mädchen, um das es geht, besitzt, ohne es zu ahnen, ohnehin magische Kräfte. Dazu hat es einen Hang zu Gothic – ihr wisst schon, schwarze Kleidung und so. Und ...« Edna presste die Hand an die Stirnader, eine Geste, die Josie an Moma denken ließ. »Und – dieses Mädchen lebt in Chicago und hat eine Großmutter, die Drehbücher schreibt. Autoren bringen, wie ihr vielleicht wisst, oft auch eigene Erfahrungen mit ein. Aber wenn ich geahnt hätte, was ich damit anrichte ...« Sie schüttelte unglücklich den Kopf.

Josie starrte Edna an. Deutlicher als je zuvor wurde ihr bewusst, dass sich die Grenzen von Fantasie und Wirklichkeit tatsächlich aufgelöst hatten. Für einen Moment war ihr, als hätten sie sich alle in einem auswegslosen Labyrinth von Gedanken und Ideen verirrt.

Arthur nickte Edna nachdenklich zu. »Unsere Vermutung geht in dieselbe Richtung. Die Geschehnisse scheinen durch unsere Fantasien entscheidend gelenkt zu werden. – Ich verstehe bloß nicht, wieso sie sich nicht Amy geholt haben – ich meine, ein Mädchen halt.«

Den Tränen nah senkte Edna den Kopf. »Sie haben ...« Gepresst kam die unglaubliche Erklärung über ihre Lippen. »Sie haben die Falsche erwischt.«

»Was?« Josie fuhr hoch. »Es war ein Versehen?«

Edna zuckte mutlos mit den Schultern. »Das war es wohl. Ihr könnt euch Dykerons Wut kaum vorstellen ...«

Da sie Mühe hatte, weiterzusprechen, übernahm einer der Trolle das Wort. In seiner Stimme schwang Empörung, aber ebenso große Furcht. »Die Erde bebte von dem Toben. Er raste blind in Sturmgebraus und riss den Bütteln, die sich irrten, Haar und die Zähne einzeln aus.«

Josie fröstelte. Mitfühlend strich sie über Ednas verkrampfte Hände.

Ganz in Gedanken fixierte Arthur die Lampe. »Aber warum war er so wütend? Ich meine, er hatte zwar nicht Amy, aber ...«

Torun schaltete sich wieder ein. »Es braucht die ungeküsste Maid, den Drachen zu befrieden. Wer ihm serviert ein altes Weib, dem ist der Tod beschieden.«

»Ach so ...«, murmelte Arthur.

»Nicht eben galant«, kommentierte Wolf die Äußerung des Trollkönigs.

Edna winkte matt ab. »Lass nur. So sind die Trolle eben. Doch ohne sie wäre von mir heute nichts übrig als ein verirrter Schatten in Ombragon. Sie haben mich gerettet.«

»Aber wo ist Amy? Hast du sie gesehen?«, fragte Josie leise.

Edna rieb sich eine Träne aus dem Augenwinkel. »Ja, ich hab sie gesehen. Sie haben sie in das Verlies neben dem meinen werfen lassen. Amy hat mir alles erzählt. Von dir und dem Test – und von deiner Großmutter; meiner Halbschwester.« Sie kämpfte mit den Tränen.

»Und das war alles noch auf Arcatrox?«, erkundigte sich Arthur.

»Ein wirklich fürchterlicher Ort«, fuhr Edna mit erstickter Stimme fort. »Ein Ort der Hoffnungslosigkeit und des Todes. Aber Dykeron hat Feinde, Widerstand regt sich. Dorchadon war von Beginn an kein Platz zum Leben, aber seit einiger Zeit überschwemmen schreckliche Zuwanderer das Land. Horrorgestalten aller Art wie die Hellcs – schwarzes Gesindel aus dunklen Fantasien entsprungen, kaum besser als der gehörnte Fürst selbst.« Vielstimmige Unmutsbekundungen hallten durch die Höhle. »Die Situation der unterdrückten Völker verschlechtert sich rapide«, ergänzte Edna ihre Ausführungen. »Doch mit dem Mut der Verzweiflung rüsten die Trolle zum Widerstand.«

»Nicht nur die Trolle ...!«

Josie kniff die Augen zusammen, um genauer zu erkennen, wer da sprach. Ein kleiner Kerl, den sie zunächst auch für einen Troll gehalten hatte, blickte beleidigt unter einer zerrissenen Hutkrempe hervor. »Nicht nur die Trolle haben Mut, wir Schrate tragen auch so gut wir können dazu bei, dass Dykeron bezwungen sei.«

Torun bekräftigte die Worte des Kleinen. »Der Schrate sind's zwar nicht mehr viele, doch zu dem hehren hohen Ziele tragen sie wahrhaft wacker bei. Sie sind ganz unserer Partei!«

»Was ist mit den Schraten geschehen?«, fragte Arthur, nichts Gutes ahnend.

Ein weiterer Schrat, mit einem nicht weniger zerrissenen Hut, unter dem struppige Haare hervorstanden wie vertrocknetes Wurzelgewirr, ballte die kleine Hand zu einer harten Faust. »Dykeron, er sei verflucht, von Pest und Beulen heimgesucht! Er hat genommen uns den Raum, den Saft verdorrt aus jedem Baum. Wir Schrate sind des Waldes Kinder, doch dieser hundsgemeine Schinder nahm unserm Forst das helle Licht, und drüberhin ist er erpicht ...« Der Kleine hielt inne und rieb sich die Augen, um dann mit weinerlicher Stimme fortzufahren: »Er ist erpicht, klein Schrätlein auf dem Spieß zu braten und seinen Bauch damit zu laben.« Aufschluchzend verbarg er das Gesicht in seinem schmutzigen Ärmel.

»Bloody Hell«, ächzte Arthur. »Das ist wirklich harter Tobak!«

Edna schüttelte traurig den Kopf. »Ja, weiß Gott! Dykeron hat viele seiner Untertanen auf grausamste Weise ausgerottet. Nur die Dunkelwesen hat er verschont. Bis heute noch lässt er Elfen an seine Basilisken verfüttern. Angeblich züchtet er sogar welche nur zu diesem Zwecke.«

Josie runzelte die Stirn. »Basilisken?«

»Vogelähnliche Fabelwesen«, antwortete Arthur.

»Leider nicht halb so harmlos, wie sich das anhört«, mischte sich Wolf in ihre Gedanken. »Ich hoffe, wir lernen sie nicht näher kennen.«

»Ja, das bleibt zu hoffen.« Edna starrte ausdruckslos ins Licht der Laterne.

Arthur folgte grübelnd ihrem Blick. »Aber wie kann man es schaffen, aus Arcatrox zu fliehen?«

Ein untersetzter Troll, dem dunkle Haarbüschel aus den Ohren wuchsen, entblößte seine braunen Zähne zu einem breiten Grinsen. »Die Hellcs sind Söhne der Spelunken und selbst auf Wachdienst noch betrunken. Ein kleiner Freund ging uns zur Hand, schlich sich ganz leise und gewandt hin zu den üblen Lumpen. Und gab ein wenig Exitus in die gefüllten Humpen.«

»Gift!«, sagte Josie.

Edna nickte. »Das Rattenvolk gehört zu den Verbündeten der Trolle. Die kleinen Freunde haben meine Fesseln durchnagt und die Schlüssel herangeschleppt. Doch als ich schon dabei war, Amys Verlies aufzusperren, kam die Wachablösung. Und die war leider noch ziemlich nüchtern ...«

Josie wischte ihre nervös feuchten Hände am Cape ab. »Und dann?«

Ein kleiner rothaariger Troll mit winzigen Ohren sprang auf die Bank, wohl, damit er größer wirkte. »Man hat nicht lang herumgemacht und sie in den Wald gebracht. Gebunden auf ein schwarzes Schwein, sprengte sie elend und allein nach Ombragon, den Wald der Schatten. Tupan jedoch und seine Brüder erfuhren dieses von den Ratten und eilten rasch und ohne Zagen, dem Schweine wieder abzujagen, das Schepselweib ...«

»Tapan, Tipan und Tupan?«, unterbrach ihn Josie erstaunt.

»Unsre tapf'ren Waffenbrüder!«, sagte Torun stolz.

»Die drei wirken recht grob und unhöflich, aber sie haben Mumm in den Knochen«, bestätigte Edna. »Sie haben das abscheuliche schwarze Schwein niedergerungen und mich in einer mehr als gewagten Aktion hierhergebracht. Seither verstecken mich die Trolle in ihrem verborgenen Höhlensystem, wo sie das Freiheitslicht bewachen. Trolle sind ein unbeugsames ... nichts für ungut ...«, sie warf Torun einen entschuldigenden Blick zu, »man könnte fast sagen, starrköpfiges Volk. Sie haben sich nicht, wie viele andere, Dykeron unterworfen. Das Freiheitslicht gibt ihnen die Kraft dazu.«

»Liberatis Lux«, murmelte Josie und blickte zu der Laterne. »Diese Funzel?«

»Sicher ist euch schon aufgefallen, dass es hier kein warmes Licht gibt«, fuhr Edna fort. »Dykeron und seinesgleichen ertragen es nicht. Nach der Spaltung der Welten ließ der Fürst der Finsternis von seinen Schergen sämtliche Feuer löschen. Doch gelang es den Trollen, diese kleine Flamme hier, die sich noch aus Solaria speist, zu retten.« Edna deutete auf die Laterne. »Liberatis Lux – die Flamme der Freiheit. Die Flamme der Hoffnung.«

»Libertatis Lux! – Liberatis Lux!«, riefen die Trolle im Chor. Schaurig und dennoch hoffnungsvoll hallte es von den Wänden wider.

Nachdem der Freiheitsruf der Trolle verklungen war, herrschte für einen Moment versonnenes Schweigen.

»Und Amy?«, brach Josies bange Frage in die Stille. »Ist sie noch immer im Kerker?«

Edna schüttelte traurig den Kopf. »Dykeron hat sie in sein Glaciorum bringen lassen.«

»Glaciorum?«, wiederholte Arthur. »Nie gehört!«

Der Trollkönig übernahm es, ihm zu antworten. »Vor Kälte diese Kammer starrt, kein Hauch von Leben darin weht. In klirrend Eis darin verharrt wie tot, gefroren fortbesteht, was Dykeron, in finst'rer Lust, um sich geschart. Mit eis'gen Pfeilen lässt er frier'n der Herzen Schlag, der Seelen Sein, und weidet sich am Kollektier'n von Elfchen, Nixen, raren Wesen. Denn schon allein, sie zu besitzen, ist ihm jeher Genuss gewesen.«

Arthur hob die Augenbrauen. »Hab ich das richtig verstanden? Dykeron sammelt seltene Elfen und Nixen und friert sie ein?«

»So wie andere Briefmarken«, bestätigte Edna und fuhr mit rauer Stimme fort: »Ich hab das Glaciorum nie mit eigenen Augen gesehen. Aber wie man mir erzählt hat, hat dieser Schurke Amy buchstäblich kaltgestellt, damit sie ihm bis zum Drachenopferfest nicht doch noch abhandenkommt. Und leider reichen die Mittel der Trolle nicht aus, sie von dort zu befreien.« Sie hob in einer hilflosen Bewegung die Hände und ließ sie wieder sinken.

Josie überfiel ein Gedanke, der ihr das Herz abschnürte. »Ich hab es gespürt«, murmelte sie. »Ich hab genau gespürt, dass ich den Zugang zu ihr verloren hab. Wie abgeschnitten.«

Edna senkte den Kopf. »So ging es mir auch. In ihrem jetzigen Zustand empfindet Amy gar nichts. Keine Erinnerung, keine Freude – aber glücklicherweise auch keinen Schmerz und keine Angst. Das tröstet mich etwas.«

Sichtlich um Haltung bemüht richtete sie sich auf und blickte Josie an. »Aber jetzt musst du erzählen!«

Josie räusperte sich und begann. Außer dem geräuschvollen Schnaufen der Trolle und einem gelegentlichen Quieken unter ihren Füßen, das Josie noch immer Missbehagen bereitete, war es ganz ruhig in der Höhle. Alle folgten ihr mit großer Aufmerksamkeit. Als dann die Sprache auf Wolf kam, übernahm es Arthur, die Geschichte seines Vorfahren zu erzählen, da die Trolle Wolfs Gedanken nicht wahrnehmen konnten. Nachdem er zu guter Letzt noch seine Begegnung mit Myrddin geschildert hatte, hob Edna, die ihnen mit geschlossenen Augen zugehört hatte, den Kopf. Sie blickte in die Laterne, als sei sie aus einem tiefen Traum erwacht.

»Wie verworren das alles ist«, sagte sie gedehnt und mehr zu sich selbst als in die Runde. »Dorothy, Josie, Amy und ich tragen also das Blut der Sidhe ... Das erklärt so manches, was ich mich mein ganzes Leben lang gefragt habe. Und die Motive unserer Geschichten vermischen sich – das erscheint mir jetzt vollkommen schlüssig. Da ist einerseits Dorothys neues Buch – da kommt Josie ins Spiel – und dann mein Drehbuch – da kommt Amy dazu.« Sie blickte grübelnd in die Lampe. »Man wollte Amy mit der Fibel beschützen, aber sie hat sich die Fibel klauen lassen ...«

Josie griff unwillkürlich nach dem Schmuckstück. »Ja, sie hätten mich bestimmt auch gekriegt, wenn ich nicht die Drachenfibel gehabt hätte.«

»Der Caduceus«, sagte Edna, während sie Josies Fibel betrachtete. »Amy hat ihn mir beschrieben. Er muss wie eine Art Zauberstab wirken.«

»Nicht ganz«, berichtigte sie Wolf. »Der Caduceus ist ein Hilfsmittel, die Sidhe-Magie zu bündeln, über die Amy und Josie aufgrund ihres Erbes verfügen. Eine Magie, die sich mit jedem Lebensjahr in der Welt der Dinge abschwächt.«

Josie sah ihn entsetzt an. »Du meinst, ich werde sie irgendwann ganz verlieren?«

»Nun, in gewisser Weise. An ihre Stelle wird die Magie der reinen Imagination treten. So wie bei deiner Großmutter und Edna, die allein mit Worten fantastische Welten erschaffen können. Sie brauchen keine Fibeln.«

Edna berührte ganz in Gedanken das Zeichen auf ihrer Stirn. »So ist das ...«

Torun, der von der Unterhaltung mit Wolf zwangsläufig nur die Hälfte mitbekommen hatte, hob die Hand, um dem Gespräch ein Ende zu bereiten.

»Wohlan, nun sind wir unterrichtet. Sind viele Fragen auch gelichtet, wird es doch jetzt höchste Zeit. Wir hoffen sehr. Ihr seid bereit. Denn nach langen mag'ren Jahren der Drache groß' Gelüste spürt. Und wehe dem, der nicht pariert und bringt ihm brav der Jungfrau Blut! Das brächte ihn in rasend' Wut. Es ließ ihn aus der Höhle fahren und Dykeron mit Haut und Haaren noch in derselben Nacht verschlingen ...« Dieser Gedanke zauberte ein finsteres Grinsen auf das Gesicht des kahlköpfigen Trollkönigs. »Mög' er der Bestie Leibschmerz bringen!«

Josie sprang erschrocken auf. »Wie viel Zeit haben wir denn noch?«

Edna stand auf und blickte die Gefährten ernst an. »Nicht sehr viel, fürchte ich. Nur noch ein paar Stunden. Morgen ist die letzte Lughnasadh-Nacht. Und Torun hat recht, Dykeron muss um seine Existenz bangen, wenn Orcarracht seinen Tribut nicht erhält. Für diesen Fall nämlich – so geht die Sage – würde ihn der einäugige Drache nach einem uralten Gesetz als Ersatz für die Jungfrau töten. Das ist die große Chance für die Trolle und ihre Anhänger. Sie bauen ganz auf euch!«

Arthur erhob sich nun auch. »Die Nacht dürfte bald vorbei sein. Ist es nicht leichtsinnig, bei Tag über die Brücke zu gehen?«

»Ihr werdet auch nicht zu Fuß über die Brücke gehen«, antwortete Edna.

»Ach so«, sagte Arthur überrascht. »Gibt es denn schon einen Plan?«

Torun nickte. »Es ist schon alles vorbereitet. Ihr werdet zu dem Ort geleitet, wo die drei Brüder eurer harren. Sie schieben leere Abfallkarren zur Burg zurück an jedem Morgen und werden das auch heut besorgen. Doch ist die Fracht diesmal nicht leer ...« Er zwinkerte Arthur zu.

Josie fröstelte. Das Abenteuer ging in die nächste Runde.

Edna nahm sie in den Arm und drückte sie an sich. Josie bemerkte das leise Zittern in Ednas Stimme, als sie sich von ihr verabschiedete. »Viel Glück! Hoffentlich sehen wir uns alle bald wieder. – Alle!«

Torun erhob sich nun ebenfalls, die anderen folgten seinem Beispiel. Mit großem Ernst blickte der Trollkönig seine Gäste an. »Die Schwingen eurer Fantasie mögen euch zum Siege tragen und uns befreien von den Plagen, mit denen wir so arg geschlagen.«

Mechanisch folgte Josie Arthur, der die blaue Fackel wieder an sich genommen hatte, zum Höhlenausgang. Wolf kam ihnen nach. Dann öffnete ihnen der Schweinerüssel-Troll die Tür. Josie sah sich noch einmal um. Stumm blickte ihnen die merkwürdige Versammlung nach. Und ihre Hoffnungen lasteten auf ihrer Seele wie Bleigewichte.

Der Troll brachte sie, nachdem sie alle Gitter und Türen hinter sich gelassen hatten, bis zu einer Abzweigung des Hauptgangs. Dort blieb er stehen und deutete nach vorn. »Folgt Euren Nasen bis zum Ende, dort warten auf Euch helfend Hände.« Er wischte sich mit seinem behaarten Arm über den Rüssel und wackelte mit dem Kopf. »Ich neid' Euch nicht das Abenteuer. Dykeron ist ein Ungeheuer, das keiner noch bezwungen hat, und ...«

Arthur fuhr ihm mit einem bissigen Lächeln über den Mund. »Danke für die aufbauenden Worte!« Er winkte Josie und Wolf zu. »Lasst uns gehen!«

Es war ein langer Gang, der die drei in immer neuen Windungen ins Ungewisse führte.

Endlich sahen sie im blau flackernden Licht der Fackel eine Leiter vor sich. »Der Gang ist hier zu Ende«, flüsterte Arthur und blickte besorgt nach oben. Er reichte Josie die Fackel und setzte den Fuß auf die unterste Sprosse. »Ihr wartet hier! Ich geh zuerst.«

Die freie Hand in Wolfs struppiges Fell gekrallt, verfolgte Josie, wie Arthur, oben angelangt, an eine Falltür klopfte. Ein Knarren ertönte, dann fiel ein vernebelter Dämmerschein in die Dunkelheit.

Ein strubbliger Kopf erschien. »So macht! Wir haben keine Zeit, wir stehen hier schon längst bereit.« Die Stimme Tupans klang ungeduldig.

Josie wollte gerade seiner Aufforderung folgen, als Wolf sich meldete. »Entschuldigt, aber Leitern sind nicht für Vierbeiner gedacht. Ich fürchte, ich benötige etwas Unterstützung.«

Josie sprang wieder ab. »Arthur, wir haben da ein kleines Problem!«

Mit vereinten Kräften bugsierten sie Wolf Sprosse um Sprosse nach oben.

Tipan warf Wolf einen verachtenden Blick zu. »Dieser alte Zottelköter ist ein wahrer Nerventöter. Mir würde sehr viel besser schmecken, wir könnten in den Topf ihn stecken. Gekocht, gebraten, einerlei, er mir weit mehr willkommen sei.«

»Was fällt dir ein!«, fuhr Josie ihn an. »Er ist unser Gefährte, Wolf ist ...«

»Lass nur«, beschwichtigte sie Wolf. »Er ist ein Troll und Trolle sind nun mal ein ungehobelter Haufen ohne Manieren. Doch sind jetzt andere Tugenden gefragt. Mut und Körperkraft sind uns momentan hilfreicher als gutes Benehmen.«

Tupan deutete auf drei kastenförmige Schubkarren. »Möchtet Ihr Euch nun bequemen, in den Karossen Platz zu nehmen?«

Josie erkannte trotz des schlechten Lichts, dass sie auf einer Müllkippe gelandet waren. Beißender Geruch stieg ihr in die Nase. Ratten huschten umher. Sie erschauderte bei dem Gedanken, in eine der verdreckten Kisten steigen zu müssen. Und wieder machte Arthur den Anfang.

Bevor er sich jedoch hinkauerte, sah er sich besorgt um. »Dykerons Leute ... Ich meine, sie sind euch doch heute auf die Pelle gerückt.«

Tapan grinste. »Sie machen immer groß Geschrei, doch Mutters Fuselbrennerei ist ein alt probates Mittel zur Besänftigung der Büttel.« Damit drückten seine klobigen Hände Arthur nach unten.

»Pfui Teufel!«, hörte Josie ihn schnauben. »Das stinkt ja grauenhaft!«

Josie ging zögernd auf Tupan zu, der ihr auffordernd zunickte. Voller Abscheu blickte sie in den schmuddlig klebrigen Kasten, aus dem ihr ein halbverfaulter Fischkopf entgegenstank. Sie rümpfte die Nase, übergab die Fackel an den Troll und angelte mit spitzen Fingern danach. Doch als sie das aasstinkende Ding gerade wegschleudern wollte, hielt Tupan ihren Arm fest.

»Das lasst! Er dient, um Euch zu tarnen. Wollt Ihr die Wachen etwa warnen mit dem Geruch, der Euch zu eigen?«

Josie fühlte zu dem Ekel, der ihr die Haare aufstellte, eine gewaltige Wut hochsteigen. »Was fällt dir ein, du ...«, konnte sie noch loswerden, ehe der Troll ihr mit seiner haarigen Hand den Mund zuhielt und sie unsanft in den Karren zerrte. »Ich bitt' Mylady einzusteigen und von jetzt an stillzuschweigen!« Josie warf ihm einen zornigen Blick zu, fügte sich aber seiner Anweisung.

Tapan beförderte Wolf in den dritten Kasten, wobei er missmutig den Kopf schüttelte. »Ein Hund und eine heikle Maid, ein grüner Knab' – ein altes Weib ... Sie sollen unsre Hoffnung sein?« Er lachte bitter. »Es eint der Feind uns, doch allein – mir fehlt der Glaube – tut mir leid. Ich halte es für nicht gescheit, die Memmen nach der Burg zu schicken.« Dann klappte er kopfschüttelnd den schweren Kistendeckel über Wolf zu. »Nun denn«, grummelte er abschließend, »das Märlein will es so. So muss es ja wohl dennoch glücken!«

Josies Magen krümmte sich. Druid Dubhs Worte klangen ihr in den Ohren: »Zweifel, und sei er noch so klein, vereitelt das Gelingen.« Sie hatte genug mit ihren eigenen Befürchtungen zu kämpfen. Sie durfte auf gar keinen Fall zulassen, dass jemand den Glücksdrachen in ihr tötete. Schon gar nicht so ein dämlicher Troll, der zwar vor Kraft strotzte, aber offenbar nicht begriffen hatte, was seine Worte anrichten konnten.

Tupan, den Ältesten, schienen ähnliche Gedanken zu bewegen, denn er zog die Stirn in Falten und herrschte seinen Bruder an. »Halt's Maul und unke nicht, Tapan!« Dann klopfte er auf die bereits verschlossene Kiste, in der Arthur hockte. »Ihr in den Karren denkt daran: ein Mucks kann alles ruinieren! Es gilt, ohne Verdacht zu regen, die Brückenposten zu passieren.«

Josie zog das Cape fest um sich und kauerte sich angeekelt zusammen. Dröhnend knallte der Deckel über ihr zu.

Verdammt, jetzt saß sie mit einem stinkenden Fischkopf in einer stinkenden Abfallkiste! Was für ein unwürdiger Beginn für eine Heldentat! Ihr wurde flau.

Quietschend und rumpelnd setzten sich die Karren auf ihren hölzernen Rädern in Bewegung. Josie spähte aus einem Astloch. Die Gegend war, wie alles hier, unwirtlich, öde und trostlos, der Weg von Schlaglöchern übersät. Schon nach den ersten Metern hatte sie das Gefühl, man habe sie in eine Betonmischmaschine geworfen. Bestimmt war sie schon jetzt überall grün und blau.

Rums. Rums. Rums. Ihr Magen rebellierte. Wenn sie noch lange diese verpestete Luft einatmen musste, übergab sie sich.

Josies Empfinden nach rumpelten die Karren schier endlos über den unebenen Untergrund. Wie lange dauerte das denn noch? Doch noch während sie sich diese Frage stellte, verlangsamte sich das Geholper.

»Da kommen ja die hohen Herren von der Müllbrigade«, hörte sie eine beißende Fistelstimme. »Wer Ärger will, der soll ihn haben!«

Die Karren stoppten. Mit klopfendem Herzen äugte Josie aus dem Astloch. Zwei Hellcs in ledernen Uniformen lehnten an einem Pfeiler der überdachten Holzbrücke und spielten großspurig an den Peitschen, die von ihren Gürteln hingen.

»Verzeiht«, sagte Tupan. »Die Mutter uns um Beistand bat, Ihr wisst – die Fuselbrennerei. Es klemmte ihr der Apparat, in dem sie extrahiert den Brei aus Fisch und Knochen, Mist und Kot, wir halfen ihr aus dieser Not. Zum Fest muss reichlich Fusel fließen, wollt ihr den großen Tag begießen. Doch ist der Schaden nun behoben, Ihr solltet uns wohl dafür loben.«

Der Hellc sah seinen Kumpel fragend an. »Soll'n wir die Geschichte glauben?«

Der andere kratzte sich am Kopf. »Weiß nicht, mir scheint, da stinkt was.« Er löste die Peitsche mit einem gemeinen Grinsen vom Gürtel und ließ den Riemen in einer grotesk zärtlichen Bewegung über die Hand gleiten.

Josie wagte kaum zu atmen.

Dann hörte sie Tipans Stimme. »Wir sind zu spät, das tut uns leid ...« Der ansonsten so couragierte Troll hüstelte nervös. »Doch haben wir vom frischen Sud ein Fläschchen mit, das tut Euch gut bei der langen, öden Pflicht.« Dann beobachtete Josie, wie eine haarige Hand dem Hellc eine Flasche reichte. »So nehmt es ruhig, es schadet nicht!«

Ein gieriger Zug flog über das Gesicht des Schlitzohrs, als er die

Peitsche wegsteckte, um die Flasche entgegenzunehmen. Ohne ein Wort des Dankes gönnte er sich einen kräftigen Schluck, rülpste, dass es von den Felsen widerhallte, und reichte den Schnaps an seinen Kollegen weiter. Dann wischte er sich schmatzend über den Mund.

»Der Stoff ist gut – zu Eurem Glück! Und jetzt trollt Euch, Ihr Taugenichtse! Ihr wisst ja, die Letzten beißen die Hunde!« Mit einem boshaften Lachen schlug er sich auf die Schenkel. »*Trollen* – das ist gut.«

»Trolle, die sich trollen. Das ist wirklich gut!«, stimmte der andere in den Heiterkeitsausbruch ein.

Ohne sich noch einmal umzusehen, liefen die Trollbrüder eiligst über die Brücke. Bis zum anderen Ende verfolgte sie das brüllende Gelächter der Hellcs, deren Stimmung der Fusel hörbar aufgemuntert hatte.

»Heiliger Fischkopf! Gut gemacht!«, brummte Tupan, als sie die Brücke glücklich hinter sich hatten. »Bald hätte uns das Abenteuer um Leib und Leben noch gebracht.«

Für den Rest der unbequemen Reise hielt Josie die Nase nahe an das Astloch und versuchte, so selten wie möglich zu atmen. Als die Fahrt endlich vorbei war und Tupan die Kiste öffnete, japste sie nach Luft. Völlig steif kletterten die Gefährten aus ihren hölzernen Gefängnissen.

Es dämmerte, ohne dass es richtig hell wurde – die Schwärze der Nacht war lediglich zu einem freudlosen Grau geronnen.

Benommen sahen sie sich um.

»Der Burggraben«, sagte Arthur heiser. »Wir müssen im Burggraben sein.«

Eine bestimmt zehn Meter hohe Mauer begrenzte den unwirtlichen Streifen Land, der von Schotter und Unrat bedeckt war, auf der einen Seite. Gegenüber erhob sich wie ein aus dem Felsen gemeißelter Titan, Arcatrox, und blickte grimmig auf sie herab. Eine hölzerne Brücke weit über ihnen bot, soweit man sehen konnte, den einzigen Zugang zum Burgtor.

Die kalten Finger des Grauens umspannten Josies Leib und drückten ihr den Atem ab.

Irgendwo da droben war Amy. Irgendwo in diesem schwarzen Gehäuse des Bösen.

Tupan, der ihren Schrecken zu spüren schien, sah sie teilnahmsvoll an. Über sein derbes Gesicht flackerte unerwartete Milde. »Wohlan, dies wird kein Kinderspiel, ihr solltet jetzt ein wenig ruh'n. Denkt stets an Euer großes Ziel! Es wird sich finden, was zu tun.« Unvermittelt färbte sich seine Stimme mit Bitterkeit. »Wir Brüder füllen jetzt die Karren. Alltäglich wir zusammenscharren der Teufel Unrat, ihren Mist! Ahnt Ihr, welch Schmach es für uns ist, dass wir ein Leben führ'n als Knechte – ohne alle Heimatrechte?« Er trat wütend an den Karren.

Josie wurde es eng. »Lass ihr uns etwa hier allein?«

Tipan nickte. »Wenn wir die Posten nicht passieren zu der vorgeschrieb'nen Zeit, werden sie uns einkassieren.«

»Und uns mit Wonne massakrieren«, ergänzte Tapan grimmig. »Uns Trollen ist es strikt verboten, in die Burg hineinzugehen. Wir Knechte könnten es ja wagen, gegen die Herrschaft aufzustehen.« Er presste die fleischigen Lippen zusammen und fuhr mit hängenden Schultern fort: »Sie lassen bald die Bestien frei, die das Teufelsnest bewachen. Bis dahin haben wir noch Zeit, um uns aus dem Staub zu machen.«

Damit drehte er sich um, und schnallte eine verrostete Schaufel vom Karren ab, um einen miefenden Kothaufen in die Kiste zu befördern.«

»Na super!«, stöhnte Arthur und blickte ratlos nach oben. »Und wie kommen wir ohne Hilfe in diese Festung?«

Tupan hob beschwichtigend die behaarten Hände. »Es ist für

alles schon gesorgt, Freunde steh'n euch treulich bei. Wartet in dem Winkel dort und rastet von der Schinderei!«

Josie sah in die Richtung, in die der Troll gewiesen hatte. Ein Mauervorsprung bildete mit der Festungswand eine Nische, die ihnen Blick- und Kälteschutz bieten würde.

Die Aussicht, ein wenig auszuruhen, ließ sie prompt gähnen. Sie war tatsächlich hundemüde.

»Wir sollten die Gelegenheit nützen«, meldete sich Wolf. »Mein alter Körper benötigt dringend eine Pause. Mir knirschen die Knochen. Diese Karrenfahrt hatte es in sich!« Müde ging er voraus und legte sich in die geschützte Ecke, wo er sogleich die Augen schloss. Arthur blickte sich noch einen Moment unschlüssig um, dann kam er Josie nach, die Wolfs Beispiel schon gefolgt war.

»Nur ein paar Minuten«, sagte er, während er sich niederließ. Und schon sanken ihm die schweren Lider.

Josie wickelte sich in ihren Umhang. – Verdammt, wie das Ding stank!

Sie sah Arthur an und schmunzelte. Seine vollen Lippen bildeten ein kleines O, durch das ein leises Schnarchen entwich. Zuneigung und Dankbarkeit überflutete sie. Behutsam schloss sie das Cape über der Brust ihres lieb gewordenen Freundes und legte sich zurück. Dann konnte auch sie der Müdigkeit nicht mehr widerstehen.

Etwas, das an ihrem Mantel zupfte, riss sie aus dem Schlaf. »Wacht auf! Wir müssen uns sputen.«

Josie schreckte hoch und drängte sich eng an Arthur. »Arthur!« Ihre Stimmbänder vibrierten.

Arthur rieb sich die Augen. »Hallo«, sagte er erstaunt zu den beiden kleinen graubraunen Wesen, die mit zitternden Schnurrhaaren vor ihnen Männchen machten. »Ihr seid also die Freunde, von denen Tupan gesprochen hat!«

»Seid gegrüßt«, sagte das größere der Tiere und verbeugte sich.

»Mein Name ist Bernhard.« Mit einer Verbeugung zeigte es auf seine Begleitung. »Und dies ist mein Weib Bianca.«

Arthur grinste überrascht. »Wie die Mäuse aus dem Trickfilm? Als ich klein war, war ich ein großer Fan der Mäusepolizei.«

»Zugegeben, es sind Mäusenamen«, sagte Bernhard verstimmt. »Seinen Namen kann man sich nun mal nicht aussuchen. In unserer Sippschaft, deren Wurzeln – wenngleich höchst unfreiwillig – im Filmgeschäft liegen, pflegt man eine Vorliebe für berühmte Tiere aus der Branche.«

Josie riss sich zusammen. Okay, es waren definitiv Ratten! Aber aus der Nähe betrachtet waren sie eigentlich gar nicht abstoßend. Eigentlich waren sie sogar ganz possierlich, ihr samten glänzendes Fell, ihre bebenden Schnäuzchen. Der Schwanz allerdings ... Sie schluckte. Jedenfalls redeten sie normal, das war angenehm. Überhaupt wirkten sie ganz sympathisch. »Was hat euch Ratten eigentlich nach Dorchadon verschlagen?«, erkundigte sie sich.

Bianca spielte verlegen mit ihrer Schwanzspitze. »Es ist nicht unsere Schuld. Wir können wirklich nichts dafür! Die Menschen fürchten uns. – Wer weiß wieso? Und so mussten wir von jeher für manch scheußliche Fantasie herhalten, was einige unserer Vorfahren unglücklicherweise hierher verbannte.«

»Verstehe!«, sagte Arthur. »Erst neulich lief wieder diese schwachsinnige Rattentrilogie im Fernsehen, in der Schule haben sie darüber gesprochen. *Die Ratten des Todes*, und *Ratten – Soldaten des Teufels*. Wie der letzte Film hieß, hab ich mir nicht gemerkt. Horror billigster Art jedenfalls. Hab mir keinen davon angetan.«

Die zierliche Rattenfrau ließ den Kopf hängen. »Man sagt, die Menschen nutzten den Namen unserer Rasse sogar als Schimpfwort! Ist es nicht schrecklich, wie man uns in Verruf bringt? Wir sehnen uns so sehr nach einem ruhigen Rattendasein in angenehmer Umgebung. Das Leben hier ist nicht lebenswert.«

»Bianca hat recht«, fügte Bernhard hinzu. »Wir haben nichts zu verlieren. Deshalb unterstützen wir den Freiheitskrieg der Trolle mit allen Kräften.« Seine Knopfaugen funkelten. »Der Tod schreckt uns nicht!«

Seine Worte beeindruckten Josie. Sie waren so klein und doch bereit, bis zum Äußersten zu gehen.

Arthur reckte suchend den Hals. »Wisst ihr, wo die Trollbrüder sind?«

»Weg«, antwortete Bernhard. »Dykeron, der alte Hornkopf, fürchtet Verschwörung. Nur einmal am Tag werden Mülltrolle und Lieferanten in den Burggraben eingelassen. Wer den Torschluss verpasst ...« Er stockte und sein rechtes Ohr zuckte nervös. »Wie man so sagt – die Letzten beißen die Hunde. Schlimme Zeiten, schlimme Zeiten!« Er seufzte.

»Halt keine langen Reden, Bernhard«, drängte ihn seine Frau und sah sich ängstlich um. »Wir haben zu viel Zeit vertan, den Schlüssel zu besorgen. Die Beißer sind bestimmt schon los.«

Wolf erhob sich, seine Nase zuckte. »Sie haben recht«, vernahmen Josie und Arthur seine mahnende Stimme. »Ich wittere höchste Gefahr.«

»Mann!« Josie sprang auf. »Tatsächlich! Von da drüben weht ein bestialischer Gestank herüber. Was ist das?«

Bianca hielt prüfend ihren rosa Schwanz hoch. »Wir haben Glück, der Wind weht von den Zwingern weg.« Bernhard winkte hektisch. »Beeilung! Und haltet euch im Schatten der Mauer, dass man euch von den Wehrtürmen aus nicht entdeckt!« Schon preschten die Ratten auf ihren kurzen Beinen los, so schnell, dass die Gefährten kaum hinterherkamen. Josie und Arthur ihrer langen Umhänge wegen, und Wolf, weil ihn anscheinend noch immer jeder Knochen schmerzte, wie Josie seinem Ächzen entnahm.

Doch mit einem Mal mischten sich in das Ächzen ihres treuen Freundes wütendes Belfern und Keuchen. Instinktiv drehte sie den Kopf nach hinten, und sah sich unversehens in einem schrecklichen Albtraum.

Ein Rudel abscheulicher Kreaturen hetzte ihnen nach. Unheimliche, hundeähnliche Wesen, die wie in Zeitraffer näher kamen. Triefende Lefzen. Spitze Hauer in aufgerissenen Mäulern. Das hier waren keine Wachhunde. Es waren auch keine Wölfe. Es waren Werwölfe! Blutrote Angst raste durch Josies Venen. Sie lief um ihr Leben. Der Schock hatte sie Vorsprung gekostet, Arthur und die Ratten hatten sie längst abgehängt. Sie befreite sich in einer wilden Bewegung von dem hinderlichen Umhang. Und rannte. Rannte, ohne zurückzublicken. Weg, nur weg! Weg von dem Hecheln und gierigen Heulen!

Ein markerschütternder Laut platzte in ihre Panik. Mit einem Schrei wirbelte sie herum. »WOLF!«

Sie hatten ihn erwischt! Sie hatten Wolf!

»ARTHUR!«

Aber Arthur hörte sie nicht. Er war bereits hinter einer Biegung des Burggrabens verschwunden.

Jetzt blieb ihr nur noch eines: Sie musste auf ihre magischen Kräfte vertrauen! Mit dem Mut der Verzweiflung griff sie nach der Drachenfibel. Das Metall in ihrer Hand erwärmte sich. Das Herz sprühte Funken. Eine purpurrote Wolke hüllte sie ein, als sie wie in Trance zurückging. Ohne Angst und ohne Zögern. Wolf lag wie tot am Boden. Die scheußlichen Vierbeiner, in deren Augen nichts Tierisches lag, sondern vielmehr die Züge abgrundtiefer menschlicher Verderbtheit, ließen von ihrem Opfer ab und knurrten sie feindselig an.

Doch dann ... Oder täuschten sie ihre Sinne? Mit jedem Schritt, den sie sich näherte, schien die Meute zurückzuweichen. Hatte sie Macht über diese Monster? Josie ging schneller. Wie ein Priester, der mit einem Kreuz Dämonen vertreibt, hielt sie den Bestien die sprühende Drachenfibel entgegen. Unsicher winselnd, aber dennoch nicht bereit, ihre Beute herauszugeben, drängten sie sich zusammen. Dann erreichte der Funkenregen die Ersten. Jammervolles Jaulen hob an. Die Biester wanden sich, zuckten, Schaum quoll aus ihren Lefzen. Dann wurde Josie Zeuge einer atemberaubenden Verwandlung. Aus den borstigen Wolfsköpfen kristallisierten sich die Züge menschlicher Gesichter, die Tierleiber streckten sich und richteten sich auf. Verstört ihre Körper abtastend, standen drei Männer vor ihr. Finstere Gestalten in deren Blick dieselbe Boshaftigkeit lag, die Josie schon in den Wolfsaugen gesehen hatte. Winselnd wie verletzte Hündchen, zogen die anderen Werwölfe die Schwänze ein. Dann machte der Erste kehrt und jagte davon, die anderen rasten ihm wie von Sinnen nach.

Die verwandelten Kerle ließen den regungslosen Wolf unbeachtet liegen und wankten stumm auf Josie zu. Ihre verzerrten Gesichter verhießen nichts Gutes. Hoffentlich reichte ihre magische Kraft noch aus! Josie hielt ihnen verkrampft die Fibel entgegen, während sie Schritt für Schritt zurückwich. Was für Schauerfiguren! Das narbige Gesicht des Größten zeugte von erbitterten Kämpfen. Der Nächste trug Patronenhülsen und zwei altertümlichen Pistolen am Gürtel. Der Letzte umklammerte mit blutbeschmierten Händen ein Messer. Doch noch ehe die geisterhaften Unholde Josie erreicht hatten, knickten einem nach dem anderen die Beine weg. Noch während sie sich unter jammervollem Stöhnen aufzurappeln versuchten, registrierte Josie unversehens eine erneute Veränderung. Die Gesichter der Wolfsmenschen alterten. Ihre Haut welkte in Sekundenschnelle, wurde runzlig und schwarz wie die einer Dörrpflaume. Gleichzeitig ermatteten ihre Bewegungen und erstarben zuletzt ganz. Ihre maroden Körper verfielen. Rapide, gespenstisch und vollkommen geräuschlos. Für einen kurzen Moment sah Josie noch Skelette. Dann fegte eine plötzliche Böe drei Staubwolken über den Burggraben.

Josie schoss zu ihrem vierbeinigen Freund, der bewegungslos am Boden lag. Seine Zunge hing schlaff aus dem Maul, er blutete aus unzähligen Bisswunden. Tränen liefen über ihr Gesicht.

»Du darfst nicht sterben! Doch nicht jetzt!«, flüsterte sie und strich ihm bang über den Kopf. Entsetzt registrierte sie, dass sich der Brustkorb ihres Freundes kaum mehr hob. Laut aufschluchzend warf sie sich über ihn. »Du bist so nah daran, den Kreislauf zu durchbrechen. Wenn du jetzt aufgibst, wirst du wieder als Hund geboren werden. Aber – Nárbflaith erwartet dich doch!«

Als Wolf den Namen der Geliebten vernahm, zuckte er zusammen. Josie fuhr hoch. Ihre Gedanken schwirrten wie ein Wespenschwarm. Mund-zu-Mund-Beatmung? Mit einem Blick auf Wolfs riesige Schnauze verwarf sie diese Idee gleich wieder. Jetzt erst kam ihr der entscheidende Geistesblitz. MoDains Zauberfläschchen! Hastig löste sie den kleinen Flachmann von der Silberkette und träufelte ein paar Tropfen auf Wolfs Zunge. Schon nach wenigen bangen Sekunden begann er wieder tiefer zu atmen. Er zog die Zunge ins Maul zurück und öffnete die Bernsteinaugen. Ein schmerzvolles Stöhnen folgte. Erlöst strich Josie über seine Stirn. Dann gab sie etwas von dem Wundermittel auf eine böse Fleischwunde, die am rechten Oberschenkel klaffte. Wolf jaulte auf. Nur Augenblicke später begann sich die Wunde zu schließen.

»Es wirkt!«, jubelte Josie und machte sich eiligst daran, eine Blessur nach der anderen zu verarzten. Zuletzt verpasste sie Wolf noch einen Schluck zur Stärkung und verstaute das Fläschchen wieder an seinem Platz. Dann erhob sie sich. »Wie fühlst du dich?«

Wolf sprang auf wie ein junger Hund. Er schmiegte seinen großen Kopf eng an ihre Beine. »So gut wie neugeboren!« Seine dunkle Stimme in ihrem Bewusstsein klang bewegt. »Wie soll ich dir nur danken? Du hast mich gerettet, trotz größter Gefahr für dein eigenes Leben.«

Josie lächelte verlegen. »Das muss man MoDain lassen. Sein Whiskey hat es wirklich in sich.«

»Josie! Wo bleibt ihr bloß?«

Josie blickte sich um. Arthur rannte auf sie zu. Er fuchtelte aufgeregt mit ihrem Umhang. »Hast du deinen Mantel verloren? Seid ihr wahnsinnig! Bernhard und Bianca sind überzeugt, dass euch die Werwölfe bereits zerrissen haben.«

»Hätten sie auch fast«, antwortete Josie knapp.

»Bloody Hell!« Arthur starrte sie bestürzt an.

Während sie nun das letzte Stück gemeinsam zurücklegten, berichtete Josie von dem Schrecken, den Wolf und sie eben durchgemacht hatten. Sie war gerade fertig, als Arthur vor einer massiven Holztür am Sockel der Burg stoppte.

Die Ratten empfingen sie völlig außer sich. Bianca schlug die Pfoten über dem Kopf zusammen. Tränen der Erleichterung kullerten aus ihren Holunderbeeraugen. »Odin sei Dank! Wir dachten schon ...!«

Nachdem Josie in kurzen Worten ein weiteres Mal erzählt hatte, was geschehen war, betrachtete Bernhard mit großem Interesse die Drachenfibel, die noch gut sichtbar um Josies Hals hing. »Potz Speikatz! Dieses Zaubermittel scheint äußerst mächtig zu sein. Wo stammt es her?«

»Das ist eine lange Geschichte«, begann Josie, als die Rattenfrau ihr ins Wort fiel. »Wir haben keine Zeit für lange Geschichten, mir brennt vor Eile schon der Schwanz.« Sie gab ihrem Mann einen ungeduldigen Wink. »Komm schon!« Und sie verschwand unter der Tür.

Mit einer ergebenen Geste folgte ihr Bernhard. Schwer atmend zerrten die zwei kurz darauf einen altertümlichen Schlüssel ins Freie.

Arthur nahm ihn an sich und steckte ihn ins Schloss. »Wo habt ihr den denn her?«

»Frag nicht, frag nicht!«, keuchte Bianca. »Besser, ihr lernt sie gar nicht kennen!«

Josie hob die Augenbraue. »Sie?«

Bernhard nickte. »Die Bandraoi, die alte Hexe. Sie führt dem alten Hornkopf den Haushalt. Nehmt euch vor ihr in Acht! – Besonders er!« Er warf Arthur einen sorgenvollen Blick zu.

Bianca wackelte zustimmend mit den Öhrchen. »Oh ja, oh ja! Seit sie sich beim Wettstreit gegen Dykeron die Zähne ausgebissen hat ...«

»Sie ist zahnlos?« Vor Josies innerem Auge tauchte die hässliche Hexe aus Momas altem Märchenbuch auf.

»Ach was!« Der Ratterich winkte ab. »Bianca will damit sagen: Die Bandraoi hat viel von ihrer Zauberkraft eingebüßt. Dazu muss man wissen, wie Dykeron zum Statthalter über Dorchadon wurde. Es war nämlich so: Vor Urzeiten würgte Orcarracht zwei unselige Kreaturen aus seinem dämonischen Leib. Das Böse gebiert stets das Böse, wie ich immer sage.« Bernhard nickte bedeutungsvoll. »So brachte er also Dykeron und die Bandraoi hervor. Gewissermaßen sind sie also Bruder und Schwester, wenngleich ohne jede geschwisterliche Zuneigung. Leider sind dieser Satansbrut Begriffe wie Zuneigung oder gar Liebe gänzlich unbekannt.« Er schüttelte bedauernd den Kopf. »Um es kurz zu machen. Der niederträchtige Drache ließ sie in einem Wettstreit ihrer magischen Kräfte um das Schwarze Reich kämpfen. Und diese Fehde entschied Dykeron für sich. Seither ist die Magie des alten Hexenteufels geschwächt. Zudem ist sie seither dazu verflucht, ihrem Erzfeind als Sklavin zu dienen. »Tja ...« Er strich sich über die Schnurrhaare. »Solange sie ihm seinen Willen tut, kann er ihr nichts anhaben. Ansonsten ...«

»Ansonsten erginge es ihr schlecht!«, fügte Bianca hinzu und rieb sich die Pfötchen. »Was uns eine Freude wäre.«

Josie schob die Unterlippe vor. »Eigentlich kann sie einem doch leidtun.«

»Die Bandraoi?« Bernhard lachte bitter. »Das bösartige Ungeheuer ist kein Jota besser als der Hornkopf selbst. Ein böses Blut wie das andere. Glaub mir! Und wenn sie unseren jungen Freund hier in die Fänge kriegt ...«

»Arthur?« Josie schreckte auf. »Was ist dann?«

»Bernhard! Hör sofort auf zu unken!« Biancas Knopfaugen funkelten.

Bernhard verzog entschuldigend das Schnäuzchen. »Man sagt ja nur, man redet ja nur ...« Dann schwieg er und Josie wusste, sie würden jetzt nichts mehr über die Hexe erfahren.

Anders als Josie, schien Arthur die angedeutete Warnung des Ratterichs nicht sehr zu beunruhigen. Mit einem Achselzucken steckte er den Schlüssel ins Schloss.

Schnarrend sprang der Riegel auf.

Zögernd traten sie ein. Der feuchtkalte fensterlose Raum schien sowohl als Speise- als auch als Schlachtkammer zu dienen, wenngleich er alles andere als sauber war. Eingetrocknetes Blut klebte braun und unappetitlich auf dem Boden, Schimmel wucherte an den Wänden. Es stank erbärmlich. Selbst Arthur hielt sich die Nase zu.

Josie sah sich stirnrunzelnd um. »Und von hier aus kommen wir sicher in die Burg?«

»Sicher?«, wiederholte Bernhard spitz. »Sicher ist nur der Tod auf Arcatrox allemal. Aber die Vorratskammer ist der einzige Zugang ohne Wachen. Man verlässt sich ganz auf die Reißzähne der Werwölfe.«

Von der unverputzten Gewölbedecke baumelten im Luftzug der offenen Tür die schlaffen Kadaver von Singvögeln. Josie erkannte neben einigen Meisen und Spatzen wehmütig eine kleine Nachtigall. Die trübweißen Augen eines toten Kaninchens glotzten sie leer an. Schweineköpfe mit hängenden Ohren und leeren Augenhöhlen bildeten auf einer blutverschmierten Schlachtbank eine schaurige Reihe. Darunter lagen ihre leblosen Körper, dazwischen ein totes Schaf und eine kopflose Ziege. Überall standen Behältnisse, Kisten und Säcke. In einer Ecke stapelten sich verschrammte Fässer, die scharf nach Alkohol rochen und die, wie Josie annahm, sicher den begehrten Fusel der Trolle enthielten. Ein offenes Fass, aus dem die glitschigen, saugnapfbewehrten Tentakel von Tintenfischen hingen, stand neben einem Korb, aus dem die gelbbraunen Krallen von Hühnern ragten. Über die Wände zogen sich grobe Regale mit Flaschen und Einweckgläsern. Josie schüttelte sich, als sie bei näherem Hinsehen entdeckte, dass einige bis zum Rand mit Augäpfeln gefüllt waren.

»Die Bandraoi hat die Vorräte auffüllen lassen«, stellte Bianca fest. »Für das Drachenopferfest.«

»Ich würde bei all diesem unappetitlichen Zeug hier glatt verhungern«, sagte Josie und stellte verwundert fest, dass sie weder Hunger noch Durst verspürte, seit sie Dorchadon betreten hatten.

»Wir befinden uns am Rand der Träume«, klinkte sich Wolf in ihre Gedanken ein. »Der menschliche Körper speist sich hier aus der ihm eigenen Energie.«

Josie wollte eben mehr darüber erfahren, als ein eigentümliches Scharren und Quieken ihre Aufmerksamkeit auf einen zerschlissenen Weidenkorb lenkte. Mit spitzen Fingern öffnete sie den Deckel – und wich bestürzt zurück.

Bianca, die auf ein Fass geklettert war, und nun ihrerseits den Korbinhalt inspizierte, riss die Kulleraugen auf. »Katzenvieh und Marderbiest! Hat die Teufelsbande zum Fest doch tatsächlich noch ein paar Schrätlein für den Hornkopf aufgetrieben! Ist es zu fassen?«

Bernhard schüttelte unwillig den Kopf. »Die Schrate sollten aber auch wirklich besser auf ihre Bälger aufpassen!«

Josie beugte sich zu den gefesselten und geknebelten Schratkindern hinunter. »Habt keine Angst. Wir tun euch nichts!« Damit holte sie das erste aus seinem Gefängnis und befreite es von den Stricken. Kaum hatte sie es auf den Boden gesetzt, sauste ein kleiner rothaariger Blitz ohne Dank und Gruß aus der offenen Tür.

»Ja, renn du nur!«, rief ihm Bernhard hinterher. »Ihr habt Dusel, dass die Wolfbestien sich heute wohl kaum mehr aus dem Zwinger wagen.«

Auch die anderen Schratkinder verloren keine Zeit mit Dankesworten. Wie vom Teufel gejagt, flitzten sie auf ihren kurzen Beinchen ins Freie. Nur das letzte, das wohl auch das Älteste der fuchshaarigen Truppe war, hielt einen Moment inne. Sein helles

Stimmchen bebte, als es sich mit einem gehetzten Blick zur Tür verabschiedete. »Habt großen Dank! Wir sind gerettet! Man hätte uns sonst eingefettet und uns so lange heiß gegart, bis unsre Leiber durch und zart. Am Eisenspieß fein präpariert, hätt' man dem Hornkopf uns serviert.« Angesichts des schrecklichen Schicksals, dem er soeben entgangen war, brach der kleine Schrat in lautes Schluchzen aus. Dann nahm er die Beine in die Hand und weg war er.

Die Gefährten sahen ihm betroffen nach.

»Die Ärmsten!«, sagte Josie.

»Die Glücklichen!«, verbesserte sie Bianca. »Allerdings wird die Bandraoi toben, wenn sie bemerkt, dass ihr die Vorspeise abgehauen ist.«

»Vorspeise!«, wiederholte Josie kopfschüttelnd. »Wie kann man nur! Die kleinen Schrate sind so süß und drollig.«

»Leute«, unterbrach Arthur die Unterhaltung. »Uns läuft die Zeit davon! Wie geht es jetzt weiter?«

Bernhard wies mit der Pfote zu einer Tür, die zu den Innenräumen führte. »Wir spähen aus, ob in der Küche reine Luft ist. Dann schleicht Ihr euch in die Burg.«

Biancas flinke Äuglein flogen von Josie zu Arthur. »Die zwei werden auffallen wie bunte Hunde. Sie müssen sich verkleiden. – Am besten als Wachleute.«

»Als Hellcs?«, erkundigte sich Josie.

Der Ratterich nickte bekümmert. »Doch, bei Odin, wo sollen wir zwei Hellc-Monturen herzaubern?«

»Das lasst mal meine Sorge sein!« Damit steckte Josie schon den Mittelfinger in Rosalindes Fingerhut.

Bianca riss Perlenaugen und Schnauze auf, als das Mädchen einen Atemzug später in voller Lederkluft vor ihr stand.

»Potz Speikatz!« Bernhard zuckte anerkennend mit den Ohren. »Sie sieht einem Hellc zum Verwechseln ähnlich. – Nur dass sie keine Fuselfahne hat.«

Josie stopfte, erleichtert das müllstinkende Cape losgeworden zu sein, ihre roten Haare unter die Mütze und blinzelte durch die Sonnenbrille. »Verdammt, aber ich kann kaum noch etwas erkennen.« Unmutig schob sie die Brille hoch.

»Ich fürchte, die Sicht wird gleich noch schlechter«, gab Bianca zu Bedenken. »Es ist allerhöchste Zeit, die Außentür zu schließen.«

Arthur, der der Tür am nächsten stand, drückte sie sogleich zu, während er mit der anderen Hand schon die Taschenlampe hervorkramte.

Die Ratten wendeten sich geblendet ab, als das warme Licht den finsteren Raum erhellte.

»Das Freiheitslicht!«, rief Bernhard erschüttert.

»Wie schön es ist!« Bianca folgte verzückt dem Lichtstrahl, der golden über die schmutzigen Wände tanzte. »Oh, wie schön es ist!« Ihre Kugeläuglein glänzten. »Dykeron hat jedes noch so winzige Flämmchen vernichten lassen. Das kleine Licht der Trolle ist das Letzte.« Sie sah Arthur argwöhnisch an. »Ihr habt es doch nicht etwa gestohlen und in diesen Apparat gesteckt?«

»Aber nein, dieses Licht haben wir mitgebracht.«

Bernhards kleine Ohren vibrierten. »Aus der Welt der Dinge?«

»Ja«, sagte Arthur. »Aber jetzt sollte ich mich wohl besser auch in eine Ledermontur werfen.«

Er hatte kaum ausgesprochen, als sich klappernde Schritte näherten. Die Gefährten und ihre kleinen Begleiter erstarrten.

Arthur duckte sich hinter ein Fass, knipste die Lampe aus und legte sie neben sich.

Josie presste sich eng an die Wand. Dann wurde die Tür aufgestoßen und versetzte ihr einen kräftigen Schlag auf die Nase. Sie biss die Zähne zusammen, um nicht aufzujaulen. Mit klopfendem Herzen spähte sie durch einen Spalt in den Planken des alten Türblatts, das ihr Schutz bot.

Was sie sah, ließ sie ihren Schmerz sofort vergessen. Die Bandraoi! Ohne Frage, das musste die Hexe sein! Ungepflegte Kleider schlackerten an dem spindeldürren Körper einer wahren Vogelscheuche. Aus einem schmuddeligen Kragen wuchs der lange Hals eines Geiers, den ein kleiner, gelbhäutiger Kopf krönte. Ja, diese Schreckgestalt erfüllte wirklich alle Klischees von einer Hexe. Ihr zerfurchtes Gesicht trug eiskalte Züge, die ihre gekrümmte Nase und die stechenden kleinen Augen noch unterstrichen. Dem schmallippigen Mund schien ein herzliches Lachen unbekannt zu sein. Ihre ganze Erscheinung hatte etwas von einem fleischfressenden Reptil. Wachsam, gierig und unerbittlich.

Aber die Bandraoi war nicht allein. Zwei abgrundhässliche Gestalten begleiteten sie. Sie waren deutlich kleiner als die Hexe und besaßen da, wo eigentlich Nase und Mund sitzen sollten, spitze Schnäbel. Auf ihren Köpfen thronten zwischen ungewöhnlich lang gezogenen Ohren blutrote Mützen, die zu der grünlichen Hautfarbe der beiden in groteskem Kontrast standen. Sie sahen sich ungeheuer ähnlich, und wäre der eine nicht ein wenig größer als der andere gewesen, hätte man sie schwerlich auseinanderhalten können. Ihren diabolisch blitzenden Äuglein nach zu urteilen war mit ihnen nicht gut Kirschen essen. Ächzend schleppten sie sich mit einem nicht sehr großen Korb ab, wobei jeder ihrer kraftlosen Schritte wie Hufe klapperte, als trügen ihre Schuhe Eisenbeschläge.

Die Hexe leuchtete mit einer blau flackernden Fackel auf einen Strick unterhalb der Decke. »Tweedledee und Tweedledum!«, sagte sie barsch. »Knüpft sie an die Leine dort, die ketzerischen Tiere!« Ihre scharfe Stimme schnitt sich schmerzhaft in Josies Ohren. »In frischer Pestwurz fein geschmort, mit etwas Borsten-Miere, werden sie gewiss recht fein und als Pastete schmackhaft sein.«

Atemlos beobachtete Josie, wie die Rotmützen mit schleppenden Bewegungen etwas aus dem Korb zerrten. Es drehte ihr den Magen um, als die schlaffen Körper von zwei toten Ratten zum Vorschein kamen. Wie schrecklich! Wie mussten sich erst Bernhard und Bianca bei diesem Anblick fühlen?

Während die krallenartigen Finger Tweedledees und Tweedledums die Ratten an ihren eigenen Schwänzen ans Seil knoteten, blieb die Bandraoi in der Tür stehen und sah sich zufrieden um. Dann deutete ihre knochige Hand auf das Korbgefängnis der Schrate.

»Schafft dann die Schrätlein in die Küche und nehmt ihnen die Därme raus, auf dass nicht üble Bratgerüche verpesten mir das ganze Haus. Die Herzlein legt auf einen Teller, denn sie gebühren mir allein.« Sie schnalzte genüsslich mit der Zunge. »Mag Dykeron, der Herr und Meister, mit dem Rest zufrieden sein.«

Josie drehte sich der Magen um. Was für ein Monster war diese alte Hexe! Angst, heiß und glühend wie Lava brodelte in ihr hoch. Bianca hatte recht. Wenn die Bandraoi jetzt gleich entdeckte, dass aus ihrem Schmaus nichts wurde, konnten sie sich auf etwas gefasst machen.

Aus der Wollmütze, die zu ihrer Verkleidung gehörte, sickerte kalter Schweiß und rann in kleinen Bächen über ihr Gesicht. Josie zwang sich zur Ruhe. Jetzt blieb ihr nur, dem Glücksdrachen zu vertrauen.

Händereibend steuerte die Hexe auf den leeren Korb zu. Dann winkte sie ihre Helfer zu sich, die mit ihrer widerwärtigen Tätigkeit soeben fertig geworden waren. Mit müden, metallisch klackernden Schritten schlichen sie herbei, nach Luft ringend, als ständen sie kurz vor einem Herzinfarkt.

»Schlaft mir nicht ein, ich mach euch Beine, sonst hängt ihr auch gleich an der Leine«, zischte die Bandraoi.

Tweedledum verzog den schiefen Mund zu einem hündischen Lächeln. Er hüstelte unsicher und schlug die Augen nieder. »Herrin, dürfen wir es wagen, nach ein wenig Blut zu fragen? – Wenn es beliebt, daran zu denken, dass unsre Kräfte langsam schwinden …« Er hielt inne, worauf der andere in dem gleichen unterwürfigen Ton einhakte. »Es gilt, die Mützen neu zu tränken, dass wir uns wieder wohl befinden.«

Die Hexe zog die dünnen Augenbrauen hoch und warf den beiden einen frostigen Blick zu.

»Es gibt genug von eurer Brut, was geh'n mich eure Mützen an?« Sie hielt inne, um sich an den bekümmerten Gesichtern ihrer Knechte zu weiden. Dann lachte sie spitz und abstoßend. »Besorgt das Schrätleinschlachten gut! Bedient euch an dem Blut sodann.«

Schwerfällig, doch bemüht, setzten sich die Rotmützen in Bewegung. Josie hielt den Atem an, als sie die Henkel packten und den Korb hochwuchteten. Ein Zucken raste durch ihre abgezehrten Körper, ein pfeifendes Stöhnen folgte, dann setzten sie den Korb wieder ab und öffneten ihn ahnungsvoll.

Stumm vor Entsetzen starrten sie in die klaffende Leere.

Die Bandraoi, die schon zur Tür gegangen war, wandte ungeduldig den Geierkopf zurück. »Was ist, was faulenzt ihr herum? Es gibt heut noch genug zu tun!«

Die Rotmützen rührten sich nicht. Sie standen da wie festgewachsen, stumm und versteinert wie zwei hässliche Gartenzwerge. Nachdem sie keine Antwort bekam, drehte sich die Hexe auf dem Absatz um und steckte ihren ungestalten Kopf in den Korb. Schlagartig verzerrte sich ihre ohnehin schon düstere Miene zu einer bedrohlichen Grimasse. Trotz des schwachen blauen Lichts konnte Josie sehen, dass sich ihr gelbes Gesicht gefährlich rötete. Ihre Augen schienen Funken zu sprühen, als sie wutschnaubend die Fackel in eine Wandhalterung steckte, um die Hände freizubekommen. Dann packte sie die Rotmützen an ihren Schnäbeln und wuchtete sie mit einer Kraft hoch, die in keinem Verhältnis zu ihrem klapperdürren Körper stand. Hilflos zappelten die zwei an ihren ausgestreckten Armen, während die Bandraoi fuchsteufelswild zu einem keifenden Donnerwetter ansetzte.

»Ihr habt die Schrätlein laufen lassen! Ihr Schlangenbrut! Ihr Lumpenpack! Ihr wisst, mit mir ist nicht zu spaßen. Mir macht ihr keinen Schabernack! Dykeron ließ sie eigens fangen, er lechzt nach ihren zarten Keulen. Wenn ihm gestillt nicht sein Verlangen … Weh mir – ich höre schon sein Heulen!«

Außer sich vor Zorn schüttelte sie die winselnden Rotmützen und spießte sie kurzerhand am Schlafittchen auf zwei Fleischerhaken.

Mit der Stimme eines verschreckten Mäuschens wagte es Tweedledee, sich zu Wort zu melden. »Wir waren's nicht, Gebieterin, die Schrätlein waren fest verpackt.«

»Es war wohl jemand hier herin und hat sie für sich eingesackt«, wimmerte Tweedledum.

»Kommt mir nicht mit solchen Possen!« Die Bandraoi fauchte wie eine Raubkatze. »Die Kammer war fest zugeschlossen. – Hingegen würdet ihr's nicht wagen …« Sie durchbohrte ihre am Haken baumelnden Helfer mit einem drohenden Blick. »Ihr wisst, für solche Ketzerei würd' ich windelweich euch schlagen. Das gäb ein mörderisch Geschrei.«

Heulend ihre Unschuld beteuernd gaben die Rotmützen ihrer Herrin davon gleich einen Vorgeschmack. Mittlerweile anscheinend selbst an einer Verfehlung ihrer kriecherischen Gehilfen zweifelnd, steuerte die Hexe die Tür an.

Josie biss sich auf die Lippen. Arthur hatte sie nur zugezogen und nicht wieder abgesperrt. Wenn die Bandraoi das jetzt gleich herausfand, waren sie in höchster Gefahr.

Ahnungsvoll riss die Hexe die Tür auf und knallte sie mit einem gellenden Schrei gleich wieder zu. Ihre Augen traten hervor, als wollten sie aus den Höhlen springen. Dann japste sie nach Luft. »Beim Satan auch!« Ihre giftige Stimme überschlug sich. »Wem ist's gelungen? – Wer ist klammheimlich eingedrungen? Wenn ich den Frevler krieg' zu fassen, werd ich ihn mir zur Ader lassen.«

Sie fuhr herum und blieb wie eine Salzsäule stehen.

Josies Finger verkrallten sich zu steinernen Fäusten. Sie hatte ihn entdeckt! Die Hexe hatte Arthur entdeckt! Sie waren verloren!

Mit einem in Granit gemeißelten Lächeln schritt die Bandraoi ohne Eile auf das Fass zu, hinter dem Arthur Zuflucht gesucht hatte. Der Junge regte sich nicht. Das Gesicht unter der Kapuze verborgen, verharrte er wie paralysiert in seiner kauernden Stellung, die es ihm unmöglich machte, an seine magische Waffe zu gelangen. Dann stand sie vor ihm.

»Da haben wir den Schrätleindieb!«, säuselte die Bandraoi, und aus jeder einzelnen Silbe spruhte Gift und Galle. »Habt wohl die kleinen Racker lieb? So sollt Ihr auch ihr Schicksal teilen.« Ohne ein Auge von dem Ertappten abzuwenden, befahl sie ihre Gehilfen zu sich. »Kommt her und bindet ihn mit Seilen!«

Lautes Wehklagen erinnerte sie daran, dass Tweedledum und Tweedledee ja noch an den Fleischerhaken zappelten. Wutschnaubend versetzte sie Arthur einen Fußtritt.

»Steh auf, Troll, öffne deinen Mantel, ich mach mit dir nicht lange Handel. Rück mir flugs die Schrätlein raus, ich blas dir sonst das Leben aus!«

Arthur erhob sich, als wären seine Beine mit Hafergrütze gefüllt. Josies Stirnader hämmerte, verzweifelt presste sie die Kiefer aufeinander. Arthur war so gut wie tot.

Dass der vermeintliche Troll ihrer Aufforderung nicht schneller folgte, machte die Hexe noch wütender. Mit einer geharnischten Bewegung riss sie ihm das Cape herunter.

Dann herrschte für einen endlosen Augenblick fassungsloses Schweigen. Selbst die Rotmützen stellten Strampeln und Gewimmer ein und gafften Arthur an, als wäre er soeben vom Mond gefallen. Im Gesicht der Hexe, das Josie nun im blauen Fackellicht wieder besser erkennen konnte, geschah eine völlig unerwartete Verwandlung. Ihr Zorn war weggeschmolzen wie Eis bei Tauwetter und hatte einem fast milden Ausdruck Platz gemacht, wäre da nicht dieser Blick gewesen. Ein hungriger, ja gefräßiger Blick, der Josie noch viel mehr ängstigte als all ihr Toben und Wüten.

Arthur nutzte den Moment zu seiner Verteidigung. »Von – von

kleinen Schraten weiß ich nichts«, sagte er mit rauer Stimme. »Ich bin vor den Wölfen weggelaufen – die Tür stand offen.«

Die Bandraoi schien ihm gar nicht richtig zuzuhören. »Die Schrätlein ...?« Sie verzog den schmallippigen Mund. »Die Schrätlein sind jetzt schlechtweg nichtig, jetzt sind ganz andre Dinge wichtig.« Sie umrundete Arthur mit der Miene eines Metzgers, der Schlachtvieh begutachtet.

Josie hielt den Atem an. Würde sie die Lampe am Boden entdecken? Und das Schwert – steckte es noch unter Arthurs Jacke? Aber wie es aussah, bemerkte die Hexe weder das eine noch das andere.

Als sie den Jungen von allen Seiten ausgiebig gemustert hatte, wackelte der kleine hässliche Kopf auf dem Geierhals erregt. »Ein Schepselknabe, welche Freude, welche lang ersehnt' willkomm'ne Beute«, murmelte sie so zufrieden vor sich hin, dass Josie heiß und kalt wurde.

Mit einem Blick, als wolle sie ihm mit dem Strahl ihrer Augen das Gehirn ausbrennen, baute sie sich vor Arthur auf. Ihre dürren Finger kramten aus den Rockfalten ein Beutelchen hervor und ließen es vor Arthurs Gesicht hin und herschwingen. Arthur schien sich den pendelnden Bewegungen nicht entziehen zu können. Schon nach den ersten Sekunden wirkte er wie hypnotisiert.

Dann begann die Bandraoi, mit monotoner Stimme zu sprechen:

»Von Stund' an seid Ihr angebunden.
Mit Haut und Haaren seid ihr mein.
Das alte Weib sei Euch entschwunden.
Ihr seht nur noch den schönen Schein.
Sein und Schein
und Schein und Sein
und Sein und Schein.
So soll es sein!«

Damit legte sie Arthur, der ihr ohne Wimpernschlag reglos wie eine Schaufensterpuppe in die Augen starrte, das Beutelchen an einem geflochtenen Band um den Hals.

Und nun geschah etwas höchst Seltsames. Josie traute ihren Augen nicht. Wie bei einer Wechselkarte, die je nach Blickwinkel ein lachendes oder ein weinendes Gesicht zeigte, veränderte sich die Gestalt der Hexe. Für kurze Augenblicke erschien eine atemberaubende Schönheit mit langem blondem Haar, die sich aber sogleich wieder in die unansehnliche Bandraoi zurückverwandelte. Das ging einige Male hin und her, doch zu guter Letzt blieb Josies Wahrnehmung fest am Anblick der scheußlichen Hexe haften. – Arthur hingegen schien ganz von dem Zauberbild der schönen jungen Frau gefangen zu sein. Josie stellte entsetzt fest, dass Arthur ebenso weggetreten wirkte wie beim Tanz mit den Sidhoir.

Die Hexe lächelte das sardonische Lächeln eines Kindes, das gleich einen Käfer zertreten wird. Ihr Zeigefinger krümmte sich zu einer lockenden Geste. »Nun, hübscher Knabe, folge mir! Welch unerwartetes Pläsier! Ein wahrer Schatz wohnt dir hier drinnen ...« Sie klopfte Arthur, der sie mit verklärtem Blick anglotzte, an die Brust. »Dein Herzchen will ich wohl gewinnen.«

Josie stellten sich die Haare auf. Was wollte die Bandraoi von Arthur? Hatte sie ihn mit einem Liebeszauber gebannt? Aber wozu? Arthur durfte auf gar keinen Fall mitgehen! Aber wie sollte sie das verhindern? Die Drachenfibel konnte sie in ihrer momentanen Zwangslage nicht unbemerkt erreichen. Außerdem bezweifelte sie, dass sich ihre magischen Kräfte nach dem Einsatz gegen die Werwölfe bereits regeneriert hatten. Alles in ihr rebellierte, als sie machtlos zusehen musste, wie Arthur die ausgestreckte Hand der Hexe ergriff und hinter ihr hertappte wie ein Hundebaby.

Nun meldeten sich die Rotmützen wieder, die befürchten mussten, dass die Hexe sie an den Haken baumeln lassen würde. Während der eine laut vor sich hinheulte, rief der andere jammervoll: »Ge-Gebieterin, lasst uns nicht leiden! Wi-wir bitten Euch, uns loszuschneiden!«

Die Hexe sah sich ungehalten um. »Hängt ihr noch immer da herum? Habt ihr nichts Besseres zu tun?«

Mit einem teuflischen Grinsen schnippte sie mit den Fingern, worauf die zwei wie überreife Birnen herunterplumpsten. Tweedledee auf den harten Steinboden, Tweedledum in ein Fass mit gepökeltem Fisch. Ohne die zwei noch eines Blickes zu würdigen, zog die Bandraoi Arthur hinter sich aus der Tür.

Kaum war sie außer Sichtweite, kletterte Tweedledum aus dem Fass. Seine durchtriebenen kleinen Augen funkelten, als er auf ein Wandbrett zusteuerte.

»Die Gelegenheit ist gut«, flüsterte er Tweedledee zu. »Die Alte hat ihr Gaudium. Die Gläser sind gefüllt mit Blut – nur Schweineblut –, doch sei es drum. Es gilt, die Mützen frisch zu tränken, die Hexe wird uns keines schenken und meine Kräfte schwinden schon. Wir nehmen uns nur unsren Lohn!«

Josie wagte kaum zu atmen. Was immer die Rotmützen auch vorhatten, es war ihnen verboten. Was, wenn sie vorher die Tür zumachten und sie entdeckten? Aber daran dachten die beiden im Eifer des Gefechts gar nicht, die Schlauesten schienen sie nicht zu sein. In hektischer Eile holten sie eines der Einweckgläser vom Regal und öffneten es. Dann nahmen sie ihre Mützen ab, worauf zwei speckig glänzende Kahlschädel zum Vorschein kamen, und tauchten ihre Kopfbedeckungen in das scharlachrote Nass. Sie wanden die triefenden Mützen aus und setzten sie dann wohlig stöhnend wieder auf. Aus ihren Schnäbeln fuhren unerwartet lange grüne Zungen, mit denen sie das herabfließende Blut gierig aufleckten.

»Welch glückliche Gelegenheit – das Blut tut gut, es wurde Zeit«, stöhnte Tweedledee erleichtert. Doch nur einen Augenblick später jagte jäh ein Schreck über seine Miene. »Da-das Glas – es ist so gut wie leer ...«

»Nun, das ist wirklich gar nicht schwer«, erwiderte Tweedledum, der der Pfiffigere zu sein schien. Er schöpfte aus einem benachbarten Fass eine undefinierbare Flüssigkeit, verdünnte den Rest des Bluts damit und stellte das Glas zurück. Nur wer ganz genau hinsah, konnte jetzt noch einen Unterschied zu den Konserven daneben ausmachen. Zum Abschluss der ekelerregenden Aktion begannen sie nun, sich gegenseitig mit ihren Chamäleonzungen dort sauber zu lecken, wo sie selbst nicht hinkamen. Josie würgte.

Sie waren gerade fertig, als die entfernte, aber unüberhörbar wütende Stimme der Hexe sie aufschreckte.

»Was treibt ihr faulen Vagabunden?«, hallte es hohl durch die ungemütliche Kammer. »Voran! Bringt rasch die Hühner her! Nachdem die Schrätlein sind verschwunden, bleibt uns nur das Geflügel mehr.«

Nun kam Leben in die zwei. Sie wuchteten schwungvoll den Korb mit den toten Hühnern hoch und liefen – klack, klack, klack –, was sie konnten, hinaus. Mit einem Rums krachte die Tür zu.

Josie dröhnte der Kopf. Sie schmeckte Blut, sie musste sich vor Anspannung die Lippe aufgebissen haben. Erst jetzt dämmerte ihr, dass sie nun zu allem Überfluss ein weiteres Problem zu bewältigen hatte. Sie musste auch noch Arthur befreien. Verdammt! Allmählich wuchs sich das Abenteuer buchstäblich zu einer unendlichen Geschichte aus.

Im Licht der blauen Fackel, die in der verrosteten Wandhalterung noch immer vor sich hin flackerte, spähte Josie ins Halbdunkel. »Wolf? Wo bist du?«

Fast gleichzeitig spürte sie das struppige Fell ihres vierbeinigen Freundes. Sie atmete auf. Wie gut tat es, wenigstens ihn noch an ihrer Seite zu wissen!

»Ich bin da«, sagte die vertraute dunkle Stimme in ihrem Kopf. »Ich konnte mich bei den Kadavern unter der Schlachtbank verstecken. Dieser Ausbund von Abscheulichkeit hatte ja nur Augen für Arthur.«

»Ach, Wolf!«, sagte Josie unglücklich und machte sich auf die Suche nach Arthurs Taschenlampe. Sie fand sie unter dem Cape, das die Hexe Arthur so wütend heruntergerissen hatte. Reines Glück, dass weder die Rotmützen noch die Bandraoi sie entdeckt hatten.

Plötzlich hörte sie leises Schluchzen. »Bianca?« Betroffen blickte sie in die Richtung, aus der es gekommen war.

Mit hängenden Schwänzen standen die Ratten da und starrten verzweifelt auf ihre so unwürdig an den Schwänzen aufgehängten Artgenossen. An ihren Barthaaren reihten sich Tränen zu glitzernden Perlenschnüren.

Josie verzog mitleidig den Mund. »Ihr kanntet sie wohl?«

Josies Frage löste bei Bianca einen Weinkrampf aus. Bernhard legte den Arm um sie. »Nala und Simba. Sie waren jung verheiratet.« Er schüttelte unglücklich den Kopf. »So verliebt und glücklich!« Biancas erschütterndes Fiepen brach Josie fast das Herz. Bernhard strich seiner Frau über die Schulter. »Nala ist Biancas kleine Schwester und Simba mein Bruder. Zwei wahre Löwenherzen – die ihren großen Namen Ehre machten. Ein schrecklicher Verlust! – Sie so zu ...« Wieder schluchzte er auf. »Sie einfach an den Schwänzen ...« Bianca warf sich an seine Brust und verbarg ihr Gesicht. »Wir werden sie herunterholen«, tröstete der Ratterich seine Frau. »Wir lassen sie nicht einfach da oben baumeln.« Er warf Josie einen flehenden Blick zu. »Es wäre nett ...? – Uns schlottern noch die Knie.«

Josies Hände wurden feucht. Sie sah ja ein, dass Bernhard und Bianca ihre Verwandtschaft würdig begraben wollten, aber die Zeit drängte. Und sie machte sich so schreckliche Sorgen um Arthur!

»Tu es«, vernahm sie Wolf. »Und denk an die Gabe des Cluricauns!«

»Du meinst ...?«, stieß Josie aus.

»Nun, es ist zumindest einen Versuch wert«, gab Wolf zurück.

»Wie bitte?« Bernhard sah sie fragend an.

»Nichts«, antwortete Josie, die den Trauernden keine Hoffnungen machen wollte, die sie am Ende nicht erfüllen konnte. Dann gab sie sich einen Stoß. Mit klopfendem Herzen nahm sie Rosalindes Fingerhut zwischen die Zähne und reckte sich hoch. Obwohl es sie einige Überwindung kostete, die nackten rosafarbenen Schwänze der toten Ratten zu berühren, knüpfte sie sie mit flatternden Fingern los. Zuerst Nala, dann Simba. Bernhard und Bianca warfen sich wehklagend über ihre leblosen Angehörigen.

Josie warf Wolf einen zweifelnden Blick zu, während sie das Fläschchen von der Kette löste. Konnte der Zauberwhiskey auch Tote zum Leben erwecken? Als Wolf ihr aufmunternd zunickte, kniete sie sich auf den schmutzigen Boden. »Erlaubt ihr mir, etwas zu versuchen?«

Mit hängenden Köpfen traten die Ratten zurück. Josie gab einen Tropfen von MoDains Wundertrank auf den Zeigefinger und strich ihn vorsichtig in Nalas Mäulchen, dann tat sie dasselbe bei Simba. Aufgewühlt wartete sie auf ein Lebenszeichen. Doch es geschah nichts. Auf Bernhards und Biancas fragende Blicke zuckte sie entmutigt mit den Schultern. »Tut mir leid, es scheint nicht zu klappen«, sagte sie leise und wollte sich eben aufrappeln, als Simbas Schwanz zuckte. Bianca quiekte aufgeregt.

»Potz Speikatz!« Das war Bernhard, der mit bebenden Schnurrhaaren auf Nala zeigte, die soeben die Augen aufschlug.

Josie stieß einen Seufzer der Erleichterung aus. Welch wertvolles Geschenk hatte ihr der schrullige Hausgeist da mit auf den Weg gegeben!

Noch etwas benommen, aber anscheinend kerngesund, erhoben sich Simba und Nala, als wären sie aus einem tiefen Schlaf erwacht. Ihre Verwandten schlossen sie mit Tränen der Erleichterung in die Arme. Als die vom Tode Auferstandenen aber nun auch Josie und Wolf wahrnahmen, wichen sie entsetzt zurück.

»Ein Helle?«, rief Nala. Simba legte schützend die Arme um sie und beäugte die Fremden misstrauisch. »Und ein Wolf? Was hat das zu bedeuten?«

»Habt keine Angst«, beruhigte sie Bianca.

»Es ist nämlich so«, begann Bernhard und erzählte ihnen von den jüngsten Ereignissen.

Nalas Erregung hatte sich etwas gelegt, als Bernhard schließlich verstummte.

»Dann gehört ihr zu den schmerzlich erwarteten Rettern, auf denen all unsere Hoffnungen ruhen«, sagte sie erleichtert und stellte sich auf die Hinterpfoten. »Dank, Dank und nochmals Dank! Wer Tote zum Leben erwecken kann, muss mächtige Zauberkräfte besitzen.«

Josie lächelte höflich. Wenn's nur so wäre, dachte sie.

Simba nickte. »Wir wären fraglos in der Pastete gelandet. Doch ist jetzt keine Zeit für lange Reden ...«

»Simba hat recht«, ergriff Bernhard das Wort. »Wir müssen den Knaben befreien, ehe es zu spät ist.«

Zu spät. Die beiden kurzen Wörter schossen wie Stromschläge in Josies Gehirn.

»Was die Bandraoi angeht ...«, murmelte Bianca. »Man soll ja den Teufel nicht an die Wand malen, aber ...«

Die nebulösen Andeutungen der Rattenfrau steigerten Josies Erregung ins Unerträgliche. »Was ...?« Ihre Stirnader klopfte im Trommelfeuer ihres Herzschlags. »Was will die Hexe von Arthur?«

»Nun«, begann Bernhard. »Wie ich bereits sagte, sind die magischen Kräfte der Bandraoi durch den folgenschweren Kampf um Dorchadon geschwächt. Einst eine mächtige Hexe, wurde sie nach dem perfiden Gebot Orcarrachts zu Dykerons unfreiwilligen Dienerin herabwürdigt. Doch ...« Er verstummte.

»Doch – was? Sag schon!«

Simba übernahm es, Josie über die ganze schreckliche Wahrheit aufzuklären. »Doch würde das warme Herz eines Schepselknaben ...«, er hüstelte, »roh genossen – ihre Magie enorm beleben.«

»Das Herz? Sie will Arthurs Herz essen?« Josies wurde blass. Was für eine undenkbare, abscheuliche Vorstellung war das!

»Die Sache hat jedoch zwei Haken. Und daran ist die Bandraoi bisher stets gescheitert. Der Knabe muss zum einen ungeküsst sein – und zum anderen ...« Simba machte eine bedeutungsvolle Pause. »Er muss sich freiwillig opfern. Entreißt sie ihm das Herz nämlich gewaltsam, entfaltet es nicht seine Wirkung.«

Josie zog die Wollmütze vom Kopf und wischte sich damit den Schweiß von der Stirn.

»Deshalb«, fuhr nun Bernhard fort, »hat sie ihm das Säckchen um den Hals gehängt, an einem Band aus ihrem eigenen Haar geflochten. Ist der Knabe fantasiebegabt und suggestibel, hat sie leichtes Spiel. Er wird, solange er den Fetisch trägt, in ihr das Trugbild einer reinen Schönheit sehen und ihr in Liebe verfallen.«

»Eine Liebe, die ihm den Tod einbringen wird«, murmelte Nala.

Bernhard senkte bekümmert den Kopf. »Wir müssen wohl damit rechnen, dass der Liebeszauber wirkt.«

Josie, die noch immer auf dem Boden kniete, sackte in sich zusammen.

»Wie wir beim Steinkreis bei den Linden bereits feststellen mussten«, meldete sich die bedrückte Stimme Wolfs, »fällt es Arthur leider schwer, zwischen Sein und Schein zu unterscheiden. Wir sollten keine Zeit verlieren.«

»Wir sollten uns sputen«, sagte Simba, als hätte er Wolfs Gedanken aufgefangen. »Ich fürchte nämlich ...« Er sah Josie ernst an. »Nun, auch das Mädchen, das ihr sucht, wäre in größter Gefahr, wenn es der alten Hexe gelänge, ihre Magie aufzufrischen.«

»Jemine! Wie wahr!«, rief Nala erschrocken. »Das Herz des Knaben würde ihr die Kraft verleihen, sich gegen den Hornkopf zu wenden. Und wenn sie dann das Mädchen tötet ...« Ihre schwarzen Äuglein weiteten sich. »Erhält Orcarracht aber seinen Zoll nicht, wird er Dykeron vernichten. Dann hätte sie die Zügel in der Hand.«

Bianca, die nervös an ihrem Schwanz knabberte, nickte. »Dann muss das Luder sich beeilen, dem Knaben den Garaus zu machen.«

Josie raffte sich müde hoch. Ihr brummte der Kopf. Sie fühlte sich mutlos, ratlos und ausgebrannt. Alles war so schrecklich kompliziert und andauernd tauchten neue Schwierigkeiten auf.

Wolf schmiegte sich an sie. »Vertraue auf den Glücksdrachen! Ich kenne zwar diese unendliche Geschichte nicht, aber das Bild gefällt mir. Es trifft den Nerv.«

Bernhard strich sich nachdenklich über die Schnurrhaare. Dann sagte er: »Wir müssen planmäßig vorgehen. Was haltet Ihr davon ...«

»Wir müssen es wagen«, sagte Simba, als Bernhard seinen Plan vorgetragen hatte. »Nala und ich sind dabei. Nicht wahr?« Nala nickte eifrig. »Zudem dient es der Sache, der wir uns verpflichtet fühlen. Keine Frage, wir werden es riskieren.«

Bianca betrachtete grübelnd ihr Schwanzende. »Die Sache könnte uns den Kragen kosten. Aber ...«, sie sog hörbar Luft ein, »sei's drum! Ist unsere Familie nicht berühmt für ihre Schläue und Tapferkeit? Da beißt die Maus keinen Faden ab! Ich bin zu allem bereit. Lasst uns keine Zeit mehr vertrödeln!«

»Langsam!«, bremste Simba Biancas Unternehmungsgeist. »Der Hund macht mir noch Kopfzerbrechen. Bernhard hat ihn nicht bedacht. Am besten, er bleibt hier.«

Josie drückte Wolf, der neben ihr stand, erregt an sich. »Er wird mich begleiten«, widersprach sie heftig.

Die Ratten sahen sie so verwundert an, dass Josie nicht umhin kam, ihnen in kurzen Zügen zu erklären, warum Wolf ein unentbehrlicher Teil der Mission war.

»Ich verstehe.« Simba ging unruhig auf und ab. »Vielleicht funktioniert es so: Der Hornkopf hält sich Barghests. Sie stromern frei durch die Korridore ...«

Josie stöhnte. »Was um Himmel willen sind Barghests?«

Bianca sah sie überrascht an. »Die schwarzen Höllenhunde, des Hornkopfs Lieblinge.«

»Höllenhunde.« Ein dunkles, fast verdrängtes Bild tauchte vor Josies innerem Auge auf: das jener bulligen Riesenköter, die die Horden Dykerons begleitet hatten, als Amy entführt wurde.

Simba blieb stehen und betrachtete Wolf. »Seine Größe wäre richtig, nicht jedoch die Farbe.« Suchend blickte er sich in der Speisekammer um. »Hat die alte Hexe Teuthida gebunkert?«

»Was hat mein Schatz nur für gute Ideen!«, rief Nala. »Ein ganzes Fass hat sie kommen lassen. Der Hornkopf ist doch verrückt nach schwarzer Suppe.«

Teuthida, dachte Josie. Was ist das nun schon wieder?

»Tintenfisch, Kalamari«, beantwortete Wolf ihre stumme Frage. »Die Idee ist gut, wenngleich ich wenig Lust verspüre, mein schönes Fell zu ruinieren – von dem ›Parfüm‹ ganz abgesehen. Aber Opfer müssen leider gebracht werden.«

Während der nächsten Minuten herrschte emsiges Treiben in der Vorratskammer. Josie warf den Ratten widerstrebend die toten Kalamari zu. Ihre kleinen Freunde bissen ihnen die Köpfe auf, um die Tintenbeutel freizulegen. Dann wälzte sich Wolf in der tiefschwarzen Masse, bis kein graues Haar mehr zu sehen war.

Simba blickte zufrieden zu dem großen schwarzen Hund hoch, der neben ihm gigantisch wirkte. »Die Tarnung sollte ausreichen, zumal kein Barghest genau dem anderen gleicht. Und der Fischgeruch wird ihre Witterung täuschen.«

Bernhard schob die Nase unter die Tür, um die Lage zu peilen. »Die Luft ist rein!«, raunte er dann. »Es kann losgehen!«

Josie verschwendete noch einen Gedanken daran, dass die Luft in dieser elenden Burg wohl kaum irgendwo rein war, während sie mit fliegenden Fingern ihre roten Haare wieder unter die Hellemütze stopfte. Dann schloss sie für einen Moment die Augen, um sich zu sammeln. Sie presste die Kiefer zusammen und setzte die Sonnenbrille auf.

»Ich bin bereit«, sagte sie und öffnete die Tür.

»Auch ich bin bereit, teure Gefährtin«, ließ sich Wolf vernehmen und folgte ihr.

Klopfenden Herzens verließ Josie, den schwarz gefärbten Wolf neben sich, die Vorratskammer, während ihre kleinen Freunde durch ein Mauerloch zu ihren verborgenen Gängen huschten. Trotz der blauen Fackeln, die den kahlen, unverputzten Gang mit einem dünnen, kalten Lichtschleier überzogen, vermochte Josie kaum etwas zu erkennen, unwillig schob sie die störende Brille hoch. Bernhard hatte ihnen die Situation ganz genau beschrieben. Die Speisekammer war durch einen Korridor, der in einer Treppe endete, direkt mit der Küche verbunden.

Es gab nur diesen Zugang, weshalb die Kammer auch nicht abgeschlossen wurde. Wer die Vorräte plündern wollte, musste sie durch die Küche forttragen, was mehr als riskant war. Und genau das war das Problem: Es galt, unbemerkt zu den Gemächern der Bandraoi zu kommen, wo die Ratten Arthur vermuteten. Sie mussten alles auf die Verkleidung setzen. Josie zog die Mütze weit über Ohren und Stirn, setzte die Brille wieder auf die Nase und stieg neben dem schwer atmenden Wolf die ausgetretenen Steinstufen zur Hexenküche hoch.

Geschäftige Küchengeräusche und das Klappern eisenbeschlagener Schuhe drangen durch die angelehnte Tür, als Josie auf der letzten Stufe stehen blieb und in den Raum spähte. Alle Bilder und Vorstellungen, die sie sich je von einer Hexenküche gemacht hatte, schienen hier zum Leben erstanden. Über einer blau züngelnden Feuerstelle hing an einem verrußten Eisengestell ein kolossaler Kessel, in dem eine zähe Masse brodelte.

Gewaltige Dampfwolken stiegen auf. Josie kniff sich die Nase zu. Himmel, das Zeug stank ja zum Weglaufen! Jedenfalls war es hier, aufgrund der zahlreichen Fackeln, wenigstens hell genug, dass sie trotz Brille etwas erkennen konnte. An zwei langen Tischen wurde eifrig hantiert. An Personal schien es auf Arcatrox jedenfalls nicht zu mangeln. Eine riesige Schar Spriggans stand im Dienst der Bandraoi. Josie erkannte sie an ihren hervorstehenden Stirnen und den sechsfingrigen Händen. Alle arbeiteten, als ginge es um ihr Leben.

Auch Tweedledee und Tweedledum waren da. Bewehrt mit zwei Eisenspießen stolzierten sie herum und trieben die Spriggans an, indem sie mal diesen, mal jenen ins Gesäß stachen.

Tweedledee und Tweedledum ..., dachte Josie. Und plötzlich erinnerte sie sich, woher sie diese eigenartigen Namen kannte. Aus *Alice hinter den Spiegeln*, einem Buch, das sie vor ein paar Jahren gelesen hatte. Aber wenn sie sich recht erinnerte, waren die zwei ziemlich harmlose Figuren.

»Durchaus möglich«, kommentierte Wolf ihre Überlegungen. »Aber harmlos sind unsere beiden Rotmützen ganz gewiss nicht. Ihre Spezies gilt als durch und durch bösartig. Sie müssen ihre Mützen immer wieder neu mit Blut tränken, um ihre Lebenskraft zu erhalten. Gewöhnlich mit dem Blut frisch Ermordeter. Doch scheint ihnen zur Not auch Schweineblut in Konserven zu genügen.«

Josie schüttelte sich. Was es nicht alles an Scheußlichkeiten hier gab! Und was für widerliches Zeug die hier zusammenbrauten!

Zwei Spriggans hackten den Hühnern, die als Ersatz für die kleinen Schrate herhalten mussten, die Köpfe ab, pulten die Augen heraus und sammelten sie in ein Glas, ehe sie den Rest in einen Topf warfen. Andere schnitten Hühnerkrallen in kleine Stücke, während einige Rotmützen damit beschäftigt waren, die leblosen Vogelkörper zu rupfen, um sie danach auf einen langen Bratspieß zu stecken.

Tweedledee und Tweedledum stelzten durch die Küche und machten sich wichtig. Josie hob die Augenbrauen. Dafür, dass sie

vor Kurzem noch höchst kleinlaut an Fleischerhaken gezappelt hatten, führten sie sich jetzt ganz schön aufgeblasen auf. Wolf hatte sicher recht. Unangenehme Charaktere, diese Rotmützen!

Um sich Gehör zu verschaffen, kletterte Tweedledum nun auf einen Stuhl und warf sich in die Brust. »Sputet euch, ihr faule Meute! Die Gäste trafen bereits ein. Es werden über hundert Leute, das Festmahl muss bald fertig sein.«

Tweedledee schubste seinen widerstrebenden Kumpel herunter und erklomm dann selbst den Stuhl, um auch seinen Senf dazuzugeben. »Und wer nicht spurt, wird gleich gebraten! Darum seid ihr alle gut beraten, fleißig zu werken und zu schaffen und nicht dumm herumzugaffen!«

»Siehst du die Bandraoi?«, erkundigte sich Wolf, der hinter Josie stand.

»Nein«, flüsterte sie. »Tweedledum und Tweedledee scheinen sie zu vertreten. Ich fürchte, die Hexe ist bei Arthur.« Die scharfe Klinge der Angst bohrte sich wieder in ihren Magen.

»Gib dich nicht deiner Angst hin!« Wolfs dunkle Stimme erinnerte sie daran, dass es jetzt vor allem darauf ankam, Ruhe zu bewahren. »Unsere Verkleidung wird uns schützen! Weder Spriggans noch Rotmützen sind sonderlich helle.«

»Also dann!« Josie straffte sich und stieß die Tür auf. Einen Schritt weiter standen sie in der dampfenden Hexenküche. Jetzt ging es darum, möglichst unbemerkt den Raum zu passieren. Den Küchenhelfern schien ihr Eindringen gar nicht aufgefallen zu sein, zu sehr waren sie in ihre Arbeit vertieft. Ein Übriges tat der Dunst, der alles einnebelte.

»Wir sollten uns an der Wand entlang zum Ausgang hangeln«, schlug Wolf vor, nachdem er die Lage gesichtet hatte. »Das ist nicht der kürzeste, aber der sicherere Weg.« Damit ging er schon voran.

Doch schon nach den ersten Metern klackerten bedrohliche Schritte hinter ihnen her. Dann pikte Josie etwas in den Po.

Sie schnellte herum. Tweedledum blitzte sie heimtückisch an.

»Ihr wart wohl in der Speisekammer? – Hattet Ihr wieder Katzenjammer und wolltet drüber Fusel gießen? Ich werd' den Raub Euch schon vermiesen.«

Nun gesellte sich auch Tweedledee hinzu. »Ihr wollt die Herrin wohl verdrießen? – Sie mag Euch nicht, Euch schwarze Brut«, fügte er verachtungsvoll hinzu, und blickte dann auf Wolf. »Und auch das Vieh tut hier nicht gut. Die Köter fressen dreist und keck, was sie erwischen, ratzfatz weg.«

»Ja«, fiel Tweedledum ein. »Und wir sind dann die Dummen und müssen dafür brummen. Die Barghests können sich's erlauben, sie sind des Meisters Herzelein. Und uns wird nachher keiner glauben, ist unser Gewissen noch so rein.«

Wolf knurrte sie warnend an, worauf die zwei erschrocken zurücksprangen.

Gewissen. Das war für Josie das Stichwort. »So, euer Gewissen ist also rein?«, sagte sie, wobei sie die Stimme hochzog, um den fisteligen Tonfall der Hellcs nachzuahmen, und verzog spöttisch den Mund. »Die roten Mützen stehen euch wirklich gut. Vor allem, wenn sie so schön nass glänzen. – Ist es nicht eigenartig, dass ich an ein Einmachglas denken muss?«

Geschockt zogen die Rotmützen ihre Schnabelköpfe zwischen die Schultern. »W-wie meint ihr da-das – das mit dem Glas?«, stotterte Tweedledee.

»Ihr wisst sehr wohl, wie ich das meine«, gab Josie kalt zurück. »Die Bandraoi macht Hackfleisch aus euch, wenn sie von eurem Betrug erfährt.«

»So wollen wir mal nicht so sein«, säuselte Tweedledum mit banger Stimme. »Wir werden Euch doch nicht kastei'n, wegen ein wenig Branntewein.«

Ein zwergenhafter Spriggan mit Kochmütze und schmuddliger Schürze war auf das Grüppchen aufmerksam geworden. Er äugte sensationslüstern zu ihnen hin. »Habt Ihr einen Hellc am Bändel? Gibt es mit dem Burschen Händel?«

»Mach deine Arbeit, halt den Rand«, fauchte ihn Tweedledum an. »Reg nicht den Mund, sondern die Hand!«

Beleidigt vertiefte sich der sechsfingrige Küchengehilfe wieder in seine Arbeit.

Trotz der ungeheueren Anspannung konnte sich Josie ein Lächeln kaum verkneifen. »Ihr habt Glück, dass ich heute gut gelaunt bin«, sagte sie herablassend. »Sonst würde ich euch der Hexe auf einem Tablett servieren. Im Übrigen hat mich der Meister persönlich geschickt, um in der Küche nach dem Rechten zu sehen. Er wartet ungeduldig auf den Willkommenstrank für seine Gäste.«

»Es ist beileib nicht unsre Schuld«, entschuldigte sich Tweedledee mit flatternder Stimme, »wenn ihn die Herrin nicht gebracht. Wir schätzen unsres Meisters Huld, doch noch in dieser Opfernacht ...«

»Ich warne Euch, schweigt lieber still!«, zischte ihm Tweedledum zu. »Sie frisst uns sonst mit Stumpf und Stiel!«

Mit einem falschen Lächeln wandte er sich wieder an Josie. »So richtet unsrem Meister aus: Die Hexe hat Migräne. Wir schicken aber gleich nach ihr. In Kürze – notabene!« Und schon klackerten die eisenbeschlagenen Sohlen der Rotmützen eiligst aus der Küche.

Ohne weiter behelligt zu werden, konnten Josie und ihr vierbeiniger Freund den Raum verlassen. Genau wie Bernhard beschrieben hatte, befanden sie sich nun in einem langen Korridor, dessen Deckengewölbe von Pilastern mit seltsam verknoteten Mustern getragen wurde. Dazwischen gaben vergitterte Fenster die Aussicht auf eine düster verhangene Landschaft frei. Josie schob die Brille auf die Wollmütze und blickte hinaus.

Rechts stieß eine Hügelkette an den dunklen Himmel, verkarstet und öd. Nur durch den Fluss getrennt lag unter ihnen das Dorf. Selbst im Tageslicht, soweit man von Tageslicht sprechen konnte, wirkte es nicht heimeliger als bei Nacht. Allerdings herrschte nun große Betriebsamkeit. In dem kleinen Hafen, nahe der Brücke, ankerte eine ganze Flotte von Booten, darunter eine große schwarze Barke, an der sich Dutzende von Trollen zu schaffen machten, während ein Trupp Hellcs sie mit Peitschen zur Arbeit antrieb.

Dahinter erhob sich die Hochebene mit dem grauen Schattenwald, der von hier aussah wie ein tückisch lauerndes Reptil.

»Trostlos«, murmelte Josie vor sich hin.

Ihren Blick teilend, mischte sich Wolf in ihre Gedanken. »Irgendwo da draußen liegt das Niemalsmeer. Das ist unser Ziel. Dort endet unser Auftrag. Und dort beginnt mein Glück.«

»Potz Speikatz! Ihr habt's geschafft!« Josie und Wolf drehten sich um. Es war Bernhard, der sie, wie ausgemacht, weiterlotsen sollte.

»Die Zeit wird knapp, sie bereiten schon die Barke vor«, sagte der Ratterich und wackelte nervös mit den Ohren.

»Was für eine Barke?«, erkundigte sich Josie, nichts Gutes ahnend.

»Für die Prozession. Ihr wisst nichts von der Prozession?«

Josie schüttelte den Kopf.

»Das Opfer wird dem einäugigen Drachen in einer feierlichen Flussprozession gebracht. Dykerons Vasallen werden sie begleiten.« Er hielt inne, weil er Josies erschrockenes Gesicht sah. »Sie weiß es nicht. Der Eiszapfen in ihrer Brust hat Geist und Körper erstarren lassen.«

Sein Versuch, Josie damit zu beruhigen, ging ins Leere. Ihr Herz pochte wie ein rasendes Metronom. Ein Eiszapfen steckte in Amys Brust! Das hatte Torun also mit »eisigen Pfeilen« gemeint!

Der Hall entfernt klackernder Schritte und die wütende Stimme der Hexe unterbrachen ihre mutlosen Gedanken.

»Rasch!« Bernhard lotste sie in einen winzigen Erker mit einer Art Steinhocker, in dem Josie und der große Hund kaum Platz fanden. Durch ein Loch in der Sitzfläche, durch das man bis in den Burggraben sehen konnte, pfiff eisiger Wind. Es stank bestialisch.

Und es war definitiv nicht Wolfs Fischgeruch! Schlagartig begriff Josie, dass es sich um einen Abtritt handelte. Verdammt, sie klemmten in einem mittelalterlichen Klo! Ihr blieb aber auch nichts erspart!

Die Schimpftirade der Bandraoi näherte sich. Ihre aufgebrachte Stimme hallte von den kahlen Wänden wider. »Ich hab dem Meister längst gebracht, was seiner Gäste Schlund verwöhnt. Es ist allein ein Spiel der Macht. Aus reinem Spaß er mich verhöhnt.« Die Bandraoi schien vor Wut schier zu platzen. »Hat man denn keine fünf Minuten? Noch bin ich seine hörig' Magd. – Doch wird der Herr mir bald schon bluten, noch eh die Nacht wird neu zum Tag.«

Offenbar hatten Tweedledee und Tweedledum ihrer Gebieterin ausgerichtet, dass Dykeron nach Getränken für seine Gesellschaft verlangte.

Dann rauschte ein langer krummnasiger Schatten an ihrem Versteck vorbei, gefolgt von zwei kleineren mit Schnäbeln, deren Mützen vom schnellen Lauf auf und niederwippten.

Bernhard spähte hinaus. »Kommt, sie sind weg, die Gelegenheit ist günstig. Die Hexe wird für eine Weile beschäftigt sein. Potz Speikatz! Dass wir so ein Glück haben!«

Erleichtert dachte Josie, dass sie dies nur ihrem Einfall zu verdanken hatten.

»Da siehst du«, griff Wolf ihre Gedanken auf, »deine Imagination lenkt die Geschehnisse wie von selbst in die richtige Richtung. Das sollte dir Zuversicht geben.«

Bernhard drängte zur Eile. »Rasch! Folgt mir! Unsere Chancen stehen nicht schlecht, die Burg ist heute nicht lückenlos bewacht. Die Hellcs sind großteils unten im Hafen eingesetzt. Nur auf den Wehrgängen patrouillieren Soldaten. – Ansonsten verlässt man sich auf die Barghests, die durch die Gänge streifen. Aber da haben wir vorgesorgt.«

»Wie?«, erkundigte sich Josie überrascht.

»Nun, ein wenig Dormidon in jeden Napf und die Bestien träumen sanft wie junge Hündchen.«

»Ein Schlafmittel? Ihr Ratten seid wirklich gerissen«, sagte Josie.

Bernhard zuckte geschmeichelt mit den Ohren. »Ich nehme es als Kompliment.«

Der Weg führte sie durch ein Labyrinth dunkler Korridore und Gänge. Fratzenhafte Gestalten bleckten diabolisch von Säulenkapitellen. Bizarre Rüstungen mit gehörnten Helmen und stachelbewehrten Harnischen standen Spalier.

Nachdem sie eine ganze Strecke unbehelligt vorangekommen waren, blieb Josie jäh stehen. Nur wenige Meter entfernt schwankte ein bulliger Riesenköter auf sie zu. Das musste einer von Dykerons Höllenhunden sein! Wolf sträubte das Fell und fletschte die Zähne. Der schwarze Hund stoppte taumelnd. Für die Dauer eines müden Knurrens entblößte er seine imposanten Reißzähne. Dann entschied er sich doch für den Rückzug. Er schien sich zu matt für eine Kraftprobe zu fühlen. – Glück für Wolf, dachte Josie, gegen das kräftige Tier hätte er keine Chance gehabt.

»Nun, ich bin zwar nicht mehr der Jüngste«, entgegnete Wolf auf ihre Gedanken, »doch bin ich weder zahnlos noch feige.«

Sie tätschelte ihn entschuldigend und wischte sich gleich darauf die Finger an der Hose ab. Wolf färbte schwarz ab und besonders angenehm roch er leider auch nicht! Nichts hier roch angenehm, über allem lag der beißende Gestank von Schwefel und Aas, der Geruch abgrundtiefer Verdorbenheit.

Während sie noch ihren sensiblen Geruchssinn bedauerte, stoppte Bernhard vor einer düsteren Tür aus schwarzem Holz, in die ein Pentagramm eingeschnitzt war. »Wir sind da.«

Josies Atem begann zu rasen. »Ist Arthur da drinnen? Geht – geht es ihm gut?«

»*Gut* würde ich das nicht nennen.« Bernhard strich sich bekümmert über die Barthaare. »Er ist nicht Herr seiner Sinne. Zudem wird er, genau wie ich vermutet habe, von Caitsiths bewacht.«

Josie erinnerte sich, dass Bernhard, in Erörterung seines Plans, die Katzen der Hexe erwähnt hatte. Mit allem rechnend beugte sie sich zum Schlüsselloch, um sich einen Überblick zu verschaffen, und dennoch nahm ihr die Szene, die sich nun vor ihr auftat, den Atem.

Arthur lag leblos in einem schwarzen Himmelbett, um dessen vier Pfosten sich geschnitzte Schlangen wanden. Trotz des dunklen, durchlöcherten Gazevorhangs, der das Bett wie ein Witwenschleier einhüllte, konnte Josies sein bleiches Gesicht erkennen, da es sich von den schwarzen Kissen gespenstisch abhob. Schwarze Kerzen auf mannshohen Leuchtern – Josie zählte dreizehn – verbreiteten unheimliches blaues Licht, das in den Augen der ebenfalls dreizehn Riesenkatzen, die um das Bett strichen, spukhaft flackerte. Das waren also Caitsiths! Sie würgte. Der Kloß, der in ihrer Kehle pulsierte, musste ihr Herz sein! Jede dieser Hexenkatzen besaß den sehnigen Körper und das Reißgebiss eines Tigers, doch waren ihre Felle schwarz und räudig. In ihren Blicken lagen Heimtücke, Aggressivität und Mordlust. Nichts erinnerte Josie an die Sanftheit und Gelassenheit, die sie an Katzen so schätzte. Diese Bestien hier würden niemanden auch nur in die Nähe des Betts lassen.

Josie richtete sich kreidebleich auf. Ihr Magen meldete Katastrophenalarm. »Diese verdammten Hexenkatzen werden uns zerreißen, sobald wir nur die Tür öffnen«, flüsterte sie und starrte auf den eisernen Türknauf, der wie ein Totenkopf geformt war.

Bernhard legte den Kopf zur Seite und sah zu ihr hoch. »Die Katzen lasst unsere Sorge sein. – Öffnet nur die Tür weit genug.«

Josie suchte Wolfs Blick. »Folge deinem Herzen und die Sache wird gelingen!«, las sie darin. Der Spruch aus dem Glückskeks fuhr ihr durch den Sinn. Wenn sie damals in dem kleinen Chinarestaurant gewusst hätte, was auf sie alles zukommen würde …

»Los jetzt!« Bernhards Ohren zuckten ungeduldig. »Sonst kommt die alte Hexe noch zurück.«

Josie gab sich einen Ruck. Mit schweißnassen Händen drehte sie den makabren Knopf nach rechts. Ein kleiner Klick, dann stieß sie mit aller Kraft die Tür auf.

Dreizehn giftgrüne Augenpaare funkelten ihnen angriffslustig entgegen. Doch zu mehr als einem drohenden Sträuben der Nackenhaare kamen die Hexenkatzen nicht.

Bernhard ließ einen durchdringenden Pfiff los. Augenblicklich rasten aus allen Ecken Ratten. Wie viele es waren, hätte Josie unmöglich sagen können. Nala, Simba und Bianca mussten die ganze Sippe zusammengetrommelt haben.

Ein Heidenspektakel brach los. In blindem Jagdinstinkt hetzten ihnen die Caitsiths nach. Kreuz und quer schossen die mutigen Nagetiere durch den Raum. Keine der Riesenkatzen kümmerte sich noch um Josie und den großen Hund, die das Treiben, starr an die Wand gepresst, verfolgten. Trotz der Kälte, die auch das Innere der Burg in ihren eisigen Mantel hüllte, rann Josie der Schweiß in Bächen übers Gesicht. Jede Faser in ihr zitterte um ihre kleinen langschwänzigen Freunde, die ihr Leben riskierten. Zu ihrer großen Erleichterung wurde aber rasch deutlich, dass die Ratten ihren fauchenden Verfolgern an Schnelligkeit und Taktik weit überlegen waren. Geschickt lotsten sie eine Katze nach der anderen hinaus in den Korridor. Als die letzte hinausgeprescht war, warf Josie die Tür zu und rannte zum Bett, wo sie erschrocken stehen blieb.

Jetzt, wo sie Arthur aus der Nähe sah, schien er ihr wie tot. Seine kalkweiße Haut reflektierte das bläuliche Licht der schwarzen Kerzen. Er hielt die Augen geschlossen, auf seinen bleichen Lippen lag ein einfältiges Lächeln. Mit klammen Händen schob sie den Vorhang weg und beugte sich über ihn.

»Arthur!«, sprach sie ihn sachte an.

»Tu, was zu tun ist!«, meldete sich Wolf, der ihr gefolgt war.

Josie drehte den Kopf weg. Gott im Himmel, was für ein Gestank! Was hatte die alte Hexe nur Abscheuliches in den Beutel gegeben. Den Atem anhaltend suchten ihre zitternden Finger das Flechthalsband nach einem Verschluss ab, doch schien es weder Anfang noch Ende zu besitzen. Sie versuchte es mit Zerreißen, doch so viel Kraft sie auch aufbrachte, es wollte ihr einfach nicht gelingen. Und ebenso wenig schaffte sie es, Arthur das verteufelte Ding über den Kopf zu ziehen.

Verdammt! Verdammt! Verdammt! Gehetzt sah sie sich nach einem Messer oder dergleichen um. Dann kam ihr ein Gedanke. Sie öffnete Arthurs Jacke und griff nach dem kleinen Schwert, das unversehrt an seinem Gürtel hing. Erleichtert, dass die Bandraoi es nicht entdeckt hatte, zog sie es aus der Scheide. Doch zu ihrer maßlosen Enttäuschung versagte auch Arthurs magische Waffe. Verzweifelt starrte Josie auf ihren reglosen Gefährten, der von ihren Bemühungen nicht das Geringste mitbekommen hatte. Sie konnte ihn doch unmöglich einfach so liegen lassen!

Wolf blickte sie aus seinen Bernsteinaugen ernst an. »Vergiss nicht, es ist Arthurs Magie, die das Schwert belebt.«

In Josies Kopf rasten die Gedanken. Was sollte sie jetzt bloß tun? Dann jagte ihr etwas durch den Sinn. Vielleicht ging es so …

Wolf nickte ihr aufmunternd zu, als Josie das Schwert in Arthurs Hand drückte und seine leblosen Finger um den Griff bog. Anders als allein in ihren Händen begann der herzförmige Knauf, jetzt zumindest rot zu flackern. Hoffnungsvoll bebend führte sie das Schwert in seiner Faust zu dem Band – und ließ es gleich darauf enttäuscht sinken. Auch auf diese Weise ließ sich das Haar der Hexe nicht durchtrennen.

Mit dem schmerzlichen Gefühl, nichts mehr für ihn tun zu können, warf sie sich über Arthur. Tränen rannen über ihr Gesicht. Sie hätte schreien können. Vor Zorn. Vor Frust. Vor Angst um den wundervollen Jungen, der dem Zauber dieser Hexe so vollkommen ausgeliefert war. Warum konnte sie ihm bloß nicht helfen? Doch dann drang völlig unerwartet, aus einer Quelle, die sie nicht ausmachen konnte, eine Eingebung zu ihr durch.

Sie richtete sich auf, und fingerte die Drachenfibel über die Lederkluft. Fiebernd umfasste sie sie mit der Linken, ohne ihre Rechte jedoch von Arthurs Faust zu lösen. Dann geschah etwas so Fantastisches, dass Josie es später kaum in Worte fassen konnte. Hatte sie sich Arthur von Anfang an nahe gefühlt, überwallte sie nun das Gefühl einer überwältigenden Verbundenheit. Es war, als würden Fibel und Schwert ihre magischen Kräfte vereinen. Funken sprühten, und kaum hatte die Klinge das Band der Hexe auch nur berührt, sprang es mit einem scharfen Zischen ab und zerrann zu einer stinkenden Schwefelwolke.

Wie vom Donner gerührt saß Josie auf dem Bett und wartete. Wartete einen quälenden, zeitlosen Augenblick darauf, dass Arthur ein Lebenszeichen von sich gab. Dann schlug er endlich die Augen auf. Doch war es Josie nicht vergönnt, diesen glücklichen Moment auszukosten. Ein brauner Pfeil, der mit quietschenden Pfoten bremste, riss ihren Blick von Arthurs verwirrtem Gesicht weg auf den Boden. Es war Simba, japsend wie ein Marathonläufer. »D-die Ban-Bandraoi ist un-unterwegs. I-ihr müsst ve-verschwinden!«

Josies Stirnader pochte, als wolle sie jeden Moment zerspringen. Sie sah Arthur an, der allmählich zu sich zu kommen schien. Dann fasste sie sich ein Herz, um nach Bernhards Plan nun auch noch den zweiten Teil Arthurs Rettung auszuführen. Den Teil, der ihr die Schamröte ins Gesicht steigen ließ.

Ohne jegliche Vorwarnung beugte sie sich über den verdutzten Jungen und drückte ihm einen Kuss mitten auf den Mund. Ihren ersten Kuss hatte sie sich zwar definitiv romantischer vorgestellt, aber jetzt war Arthur für die Hexe ein für alle Mal unbrauchbar.

Arthur riss die Augen auf und staunte sie für einen Moment verwirrt an. Dann schoss Farbe in sein blutleeres Gesicht und seine Lippen verzogen sich zu einem ungläubigen Grinsen. »Uff! Ich glaub, mich küsst ein Hellc! Wie komm ich zu der Ehre?«

Josie wurde puterrot. »Ähm – i-ich musste das tun«, stammelte sie noch, ohne jedoch weitere Erklärungen abgeben zu können, denn da wurde schon die Tür aufgerissen. Es blieb ihr gerade noch Zeit, die Augen wieder hinter der Brille zu verbergen.

Ein mächtiges Messer schwingend stürmte die Bandraoi herein. Mit einem einzigen Blick erkannte die Hexe, dass ihr soeben die Felle davonschwammen. Ihr kleiner Geierkopf wechselte die Farbe von Gelb nach Grün. Der eisige Strahl ihrer Augen hätte einen Vulkan gefrieren lassen. Grimmig warf sie die Arme hoch, fuchtelte wie von Sinnen mit dem Messer und ließ ein Feuerwerk an Verwünschungen losprasseln. Josie, die noch immer auf der Bettkante saß, bemerkte jetzt entsetzt, dass die geschnitzten Schlangen zum Leben erwachten und sich gefährlich züngelnd von den Pfeilern lösten.

Stumm, mit schreckgeweiteten Augen gab sie Arthur ein Zeichen. Der Junge, verblüfft, dass er das magische Schwert bereits in der Hand hielt, schlug, ohne zu zögern, damit um sich, während er, noch benommen vom Zauber der Hexe, nach einem passenden Schwertspruch suchte. »Es wird euch sicher nicht behagen! Vom Leib das Haupt sei euch geschlagen!«, brüllte er, einer plötzlichen inneren Stimme folgend, und trennte der ersten Natter mit glühender Klinge den Kopf ab. Er hatte sich eben der nächsten zugewandt, als aus dem zerteilten Kadaver zwei neue Schlangen wuchsen, die sich augenblicklich um Josies Fesseln ringelten. Josie schrie auf. Arthur, der erst jetzt erkannte, was seine scheinbare Verteidigung bewirkte, ließ erschrocken das Schwert sinken und zog die Beine an. Ehe er jedoch begriff, wie ihm geschah, wand sich eines der Kriechtiere bereits um seine Füße. Er warf Josie einen verzweifelten, ratlosen Blick zu. Doch Josie war selbst unfähig zu denken. Abgrundtiefer Ekel höhlte ihren Verstand. Schlangen zählten zu den Dingen, die zu ihren größten Albträumen gehörten. Wie ein hypnotisiertes Kaninchen starrte sie auf die zischelnden Nattern, die sich auf dem Bett wanden wie in einem Schlangennest.

Die Hexe nutzte diesen Augenblick, den vermeintlichen Hellc, der ihre Pläne zu durchkreuzen drohte, auszuschalten. Im Stechschritt marschierte sie auf Josie zu. Ihre Augen glühten, giftgrüner Speichel schäumte aus ihrem Mund, als sie Josie das Messer an die Kehle setzte. »Hat Dykeron Euch hergeschickt? Dummdreistes Schlitzohr, schwarze Brut! Ich schneide durch Euch das Genick und send ihm Euren Kopf in Blut!«

Dann überstürzten sich die Ereignisse. Die Hexe holte mit dem Messer aus, als Wolf ihr rücklings in den Nacken sprang. Mit einem wütenden Knurren schlug er seine Hauer in ihren dürren Hals. Die Bandraoi jaulte auf und ließ das Messer fallen, um den Angreifer mit beiden Händen abzuwehren.

»Die Fibel!«, schoss Wolfs Stimme durch Josies Kopf.

Josie erwachte aus ihrer Paralyse und setzte die Drachenfibel ein. Ihr wiedergefundenes Vertrauen auf ihre magischen Kräfte ließ die Fibel Funken sprühen. Wie schon der Schleimpilz in Ombragon, vertrockneten jetzt die Schlangen, vom Funkenregen getroffen, zusehends zu schlaffen Hüllen, die endlich, wie luftleere Schläuche, reglos auf der Matratze liegen blieben. Nun entfaltete auch Arthurs Schwert seine ganze Magie. Es wuchs sich zu einer beachtlichen Waffe aus, deren Klinge vom Heft bis zur Spitze glühte. Als die Hexe, völlig übertölpelt von dem unerwarteten Angriff, den vermeintlichen Barghest gerade abgeschüttelt hatte, streiften Josie und Arthur die laschen Schlangenfesseln ab und sprangen aus der tückischen Bettfalle, beide von einer purpurroten Aura umhüllt, die die Hexe zwang, geblendet den Kopf abzuwenden.

Mit einer energischen Bewegung richtete Arthur seine Waffe auf die hagere Brust der Hexe. Allein die Berührung des gleißenden Schwerts schien der Bandraoi unendliche Schmerzen zu bereiten. Sich krümmend fiel sie auf die Knie. Mit einem Krächzen schlug sie die Hände vors Gesicht und begann zu wimmern.

»Wie nah war mir das Herz des Knaben. – Nun ist die Okkasion verronnen. Wie soll ich nun die Kräfte laben, die mir mein Peiniger genommen.«

Ihr vor Selbstmitleid triefendes Gewinsel beeindruckte weder Josie noch Arthur, der der Klinge nur mehr Nachdruck verlieh, worauf die Hexe flehend die knochigen Hände hob. »Erbarmen! Schont mein kleines Leben! Was ich vermag, werd ich Euch geben.« In einer unterwürfigen Geste senkte sie den Kopf. »Verblendung hat es mir versagt, Euere Kräfte zu ermessen.« Scheu beäugte sie Josies Drachenfibel und wandte das Gesicht gequält wieder ab. »Ich hätt Euch niemals so geplagt, wär' ich dem Schein nicht aufgesessen. Die Tarnung ist Euch gut geraten. Ich roch rein gar nichts von dem Braten. Erst jetzt seh' ich das Drachenzeichen. – Ein roter Stein, jedoch dergleichen …« Sie hielt inne, als suche sie nach dem Ursprung des Symbols. »Narranda …«, murmelte sie schließlich und ihr hässlicher Kopf nickte heftig. »Narranda, jenes Gold'ne Land, an der schönen Träume Rand, das mein Beherrscher will vernichten. Seid Ihr gesandt, um ihn zu richten?« Diese Vermutung hexte abrupt ein verschlagenes Lächeln auf ihr Gesicht. Mit süßlicher Stimme fuhr sie fort: »Ich will Euch gern behilflich sein, denn ihn zu stürzen ganz allein, fehlt mir die Macht. Euch hat der Satan mir gebracht!«

Arthur suchte Josies Blick. Aber Josie fühlte nichts als Ekel und Abscheu vor dem würdelosen Gebaren der Hexe. Sie sandte ihm eine auffordernde Kopfbewegung. Arthur wollte eben zustoßen, als Wolf ihm Einhalt gebot. »Wartet, sie könnte uns noch nützlich sein! Sie soll uns Amys Drachenfibel beschaffen.«

Josie verzog unentschlossen den Mund. Wolf hatte recht, die Drachenfibel würde Amy vermutlich schützen.

Arthur lockerte die Klinge und herrschte die Bandraoi an: »Wenn du uns helfen willst – hilf uns, das Mädchen vor dem Drachen zu retten!«

Die Hexe verschränkte ihre dürren Finger, um ihre Erregung zu vertuschen. Unübersehbar witterte sie Morgenluft. »Die Maid, die heut zur Opfernacht dem wilden Drachen wird gebracht?« Sie blinzelte Arthur gerissen an und gab ein grunzendes Geräusch von sich, das angesichts ihrer misslichen Lage seltsam zufrieden klang. »Wenn Dykeron die Maid verliert, der Drache ihm den Bart balbiert. – Hätt' ich durch Euer Herz die Kraft, wüsste ich gleich, was ist zu tun. Doch fehlt mir dazu nun der Saft ...« Jammervoll schlug sie die Hände vors Gesicht. »Ach, ich bin ganz ohne Fortun'.«

Josie starrte sie angewidert an. Diese unselige Kreatur hätte gewiss nicht nur Arthur umgebracht, sondern auch Amy, genau, wie es die Ratten vermutet hatten. Da waren sie um Haaresbreite einem Desaster entgangen!

Arthur verlieh dem Schwert an ihrer Brust wieder mehr Nachdruck. »Antworte auf meine Frage! Wir haben nicht viel Zeit. Das Mädchen ist in höchster Gefahr.«

Die Hexe heulte auf, doch fasste sie sich rasch wieder. »Zum Glaciorum, wo sie dämmert, erstarrt vom Frost und schwer belämmert, der Meister nur den Schlüssel hat. Ich gebe Euch den guten Rat, zu warten, denn schon ganz in Bälde holt er sie aus der Eiseskälte.« Ihr kleiner Kopf wackelte erregt. »Hätt ich gewusst von Eurem Plan, ich hätt' Euch protegiert. So lasst mich geh'n – mein Wort darauf, dass wir sind alliiert.«

Auf das Wort der Hexe gab Josie rein gar nichts. Und auf eine Allianz – wie auch immer so ein Bündnis aussehen sollte – war sie auch nicht scharf. Andererseits profitierte die Bandraoi davon, wenn Amy entkam. Also würde sie ihnen womöglich tatsächlich hilfreich sein. Arthur schien die Situation ähnlich einzuschätzen. Er zog das Schwert zurück, das sich auf der Stelle verkleinerte, und steckte es wieder an seinen Gürtel.

Mit der Geschmeidigkeit eines jungen Mädchens sprang die Bandraoi auf die Füße. Sie brach in ein bösartig keckerndes Lachen aus. »Wenn Euch misslingt das Abenteuer, die Maid heil aus der Burg zu bringen, bezahlt ihr es im Höllenfeuer. Ich höre schon die Becher klingen, wenn sie mit Spießen und mit Stangen, zuletzt auch Euch noch eingefangen. – Nun da die Schrätlein sind perdu, wär't Ihr das rechte Festmenü.«

Verärgert griff Arthur nach seinem Gürtel, worauf die Hexe abwehrend die Hände hob und ihre Häme unter einer devoten Maske verschwinden ließ. »Ein Scherz – verzeiht, es tut mir leid! Ich wollte Euch damit nur sagen – wir müssen im Verein ihn schlagen.«

»Schluss mit langen Worten!«, herrschte Arthur die Hexe an. »Dykeron besitzt die Fibel des Mädchens. Beschaffe sie uns!«

Die Bandraoi durchzuckte ein Schauer. »An einem grauenhaften Ort bewahrt der Hornkopf seinen Hort. Die Schätze sind stets streng bewacht. Von früh bis spät, bei Tag und Nacht, von des Tyrannen Basilisken, die dort vor der Kammer nisten. Wen trifft ihr Blick, der wird verderben und stante pede elend sterben.«

Eifrig kramte sie etwas aus den Falten ihres Rocks und reichte es Josie. »Doch will ich Euch dies Glas hier geben, dass ihr erkennt mein ehrlich Streben.«

Josie blickte entgeistert auf eine alte, etwas verkratzte Leselupe, die der aus dem Schreibtisch des Professors verblüffend ähnelte. Auch Arthur starrte mit aufgerissenen Augen auf das Glas, in dem sich das blaue Licht der Kerzen spiegelte.

»Das Brennglas dient dem Spionieren, es lässt durch Wände spekulieren. Seht selbst, wie's um das Mädchen steht! Kein Hauch von seinen Lippen weht ...«

»Schön und gut«, fiel ihr Arthur ins Wort. »Aber wir brauchen diese Fibel unbedingt!«

Die Bandraoi kratzte sich mit ihrem langen Zeigefinger am Kinn. »Der Meister wird sie erst erwecken, wenn er die Maid zum Drachen führt«, murmelte sie vor sich hin, »um sich zu weiden an dem Schrecken, wenn sie Orcarrachts Atem spürt ...« Nachdenklich mit dem Kopf nickend, fuhr sie fort: »Derweil muss ich es wohl riskieren, ins Nest der Bestien einzudringen, mit einem Spiegel sie bezwingen, um sie so auszumanövrieren.« Sie schüttelte missmutig den Kopf. »Es wird nicht leicht, einen zu finden, in Dorchadon sind Spiegel rar. Denn Spiegel ohne Licht erblinden und reflektieren nicht mehr klar.« Wieder hielt sie grübelnd inne. »Mit einer Fischhaut könnt es gehen, wenn ich die Schuppen glatt polier ... Nun ja, ich werde einmal sehen ... Doch das eine glaubet mir: Ich werde es gewiss versuchen! Ich will mein Stück von diesem Kuchen!« Ihr Mund verzerrte sich zu einem gierigen Grinsen. »Ein großes Ziel ist uns gemein. Und wird die Mission siegreich sein – so ist das Schwarze Reich ganz mein.«

Heftiges Klopfen unterbrach ihre Ausführungen. Josie und Arthur fuhren zusammen. Dann ertönte Tweedledums Stimme, verzagt und unterwürfig. »Gebieterin, der Herr lässt schicken ...«

Ungehalten starrte die Hexe zur Tür. »Kommt rein! – Was fehlt ihm jetzt schon wieder? Wie ist die Knechtschaft mir zuwider!«

Tweedledum und Tweedledee glotzen Josie entsetzt an. Ihren schreckgeweiteten Augen entnahm sie belustigt, dass die beiden fürchten mussten, sie hätte ihr kleines Geheimnis nicht für sich behalten.

»Nun?«, fauchte die Hexe.

»Ähm«, begann Tweedledee mit einem angstvollen Blick zu dem vermeintlichen Helle. »Ihm steht der Sinn nach Schrätleinbraten, der Hühnerspieß war ihm nicht recht. – Ich fürchte, es ergeht uns schlecht, wenn man ihm seinen Willen nicht sogleich wird stillen.«

Die Hexe wurde leichenblass. »Wo krieg ich jetzt schnell Schrätlein her?« Sie warf Arthur und Josie einen giftigen Blick zu und lief händeringend auf und ab. »Ihr wart es, die sie rausgelassen! Wie still ich nur des Herrschers Gier? Es ist mit ihm nicht gut zu spaßen.« Dann schien ihr etwas eingefallen zu sein. »Ich bring ihm frisch kandierte Äuglein – mein Augenschmaus schmeckt ihm stets gut. Mög Satan mir gnädig sein und dämpfen seine schlimmste Wut.« Schon eilte sie mit fliegenden Röcken auf den Korridor, eilfertig gefolgt von den klackernden Schritten ihrer rot bemützten Diener.

Während die Gefährten ihr noch nachstarrten, erschien Simbas Schnauze unterm Bett. Seine Barthaare vibrierten vor Zorn, als er nun ganz in Erscheinung trat und Luft holte. »Warum habt ihr sie laufen lassen? Die alte Hexenschachtel! Die will euch helfen? Gemeinsames Ziel! Dass ich nicht lache! Man kann ihr nicht einen Zoll über den Weg trauen. Habt ihr keinen Moment daran gedacht, was sie Nala und mir angetan hat – ganz zu schweigen von ihren anderen Untaten, die wahrlich auf keine Kuhhaut gehen.« Seine helle Stimme überhaspelte sich vor Erregung. »Wenn ich das Schwert gehabt hätte – ich hätt' sie gradwegs aufgespießt. Pah! Ihr seid für sie nichts als willkommene Werkzeuge, den Hornkopf loszuwerden. Und wenn die alte Scharteke an die Macht kommt ... Na, dann gute Nacht allerseits!« Simba schnaubte.

Arthur sah Josie fragend an.

»Das ist Simba«, sagte sie mit einem Nicken zu dem Ratterich und klärte Arthur knapp darüber auf, was in seiner Abwesenheit alles passiert war. Dann schob sie die Brille hoch und beugte sich zu dem Ratterich herunter. »Nun reg dich nicht so auf!«

»Ich soll mich nicht aufregen?« Simba richtete sich auf, seine Knopfaugen funkelten. »Die Bandraoi als Statthalterin ...« Er schüttelte trübsinnig den Kopf. »Dann ist es aus mit Liberatis Lux! Dann war der Kampf der Trolle und ihrer Getreuen vergebens!«

»Das wollen wir natürlich nicht«, entgegnete Josie betroffen. »Aber ich fürchte, wir kommen ohne die Hilfe der Hexe nicht aus.« Nervös drehte sie die Lupe in den Händen. Dann gab sie sich einen Stoß. »Lasst uns jetzt zuerst nach Amy sehen!« Damit ging sie zur Wand, die das Gemach der Hexe vom Korridor trennte, und hielt das Brennglas dagegen. Ein leises Knistern ertönte, dann bildete sich in der Größe des Glases eine Öffnung, ein kleines Fenster, das den Blick auf den Flur erlaubte. »Es funktioniert«, rief sie verblüfft. »Die Bandraoi hat uns – zumindest was das angeht – nicht reingelegt.«

Wenig später schlichen zwei Hellcs – Arthur hatte nun auch die Kleidung gewechselt –, ein großer schwarzer Hund, der wenig appetitlich nach Fisch roch, und ein Ratterich durch die dunklen Gänge der Burg. Keiner sprach. Unheilvolle Stille hing in dem kalten Gemäuer, bis plötzlich Lärm aufkam. Stimmen, dämonisches Gelächter und schaurige Musik, die vor Josies Augen verwirrende schwarze Zackenmuster aufflimmern ließ.

»Der Hornkopf hat zum Fest geladen«, brummte Simba. »Abschaum, Gesindel, Lumpenpack!«

Die unheimlichen Festgeräusche schwollen an. Simba blieb stehen und spähte um eine Ecke. »Der Thronsaal«, flüsterte er.

Vorsichtig taten es ihm Josie und Arthur nach und erblickten eine hohe Flügeltür, vor der zwei Posten in schwarzen Rüstungen und stachligen Helmen wachten. Einen Umweg durch einen Nebenkorridor wählend, brachte sie Simba zur Rückseite des Saals.

Josie presste das Brennglas gegen das kalte Mauerwerk, schob die Brille hoch und beugte sich vor. Einem unwillkürlichen Impuls folgend, wich sie zurück, zwang sich dann aber doch, sich dem Grauen zu stellen.

Dykeron saß mit dem Rücken zu ihr auf einem imposanten Thron aus schwarzem Marmor, dessen Lehne den größten Teil des finsteren Fürsten verdeckte. Doch reichten die grässlichen Hörner auf seinem zottligen Schädel und sein haariger Schwanz aus, Josie in Angst und Schrecken zu versetzen. Seine Rechte, mit Fingernägeln wie Raubtierkrallen, hielt einen Pokal aus dunklem Glas, während seine Linke einen der beiden Barghests tätschelte, die in der Körperspannung angriffsbereiter Panther links und rechts neben ihm hockten. An langen Tafeln drängten sich die schauerlichsten Gestalten, die man sich vorstellen konnte. Dreiäugige Dämonen mit grünen Gesichtern und langen Schwänzen. Ein Grüppchen Vampire mit kalkig bleichen Gesichtern und Hauern bis zum Kinn schlürfte Blut aus schwarzen Hörnern. Scharlachrot troff ihnen der begehrte Saft aus den Mäulern. Josie wurde flau, aber es kam noch schlimmer. Ein ungeschlachter Rumpf mit langen Armen fütterte seinen auf dem Tisch abgestellten Kopf mit einem Hühnerbein. Daneben hockte ein schauerliches Wesen, das gleich zwei Häupter besaß, ein entstelltes weibliches und ein nicht ansehnlicheres männliches. Dazwischen wuselte eine größere Anzahl von Spriggans in schwarzen Uniformen umher, die den Gästen eifrig nachschenkten. Auch eine Gruppe Hexen war da. Hexen ganz verschiedenen Alters. Doch trug jede von ihnen ihren abgrundschlechten Charakter wie eine hässliche Maske im Gesicht. Unter infernalischem Johlen und Kreischen erschallte nun ein allgemeines Prosit auf den Gastgeber. Josie stellten sich die Haare auf.

»Mann!«, murmelte sie. »Das ist definitiv die reinste Höllenversammlung!«

»In der Tat«, knurrte Simba, dem nur zu gut bekannt war, welches Spektakel sich auf der anderen Seite der Mauer abspielte.

Mit einer gebieterischen Handbewegung sorgte Dykeron jetzt für Ruhe im Saal und Josie vernahm durch die magische Wandöffnung ein Winseln, das ihr eigenartig bekannt vorkam.

Mit einer Stimme, die aus einer Gruft zu kommen schien, hob Dykeron sein Glas: »Ein Prost auf Eure schwarzen Seelen! Lasst es rauschen durch die Kehlen!« Er nahm einen tiefen Schluck, ließ einen donnernden Rülpser folgen und fuhr mit bedrohlich milder Stimme fort: »Werte Drachenopfergäste! Will ich nicht immer nur das Beste, für Euch und meine Untertanen? – Hab ich dafür verdient Schikanen? Dass man nach meinen Schrätlein schielt und sie ganz dreist mir einfach stiehlt?«

Vielfach schallte unmutige Zustimmung zurück.

»Wollt mich mit Augenschmaus bestechen.« Dykerons Stimme klang höhnisch und schwoll jetzt bedrohlich an. »Doch wird sie sühnen ihr Verbrechen!«

Mit einer barschen Handbewegung wies er in eine Ecke, die Josie nicht einsehen konnte. Dennoch war ihr längst klar, wer da im Hintergrund so erbärmlich wimmerte.

»Die Bandraoi wird dafür büßen und Euch das hohe Fest versüßen. Mögt Ihr Euch nun mit ihr vergnügen. Dykeron lässt sich nicht betrügen!«

Er klatschte dröhnend in die Hände, worauf vier Spriggans einen vergitterten Käfig heranzerrten. Das unheimliche Volk sprang grölend von den Tischen auf und stürzte sich, mit Messern und Gabeln bewaffnet, auf die Hexe, die nun nicht mehr bloß winselte, sondern Zeter und Mordio schrie.

Das Gebrüll im Saal drang durch die Mauern. Arthur, der seine Neugier bis jetzt zurückgehalten hatte, klopfte Josie auf die Schulter und nahm die dunkle Brille ab. »Darf ich auch mal?«

Stumm reichte Josie ihm das Glas.

»Ach du Schande!«, stöhnte er mit einem Blick auf das grausige Schauspiel. »Sie haben die Bandraoi in der Zange. Die wird uns kaum noch helfen können!«

»Lasst mich sehen! Lasst mich sehen!« Simba stand auf den Hinterpfoten und kratzte so lange an Arthurs Hosenbein, bis er ihn hochnahm. Fest an den Ärmel des Jungen gekrallt verfolgte Simba das wilde Treiben, wobei ihm die Genugtuung auf die Stirn geschrieben stand. »Macht sie alle!«, feuerte er die wilde Horde an und fuchtelte mit den winzigen Fäusten. »Erst geköpft, dann gehangen, dann gespießt, auf heiße Stangen, dann verbrannt, dann gebunden und getaucht, zuletzt geschunden ...«

Ein enttäuschtes »Oooch!« ertönte, als Arthur den Ratterich wieder auf den Boden setzte. Josie verstand Simbas Rachegelüste, trotzdem tat ihr die Hexe fast wieder leid – was sie ärgerte, weil sie sich daran erinnerte, was Wolf gesagt hatte. Mitleid war eine Anwandlung, die man sich in Dorchadon besser nicht leisten sollte.

»Dem ist nichts hinzuzufügen«, bemerkte Wolf kühl. »Im Übrigen sollten wir uns jetzt schleunigst um das Mädchen kümmern!«

Als hätte Simba Wolfs Einwand gehört, zeigte er auf eine Wand, die sich direkt an den Saal anschloss. »Dort verbirgt sich das Glaciorum, doch fürchte ich ...«

Aber Josie hörte ihm schon gar nicht mehr zu. Ihr Herz verkrampfte sich schmerzhaft. Was erwartete sie beim Blick durch die magische Lupe? Würde sie den Anblick ertragen? Zwischen Hoffnung und glühender Angst steuerte sie auf die Mauer zu und legte das Brennglas an. Es knisterte leise. Was sie dann erblickte, grub sich unauslöschlich in ihr Gedächtnis.

Der Raum glitzerte in Frost. Blaue Fackeln ließen die Eiskristalle geheimnisvoll schimmern und blitzen. An sämtlichen Wänden streckten sich aus klarem Eis gefertigte Regale bis zur Decke, in denen sich Glas an Glas reihte. Eine Art Einmachgläser, deren Inhalt Josie an die antiquierte botanische Sammlung erinnerte, die noch immer im Lehrmittelraum ihrer Schule aufbewahrt wurde. Doch waren die Sammelstücke hier völlig anders geartet. In vielen Gläsern steckten die erstarrten Körper kleiner, zum Teil sogar winziger Elfen ganz unterschiedlicher Arten. Josie dachte an die muntere Schar Elvinias. Es machte sie traurig, wie bekümmert die Flatterdinger hier ihre Köpfchen hängen ließen. Manche trugen die Flügel aufgefaltet, als hätten sie bis zuletzt versucht, zu entkommen. Anderen hingen die zarten Schwingen wie nasse Papiertaschentücher von den Schultern. Einige besaßen gar keine Flügel und sahen vielmehr aus wie kleine Feen. Dann gab es Gläser mit zierlichen Nixen, deren schillernde Fischschwänze in gefrorenem Wasser feststeckten. Josie presste die Lippen zusammen. Was hatte dieser Teufel nur davon, all diese wundervollen Wesen in Eis zu bannen! Ein ganzes Regal stand voll mit Gläsern, in denen verschiedenartige Gnome ihr Schicksal vollendet hatten. Es gab welche mit und ohne Bart, einige trugen Mützen oder winzige Zylinderhüte wie der Cluricaun. Einige waren ganz ohne Kopfbedeckung und sahen aus, als hätten sie zu viel Haargel benutzt, die gefrorenen Mähnen standen ihnen wie Igeln vom Kopf weg. Keiner war größer als handgroß, die meisten sogar deutlich kleiner. Viele trugen fratzenhaft verzerrte Gesichter, denen man ansah, dass sie bis zuletzt gegen ihren Peiniger gewettert hatten. Vereinzelt konnte man ihre kleinen erstarrten Fäuste sehen, wütend nach oben gereckt. Jeder einzelnen der bedauernswerten Kreaturen steckte ein kleiner Eiszapfen in der Brust.

Jetzt erst wagte Josie einen Blick auf den sargähnlichen Kasten aus Glas, der etwas erhöht an einer freien Wand stand, und den Josie bisher, in banger Erwartung, nur flüchtig gestreift hatte. Tränen rollten über ihre Wangen, als sie sich nun zwang, der Wahrheit ins Auge zu sehen.

Amys lebloser Körper lag aufgebahrt wie eine Leiche in schwarzen Seidenkissen. Man hätte sie für schlafend halten können, wäre ihre Haut nicht so blass, ihre Haltung nicht so erschreckend starr gewesen. Mit ihren schwarzen Haaren sah sie aus wie Schneewittchen. Ein Eiszapfen von der der Größe eines Dolches steckte in ihrem Herzen.

Josie wandte sich schluchzend ab.

Arthur hüstelte. »Darf ich mal?«

Josie wischte sich über die Augen und reichte ihm das Brennglas.

»Bloody Hell!«, stieß Arthur aus und staunte in stummer Verwunderung Dykerons groteskes Sammelsurium an. »Sie ist wirklich sehr hübsch«, murmelte er, ohne den Blick von der Lupe zu nehmen.

»Ist sie«, brummte Josie. »Aber wie kriegen wir sie bloß heil aus diesem Eisgefängnis raus?«

Doch Arthur antwortete ihr nicht, er schien das Atmen eingestellt zu haben.

»Ist was?«, erkundigte sich Josie bang.

Wieder bekam sie keine Antwort. Dann ließ Arthur die Lupe sinken und drehte sich langsam um, seine Miene verhieß nichts Gutes.

»Was denn?«

»Sie holen sie. Dykerons Schergen ...« Er verstummte.

Die wenigen Worte schnitten sich wie Messerstiche in Josies

Brust. Mit schreckgeweiteten Augen starrte sie auf die graue Mauer.

In dieser Sekunde düsten drei graubraune Raketen um die Ecke.

»Potz Speikatz!«, rief Bernhard atemlos. »Mei-Mein Plan ist aufgegangen! War das ein Spaß, die Kätzchen zu foppen!« Beifall heischend blickte er sich um.

Josie blickte durch ihn hindurch. »Sie haben Amy geholt«, sagte sie tonlos. »Wir hatten keine Chance mehr, sie aus dem Glaciorum zu befreien.«

Bernhards gute Laune erlosch. »Das hatten wir schon befürchtet.«

»Wir sind gekommen, euch zu warnen«, sagte Bianca gehetzt. »Die Opferbarke ist fertig! Sie formieren die Begleitboote schon zur Prozession.«

Nala nickte erregt. »Viel Volk steht schon am Ufer.« Sie verstummte jäh, denn auf einmal hallten aufgekratzte Stimmen, Gelächter, Johlen und Getrampel durch die Gänge. Sie hielten den Atem an.

»Die Festgesellschaft macht sich bereits auf!«, flüsterte Bianca und lutschte nervös an ihrer Schwanzspitze.

Josie fiel das Herz in die Hose. Sie hatte keine Ahnung, wie sie Amy jetzt noch vor ihrem schrecklichen Schicksal retten sollten. Arthur gab Josie die Lupe zurück. »Wir müssen unseren Plan ändern«, sagte er so düster wie ratlos.

Josie kämpfte mit den Tränen. »Aber wie?«

»Nun«, ließ sich Wolf vernehmen, »ich bin auch noch da. Nicht umsonst hat Myrdinn mir die Fähigkeit zum Fluge zurückgegeben. Schwarz, wie ich nun bin, wird man am dunklen Himmel nur einen Schatten ausmachen. Zudem werden ohnehin alle Augen auf die Prozession gerichtet sein.«

Arthur klopfte Wolf anerkennend auf den Rücken. »Das ist es! Wolf kann uns zur Drachenhöhle bringen.«

Josie wurde blass. Die Aussicht, Amys Rettung auf die letzte

Sekunde verschieben zu müssen, gefiel ihr gar nicht. Andererseits hatte sie auch keine bessere Idee. »Wenn Amy wenigstens ihre Drachenfibel bei sich hätte«, sagte sie geknickt. »Sie wäre so viel besser geschützt.«

Bernhard richtete sich diensteifrig auf. »Warum holen wir das Zauberding dann nicht?«

»Bruderherz«, unterbrach ihn Simba. »Mir scheint, du weißt nicht, wo sich diese Fibel befindet?«

Bernhard sah ihn fragend an.

»In der Schatzkammer«, flüsterte Simba mit bebender Stimme.

Seine Artgenossen erstarrten. Nala zitterte, als hätte sie Schüttelfrost. Und Bianca nagte so heftig an ihrem Schwanzende, dass Josie schon befürchtete, sie könnte es abbeißen.

»Die Basilisken«, murmelte Bernhard tonlos. »Das ist aussichtslos. Es wäre Wahnsinn!«

»Wir müssen es trotzdem versuchen«, entgegnete Arthur. »Auf die Hilfe der Bandraoi können wir wohl kaum noch zählen. Dykeron hat sie ...«

Bernhard fiel ihm ins Wort. »Wissen wir! Wissen wir!« Über seine Miene flog, trotz der höchst unerfreulichen Situation, ein rachsüchtiges Leuchten. »Als wir hierhereilten, sahen wir sie – auf ein schwarzes Schwein gebunden. – Das Henkersvieh jagte wie der Teufel aus dem Tor. Wohin«, er grinste, »ist ja bekannt. Und recht geschieht's ihr. Jawoll!«

»Ja, ja!«, bestätigte Bianca eifrig. »Mehr tot als lebendig war die alte Hexe, blutverschmiert und derangiert. Keinen Mucks hat die Bandraoi auf ihrem letzten Weg gemacht. Wir haben munkeln hören, sie hätte sich der Schrätlein wegen den Zorn des alten Hornkopfs zugezogen.«

»Ombragon?«, fragte Josie erschaudernd.

»Allerdings«, bestätigte Bernhard. »Der Hornkopf wollte sie schon immer loswerden. Doch der gerissene Satansbraten erfüllte ihm stets seinen Willen und gehorchte somit dem Bann, was sie vor Dykerons Willkür schützte. Aber im Grunde ihres schwarzen Herzens wartete sie nur auf den Tag, ihm alles heimzuzahlen. Nur deshalb bot sie Euch ihre Hilfe an.«

»Und nun erlebt sie diesen Tag nicht mehr«, sagte Josie schaudernd.

Simbas Perlenaugen sprühten. »Das geschieht der bösartigen Furie nur recht!«

Und auch Nala rieb sich die Pfötchen. »Ombragon möge sie hübsch langsam verdauen und ihren elenden Schatten in Fetzen ausspeien!«

Arthur blies die Wangen auf und stöhnte. »Aber wir haben jetzt ein Problem! – Mit Dykerons Schatzwächtern ist ja offenbar nicht gut Kirschen essen.«

»Es gibt einen Weg, die Basiliken zu überwinden«, meldete sich Wolf bei seinen Gefährten. »Die Bandraoi hat ihn bereits angesprochen.«

»Spiegel«, murmelte Josie. »Kommt man Basilisken nicht mit Spiegeln bei?«

»An sich schon«, bestätigte Simba. »Trifft einen Basilisken der Strahl seiner Augen, wird er augenblicklich zu Stein. Aber wie die Hexe bereits sagte, mangels Licht sind alle Spiegel hier erblindet.«

Josie biss sich auf die Unterlippe. Verdammt! Die Lösung des Problems geisterte bereits durch ihr Bewusstsein, noch schemenhaft und doch zum Greifen nah.

Arthur setzte mit einer müden Bewegung die Sonnenbrille wieder auf die Nase. »Also müssen wir ohne die Fibel auskommen.«

Josie starrte ihn an. »Die Brille«, sagte sie. »Ich meine, es gibt doch diese ...« Damit steckte sie schon den Fingerhut auf den Mittelfinger und schloss die Augen. Unmittelbar darauf verwandelten sich die dunklen Gläser ihrer Brille in schwarz spiegelnde Fenster.

Mit einem bewundernden »Wow!« streckte Arthur die Hand nach dem Fingerhut aus. Und nur einen Moment später spiegelten sich auch in seiner Brille vier staunende Ratten.

»Ihr verfügt über große magische Gaben«, sagte Simba anerkennend. »Mit diesen Gläsern kann Euch der Blick der Basilisken kaum etwas anhaben.«

»Die magische Gabe der Imagination«, gab Wolf zufrieden von sich. »Sie funktioniert zuverlässig, wie man sieht.«

»Definitiv!«, sagte Josie stolz und presste den Fingerhut wieder fest auf ihren Daumen. »Und jetzt holen wir uns die Fibel.«

Das Stimmengewirr war verklungen, die Luft schien rein zu sein. Die Gefährten folgten den Ratten, die durch die verschlungenen Gänge der Burg vor ihnen herhuschten, um die Lage zu peilen.

Die Gänge und Treppenhäuser lagen wie ausgestorben im gespenstisch kalten Licht vereinzelter blauer Fackeln. Ab und zu fiel Josie ein regloser Barghest auf, der sich in eine Ecke verkrochen hatte. Das Schlafmittel tat immer noch seine Wirkung.

»Wo sind eigentlich die Caitsiths geblieben?«, erkundigte sie sich.

Bianca kicherte. »Wir haben sie Dykerons Schergen in die Arme getrieben. Der Hornkopf kann Katzen nicht ausstehen. Deshalb sperrt die Bandraoi ihre Lieblinge auch immer ein.«

»Ich fürchte, die Miezen schnurren nun nicht mehr«, fügte Nala hinzu, als ihr ein schadenfroher Gluckser im Halse stecken blieb.

Am andern Ende des Gangs tauchte ein schwarz gekleideter Kerl auf. Offensichtlich bester Laune summte und tänzelte er vor sich hin. Die Ratten verkrochen sich hinter einem Pfeiler. Josie blieb schier das Herz stehen. Aber der Hellc hielt sie wohl für seinesgleichen. Er grinste dümmlich bis über die geschlitzten Ohren, machte eine Geste, als stemme er einen Humpen, und rief mit fisteliger Stimme: »Hey, Kumpels! Lasst euch bloß nicht das Fest entgehen. Das wird ein Höllenspaß!«

Josie übernahm es, ihm zu antworten, um zu verhindern, dass

Arthurs dunkle Stimme sie verriet. »Alles klar, Kumpel! Wir kommen gleich nach.«

Der Hellc lachte schrill und hüpfte unter johlendem Gesang weiter. »Wenn der Jungfrau Knochen brechen – holleri und hollero – wir uns bis zum Rand bezechen – holleri und hollero. – Schreien wird sie Mordio – Fusel macht fidel und froh ...«

Das Gejaule des Hellcs widerhallte noch von den Wänden, als er ihren Blicken bereits entschwunden war. Josie lehnte sich an eine Säule und presste die Hände auf die Magengegend. »Mir ist schlecht«, sagte sie.

Arthur hob die Augenbrauen. »Kein Wunder. Bei dem Lied!«

»Das singen sie bei jedem Drachenopferfest«, erklärte Simba, der mit seinen Verwandten aus dem Versteck gekommen war. »Vermutlich hat der Bursche schon ordentlich getankt.«

»Umso besser«, zischte Bianca abfällig. »Nur ein besoffener Hellc ist ein guter Hellc.«

Als die Ratten wenig später vor einer ausgetretenen Treppe stoppten, sagte Bernhard: »Nehmt besser Fackeln mit, der Keller dürfte nicht sehr hell sein.«

»Wir haben doch die Taschenlampe«, wandte Josie ein.

»Wenn ihr eure Tarnung als Hellcs aufgeben wollt – bitte«, erwiderte Bernhard etwas spitz.

»Bernhard hat vollkommen recht«, sagte Arthur und zog bereits zwei Fackeln aus den Halterungen.

Wolf ächzte, als er die steilen Stufen sah. Josie sah ihn besorgt an.

»Lass nur«, kommentierte er ihre Gedanken. »Das schaffe ich schon.«

Der Höhlenkeller, den sie unzählbare Stufen später betraten, befand sich auf der Westseite der Burg und war komplett in den Felsen gehauen. Josie hob ihre Fackel über den Kopf. Die Wände glänzten feucht und es stank so erbärmlich nach Gülle, dass sie für einen Moment glaubte, ersticken zu müssen.

»Pfui Teufel!«

»Da drüben sind die Schweineställe.« Simba wies auf einen Gang, der vom Hauptgang abzweigte. »Dykeron hält dort seine schwarzen Säue.«

Der bestialische Gestank begleitete sie noch ein gutes Stück. Dann hielten die Ratten an.

Bernhard deutete nach links. »Ab hier müsst ihr alleine gehen! Auch der Hund bleibt besser hier. Aber ich warne euch. Noch keine Seele hat die Schatzkammer je betreten. Es gibt nur einen, dem die Basilisken nichts anhaben können, und das ist der Hornkopf selbst. Denn so, wie der Gehörnte und die Bandraoi dem Auswurf Orcarrachts entstammen, sind die Basilisken in gewisser Weise Dykerons Kinder. Das Böse gebiert stets das Böse.«

»Kinder?«, wiederholte Arthur.

»Sagen wir Brut!« Nala rümpfte das Schnäuzchen. »Alle dreizehn Dekaden legt Dykeron ein unseliges Ei.«

Josie riss die Augen auf.

»Um Basilisken ranken sich die absonderlichsten Fantasien«, meldete sich Wolf. »Doch scheint mir diese besonders abstrus. Gleichwohl hat sie sich hier manifestiert.«

In banger Erwartung machten sich Josie und Arthur auf den Weg. Das Licht der Fackeln tanzte im Rhythmus ihrer Schritte über die klammen Wände. Und wieder mischte sich in die muffige Luft des Kellers ein unangenehmer Geruch, anders als der Kot der schwarzen Schweine, beißender, ätzend, ja geradezu giftig.

»Scheußlich«, krächzte Arthur, mit Hustenreiz kämpfend, und zerrte sein T-Shirt aus dem Kragen der Hellcjacke, um es über Mund und Nase zu ziehen. Dankbar für diese Idee folgte Josie seinem Beispiel.

Dann drang plötzlich eine Art Krähen und Keckern zu ihnen vor. Josie überrieselte Gänsehaut. Unwillkürlich suchte sie Arthurs Hand. Sie war kalt und feucht wie die ihre. »Das müssen sie sein«, flüsterte sie.

Arthur legte den Finger auf den Mund. Schweigend setzten sie ihren Weg fort. Die beunruhigenden Geräusche fraßen sich immer schärfer in ihre Ohren. Mit jedem Meter wurde ihnen das Atmen schwerer. Als sich der Gang endlich zu einer Höhle öffnete, gefror ihnen das Blut in den Adern.

»Bloody hell!«, zischte Arthur und zog Josie hinter einen Felsvorsprung.

Josie bebten die Knie, dennoch bannte das unerwartete Szenario ihren Blick. Ein riesiges Nest bedeckte fast die gesamte Höhle. Dahinter eine Tür, sicher die zur Schatzkammer. Was freilich die Bewohner dieses schaurigen Orts anging, fiel Josie nur ein Wort ein: Unvorstellbar! Und dennoch gab es sie!

Die fünf bizarrsten Kreaturen, die ihr je zu Gesicht gekommen waren, hatten etwa die Größe eines mittelgroßen Dinosauriers. Schlangenartige Schwänze, Ansätze von Flügeln und ihre raue schuppige Haut erinnerten ebenso an urzeitliche Tiere. Die Köpfe jedoch passten ganz und gar nicht ins Bild. Auf langen, gefiederten Hälsen saßen überdimensionale Hahnenköpfe mit spitzen Schnäbeln.

Krähend und krakeelend stießen die Missgestalten giftgrüne Schwaden aus und hackten erbittert aufeinander ein. Offenbar stritten sie sich um etwas. Beim näheren Hinsehen machte Josie eine weitere verstörende Entdeckung: Das Nest der Basilisken bestand aus ... Doch – sie täuschte sich nicht! Große und kleine Knochen bildeten ein kunstfertiges Flechtwerk, das mit Stofffetzen weich ausgepolstert war. Fraglos war das Nest aus den Überresten derjenigen gebaut, die vor ihnen versucht hatten, in die Schatzkammer einzudringen.

Arthur schob entschlossen das Kinn vor. »Sie sind gerade abgelenkt«, flüsterte er Josie zu. »Hoffen wir, dass unser Plan auch aufgeht!« Mit einem beherzten Druck löste er sich von ihrer Hand und wagte sich aus der Deckung. Wenige hämmernde Pulsschläge später folgte sie ihm.

Es waren nur wenige Schritte bis zum Nest. Wenngleich die Eindringlinge schon aufgrund ihrer Fackeln kaum zu übersehen waren, zankten sich die Basilisken in blinder Wut weiter, ohne von ihnen Notiz zu nehmen.

Nun entdeckte Josie bestürzt, worum es ging. Das Nest war übersät von zerfetzten schillernden Flügelchen. In der Mitte stand eine Dose, in der, wie die letzten Süßigkeiten in einer Bonbonniere, noch einige leblose Elfen lagen. Ohne Zweifel ging es um die Verteilung der verbliebenen Leckerbissen.

Schließlich wurde eines der Tiere doch auf sie aufmerksam. Aggressiv zischend bäumte es sich auf. Sein fauchender Schnabel spie giftgrünes Gas. Tödliche Blitze schossen aus seinen stechenden Pupillen, die, wie erhofft, an den Brillen abprallten. Ein nervenzerreißendes Krähen durchschnitt die Höhle und erstarb abrupt in einem gewaltigen Schlag, mit dem der Basilisk zu Stein erstarrte. Doch nun richtete sich die geballte Wut seiner Artgenossen gegen die Störenfriede. Josie presste das T-Shirt fest auf Nase und Mund, um den giftgeschwängerten Atem der Bestien wenigstens halbwegs abzuhalten. Ihre Zunge klebte am Gaumen. Der Drang, sich übergeben zu müssen, ließ sich kaum mehr kontrollieren. Für einen kurzen Moment war sie versucht, die Drachenfibel einzusetzen, riss sich aber zusammen. Es war klüger, ihre magischen Kräfte für den Notfall aufzusparen und vorerst weiter auf die Taktik mit den verspiegelten Gläsern zu setzen. Denn offenbar lief alles wie am Schnürchen. Selbst als zwei weitere Basilisken mit einem ohrenbetäubenden Knall versteinerten, hielten die letzten zwei stur an der Strategie des tödlichen Blicks fest, statt ihre körperliche Überlegenheit zu nutzen.

»Die Brillen funktionieren!«, raunte Arthur ihr zu. »Sie sind so hässlich wie blöd.«

So mussten sie nichts weiter tun, als zu warten, bis der fünfte Schlag verklungen war. Dann war es totenstill in der Höhle. Arthur leuchtete mit seiner Fackel das Nest ab. Mit offenen Schnäbeln und verdrehten Gliedern verharrten die Fabeltiere in der Haltung, in der sie ihr eigener Blick getroffen hatte. Arthur schlug einem prüfend die Faust in die Seite. »Autsch!« Er schüttelte die schmerzende Hand. »Die sind wirklich aus Stein. Aus Granit, wenn du mich fragst. Jedenfalls sind sie jetzt harmlos.«

Josie schob die Brille hoch, steckte das T-Shirt wieder in den Kragen, und atmete buchstäblich auf. Zu ihrer großen Erleichterung verzog sich der giftige Äther der Biester überraschend schnell.

»Komm!« Damit kletterte Arthur schon in das makabre Nest. Die Knochen krachten unter seinen Füßen. Ihre Fackel in der einen, mit der anderen Hand das Gleichgewicht haltend, kam Josie ihm widerstrebend nach. Über die morbiden Gebeine stolpernd, schlängelten sie sich zwischen den versteinerten Basilisken bis zur Tür durch.

»Glück gehabt«, stöhnte Arthur, nachdem er den Riegel zur Seite geschoben hatte. »Nicht abgeschlossen.«

»War ja wohl kaum nötig«, bemerkte Josie mit einem Seitenblick auf die steingewordenen Wächter.

Misstrauisch leuchtete Arthur in den dunklen Raum. »Bloody hell!«

Vor Josies innerem Auge tauchte wieder ein Bild aus Momas altem Märchenbuch auf. Die Schatzkammer des bösen Dschinns aus dem Aladin-Märchen sah beinahe genauso aus wie diese hier. Es fehlte nur noch die Öllampe. Überall standen Behältnisse mit Münzen, daneben große Schalen voll schwarzer Perlen und Edelsteine, an den Wänden Glaskästen mit Schmuck. Sie hob ihre Fackel an und trat ein.

»Eigenartig«, sagte sie, »kein Gold. Sieht aus, als wäre alles aus Silber.«

Arthur folgte ihr. »Könnte auch Platin oder Titan sein.«

»Und kein einziger roter Edelstein«, stellte Josie ergänzend fest, während in ihr die Erinnerung aufflackerte, wie erstaunt die Bandraoi die Drachenfibel angestarrt hatte.

Arthur blickte sich ratlos um. »Wo sollen wir bei all dem Zeug nur anfangen zu suchen?«

Josies Augen wanderten beklommen über die Schätze des finsteren Fürsten. All ihre Pracht konnte sie nicht über die Unheil bringende Aura jedes einzelnen Stücks hinwegtäuschen. Ein unüberwindlicher Widerwille, etwas zu berühren, überkam sie. Die Arme an den Körper gepresst machte sie sich auf die Suche.

In einer der schwarz ausgeschlagenen Vitrinen lag kunstfertig gearbeiteter Schmuck. Ein Collier wie eine Schlange, ein Ring mit einem Totenkopf aus schwarzem Hämatit, eine silberne Spinne mit acht stechend blauen Augen aus Saphiren. »Damhánalla«, murmelte Josie, »die Wächterin der Pforte.«

Stück für Stück inspizierten sie. Endlos. Die Zeit verrann wie Sand durch ein grobes Sieb. »Dammit!« Arthur stöhnte gereizt. »Die Drachenfibel – Fehlanzeige. Vielleicht ist sie überhaupt nicht in der Schatzkammer.«

Doch da ließ Josie einen Schrei los. Sie deutete auf einen abgeschabten grünen Samtbeutel, der unspektakulär an einem Nagel hing. »Amys Tasche!«, jubelte sie und präsentierte Arthur wenige Sekunden später die Fibel, nach der sie so verzweifelt gesucht hatten. »Wir haben sie!«

Arthur atmete auf. »Gott sei Dank!«

Josie zog den Riemen der Tasche über den Kopf und ging schnurstracks zur Tür. »Eigenartig«, sagte sie und blickte noch einmal zurück. »Wir könnten jetzt einsacken, was wir wollen. Aber ich möchte definitiv nichts von all dem Zeug.«

Jeden Schritt sorgfältig abwägend, um ja nicht zu stolpern, machte sie sich daran, das grausige Nest erneut zu durchqueren. Plötzlich blieb sie stehen. »Arthur! Schau!« Beunruhigt neigte sie die Fackel zum Nestboden.

Arthur drehte sich um.

In dem dosenartigen Behältnis, um das sich die scheußlichen Hahnenköpfe eben noch gestritten hatten, rührte sich etwas. Josie

leuchtete hinein. Von den drei kleinen Flatterdingern, die den Schatzwächtern entgangen waren, stöhnte eines leise vor sich hin. Aufgewühlt nahm sie die Dose an sich. »Wenigstens eines scheint noch zu leben!«

»Josie!« Arthur, der das Nest bereits verlassen hatte, klang ungeduldig.

»Soll ich die Elfe vielleicht hier umkommen lassen?« Josie blickte ihn vorwurfsvoll an, während sie ihm nachkam. »Ich werde sie auf jeden Fall mitnehmen!«

Eine weinerliche Stimme unterbrach ihre Unterhaltung. »O weh, wie brummt mir doch der Kopf! Wie komm ich bloß in diesen Topf? Und wo sind meine Schwestern? Ist's heute oder gestern?«

Josie beugte sich über den verrosteten Blechbehälter. Die Elfe hatte sich hochgerappelt. Die kleinen Hände an die Schläfen gepresst, blickte sie hoch. Als sie die dunkle Uniform erkannte, wich sie zurück und machte gleich Anstalten zu fliehen. Aber die Schwäche hatte sich wie Beton auf ihre Flügel gelegt. Mit einem Stöhnen sackte sie in sich zusammen.

»Hab keine Angst«, sagte Josie sanft. »Wir sind keine Hellcs. Wir tun dir nichts. Du bist den Basilisken entkommen. Du hast Glück gehabt.«

Ein Hauch von Erinnern zog über das winzige Gesicht. Dann sah sich die Elfe suchend um und entdeckte ihre beiden toten Schwestern. Mit einem herzzerreißenden Schrei drehte sie sich weg und warf die Händchen vors Gesicht. Darauf folgte ein so verzweifeltes Schluchzen, dass Arthur flüsterte: »Was machen wir jetzt bloß mit ihr?«

»Halt mal!« Josie übergab ihm die Dose und legte ihre Fackel auf den Höhlenboden. Dann angelte sie MoDains Fläschchen aus dem Ausschnitt und gab einen Tropfen seines Inhalts auf den kleinen Finger. »Ich brauch mehr Licht«, sagte sie. Und als Arthur seine Fackel höher hielt, strich sie den leblosen Elfen etwas Zauberwhiskey auf die winzigen Lippen.

Bang blickte sie in die Dose. »Jetzt können wir nur noch hoffen!«

Und noch während sie das Fläschchen wieder verstaute, regte sich eines der Elfchen und nur einen Atemzug später kam auch das andere wieder zu Bewusstsein. Verwirrt stützten sie sich auf und blickten sich um.

»Was ist, was weinst du, Tausendzehn«, sagte das eine. »Was ist denn nur mit uns geschehn?«

Wie vom Schlag gerührt hörte Tausendzehn auf zu schluchzen und sah sich um. Dann lagen sich die drei in den Armen.

»Schwestern, seid ihr auch erwacht aus dem gift'gen Ätherschlaf?«, schluchzte Tausendzehn. »Der Böse hat uns hergebracht. Das tödlich Los uns diesmal traf, zu nähren seine Schreckensbrut, mit Elfenkraft, mit Elfenblut.«

Jetzt erinnerten sich auch die anderen wieder. Traurig ließen sie die Köpfchen hängen. »Tausendzwölf, das liebe Wesen, ist doch auch dabei gewesen«, sagte eine.

Tausendzehn nickte unglücklich. »Sie wurde Basiliskenschmaus – auch für die andern ist es aus.«

»Die armen Dinger«, sagte Josie bedrückt. »Sie können einem wirklich leidtun.«

Arthur räusperte sich. »So furchtbar das alles ist, wir können nicht ewig hier herumstehen.«

»Ich weiß.« Josie nahm die Dose wieder an sich. »Wir nehmen sie mit und lassen sie draußen frei.«

Während sie den langen Gang zurückgingen, wurden Tausendvierundzwanzig und Tausendfünfzehn, wie die anderen beiden Elfen hießen, immer munterer. Als sie hörten, dass die Basilisken allesamt zu Stein erstarrt waren, bedankten sie sich tränenreich. Und jetzt erfuhren Josie und Arthur, dass Dykeron, wie Edna schon angedeutet hatte, tatsächlich vor dem Burggraben eine Elfenzucht betrieb, die allein dazu diente, seine Basilisken zu ernähren. Zusammengepfercht und nur mit Nummern benannt, harrten sie vom ersten Tag ihres Lebens auf den Schicksalstag, da

sie, vom giftigen Atem Dykerons böser Brut betäubt, gefressen werden sollten.

Josie kniff die Augen zusammen. »Ein abgrundböses Monster, dieser Dykeron!«

»Basilisken sind eben keine Vegetarier«, entgegnete Arthur. »Ich musste gerade daran denken, dass Hühnerfarmen wohl auch nichts anderes sind als Dykerons Elfenzucht.«

Josie schüttelte energisch den Kopf. »Das kann man definitiv nicht vergleichen! Schau doch nur, wie süß die Elfchen sind!«

»Hast du schon mal Küken gesehen?«

»Arthur!« Josies Magen verkrampfte sich.

»Da seid ihr ja!« Vor Aufregung bebend lief ihnen Bernhard entgegen. »Wir haben uns die größten Sorgen gemacht!«

Durch ein Labyrinth von Gängen und Fluren lenkten die Ratten die Gefährten zu einer Terrasse auf der Nordseite der Burg.

Die Dämmerung war fortgeschritten. Wie eine schwarze Schlange wand sich der Fluss am Fuß des Felsen in die Nacht. Über seine finsteren Fluten glitt eine geisterhafte Prozession von Booten, deren zahllose blaue Fackeln ihr züngelndes Gegenbild in die Wellen warfen. Dumpfe Trommelschläge drangen aus der Tiefe zu ihnen hoch. Auf- und abschwellend, düster und bedrohlich.

Nichts lud dazu ein, dem unheilvollen Zug zu folgen. Stumm starrten sie in die Tiefe. Josie fühlte ein eisernes Band um ihre Brust. Sie näherten sich dem Höhepunkt ihres Abenteuers.

Wolf unterbrach ihre bangen Gedanken. »Nun denn, es muss sein! Die Flugsalbe, bitte!«

Da Josie noch immer die Dose mit den Elfen umklammerte, übernahm es diesmal Arthur, Wolfs Schultern einzureiben. Gespannt verfolgten die Ratten das Geschehen, während die Elfchen gewagt über dem Dosenrand hingen, um nur nichts zu versäumen.

Dass die beiden mutigen Schepsel sich nun sogar mit ihrem Erzfeind anlegen wollten, ließ ihre Herzen höher schlagen.

Als die Silberdose wieder um Wolfs Hals hing, bewegte sich der große Hund einige Schritte vorwärts, um Platz zu gewinnen. Dann gab er den Zauberbefehl, was jedoch nur Josie und Arthur wahrnahmen. »Pinnae crescite!« Und auch diesmal wuchsen unter leisem Knistern mächtige Schwingen aus seinen Schulterblättern.

Bernhards Barthaare zitterten. »Potz Speikatz!«

Bianca vergaß sogar, an ihrer Schwanzspitze zu knabbern. »Bei des Teufels Großmutter! Was es alles gibt!«

Wolf wandte sich belustigt um. »Und das von einer sprechenden Ratte …!« Er schlug einige Male probeweise mit den Flügeln. »Nun gut«, fuhr er dann fort, »fragt unsere kleinen Freunde, wie wir zu der Drachenhöhle kommen.«

»Folgt immer dem Schwarzen Fluss«, sagte Simba, nachdem Josie ihm Wolfs Frage übermittelt hatte. »Er mündet im Niemalsmeer. An seiner Mündung befindet sich die Höhle, in der der Drache haust. Haltet euch an den hellen Schein, der über das Nordgebirge dringt.«

»Dann los!« Wolf nickte seinen Gefährten zu.

»Moment!« Josie steuerte auf die Brüstung zu, um die Elfen aus ihrem Blechgefängnis zu befreien. Bedrückt blickte sie in die trostlose Landschaft und dachte, wie viel besser es die Elfen Narrandas doch hatten.

»Fliegt!«, seufzte sie. »Ich wünschte, die Zukunft sähe für euch freundlicher und heller aus.«

»Wenn der Hornkopf überwunden ist, sieht die Zukunft für uns alle heller aus«, merkte Bernhard an und presste die Pfoten an die Brust. »Bei Odin! Möge euer Plan gelingen!«

»Oh ja, möge euer Plan gelingen«, wiederholte Nala aus tiefster Seele und ihr rosa Schnäuzchen zuckte erregt.

Wieder fühlte Josie die erdrückende Bürde von Verantwortung und Hoffnungen.

Arthur saß bereits auf Wolfs Rücken, als Josie es ihm nachtat. Ein aufgeregtes dünnes Stimmchen ließ sie den Kopf wenden. Tausendfünfzehn war hochgeflogen. »Wartet noch! Wir sind dabei! Ein Hochgenuss wird für uns drei des Ungeheuers Exitus!«

»Das kommt überhaupt nicht infrage!«, rief Arthur zurück. »Ihr bleibt schön hier!«

Josie überlegte einen Moment.

»Sie wären uns nur im Weg«, meldete sich Wolf. »Die Flatterdinger haben ihren Käfig nicht ein einziges Mal verlassen. Sie verfügen über wenig Erfahrung im Fliegen und sind somit auch nicht ortskundig.«

Wolfs Einwand leuchtete Josie ein. »Danke, Tausendfünfzehn«, sagte sie. »Aber ihr bleibt wohl wirklich besser hier.«

Schmollend ließ sich die Elfe wieder neben ihren Schwestern nieder. Tausendzehn tuschelte ihr etwas zu, dann verabschiedeten sich auch die Elfen.

Wolfs Flügel zuckten. »Seid ihr bereit?«

»Unsere Gedanken und Wünsche sind bei euch!«, rief Bianca und winkte ihnen zu.

»Libertatis Lux!«, rief Simba und alle Zurückbleibenden stimmten ein.

»Libertatis Lux!«

»Libertatis Lux!«

Wolf nahm einen kurzen Anlauf. Josie umfasste seinen Hals und der große Hund hob ab. Elegant und komplikationslos, trotz der schweren Last, die er zu tragen hatte.

»Super Start!«, sagte Arthur. »Hoffen wir, dass das ein gutes Vorzeichen ist.«

Josie spähte in die Tiefe. Mit jedem Atemzug wurde die Terrasse undeutlicher. Schnell verloren sich zuerst die Elfen, dann auch die winkenden Ratten in der Dunkelheit.

Sie ließen Arcatrox hinter sich. Ein letzter Blick auf die scharfen schwarzen Konturen der Burg spulte in Josies Erinnerung alle dort durchgestandenen Schrecken ab. Sie hatten Glück gehabt, verdammtes Glück! Aber sie wusste auch: Die Herausforderung, die nun auf sie wartete, würde all ihre bisherigen Abenteuer in den Schatten stellen. Eine dunkle Wolke lähmender Angst blähte sich in ihrem Kopf und verdrängte jeden klaren Gedanken. Sie biss sich auf die Unterlippe.

Wie eine leuchtende, blau geschuppte Natter schlängelte sich die Flussprozession voran. Einzelheiten konnten sie nicht ausmachen, da Wolf rasch an Höhe zulegte. Aber ihnen war klar, dass es alles andere als leicht sein würde, an Amy heranzukommen.

»Haltet euch gut fest, wir müssen noch weiter steigen«, teilte Wolf ihnen mit. »Wir können nicht riskieren, dass sie uns entdecken.«

Dann durchstießen sie eine Wolkenschicht und der sternenlose Himmel Dorchadons hüllte sie in seinen aschgrauen Mantel.

Arthur wurde unruhig. »Wie sollen wir uns jetzt bloß orientieren?«

»Seht!«, sagte Wolf. »Der helle Streifen. Genau, wie der Ratterich gesagt hat.«

Josie reckte den Hals. »Was ist das?«

»Nun, da Narranda hinter dem Nordgebirge liegt, vermutlich ein Abglanz von Solarias Schein. Wenn wir uns in diese Richtung halten, kommen wir unweigerlich zu Riamh Mhuir, das die beiden Reiche trennt.«

Das diffuse Band von warmem Licht, das weit entfernt vor ihnen am Horizont schimmerte, verbannte Josies schwarze Ahnungen. Für einen Augenblick fühlte sie sich in die *Unendliche Geschichte* versetzt. Sie ließ sich von Wolf durch die Lüfte tragen, wie Atréju von Fuchur. Und auch in ihrem Herzen meldete sich der Glücksdrache zurück. Wir werden es schaffen!, dachte sie. Wir werden es schaffen, weil wir alle daran glauben!

Der Flug zog sich hin. Josie fror, sie war dankbar, Arthurs warmen Körper hinter sich zu spüren. Wenigstens hielt die hässliche

Lederuniform den schlimmsten Zug ab. Sie zog den Kragen hoch und die Mütze weit über die Ohren.

Allmählich näherten sie sich den dunklen Umrissen eines Gebirges. »Ich werde jetzt in den Sinkflug gehen, damit wir sehen, wo wir sind«, sagte Wolf. »Festhalten!«

Mit dieser knappen Vorwarnung schoss Wolf nach unten. Josies Hände krallten sich in sein Fell. Ihr Magen fuhr Achterbahn. Ihre Ohren verschlossen sich.

»Bloody hell!«, zischte Arthur und umfasste Josies Taille fest mit beiden Armen.

Als sie die Wolkendecke durchbrochen hatten, fanden sie sich über einem Tal wieder. Hier hatte sich der Schwarze Fluss ein hartes Bett in die schroffen Felsen geschnitten. So weit man schauen konnte, nacktes, kaltes Gestein.

Josie blickte sich besorgt um. »Von der Prozession ist nichts zu sehen.«

»Sie sind noch nicht so weit«, gab Arthur zurück. »Wir haben sie wahrscheinlich längst überholt.«

»So wird es wohl sein«, bestätigte Wolf. »Dann lasst uns schon mal bis zur Höhle fliegen, um die Lage zu sichten.«

Zunächst verengte sich das Tal zu einem lang gezogenen Schlund. Mangels Licht kam Wolf den scharfkantigen Felsen einige Male bedenklich nahe. Josie biss sich auf die Unterlippe. Verdammt, es konnte doch nicht sein, dass sie jetzt abstürzten! So kurz vorm Ziel. Das dufte einfach nicht passieren!

»Keine Angst!«, beruhigte sie Wolf. »Außerdem sind wir ohnehin gleich da. Hört doch!«

Josie und Arthur spitzen die Ohren.

»Wasserrauschen«, sagte Arthur. »Wie eine Brandung.«

»Die Mündung?« Josie hob die Sonnenbrille an, die ihr gegen den Fahrtwind gute Dienste tat, und kniff die Augen zusammen.

Vor ihnen öffnete sich die Klamm zu einer Mündung und der Fluss erbrach seine schwarze Flut in ein weites dunkles Gewässer.

»Das Niemalsmeer«, stöhnte Josie, »wir haben es gefunden.«

»Riamh Mhuir«, hörte sie Wolfs warme Stimme und etwas darin klang so sehnsuchtsvoll, dass sich ihr Herz zusammenzog.

Arthur blickte angespannt um sich. »Und wo ist die Drachenhöhle?«

Seine Frage beantwortete sich von selbst, kaum dass er sie gestellt hatte. Unweit der Mündung klaffte, in einem vom Meer umspülten Felsen, eine gewaltige Höhle, aus deren Tiefe ein konturloses blaues Licht schwelte.

Alles war ruhig, gespenstisch ruhig. Nichts deutete auf das große Ereignis hin, das unmittelbar bevorstand. Von einem Drachen keine Spur.

Arthur reckte sich vor, um mehr zu erkennen. »Er muss riesig sein. Ob er schläft?«

»Mag sein«, erwiderte Wolf. »Während der letzten Tage hat das teuflische Vieh Narranda ordentlich zu schaffen gemacht.«

»Ich denke gerade ...«, begann Arthur zögernd. »Wäre es nicht einfacher, den Drachen im Schlaf zu überraschen?«

»Dann haben wir unsere Mission zwar erfüllt, doch der Hornkopf, wie ihn unsere kleinen Freunde nennen, kommt davon«, gab Wolf zurück, »und die Bewohner Dorchadons haben das Nachsehen«

»Das stimmt natürlich«, brummte Arthur.

»Gut, wir haben noch etwas Zeit. Ich würde sie gern zu einem kleinen Rundflug nutzen«, entschied Wolf und nahm, ohne das Einverständnis seiner Reiter abzuwarten, Kurs hinaus aufs offene Meer.

Dearmadon, dachte Josie erregt. Ob sie die Insel des Vergessens jetzt gleich mit eigenen Augen sehen würden? Mit einem Mal nahm sie wahr, dass ihr das Atmen schwerer fiel.

Arthur hüstelte. »Brennen euch auch die Augen?«

»Das müssen schon die Nebel über Dearmadon sein«, keuchte Wolf. »Ich werde versuchen, mich etwas nördlicher zu halten, der

Qualm treibt direkt auf uns zu.« Damit schlug er einen Bogen, um wenig später über ein Szenario zu fliegen, das Josie derart unwirklich vorkam, dass sie kaum Worte dafür fand.

Die Insel, von der sie so viel gehört hatten, war nicht besonders groß, auch schien sie nicht aus fester Materie zu bestehen, denn ihr Umriss waberte in ständig wechselnden Formen. Wie Projektionen uralter Schwarz-Weiß-Filme tauchten die absonderlichsten Wesen auf, alle möglichen Sidhe und Fabeltiere, in allen nur erdenklichen Gestalten. Sie erschienen und verschwanden wieder, gestikulierten, tanzten oder bekämpften einander in aufflackernden Bühnenbildern, Schiffen, Burgen und Naturszenen, die sich teilweise überlagerten. Alles ging stumm vor sich und war nicht von Bestand. Ab und zu zerfloss eines der geisterhaften Bilder und löste sich, ganz wie ein Flaschengeist, in Rauch auf, der sich zum dunklen Himmel hin verflüchtigte.

»Endstation Fantasielosigkeit«, konstatierte Wolf düster. »Was für ein Schatz geht der Menschheit verloren.«

Erschüttert verfolgten Arthur und Josie das schaurige Spektakel. »Die Geschichten aus den zerfallenen Büchern«, murmelte Arthur.

Josie sagte nichts. Mit den trostlosen Schwaden zogen ebenso trostlose Gedanken durch ihren Kopf. Wie sollte man das hier nur stoppen? In einer Zeit, in der die altüberlieferten Geschichten unwiederbringlich verloren gingen.

»Der Verfall wird sich kaum stoppen lassen«, griff Wolf ihre Überlegung auf. »Doch kann man ihn verlangsamen. Arthur hat ja schon einen wichtigen Schritt unternommen. Auch wenn ich von diesem Netz aus Gedanken nicht viel verstehe.«

»Ja«, sagte Arthur nachdenklich. »So traurig das alles ist, bin ich froh, Dearmadon gesehen zu haben. Es bestätigt, wie wichtig das Internetprojekt ist. Immer wenn eines der digitalisierten Bücher aufgerufen wird, ersteht eine der alten Geschichten neu in einem Kopf und wird nicht vergessen.«

»Wenn wir zurück sind, werden wir gleich damit weitermachen«, sagte Josie. »Wenn wir uns ranhalten, schaffen wir drei bis vier Bücher am Tag.«

»Wenn wir zurück sind ...«, wiederholte Arthur tonlos und Josie fühlte sogleich wieder den Klammergriff der Angst um ihre Brust.

Wolf drehte ab. »Wir sollten allmählich einen Platz in der Nähe der Höhle suchen. Über dem Niemalsmeer verliert man schnell alles Zeitgefühl.«

»Wolf ...«, begann Josie, der schon die ganze Zeit etwas auf dem Herzen lag.

»Diesen Wunsch kann ich dir leider nicht erfüllen«, antwortete ihr vierbeiniger Gefährte, während er schon das Ufer ansteuerte.

»Worum geht es eigentlich?«, erkundigte sich Arthur.

»Ich würde zu gern einen Blick auf Memoron werfen«, sagte Josie. »Mir ginge es viel besser, wenn ich wüsste, wie Wolfs Zukunft aussieht.«

»Wie ich bereits sagte, das geht nicht«, wiederholte sich Wolf. »Die Insel der Erinnerungen ist den Lebenden verborgen. Und noch lebe ich.«

»Noch?« Josie schluckte.

»Mach dir keine Sorgen«, antwortete Wolf und wieder klang etwas mit, wie freudige Erwartung. »Memoron wird für mich das Paradies sein.«

Dann schwiegen sie. Die traurige Gewissheit, dass ihnen nach erfolgreicher Mission ein schwerer Abschied bevorstand, begleitete sie zurück zur Mündung.

Dort wurden ihre Gedanken jäh in die drängenden Erfordernisse des Augenblicks zurückkatapultiert.

»Seht nur!«, rief Josie und deutete nach vorn. »Sie kommen!«

Wolf landete oberhalb der Drachenhöhle auf einem Felsen, wo seine menschlichen Gefährten absprangen.

Bum – Bumbum. Bum – Bumbum.

Dunkle Trommelschläge hallten dumpf in ihrer Brust wider. Mit hämmerndem Herzschlag blickten sie landeinwärts. Im Licht

der blauen Fackeln nun deutlicher zu erkennen, kam die Prozession rasch näher.

»Nun gilt es, wohl zu überlegen, was zu tun ist«, teilte ihnen Wolf mit. »Es liegt alles an euch. Ich werde hier warten. Die Königin hatte recht, ein alter Hund ist wenig hilfreich, einen Drachen zu töten. Dies ist der Part von Conalls Nachkommen, Arthur.«

Josie erinnerte sich noch genau an die Worte Órlaiths.

»Dann weißt du sicher auch, was sie über den einäugigen Drachen sagte«, fuhr Wolf fort.

Josie fuhr ein Faustschlag in den Magen. »Verdammt, die Sache mit der schwachen Stelle!« Wie hatte sie nur vergessen können, die Ratten danach zu fragen!

Wolf blickte sie ernst an. »Sie hätten es dir nicht sagen können – hier ist allein menschliche Fantasie gefragt.«

»Ich fürchte, wir haben nicht mehr viel Zeit zum Diskutieren!« Arthur deutete besorgt auf den rasch näher kommenden Zug.

Josies Puls beschleunigte sich. »Was schlägst du vor?«

»Wir klettern zur Höhle runter und verstecken uns. Fürchte, es lässt sich nicht genau planen, wie es dann weitergeht. Hoffe nur, unsere magischen Waffen lassen uns nicht im Stich, wir werden sie brauchen.«

»Hört auf eure Herzen!« Wolfs telepathische Stimme klang belegt, er hob den Kopf. »Mein Herz hofft mit allen Fasern, dass die Mission gelingen wird. Glaubt auch ihr fest daran!«

Arthur räusperte sich. »Wir sehn uns!«, sagte er rau und machte sich ohne weiteren Gruß auf, das Gelände nach einem geeigneten Abstieg zu erkunden.

In stummem Abschied schlang Josie noch einmal die Arme um den Hals ihres vierbeinigen Freunds. Dann sprang sie auf und folgte Arthur.

Es war dunkel, entschieden zu dunkel für eine Kletterexpedition über unbekannte Felsen. Arthur wagte es jedoch nicht, die Taschenlampe einzusetzen. Mit der schwarzen Uniform der Hellcs waren sie gut getarnt. Das warme Licht der Lampe jedoch würde sie unweigerlich verraten. Obwohl sie die Sonnenbrille längst auf die Mützen geschoben hatten, vermochten sich ihre Augen nur unvollständig in der Dunkelheit zu orientieren.

Arthur ließ sich als Erster auf einen Vorsprung hinab. »Kleine Schritte und mit den Händen immer gut absichern!«, rief er Josie zu.

Josie wischte sich die Hände an der Hose ab. Verdammt, feuchte Hände konnte sie jetzt definitiv nicht gebrauchen! Das Dröhnen der Brandung mischte sich in den Hall der drohend anschwellenden Trommelschläge. Quasi blind tastete sie sich Meter für Meter abwärts. Immer wieder blieb sie mit dem Gurt der Samttasche hängen, immer wieder rutschten ihr die Füße weg. Ihre Hände bluteten und bald war sie dankbar für die feste Lederkleidung, die Knie und Ellbogen schützte. Stumm und aufs Äußerste konzentriert hangelten sie sich voran. Kleine Steinlawinen lösten sich unter ihren Tritten. Josie stockte jedes Mal der Atem. Es war nur eine Frage der Zeit, dass Arthur getroffen wurde. Kamen sie denn nie unten an?

Endlich vernahm Josie das Auftreffen von Füßen auf Stein.

»Ich glaub, wir haben's geschafft!« Arthur, der das letzte Stück gesprungen war, bot ihr die Hand.

»Gott sei Dank! Und man sieht sogar wieder was!«, stöhnte Josie und ließ sich beim letzten Stück helfen. »Mann!«, presste sie dann hervor. Sprachlos starrten sie auf einen Höhleneingang von der Höhe einer Bahnhofshalle.

»Wow!« Arthur schüttelte ungläubig den Kopf. »Der Drache muss ja ein Riesenvieh sein!«

Der kalte Lichtschein aus der Drachenhöhle mischte sich mit der feuchten Seeluft zu milchig blauem Nebel, erhellte aber den

Vorplatz so weit, dass man sich einen Eindruck von den Gegebenheiten verschaffen konnte.

Flankiert von schweren Felsblöcken, schloss eine weite, von Wasser umspülte Plattform an den Eingang an. Nach einem besorgten Blick zum Fluss deutete Arthur nach rechts. »Komm! Wir müssen uns schleunigst unsichtbar machen.«

Sie zwängten sich zwischen zwei Steinblöcke. Hier war es zwar eng, doch konnte man alles gut überblicken. Tatsächlich war es höchste Zeit gewesen, sich zu verstecken, denn nur wenige Minuten später legte das erste Schiff an.

Josies Stirnader pulsierte, als wollte sie bersten. Ein Schüttelfrost raste über ihren Körper. Plötzlich fühlte sie Arthurs Arm um ihre Schultern. »Ruhig! Bleib ruhig!« Eine warme Welle erfasste sie tröstlich und aufwühlend zugleich. Sie nickte stumm, während sie beklommen beobachtete, wie nun ein Boot nach dem anderen einlief.

Groteske Gestalten drängten sich in den Booten. Darunter viele, die sie, wie Josie und Arthur ohne Bedauern feststellten, noch nicht gesehen hatten. Doch entdeckten sie auch alte Bekannte. Hellcs prosteten sich aus riesigen Humpen zu. In den größeren Booten, die Dykerons Gästen vorbehalten waren, schenkten diensteifrige Spriggans nach. Doch war die Stimmung an Bord nicht halb so ausgelassen wie noch auf Arcatrox. Der schwarze Vogel der Angst schwebte über dem finsteren Gesindel. Niemand ging an Land. Josie biss sich auf die Unterlippe. War Orcarracht denn so gefährlich, dass es sogar dieses abgebrühte Höllenpack vorzog, das erwartete Spektakel aus der Ferne zu genießen?

Dann legte die größte Barke an. Arthur und Josie stockte der Atem. Die Festbarke! Die Barke mit Amy! Im blauen Licht der Fackeln, die rund um das Boot steckten, ließen sich nun auch Einzelheiten erkennen. Einzelheiten, die zur Ausstattung eines Horrorfilms zu gehören schienen.

Das lang gezogene Boot war vollkommen schwarz, innen, wie

außen. Am Bug, hoch aufgerichtet, den Blick starr nach vorn gerichtet – eine männliche Gestalt in einem weiten schwarzen Umhang. Eine Gestalt mit gewaltigen Hörnern.

»Dykeron«, keuchte Josie.

Hinter dem Gehörnten erhob sich eine Art Baldachin, dessen dunkle Vorhänge bis zum Boden reichten. Dennoch war unschwer zu erraten, was sich dahinter verbarg. Rechts und links davon stand ein Spalier von Trommlern. Finstere, dürre Gestalten in tiefschwarzen Kapuzenmänteln. Furcht einflößend hallte der grausige Rhythmus ihrer Schläge von den Felsen wider.

Bum – Bumbum. Bum – Bumbum.

Josie drängte sich näher an Arthur. An den Rudern saßen weitere schwarz verhüllte Gestalten, die Josie fröstelnd an mittelalterliche Henkersknechte denken ließ. Einer von ihnen sprang nun aus dem Boot, um es an Land zu ziehen.

»Was machen wir jetzt?«, flüsterte Josie.

»Abwarten«, gab Arthur zurück. »Wir müssen den richtigen Augenblick abwarten.«

Den richtigen Augenblick ..., dachte Josie und ihr Magen verkrampfte sich zu einem schmerzhaften Klumpen.

Eine Planke wurde zum Ufer gelegt und Dykeron ging von Bord. Augenblicklich gefror alle Bewegung in den übrigen Booten. Alle Augen starrten auf die Plattform, als warteten sie, dass sich der Vorhang zu einem Theaterstück hob, das sicher keine Komödie werden würde. Jetzt erst konnten die Gefährten ausmachen, welch imposantes Körpermaß der finstere Statthalter Dorchadons aufwies. Josie biss sich auf die blutende Unterlippe, ohne Schmerz zu fühlen.

Der Trommelschlag schwoll an, wurde schneller, eindringlicher. Josies Stirnader hämmerte im gleichen rasenden Takt. Der Gehörnte klatschte in die Hände. Dienstfertig sprangen vier schwarz Vermummte auf, zogen den Baldachin auf und beugten sich, um etwas hochzustemmen.

»Amy«, raunte Arthur. »Sie holen sie!«

Josie griff in höchster Erregung nach der Drachenfibel. Gott sei Dank, sie fühlte sich warm an!

Gefolgt von den Trommlern brachten die Kapuzenmänner den gläsernen Sarg in einer spukhaften Prozession zur Mitte der Plattform und ließen ihn zu Füßen ihres Herrn nieder. Nun konnten die heimlichen Beobachter auch Einzelheiten erkennen.

Amy trug ein weißes Kleid, das ihre bläulich schimmernde Haut totenbleich wirken ließ. Sie schien tief zu schlafen. Reglos lag sie da, die Hände über der Brust gefaltet.

»Snow White und Sleeping Beauty zugleich«, raunte Arthur.

»Ja, wie aus dem Märchenbuch«, erwiderte Josie leise. »Nur leider sind wir noch nicht beim Happy End, Schneewittchen und Dornröschen wurden aufgeweckt.«

»Sleeping Beauty«, murmelte Arthur. »Sie wurde wachgeküsst ...«

Josie verstand sofort. »Du meinst, du willst sie küssen? So wie ich dich für die Bandraoi unbrauchbar gemacht hab?«

Trotz der brenzligen Situation konnte sich Arthur ein Grinsen nicht verkneifen. »Unromantisch ausgedrückt – aber so könnte man es nennen.«

Josie warf ihm einen verlegenen Seitenblick zu. »Es war Bernhards Idee ...«

»Eine sehr gute Idee!«, flüsterte Arthur. »Der Drache akzeptiert nur ein ungeküsstes Mädchen – das ist unsere Chance.«

Josies Blick klebte an dem gläsernen Sarg. Es fiel ihr schwer, sich einzugestehen, dass ihr Arthurs Vorschlag Unbehagen bereitete.

Ihm entging ihr Zögern nicht. »Hast du eine bessere Idee?«

Sie gab sich einen Ruck und schüttelte den Kopf. »Aber wie?«

»Keine Ahnung – vielleicht kann ich mich irgendwie unter diese schwarzen Vögel mischen.«

»Hier!« Josie zog mit bebenden Fingern den Fingerhut vom Daumen und reichte ihn Arthur.

Einen Augenblick später hatte sich ihr Begleiter in einen von Dykerons Henkersknechten verwandelt.

Josie zuckte zusammen »Du siehst zum Fürchten aus …«

Ein nervenzerreißender Laut riss ihren Blick zurück zur Plattform.

Dykerons langfingrige Hände umfassten ein riesiges, spiralförmiges Tierhorn, dem er einen Ton entlockte, der sich jeder Beschreibung entzog. Ein Ton, der Josie ins Herz schoss, durchdringend und schmerzhaft, wie ein Stilett. Ein Ton, dessen Echo in kalten Blitzen von den Felswänden zurückschlug und Josies Pupillen traf wie Phosphorpfeile. Sie schob panisch die Sonnenbrille über die Augen. Selbst Arthur, der die visuellen Wahrnehmungen Josies nicht ertragen musste, hielt sich gequält die Ohren zu.

Wieder und wieder erklang der gellende Laut, dazwischen das schaurige Bum-Bumbum der Trommeln. Dreizehn unendliche Male. Dann ließ der Statthalter Dorchadons das Horn sinken und auch die Trommeln verstummten. In den Booten – Schweigen. Selbst die Brandung schien innezuhalten. Todesstille legte sich wie ein Leichentuch über die Szene.

Dann begann der Boden unter ihnen zu beben. Erst leise und kaum wahrnehmbar, dann immer deutlicher. Steinlawinen rieselten von den Felsen. Josies Finger krallten sich in Arthurs Arm. Das Atmen wurde ihr schwer. Hatte die Seeluft die widerlichen Ausdünstungen des schwarzen Gesindels auf ein erträgliches Maß verdünnt, drang nun eine derart bestialische Aura aus der Höhle, dass Josie übel wurde. Eine Aura, die von Augenblick zu Augenblick penetranter wurde.

Dann erblickte Josie ein Wesen, das ihr wie die Ausgeburt der schwärzesten Fantasien aller Welten erschien.

Orcarracht, formten ihre Lippen tonlos.

Die immense Größe der Höhle hatte schon auf ihren Bewohner schließen lassen. Doch war der Drache tatsächlich gigantisch. Josie kämpfte gegen die Versuchung, die Augen zu schließen. Es kostete sie große Kraft, ihren schrecklichen Gegner auch nur anzusehen. Der riesenhafte Leib war über und über mit warzigen schwarzen Hornschuppen bedeckt. Etwas wie Flossen ragte rechts und links aus seinen Flanken. Füße fehlten ihm gänzlich. Der Drache musste ein ausgezeichneter Schwimmer sein. Sein schlangenähnlicher Körper, der sich in einen schier endlosen Schwanz verlor, robbte in großen Wellen geschickt vorwärts, wobei unter seinem immensen Gewicht die Plattform erzitterte. Eines war sicher: Dieses Untier war alles andere als ein Glücksdrache. Auf seinem langen Hals saß ein unbeschreiblich scheußlicher Kopf, der in zwei kolossale Nüstern auslief, die dazu geschaffen schienen, ungeheure Luftströme zu bewegen. Und sein Maul ... Josie schluckte. Nur gut, dass er es geschlossen hielt. Drei mannshohe Zacken thronten über der schuppigen Stirn. Und darunter das Schrecklichste: das Auge des Drachen – ein einziges, hervorstehendes stahlblaues Auge vom Durchmesser eines Traktorreifens. Kalt, seelenlos und unbarmherzig.

»Bloody Hell!«, zischte Arthur. »Wie sollen wir bloß mit diesem Monster fertig werden?«

Josie war kreidebleich. Verdammt, sie hatten nicht den Hauch eines Plans!

Orcarracht richtete nun den eisigen Strahl seines Auges auf Dykeron, der furchtsam zurückwich. In eben diesem Moment flog Josie die rettende Idee zu, unerwartet und erleichternd wie ein Schmetterling an einem dunklen Wintertag.

»Das Auge«, flüsterte sie. »Seine schwache Stelle ist das Auge! Ich bin ganz sicher!«

»Das Auge ...«, wiederholte Arthur leise. Dann schob er das Kinn vor. »Okay! Ich mogle mich jetzt nach vorn durch. Alle sehen nur auf den Drachen. Vielleicht finde ich eine Gelegenheit, mich an den Sarg ranzuschleichen.«

Josie hielt Arthur am Arm zurück. »Warte!« Nervös fummelte sie Amys Drachenfibel aus der Samttasche. »Versuch, sie Amy irgendwie zuzustecken!«

Arthur nahm die Fibel und tauchte ohne weiteren Abschied in der Dunkelheit unter.

Stumm durchbohrte der Blick des Drachen seine unselige Kreatur, den dunklen Statthalter Dorchadons. Und dennoch hatte Josie den Eindruck, als kommuniziere er mit ihm, denn sein unheimliches Auge flirrte in konzentrischen Kreisen, deren Frequenz Josie nicht zu deuten vermochte.

Dykeron verbeugte sich. Er verbeugte sich so tief, dass seine Hörner den Boden berührten. »Mein Herr, seht Euren treuen Knecht, der Euch nach Satans heil'gem Recht erbringt den Preis, der Euch gebührt. Es sei nach alter Tradition Euch eine Jungfrau zugeführt. Als Geste der Admiration, von Eurem untertän'gen Sohn.« Dann richtete er sich wieder auf, um beflissen auf den Sarg zu deuten. Seine Stimme zerfloss in falschem Honig, als er nun weitersprach. »Sie ist ein ganz besond'rer Bissen. Man hätt' die Maid uns schier entrissen. Sie stand unter Narrandas Schutz. Doch boten wir den Gold'nen Trutz. Fein, zart und rein das Mägdlein ist, ganz unberührt und ungeküsst ...«

Das unheimliche Auge Orcarrachts verengte sich. Unmissverständlich verdross ihn die lange Vorrede. Ein leises Fauchen schnitt dem Gehörnten das Wort ab und verursachte eine so heftige Bö, dass er und seine Begleiter ein ganzes Stück weggepustet wurden. Die schwarzen Umhänge der Todestrommler flatterten wie Rabenflügel. Wellen schäumten hoch und ließen die Boote der Festgäste wild auf- und niederschaukeln. Höllisches Gekreische brach los, ein bezechter Helle stürzte ins Wasser, ohne, dass sich jemand die Mühe machte, ihn wieder aufzufischen. Alle waren vollkommen mit sich beschäftigt. Und so bemerkte nur Josie, im Windschatten des Felsblocks gut geschützt, wie sich ein schwarzer verhüllter Mann über den Sarg beugte, als wolle er ihn vor dem Sturm bewahren.

Als endlich wieder Ruhe herrschte, trat Dykeron vor und hob beschwichtigend die Hände. »Verzeiht das lange Fabulieren, ich werd' die Maid vitalisieren und ...«

Paralysiert starrte Josie auf die schaurige Bühne. Der Drache, dem schon Speichel aus dem Maul tropfte, schob drohend den Hals vor, was seinen geschwätzigen Diener jäh verstummen ließ. Eilfertig wandte sich der Statthalter Dorchadons dem Glassarg zu. Ein teuflischer Zug, die sadistische Lust, jemandem Schmerz zuzufügen, verzerrte sein ohnehin abstoßendes Gesicht zu einer furchterregenden Grimasse, während das Publikum in den Booten mit stummer Häme verfolgte, was als Nächstes geschehen würde.

Nun beugte sich Dykeron nieder, wobei die Quaste seines räudigen Schwanzes schaurig aus dem Umhang ragte, und zog mit einem Ruck den Eiszapfen aus Amys Brust. Für einen endlosen Augenblick schien die Zeit in Blei gegossen.

Dann schlug Amy die Augen auf.

Josie musste an sich halten, um nicht zu ihr hinzulaufen. Ihr gefror der Atem, als Dykeron Amy jetzt grob bei den Händen packte und mit grausamem Spott in der Stimme flötete: »Wach auf, du schöne, süße Maid! Es ist nun Zeit, mach dich bereit!«

Amy, noch ganz benommen vom eisigen Schlaf, drehte angeekelt den Kopf weg – und blickte in das begierig funkelnde Auge des Drachen. Ein markerschütternder Schrei platzte aus ihrer Kehle. Josies Stirnader klopfte wie ein Presslufthammer. Was, wenn die Kussnummer nicht funktionierte? Hatte Arthur Amy die Drachenfibel anstecken können? Und würde die Fibel das gar nicht Auszudenkende verhindern können? Sie presste die Hände zu stählernen Fäusten. Glücksdrache, verlass uns nicht!

Amys Schrei beschwor ein sardonisches Lächeln auf Dykerons Gesicht. Die langen Finger wie Eisenfesseln um Amys zarte Handgelenke gelegt, zerrte er sie gewaltsam hoch. Ihre verzweifelte Gegenwehr beantwortete er mit höllischem Gelächter. Der Widerstand seines Opfers schien seine Freude an dem barbarischen Akt nur anzuheizen. Rüde riss er Amy aus dem Sarg und präsentierte sie dem Drachen mit dem Stolz eines Metzgers, der sein bestes Stück Fleisch anpreist.

»Sie ist ein wahrer Teufelsbraten, schlank an Gestalt und wohlgeraten. Ich offerier' Euch als Tribut dies ganz besonders süße Blut.«

Die Ringe in dem Drachenauge rotierten in fiebernder Begierde. Eimerweise floss Sabber aus dem breiten Maul des Scheusals und bildete ekelhafte Schleimpfützen auf dem Felsboden. Dykeron, der das Leid seines Opfers gern noch länger ausgekostet hätte, wagte es nicht, Orcarracht noch länger hinzuhalten. In einer überraschenden Bewegung warf er Amy dem Drachen vor, wie man einem gefährlichen Raubtier seine Mahlzeit hinschleudert. Amy knallte hart auf und blieb leblos liegen. Josie ließ einen Schrei des Entsetzens los, der in den begeisterten Zurufen der Zuschauer unterging.

Der Drache beugte den scheußlichen Kopf über sein Opfer, um es mit triefenden Lefzen zu beschnuppern. Einen Atemzug später bäumte er seinen gewaltigen Leib auf und gab etwas wie ein Rasseln von sich, das zu einem ergrimmten Grollen anschwoll, das alle versteinern ließ. Dann stieß er das Mädchen so ungestüm von sich, dass der bewegungslose Körper unweit von Josies Versteck liegen blieb. Dykerons bösartiges Grinsen war zu einer bestürzten Grimasse gefroren, als sich Orcarracht nun zu ihm drehte. Die Kreise in seinem unheimlichen Auge verquirlten sich zu einer wirbelnden Spirale.

Dykeron warf sich auf die Knie. »Herr, die Maid war unberührt, ganz wie es Euch zu Recht gebührt! Erbarmt Euch, schont den armen Knecht. Lasst Gnade walten vor dem ...«

Der Drache ließ ihm keine Zeit, sein Gewinsel zu Ende zu bringen. Ein unergründlicher, bestialisch stinkender Schlund tat sich auf und verschlang den gehörnten Statthalter Dorchadons mit der Leichtigkeit, mit der ein Staubsauger eine Daunenfeder aufnimmt.

Unmittelbar darauf richtete sich die entfesselte Wut Orcarrachts gegen die Todestrommler, die Hals über Kopf zu den Booten flüchteten. Josie nutzte die Gelegenheit und kroch aus ihrem

Versteck. Mit all ihrer Kraft zerrte sie Amy hinter den Felsen. Himmel! Amy war doch nicht tot? Nein, sie durfte einfach nicht tot sein! Ob MoDains Zauberwhiskey auch bei Menschen wirkte? Ihre bebenden Finger angelten nach dem Fläschchen, als Amy benommen die Augen öffnete.

Josie fiel eine Zentnerlast von der Seele. Sie riss sich die Mütze vom Kopf und warf die Brille weg. Dann strich sie Amy übers Haar. »Hallo«, sagte sie zärtlich.

Amy blickte sie verstört an. »Josie?«

Eine Flut von Zuneigung überwallte Josie, sie lächelte glücklich.

»Dykeron ...?«, flüsterte Amy mit rauer Stimme.

»Der Drache hat ihn verschlungen. Verdammt, bin ich froh, dass du lebst!«

Amy tastete nach ihrem Gürtel. »Was ist das? Es ist warm.«

Josie folgte ihren Fingern. »Die Drachenfibel«, sagte sie. »Er hat sie dir also doch noch geben können. Mit Sicherheit hat sie dich vor dem Schlimmsten bewahrt.«

»Aber die Fibel ... Wer ...?«

»Wir haben sie aus Dykerons Schatzkammer geholt.«

»Wir?«

»Arthur ...«, sagte Josie noch.

Alles Weitere verschluckte das ohrenbetäubende Dröhnen eines gewaltigen Sturms. Der Drache raste.

In ohnmächtiger Wut richtete er seinen schlangenförmigen Körper auf, warf den schweren Kopf hin und her und fauchte mit der Kraft eines Orkans. Infernalisches Geschrei brach los. Die Boote wirbelten wie Papierschiffchen in den Fluten, kenterten und wurden mitsamt den verzweifelten Festgästen von hoch aufschäumenden Wogen aufs offene Meer getrieben. In Sekundenschnelle war kein einziges Boot mehr zu sehen. Dennoch blies der Drache wie von Sinnen immer weiter, dass die Wellen sich haushoch aufbäumten und ihr Rückschlag drohte, die Plattform zu überschwemmen.

Angstvoll klammerten sich Amy und Josie an dem Felsen fest, als plötzlich ein Licht die Nacht durchschnitt. Ein helles warmes Licht, das den Blick der Mädchen nach oben lenkte.

Josie schrie auf. Arthur stand wankend über der Stirn Orcarrachts, er hatte sich offenbar mit der Kordel seiner Verkleidung an einem der Kopfzacken festgebunden und leuchtete nun mit der Taschenlampe in das schreckliche Auge des Monsters. Der Drache jaulte auf. Die Kreise in seinen Pupillen wurden enger und enger, dann erlosch das Auge zu einer unergründlichen schwarz glänzenden Masse. Hatte das verhasste Licht ihn erblinden lassen? In unbändiger Wut versuchte Orcarracht, seinen Peiniger abzuschütteln, doch machte dieser jede seiner wütenden Bewegungen mit. Arthur griff eben nach seinem Schwert, als Orcarracht eine unerwartete Waffe einsetzte. Unvermittelt streckte er sich zu voller Länge und warf den Kopf in die tobenden Wogen, sodass Arthur unweigerlich mit untertauchte.

»Arthur!« Josies Stimme brach.

»Wir müssen ihm helfen«, brüllte Amy und hatte das Versteck auch schon verlassen.

Josie rannte kopflos hinter ihr her. Helfen? Was um Himmels willen sollten sie gegen diesen Giganten ausrichten? Ohnmacht lähmte ihr Denken.

Amy erklomm mit dem Mut der Verzweiflung das Schwanzende des Drachen und prügelte mit den Fäusten auf ihn ein. Ohne sie überhaupt wahrzunehmen, tauchte Orcarracht auf und schnappte nach Luft, um sein grausames Spiel sogleich fortzusetzen. Wieder und wieder senkte er das riesenhafte Haupt in die schäumenden Wellen.

Josies Finger griffen intuitiv nach der Fibel. Aber würde ihre Magie gegen diesen mächtigen Gegner auch bestehen können? Noch während sich das magische Zeichen in ihrer Hand zunehmend erwärmte, blitzte ein Gedanke in ihr auf, der sie schon einmal gerettet hatte.

»Die Fibel!«, schrie sie Amy zu. »Nimm die Fibel!« Amy hielt atemlos inne und tat wie ihr geheißen. Fiebernd stieg Josie hinter ihr auf, presste sich eng an sie, und ergriff Amys Hand. Augenblicklich durchflutete beide ein berauschender Strom unbändiger Kraft. Ihre magischen Energien hatten sich gebündelt. Zuversicht, und das Vertrauen, dass sich alles zum Guten wenden würde, erfüllte ihre Herzen. Von einer purpurroten Aura umhüllt, richteten die Mädchen ihre Fibeln auf den schwarzen Hinterleib des Ungeheuers.

Unverzüglich sprühten glühende Fontänen aus ihren magischen Werkzeugen. Faustgroße Funken brannten sich tief in den Schuppenpanzer des Ungeheuers. Entsetzlicher Gestank vergiftete die Luft. Orcarracht fuhr aufheulend aus dem Wasser. Dass er nichts sehen konnte, machte ihn schier wahnsinnig. Verzweifelt mit dem Schwanz schlagend stieg er hoch und entfachte aufs Neue einen gewaltigen Sturm. Wellen brachen empor, Felsbrocken wehten wie Seifenblasen ins Meer. Doch all sein Wüten und Fauchen nützte ihm nichts, die Mädchen hielten sich mit überirischer Kraft auf ihm.

Arthur rang noch immer nach Luft. Nach einigen belebenden Atemzügen riss er seine magische Waffe aus der Scheide. Von einem strahlenden Purpurschein umgeben, richtete er sich auf dem schwankenden Schädel des Gegners auf, in seiner Hand – ein glänzendes Ritterschwert, dessen Klinge rot glühte.

»Orcarracht!«

Arthurs Stimme riss eine Schneise in das Toben der Elemente. Wider alle physikalischen Gesetze hallte es anschwellend von allen Seiten zurück. Ehrfurcht gebietend und unerbittlich.

»Orcarracht! – Orcarracht! – Orcarracht!«

Josie erschauderte. Allein die Anrufung seines Namens ließ den Drachen jäh erstarren. Die entfesselten Naturgewalten verstummten. Kein Tosen mehr, kein Rauschen, kein Wellenschlag. Die Welt schien stillzustehen.

»Orcarracht! In dieser Nacht tötet dich die menschlich' Macht, die dich einst erschaffen. So stirb denn durch der Worte Waffen!«

Stetig lauter werdend schallte der Ruf des Drachentöters von den Felsen wider. Dann stieß er zu. Stieß ein einziges Mal zu. Beherzt und zielgenau ins Zentrum des Auges.

Ein Zucken durchfuhr die Bestie, dann sackte ihr schwerer Kopf zu Boden, rutschte über den feuchten Untergrund – und versank im Wasser.

Für einen Augenblick war Josie wie gelähmt.

»Bullshit!«, keuchte Amy.

Josie schnellte außer sich vor Entsetzen auf den Boden und jagte zum Ufer. Verzweifelt starrte sie in das schwarze Wasser, das den Drachenkopf bis weit über den Hals verschlungen hatte. Dann setzte sie, ohne zu zögern, zum Sprung an. Amy konnte sie im letzten Augenblick noch zurückreißen.

»Bist du verrückt? Es ist stockfinster da unten!«

Josie blieb zitternd stehen. In vager Hoffnung tastete ihre flatternde Hand nach der Drachenfibel. Aber sie flackerte nur noch leise. Ihre magischen Kräfte waren wieder einmal erschöpft.

»Arthur ...!« Ihr Blick verschwamm. In einer hilflosen Bewegung legte Amy den Arm um die Gefährtin. In ohnmächtiger Trauer sahen sie zu, wie die letzten Luftblasen Orcarrachts ranzigen Atems an die Oberfläche blubberten. Josie vergrub ihr Gesicht an Amys Schulter.

»Er hat sich geopfert«, sagte Amy leise. »Er muss ein toller Junge gewesen sein!«

Josie schluchzte auf, dann brach sie in Tränen aus.

»Bloody hell! Begrüßt man so einen Drachentöter?«, hörte sie plötzlich eine bekannte Stimme.

Josie wirbelte herum und fiel Arthur um den Hals. »Verdammt, uns so einen Schrecken einzujagen!«

Arthur tätschelte ihre Schulter. »Sorry, wird nicht wieder vorkommen.« Josie ließ verlegen von ihm ab. »Wozu hat man schließlich magische Waffen.« Er klopfte an seinen Gürtel.

Die Kutte, die den Hellc-Anzug verborgen hatte, trug er längst nicht mehr. Nun befreite er sich auch von der durchnässten Wollmütze und schleuderte sie in hohem Bogen ins Meer. Während er sich mit beiden Händen durch das klatschnasse Haar fuhr, wanderten seine Augen sichtlich zufrieden über den Kadaver des Titanen. »Für meinen ersten Drachen – gar nicht so übel!«

»Nicht übel?« Josie hob die Brauen. »Du warst definitiv großartig! Aber sag mal, wie bist du eigentlich auf die Idee mit der Taschenlampe gekommen?«

Arthur zuckte mit den Schultern. »Weiß nicht. Irgendwoher flog mir auf einmal der Gedanke zu, ihn mit dem Licht zu blenden. Wäre allerdings beinahe in die Hose gegangen. Wenn ihr nicht gewesen wäret …« Er warf Amy einen neugierigen Blick zu, die ihn interessiert erwiderte.

»Josie hat recht, du warst großartig!« Amys Lippen bebten. »Ich kenne keinen, der sich mit so einem Monster angelegt hätte.« Aufgewühlt wendete sie den Kopf weg. »Ich – ich habe mit meinem Leben abgeschlossen, als ich den Drachen gesehen habe.«

Jetzt war es Josie, die den Arm um *sie* legte. »Es ist vorbei! Arthur hat dich vor Orcarracht bewahrt. Er hat dich …«

Arthur fiel ihr ins Wort. »Josie meint, ich war es, der dir die Fibel zugesteckt hat. Du hast ja geschlafen wie ein Baby.«

Amy sah ihn verlegen an. »Ich hab einen totalen Filmriss. Das Letzte, woran ich mich erinnere …« Sie blickte erschrocken hoch. »Edna. Wisst ihr, wo sie ist?«

Josie nickte. »Mach dir keine Sorgen. Edna ist in Sicherheit.«

Arthur klapperte mit den Zähnen. »Ich hab nicht einen trockenen Faden an mir.«

Josie reichte ihm wortlos den Fingerhut. Arthur nahm ihn an sich und stand wenige Sekunden später in seinem gewohnten Outfit vor ihnen. »Uff!«, ächzte er erleichtert. »Ich fühle mich fast schon wieder menschlich.«

Amy staunte ihn mit großen Augen an. »Was …«, setzte sie gerade an, als in übermütigen Pirouetten drei winzige geflügelte Wesen heranschwirrten.

Arthur blickte unwillig nach oben. »Hab ich euch nicht gesagt, ihr sollt auf Arcatrox bleiben?«

Aber der brummige Empfang prallte an den Elfen ab. »Wir danken Euch, Ihr habt's vollbracht, in dieser wunderbaren Nacht. Der böse Herrscher ist geschlagen und wird uns niemals wieder plagen.«

Dann ließen sie sich auf dem gigantischen Leichnam des toten Drachen nieder, fassten sich bei den Händchen und tanzten ausgelassen im Kreis.

Josie sah ihnen belustigt zu. »Habt ihr den Weg zur Drachenhöhle also doch gefunden. Wart ihr etwa die ganze Zeit über hier?«

Die Elfen unterbrachen ihren Reigen. »Wir folgten stets dem Schwarzen Fluss, und kamen grade, als der Kuss des Knaben jenes Mägdlein traf. Sie lag so tief im eis'gen Schlaf. Uns täuschte seine Kutte nicht. Wir sahen deutlich sein Gesicht.«

Tausendzehn – oder war es Tausendfünfzehn – nickte eifrig. Aber da fuhr ein anderes Elfchen schon fort: »Orcarradt blies übers Meer. – Doch sind wir Elfen ja nicht schwer und tanzten mit den Winden. Frohlockend sah'n wir ihn verschwinden in des Drachen Todesschlund! Die Ausgeburt! Den Satanshund!

»Hurra, hurra, wie wunderbar«, trällerte Tausendvierundzwanzig und die Elfen setzten ihren Freudentanz fort.

Amy runzelte die Stirn. »Habt ihr das mit dem Kuss verstanden?«

Josie winkte ab. »Das erzähl ich dir ein anderes Mal.«

»Diese Flatterdinger können von Glück reden, dass ihnen nichts passiert ist«, knurrte Arthur.

Josie zwinkerte ihm zu. »Jetzt sei nicht so! Sie werden noch ihren Kindern und Kindeskindern von deiner Heldentat erzählen.

Arthur O'Reardon wird als Drachentöter in die Geschichte Dorchadons einziehen.«

Arthurs Miene erhellte sich geschmeichelt. »Aber du, Amy und Edna werden sicher ebenso in die Annalen eingehen.« Er grinste die Mädchen an. »Ruhm ist nun mal der Helden Lohn.«

»Ruhm interessiert mich im Moment herzlich wenig«, erwiderte Amy. »Ich möchte jetzt nur eines: so schnell wie möglich meine Großmutter sehen.«

»Das ist mehr als verständlich«, sagte Josie. »Ich möchte hier auch keine Wurzeln schlagen. Wir sollten uns jetzt auf den Rückweg machen. Ein Vergnügen wird der ohnehin nicht.« Sie blickte seufzend zu der Felswand, die Arthur und sie heruntergeklettert waren.

Arthur schüttelte den Kopf. »Ihr zwei bleibt hier. Es reicht, wenn ich im Blindflug da hochkraxle. Der Tauchgang dürfte die Taschenlampe ruiniert haben.« Ohne große Hoffnung schaltete er die Lampe ein. »Wie ich gesagt habe ...!« Missmutig steckte er sie wieder weg und schickte sich an zu gehen. »Also, bis dann!«

Josie sah ihm dankbar nach. Doch da schoss ihr siedend heiß ein weiteres Problem durch den Kopf. »Warte!« Arthur drehte sich um. »Wie soll Wolf uns drei auf seinem Rücken tragen, wo wir doch zu zweit fast schon zu schwer für ihn waren?«

»Dammit!« Arthur ächzte. »Daran haben wir überhaupt nicht gedacht.«

»Wolf?«, erkundigte sich Amy.

»Ein irischer Wolfshund«, erwiderte Arthur knapp. »Einer deiner Vorfahren.«

Amy hob die Augenbrauen. »Willst du mich auf den Arm nehmen?«

Arthur grinste schief. »Wenn ich nicht so k.o. wäre ...«

»Vielleicht ...«, murmelte Josie. »Hört mal!«, rief sie den Elfen zu, die noch immer ausgelassen über den toten Drachen tanzten. »Ihr könntet euch nützlich machen.« Sie deutete auf den Felsen. »Eine von euch fliegt jetzt da hoch und bittet unseren vierbeinigen Freund zu uns herunter. Und die anderen zwei sagen den Trollen Bescheid, dass wir dringend ein Boot brauchen.«

»Es ist uns ein Pläsier, wir sind gleich wieder hier.« Sofort flatterte Tausendzehn los. Und auch die anderen beiden machten sich, glücklich, etwas für ihre Retter tun zu können, umgehend auf den Weg. Wie kleine Silberpunkte schwirrten sie in die Nacht.

Amy sah ihnen traumverloren nach. »Wie sind wir nur in diese seltsame Welt geraten?«

»Das würde ich auch gern wissen«, erwiderte Arthur gedehnt. »Manchmal hab ich fast das Gefühl, ferngesteuert zu werden.«

»Ich denke, der Professor hat recht, Momas und Ednas Geschichten beeinflussen die Dinge hier«, sagte Josie. »Und sicher auch die vielen alten Überlieferungen. Und natürlich auch unsere eigenen Fantasien.«

»Bedenke stets des Wortes Macht, und nutze es nie unbedacht! Edna wusste es«, murmelte Amy vor sich hin.

»Vielleicht hat Onkel Aaron ja recht«, sagte Arthur. »Aber ging es euch nicht auch manchmal so, dass ihr euch gefragt habt: Woher kommt jetzt eigentlich dieser Gedanke, diese Idee …? So, als wäre noch …« Er hielt, nach einem geeigneten Begriff suchend, inne. »Als ob da noch ein anderer … nennen wir es Schöpfer wäre.«

Amy starrte ihn verständnislos an. Arthur winkte ab. »Was soll's! Man muss nicht alles verstehen. Hauptsache, wir haben unsere Mission erfüllt.«

Gähnend ließ er sich auf einem lang gezogenen Felsbrocken nieder. Josie folgte ihm grübelnd und auch Amy kam ihnen nach.

Über dem Schauplatz der düstersten Geschehnisse lag ein eigentümlicher Friede. Die grimmige Dunkelheit schien auf einmal samten und zahm. Ganz ins Flechtwerk ihrer Gedanken verstrickt lauschten sie dem sanften Plaudern der Wellen. Ein unerwartet milder Lufthauch berührte Josies Stirn und nahm die schrecklichen Erlebnisse mit sich, so wie Moma früher kleine Verletzungen weggepustet hatte. Wohlgefühl umhüllte sie wie eine warme Decke. Wie dankbar war sie, Arthur und Amy unversehrt bei sich zu haben! Arthur röchelte leise. Sie schmunzelte. Er schlief. Sachte sank sein Kopf an ihre Schulter. Vorsichtig rückte sie ein wenig zurück und bettete ihn auf ihren Schoß. Ihr Blick wanderte zärtlich über seine schlafenden Züge. Amy lächelte sie an. Ein Lächeln, in dem eine unausgesprochene Frage lag. Eine Frage, die Josies Herz mit einem freudigen Sprung beantwortete. Am Horizont stand ein goldener Streifen. Er kam ihr jetzt viel breiter und leuchtender vor als zu Beginn ihres Abenteuers. »Narranda«, flüsterte sie.

»Narranda«, wiederholte Amy leise, wie jemand, der sich an etwas fast Vergessenes erinnerte. »Druid Dubh. Warst du da?«

Und während sie warteten, begann Josie zu erzählen.

Amy hing an ihren Lippen, während Josie versuchte, ihr die komplizierten Ereignisse in verständlicher Reihenfolge zu schildern.

So fiel ihnen nicht auf, dass es ziemlich lange dauerte, bis schwere Flügelschläge ihre Aufmerksamkeit nach oben lenkten.

»Wolf!« Josie widerstand dem Impuls aufzuspringen, um Arthur nicht zu erschrecken. Doch der rieb sich bereits benommen die Augen und raffte sich schon auf, bis der große Hund auf der Plattform landete.

Tausendzehn flatterte, entschuldigend mit den Händchen gestikulierend, zwischen Wolfs Ohren hoch. »Verzeiht, ich hab mich wohl verflogen, ich machte einen falschen Bogen, doch hab ich ihn zuletzt gefunden.« Und mit einem verlegenen Lächeln fügte sie noch hinzu: »Es war'n ja nur ein paar Sekunden.« Doch keiner kümmerte sich um das Geplapper der Elfe.

Sichtlich bewegt stand Wolf vor dem gigantischen Kadaver Orcarrachts. Eine Träne quoll aus seinen Bernsteinaugen. »Ihr habt es vollbracht! In dieser dritten Lughnasadhnacht haben die

Nachfahren den Frevel des Ahns getilgt. Ach, könnte ich euch nur in die Arme schließen!«

Josie erkannte an Amys verdattertem Gesichtsausdruck, dass sie jedes Wort verstanden hatte. Sie lächelte – auch Amy gehörte schließlich zur Familie.

Tausendzehn, die von dem, was Wolf seinen Gefährten übermittelte, nichts mitbekam, wirbelte aufgeregt über ihre Köpfe, ihre kleine Stimme überschlug sich. »Seht nur! Da vorn! Seht nur den Schein! Er ist so warm, er ist so fein, wie ich noch nie ein Licht geschaut, und doch ist's wonnig mir vertraut.« Ganz entzückt schwebte die Elfe auf ein näher kommendes Floß zu, in dessen Mitte ein großes Feuer brannte, das seinen goldenen Widerschein in die Wellen warf.

»Libertatis Lux!«, stieß Arthur aus und deutete nach vorn. »Die Trolle haben das Freiheitslicht entzündet.«

»Das Freiheitslicht wird bald ganz Dorchadon erhellen«, vernahmen sie Wolfs dunkle Stimme. »Und das ist nur euch zu verdanken.« Josie fasste Amys Hand und drückte sie stumm. Ihr Herz war so übervoll!

Dann schwirrten zwei Lichtpunkte auf sie zu, zwei Elfen mit winzig kleinen Fackeln. Tausendzehn kam ihnen kaum nach. »Die Schwestern sind all'samt befreit, wir tragen Licht und Helligkeit auf jeden Berg, in jedes Tal, für Freudenfeuer ohne Zahl«, rief ihnen Tausendfünfzehn strahlend entgegen. Und noch während die Gefährten gebannt dem Spiel ihrer kreiselnden Feuerspäne folgten, legte das Floß auch schon an und vier längliche Schatten sprangen an Land.

Josie kniete sich nieder. »Bernhard! Bianca! Simba! Nala! Wie schön, euch gesund wiederzusehen!«

Bianca schmiegte ihr Köpfchen in Josies Hand.

»Die frohe Kunde eurer Heldentat verbreitet sich wie ein Lauffeuer«, sagte Bernhard bewegt. »Das Freiheitslicht der Trolle leuchtet bald überall. Was für eine Nacht! Und wir dürfen dabei sein.«

Simba starrte in einer Mischung aus Faszination und Grauen auf den reglosen Leib des Drachen, der sich neben ihm wie ein Hochgebirge ausnahm.

»Potz Speikatz!« Bernhard trippelte auf den schlaffen Körper zu und stupste ihn mit der Pfote. »Tot. Mausetot, wenn man das von einem Drachen sagen kann. Welch unglaubliche Heldentat habt ihr vollbracht!«

Bianca sah sich das tote Ungeheuer, wie besessen am Ende ihres rosa Schwanzes nagend, lieber aus sicherer Entfernung an. Auch Nala zog es vor, dem Drachen nicht zu nahe zu kommen. »Und Dykeron, der alte Teufel?«, erkundigte sie sich bang. »Hat Orcarracht ihn auch ganz gewiss verschlungen? So wie die Elfen erzählt haben?«

»Wir haben es doch selbst gesehen!« Tausendvierundzwanzig klang verschnupft. »Ihm half kein Heulen und kein Flehen. Orcarracht verschlang ihn ganz, vom Hornkopf bis zum Quastenschwanz.« Man hörte der kleinen Elfe an, wie stolz sie war, dabei gewesen zu sein.

Amy zog Josie am Ärmel. Ihr Blick wies auf drei haarige Gesellen, die vom Floß aus scheu zum Ufer äugten. »Wer sind denn die?«

»Tipan, Tapan und Tupan«, rief Josie überrascht, die die Trollbrüder erst jetzt erkannte. »Ihr?«

Tapan trat verlegen vor. »Verzeiht, dass wir manch' Zweifel hatten, doch sagten uns bereits die Ratten, welche tapf're Herzen in Euch schlagen. Drum haben wir uns angetragen, Euch zur Burg zurückzuleiten, wo sie Euch den Empfang bereiten.«

»Wisst ihr, ob Edna da sein wird?«, fragte Amy bang.

Tupan nickte mit einer einladenden Handbewegung. »Sie sehnt sich nach dem Tochterkind. Drum lasst uns fahren nun geschwind.«

Jubelnd sprang Amy aufs Floß. Arthur und Josie folgten ihr, ebenso Wolf, nachdem er sich seiner Flügel entledigt hatte. Seine Beine knickten auf dem holprigen Untergrund aus rohen Baumstämmen ein. Matt ließ er sich nahe am Feuer nieder, das warm und behaglich in der Mitte des Floßes knisterte, und schloss die Augen. Josie betrachtete ihn bedrückt. Ihr vierbeiniger Begleiter war sehr ruhig geworden, er wirkte erschöpft und müde. Das Abenteuer schien ihn seine letzten Kräfte gekostet zu haben. Ihr Magen krampfte sich zusammen.

»Sorge dich nicht«, vernahm sie Wolf, dem ihre innere Unruhe nicht entgangen war. »Alles kommt so, wie ich es immer ersehnt habe.«

Die Trolle mussten kräftig gegen die Strömung rudern. Arthur, Amy und Josie saßen ums Feuer, genossen die lang entbehrte Wärme und erzählten den Ratten von ihren Erlebnissen.

»Schaut, da!«, rief Arthur. Amy und Josie hoben die Köpfe.

»Gosh!«, rief Amy.

Auf den Höhen rechts und links des Flusses brannten helle Freudenfeuer, je weiter sie vorankamen, desto mehr wurden es. Dann säumte jubelndes Volk die Ufer, Trolle, Zwerge, Schrate und andere seltsame Kreaturen, von denen viele golden leuchtende Fackeln schwangen.

»Libertatis Lux! – Libertatis Lux! – Libertatis Lux!«, erscholl es wie ein Wechselgesang, in das sich das vielstimmige Echo der Hügel zu einem jubilierenden Chor mischte.

Wo man hinsah, schwärmten, wie ein Funkenregen, Elfen mit brennenden Spänen, um das Licht der Freiheit auch noch in den letzten Winkel des Landes zu tragen.

Wie eigenartig!, dachte Josie berührt. Die Dunkelheit der Nacht war plötzlich ohne Finsternis. Das Hoffnungslicht brannte. Es loderte in den Herzen derer, die ihnen jauchzend zuwinkten.

Dann tauchte vor ihnen Arcatrox auf.

Josie glaubte zu träumen. Die düstere Trutzburg war kaum wiederzuerkennen. Prachtvoll erleuchtet strahlte sie, als sei sie soeben von den Toten auferstanden.

Amy schüttelte ungläubig den Kopf. »Wie ein Märchenschloss!«

»Nicht wiederzuerkennen«, sagte Arthur und öffnete seine Jacke. »Und es ist wärmer geworden. Findet ihr nicht?«

Josie tat es ihm nach. »Du hast recht. Ist mir auch schon aufgefallen, diese Lederklamotten kleben geradezu an mir. – Widerlich!« Sie befreite sich von der Samttasche und reichte sie Amy. »Nimm! Und lass dir das Ding bloß nicht wieder klauen!« Dann steckte sie den Fingerhut auf den Mittelfinger und schloss die Augen. Ein Fingerschnippen später atmete sie auf. »Dem Erfinder der Jeans müsste man ein Denkmal setzen.«

»Wenn ich etwas sagen darf«, meldete sich Bianca zu Wort. »Für den Empfang in der Burg scheint mir das ...«, sie wies mit gerümpftem Näschen auf Josies Hose, »... wohl kaum angemessen zu sein.«

»Wieso?« Josie blickte an sich herab.

Amy zerrte unwillig an ihrem weißen Opferkleid. »Ich hasse dieses grässliche Nachthemd!« Sie streckte gespannt die Hand aus. »Der Trick mit dem Fingerhut ist cool. Aber wie funktioniert er?«

»Wie alles hier – mit Imagination«, beantwortete Arthur ihre Frage, aber da hatte Amy den Fingerhut schon auf den Mittelfinger gesteckt, und bewies, kaum hatte er ausgesprochen, dass auch sie die Kunst der Vorstellungskraft beherrschte.

»Wie seh ich aus?« Stolz drehte sie sich in einem zauberhaften grünen Brokatkleid, zu dem ihre alte Samttasche perfekt passte, um die eigene Achse.

Bianca und Nala klatschten zufrieden in die Pfötchen.

Arthur verbeugte sich grinsend. »Willkommen an Bord, Prinzessin.«

Muffig zog Josie den Fingerhut von Amys Finger und steckte ihn sich selbst wieder auf, um diesmal ein Kleid zu imaginieren, das dem Vergleich mit Amys standhielt.

»Nicht übel!« Arthur zwinkerte ihr zu. »Hoffe, ihr erwartet nicht, dass ich mich auch verkleide.«

Josie, die die Falten ihres hellblauen Taftkleides ordnete, warf ihm einen abschätzenden Blick zu. »Ich wüsste schon, wie – kurze Pluderhose, lange Strümpfe ...«

»Ein Spitzenhemd und ein Samtmäntelchen ...«, ergänzte Amy belustigt. »Simsalabim. Ein Prinz wie aus dem Märchenbuch.«

Arthur verzog den Mund. »Wollt ihr mich zum Affen machen?«

»Potz Speikatz! Was für ein Anblick!« Bernhards begeisterter Zwischenruf unterbrach ihr Geplänkel.

»Wow!«, stieß Arthur aus.

Das Floß steuerte auf ein atemberaubendes Lichtermeer zu, das den finsteren Hafen Dorchadons kaum wiedererkennen ließ. Im tausendfachen Widerschein schien der Fluss zu glühen. Überwältigt von dieser wundervollen Verwandlung verharrten die Gefährten bis zur Anlegestelle in sprachlosem Staunen.

Eine jubelnde Menge empfing sie. Vor allem Trolle, jedoch auch viele andere Wesen, von denen einige ihre Verwandtschaft mit Geschöpfen Narrandas nicht verleugnen konnten, standen winkend am Kai. Es herrschte Volksfeststimmung.

Eine Schratfrau, deren Haube grotesk schief auf dem zerzausten Haar saß, wedelte mit einem schmuddligen Taschentuch. »Ihr habt das Söhnlein mein befreit! Ihr unsre tapf'ren Retter seid! Vivat! Vivat! Ein langes Leben möge Euch Odin dafür geben!«

»Vivat! Vivat!«, stimmten die Umstehenden ein. »Vivat! Vivat!«

Einige besonders Begeisterte drängten aufs Floß, das dadurch bedenklich zu kippeln begann.

»Zurück, ihr Leut!«, donnerte Tapan. »Nehmt euch in Acht! Den Helden wird jetzt Platz gemacht!« Doch erst, als die Trollbrüder mit den schweren Rudern drohten, wichen sie zurück.

Mit einem überraschend warmen Lächeln auf den wulstigen Lippen wandte sich Tupan an die Gefährten. »Lasst uns Euch auf den Schultern tragen, Torun möchte Dank Euch sagen.« Damit beugte er schon das Knie und lud Josie ein, aufzusteigen.

In einem wahren Triumphzug zogen sie zur Burg. Vorneweg flogen Tausendzehn und ihre Schwestern, jede mit einem brennenden Span. Dann folgten gleichberechtigt nebeneinander Tipan, Tapan und Tupan, jeder einen der Helden tragend, hinter ihnen hoch erhobenen Hauptes Wolf. Ganz zum Schluss trippelten die Ratten, die Schwänze wie Standarten aufgerichtet.

Als sie unter den Hochrufen der jubilierenden Menge die Zugbrücke erreichten, tönte ihnen fröhliche Musik entgegen.

Das große Tor stand weit offen, warm und einladend leuchteten ihnen Hunderte von Fackeln entgegen. Nichts erinnerte mehr an die bedrückende Atmosphäre des alten Arcatrox. Durch die einstmals düsteren Gänge huschten kleine Elfen, Zwerge saßen auf den Simsen und winkten ihnen zu.

»Arthur!« Josie deutete auf einen Gnom, der seinen winzigen Zylinder in die Luft warf. »Mir kommt es vor, als hätte ich so einen im Glaciorum gesehen.«

»Stimmt«, sagte Arthur gelöst. »Und sieh mal, die Elfen mit den Silberflügeln da drüben! Sie müssen das Glaciorum bereits aufgetaut haben.«

Josie strahlte Arthur an. Sie hatten den Opfern Dykerons grausamer Sammelleidenschaft das Leben zurückgeschenkt. Um ihre Freude zu teilen, suchte sie Amys Blick, doch Amy wirkte plötzlich blass und bedrückt. »Woran denkst du?«

»Die Burg – all die schrecklichen Erinnerungen. – Die Hellcs, diese widerlichen Spriggans und die Hunde …« Amy verstummte.

»Sie sind nicht mehr hier.« Josie lächelte mitfühlend. »Es ist vorbei! Die Trolle und ihre Verbündeten haben das schwarze Pack bestimmt vertrieben. Ist es nicht so, Tupan?«

Tupan nickte. »Die üble Brut kein Licht verwindet und schon beim ersten Blick erblindet. Wir jagten sie nach Ombragon, der Wald sei ihr gerechter Lohn. Das Böse ward zum Fraß des Bösen, so ist es immer schon gewesen.«

Arthur deutete nach vorn. »Wir sind da.« Auch die Türen zum Saal standen weit offen. Die Trolle hielten an und ließen die Gefährten absteigen.

Josie riss die Augen auf. Kaum zu glauben, dass dies derselbe Raum sein sollte, in dem Dykeron vor Kurzem noch sein grausiges Festmahl abgehalten hatte. Ein Meer von Fackeln und die prasselnden Flammen eines wärmenden Kaminfeuers vergoldeten die vormals düstere Halle. An den Tafeln saßen jetzt überwiegend Trolle, offenbar in ihre besten Kleider gehüllt, wenngleich auch diese nicht sehr gepflegt wirkten. Eine Trollkapelle spielte auf. Derbe, doch heitere, ausgelassene Klänge, die nicht immer ganz den Ton trafen. Doch die Paare, die dazu übermütig im Kreis sprangen, schienen sich nicht daran zu stören, dass die Musikanten etwas aus der Übung waren.

Als Tapan nun in die Hände klatschte, wandten sich alle Blicke zur Tür. Ein schiefer Tusch ertönte und die Gefährten traten unter begeisterten Hochrufen ein. Mit strahlenden Gesichtern schritten sie durch ein Spalier applaudierender Festgäste. Jetzt war Josie dankbar um das würdevolle lange Kleid und sie bedauerte, dass Taddy und Moma sie so nicht sehen konnten. Wie stolz die beiden auf sie wären! Bei diesem Gedanken verspürte sie für einen Augenblick schmerzliches Heimweh, das jedoch von den vielen Eindrücken im Saal rasch verdrängt wurde.

Auf dem Thron saß Torun, eine etwas ramponierte Krone auf dem kahlen Haupt. Neben ihm stand eine zierliche Frau mit einem langen weißen Zopf.

»Edna!« Amy löste sich aus dem kleinen Trüppchen und sank ihrer Großmutter, die ihr ebenfalls entgegengelaufen war, in die Arme.

Josie und Arthur lächelten sich zu.

»Oh ja«, meldete sich Wolf zu Wort. »Es ist euer Verdienst! All das ist dem Mut eurer Herzen und eurer Fantasie zu verdanken.«

Dann erhob sich Torun und schritt mit ausgestreckten Armen auf sie zu. Seine erdfarbenen Augen strahlten. »Glorreich seid Ihr zurückgekehrt! Mit Mut und Zuversicht bewehrt habt Ihr das Böse liquidiert, sodass das Licht nun triumphiert in Dorchadon, dem

dunklen Land, an der schlechten Träume Rand, das schwarzer Menschensinn erdacht. – Doch habt Ihr an uns gutgemacht, was dunkle Fantasie kreiert'. Seid zu den Uns'ren drum gekürt!« Mit dem Blick eines Weihnachtsmanns, der ein Geschenk aus dem Sack zieht, richtete er das Wort an Arthur. »Dir, mein tapf'rer Schepselsohn, geb ich mein schönstes Töchterlein. Sie sei dein wohlverdienter Lohn.« Damit winkte er ein grobschlächtiges Trollmädchen mit Drahthaarzöpfen und einer Knollennase zu sich, das verlegen kichernd seiner Aufforderung folgte. »Komm, liebes Kind, du sollst es sein!«

Josie amüsierte sich gerade noch über Arthurs verdattertes Gesicht, als der Trollkönig sich mit einem wohlwollenden Lächeln an die Mädchen wandte. »Euch Mägdlein hab ich zugedacht zwei Söhne, die Ihr mit Bedacht nun selber auserwählt und Euch zur Ehe dann vermählt.« Stolz wies er auf die fünf jungen Trollmänner, die neben seinem Thron standen, und ihnen breit zugrinsten. Nun waren es Josie und Amy, die nicht wussten, was sie zu dem großherzigen Angebot Toruns sagen sollten.

Arthur, der sich mittlerweile gefasst hatte, hüstelte. »Wir wissen Euer edelmütiges Anerbieten sehr zu schätzen. Glaubt uns, wir würden es mit Freuden annehmen. Doch nach menschlichen Gesetzen sind wir noch zu jung zum Heiraten. Außerdem müssen wir umgehend zurück in die Welt der Dinge. Nur von dort aus können wir die Ereignisse am Rand der Träume auf Dauer beeinflussen. Wir bitten sehr um Euer Verständnis.«

König Torun nahm die verbeulte Krone ab und kratzte sich am Kopf. Die Enttäuschung stand ihm ins Gesicht geschrieben, dennoch rang er sich ein Lächeln ab. »Mir scheint, der Einwand ist durchdacht. So geht, und durch der Worte Macht bringt Licht und Hoffnung unsern Leuten und schwächt die Kraft der bösen Meuten. Auf dass auch Dorchadon erblühe und uns dereinst Solaria glühe.«

Nun trat Edna vor. Sie verbeugte sich vor dem Trollkönig und sprach dann zu Toruns Volk. »Viele von euch sind mir trotz Gefahr für Leib und Leben zur Seite gestanden, das werde ich euch nie vergessen. Doch heißt es jetzt Abschied nehmen.« Sie hielt bewegt inne und fuhr dann mit ernster Miene fort: »Ich gebe euch mein Ehrenwort, in Zukunft keine Geschichten mehr in die Welt zu setzen, die das Grauen nähren. Doch hat sich nun alles zum Guten gewendet. Für jeden von euch, für mein Tochterkind und für mich. Dank dieser beiden großartigen Menschen.« Damit ging sie auf Josie und Arthur zu und umarmte sie herzlich.

Und wieder erklangen Vivat-Rufe und die Musik setzte ein.

Josie lächelte in die jubelnde Menge. Obwohl ihnen alle hier wohlgesonnen waren und man sie am liebsten hierbehalten wollte, zog es sie jetzt mit Macht zurück in die Wirklichkeit. »Wir sollten uns auf den Weg machen«, raunte sie Arthur zu und stellte sich vor, wie wunderbar es sein würde, Moma in die Arme zu schließen und bei einer gemütlichen Tasse Tee von ihren Abenteuern zu erzählen.

»Auf welchen Weg?«, raunte Arthur zurück, den das Thema offenbar auch schon beschäftigt hatte. »Über die Hochebene, durch den Schattenwald und die Höhle? Und wie kommen wir den Brunnenschacht hoch?«

Josie biss sich auf die Lippen. Verdammt, daran hatte sie definitiv nicht gedacht! Gab es denn keinen anderen Weg?

»Es gibt unendlich viele andere Wege«, mischte sich nun Wolf wieder in ihre Gedanken. »Es liegt ganz an euch.«

»Unser vierbeiniger Gefährte hat recht«, stimmte Edna ihm zu. »Wir werden unseren Weg finden.«

Torun öffnete eine Tür, die zu einer Altane führte, und trat, von seinen Ehrengästen gefolgt, ins Freie. Trunken vor Glück jubelte ihm das bunt gewürfelte Volk, das sich unten im Burggraben amüsierte, zu. Der Blick des Trollkönigs schweifte in die Ferne. »Seht überall die Freiheitslichter«, sagte er ergriffen. »Seht all die fröhlichen Gesichter!«

Von hier aus wirkte Dorchadon wie ein flackernder Sternenhimmel. Von sämtlichen Hügeln leuchtete es. Selbst aus den geduckten Häusern unterhalb der Burg schimmerte warmes Licht. Sachte zog silbergraue Dämmerung über das Land. Und weit entfernt glaubte Josie sogar, etwas wie Morgenröte zu erkennen.

Edna wischte sich eine Träne aus den Augenwinkeln. »Dorchadon im Glanz des Freiheitslichts zu sehen, werde ich für immer im Herzen bewahren.«

Amy nahm ihre Hand. »Jeder von uns wird dieses Bild bewahren.«

Arthur schwieg. Grübelnd tastete er nach dem Schwertgurt. »Haltet mich nicht für verrückt!«, sagte er unvermittelt. »Aber mir ist eben eine absurde Idee gekommen. Und fragt mich bitte nicht, woher!«

Seine Gefährten blickten ihn erwartungsvoll an.

»Ich könnte versuchen ...« Arthur räusperte sich. »Ich könnte doch versuchen, mit dem Schwert ein Portal in die Wirklichkeit zu schlagen.«

»Nichts an dieser Idee ist absurd oder verrückt«, bemerkte Wolf anerkennend. »Mir scheint, dies ist sogar ein sehr guter Gedanke.«

»Und wie soll das gehen?«, fragte Amy.

Aber sie erhielt keine Antwort. Arthur schob das Kinn vor und erklomm kurzerhand die Balkonbrüstung, ohne auch nur einen einzigen Blick in die schwindelnde Tiefe zu werfen. Er schloss für einen Moment die Augen, um sich zu sammeln, atmete dann tief durch und zog mit beiden Händen seine magische Waffe, die sich auf der Stelle in ein purpur glühendes Schwert verwandelte.

»Reif ist die Zeit. Wir sind bereit zur Rückkehr in die Wirklichkeit. – Es öffne sich durch diese Klinge das Tor zurück zur Welt der Dinge!«, rief er mit lauter Stimme, während er mit kraftvollen Bewegungen einen gewaltigen Kreis umschrieb.

Dann geschah etwas höchst Merkwürdiges. Etwas, von dem Josie dachte, dass es vielleicht das Merkwürdigste unter all den

Merkwürdigkeiten war, die sie erlebt hatten: In der dämmergrauen Luft bildete sich ein flirrender Purpurkreis, den die Bewohner Dorchadons mit Ausrufen des Staunens begrüßten. Dann begann sich innerhalb des Runds eine purpurfarbene Lichtspirale zu drehen, schneller und immer schneller, wodurch ein starker Sog entstand.

Arthurs dunkle Haare flatterten im wirbelnden Luftstrudel des Portals. »Rasch! Ich weiß nicht, wie lange das Tor stabil bleibt!« Dann wandte er sich mit einer Verbeugung zu Torun, lächelte den Elfen, die mit hängenden Flügeln auf einem Mauervorsprung saßen, aufmunternd zu und winkte zuletzt den Ratten, die ihn mit offenen Schnauzen anstaunten. »Dank euch allen! Wir werden euch nie vergessen.«

Torun legte die klobige Trollhand auf die Brust. »Müsst Ihr auch fort, so glaubet mir, in unsren Herzen bleibt Ihr hier. In die aus Traum gesponn'nen Welten werdet ihr eingehen als Helden. In Mythen, Epen und Geschichten wird man von Euch dereinst berichten. So geht und denket stets daran, was das Wort bewirken kann!«

Bewegt hob Arthur die Hand zu einem letzten stummen Abschied und sprang. Fassungslos sahen ihn die Zurückgebliebenen in der kreiselnden Lichterscheinung verschwinden.

Josie beugte sich zu ihren kleinen Freunden nieder, die unglücklich zu ihr hochblickten. »Was hätten wir ohne euch nur gemacht«, sagte sie dankbar. »Ich habe meine Meinung über Ratten grundlegend geändert. – Ihr ...« Sie schluckte. »Ihr wart einfach wunderbar!«

Bianca rollten stumme Tränchen über die pelzigen Wangen.

»Potz Speikatz!«, brummelte Bernhard. »Jetzt aber los!«

Simba hüstelte belegt. »Ihr müsst springen, eh es zu spät ist!« Tröstend legte er den Arm um seine schluchzende Frau.

»Die Ratten haben recht«, ermahnte sie nun auch Wolfs dunkle Stimme. »Es wird höchste Zeit!« Damit spannte er die Muskeln und sprang mit der Behändigkeit eines jungen Hundes schnurstracks ins Zentrum des rotierenden Rings, das ihn sofort verschluckte.

Josie fuhr erschrocken hoch. Ohne weitere Umschweife erkletterte sie die Balkonbrüstung. Verdammt, ging das tief runter! Tief einatmend dachte sie an ihren Glücksdrachen. Ja, sie konnte auf ihn vertrauen! So wie sie in den Brunnen gesprungen waren, würden sie durch diesen Sprung in die Wirklichkeit zurückfinden.

»Rasch!«, rief sie Edna und Amy zu, die sich noch von den Trollbrüdern verabschiedeten, und half ihnen eiligst hoch. Dann fassten sie sich bei den Händen, bang, doch jede von ihnen fest entschlossen. Die Spirale drehte sich noch immer, dennoch kam es Josie vor, als hätte sich ihr Tempo verlangsamt. Mit jeder Sekunde schien sie an Zugkraft zu verlieren. Kalter Schweiß rann über ihre Schläfen. »Amy – die Fibel!«, keuchte sie und griff nach der ihren.

Atemlose Sekunden vergingen, bis die Fibeln in magischem Funkenregen sprühten. Fast gleichzeitig wirbelte die Spirale wieder schneller – schneller und immer schneller.

»Jetzt!«, schrie Josie.

5

Wieder in der Welt der Dinge

So ward vom schönen Wunderland
Das Märchen ausgedacht,
So langsam Stück für Stück erzählt,
Beplaudert und belacht,
Und froh, als es zu Ende war,
Der Weg nach Haus gemacht.

aus: *Alice im Wunderland* von
LEWIS CARROLL (1832–1898),
brit. Schriftsteller

Die rotierende Spirale schien sich ins Unendliche auszudehnen, ihr starker Sog katapultierte sie in rasendem Tempo voran. Josie wurde schwindlig. Sie schloss die Augen und ließ sich treiben. Zeit- und Raumgefühl lösten sich vollkommen auf, bis sie plötzlich einen heftigen Stoß fühlte.

Sie riss die Augen auf und fand sich neben Amy und Edna auf einem Schotterweg liegend. Bei dem Versuch, sich zu orientieren, stolperte ihr suchender Blick über eine knallrote Eingangstür, darüber ein steinernes Wappen.

»Springwood Manor!«, stieß sie aus.

»Glatte Landung hingelegt!« Arthur kam feixend auf die Nachzügler zu und half Edna hoch.

»Autsch!« Amy rieb sich das Knie.

Hinkend trottete Wolf auf sie zu. »Das Aufsetzen war alles andere als angenehm. Für derartige Manöver taugen meine alten Knochen nicht mehr.«

Ein Blick auf Wolfs graues Zottelfell sagte Josie, dass ihn die Rückkehr von der unangenehmen Tintenfischtarnung befreit hatte. Und auch sie steckte, wie sie nun feststellte, wieder in ihren Alltagssachen. Bei dem Gedanken, wie wenig Bestand Textilien aus der Anderwelt in der Welt der Dinge hatten, atmete sie auf. Das hätte noch gefehlt, dass sie in Unterwäsche ihr Abenteuer beendeten. Ahnungsvoll tastete sie ihren Daumen ab, doch der Fingerhut war weg.

Edna flocht ihren Zopf, den der Wind während der wirbelnden Fahrt in Unordnung gebracht hatte, und Amy klopfte den Staub von ihrem Rock. »Keine schwarzen Klamotten mehr, für mindestens ein Jahr«, sagte sie. »Das Erste, was ich mache, ist duschen und was anderes anziehen.«

Die Dämmerung war vorangeschritten, überall zwitscherten schon die Vögel. Josie blinzelte zum Horizont, wo sich mit einem purpurroten Streifen der neue Tag ankündigte. Oh, wie sie sich auf die Sonne freute!

»Josie, hörst du das?« Amy wies lauschend zum Haus.

Josie spitzte die Ohren. Aus dem Morgengesang der Gartenvögel klang eine Melodie. Purpurfarben schwebte sie aus den Kletterrosen.

»Druid Dubh!«, riefen die Mädchen wie aus einem Munde.

»Das Empfangskomitee aus Narranda! – Das ist doch das Mindeste, was man erwarten kann.« Gut gelaunt schlenderte Arthur auf den kleinen Vogelmann zu, der zwischen zwei Rosenblüten auf einem Zweig saß und ihnen wohlwollend zunickte. Als alle näher gekommen waren, erhob sich Druid Dubh zu einer kleinen Rede, wobei er besonders Josie und Arthur ansprach.

»So seid Ihr siegreich heimgekehrt, die Herzen voll und unversehrt. Vernichtet habt Ihr Orcarracht und stark geschwächt des Bösen Macht. Auch ist zu danken Eurem Mut, dass seine eigne Drachenbrut er selbst verschlang in blinder Wut. Mit Freude kam es uns zu Ohren, dass Dykeron das Fell geschoren. Sein Volk ist frei und strebt nach Licht. Und niemand ist nunmehr erpicht, dem gold'nen hellen Reich zu schaden mit tödlich dunklen Nebelschwaden.« Der Bote Narrandas machte eine bedeutsame Pause und hob die Hand zu einer Geste, die erkennen ließ, dass er nun etwas besonders Wichtiges zu verkünden hatte. Mit großem Ernst blickte er in die Runde, als er begann: »So lässt die Königin Euch sagen: Frei sollt Ihr sein vom bösen Fluch! Nicht länger müsst das Los Ihr tragen. Ihr habt getilgt den Lug und Trug, den Menschenwahn verbrochen. So sei es denn, wie abgemacht, beschieden und versprochen. Der Hund mag seinen Frieden finden. – Die Töchter mögen sich verbinden und folgen ihrer Herzen Drang in Liebesglück ein Leben lang.«

Josie suchte Wolfs Blick, aber die Bernsteinaugen des großen Hundes starrten ins Leere und auch zu seinen Gedanken drang sie nicht vor. Trotz der großen Erleichterung, die Druid Dubhs Worte mit sich brachten, lastete bleischwer eine schlimme Ahnung auf ihr.

Nachdem er die Botschaft Órlaiths bekannt gegeben hatte, breitete der Vogelmann seinen Mantel aus, wie er es immer tat, wenn er wegfliegen wollte.

»Warte!«, rief Arthur erregt. »Da ist noch etwas! Was soll jetzt aus meinem Bruder werden?«

Druid Dubh ließ die Arme sinken. Seine gelösten Züge spannten sich an. »Dies ist ein misslich dummer Fall!«, erwiderte er unwillig. »Des Vaters Tun die Zwerge straften, so muss der Sohn nun dafür haften.«

Arthur starrte deprimiert auf seine Schuhspitzen. Josie gab es einen Stich. Sie hatte überhaupt nicht mehr an Brian gedacht. Wie gedankenlos! Arthur hatte alles daran gesetzt, Amy zu retten, und sie? Nicht ein einziges Mal hatte sie ihn nach seinen Sorgen gefragt. Ihre Lippen bebten. »Druid Dubh«, setzte sie an. »Arthur hat für Narranda sein Leben aufs Spiel gesetzt. Hat er damit nicht die Begnadigung für seinen Bruder verdient?«

Josies Einwand schien Druid Dubh Kopfzerbrechen zu bereiten, denn er antwortete ungewohnt zögernd. »Wohlan ... Wohlan, ich muss zurück nun gehen, doch will ich, was man tun kann, sehen. Es ist der Königin Entscheid, zu schenken ihm Barmherzigkeit.« Daraufhin verneigte er sich erneut. »Nun ist es Zeit, Adieu zu sagen. Und Dank für Eure große Tat.« Sein Blick richtete sich auf die beiden Mädchen. »Mögt Ihr das Erbe weitertragen! Möget Ihr streu'n der Feen Saat! Auf dass die Wundersagen leben, die uns Geistern Atem geben. Bedenkt auch stets der Worte Macht! – Und wählt sie nie ohne Bedacht! Denn jedes Wort, das bei Euch klingt, über den Rand der Träume springt!« Damit flog er hoch und verschwand, ohne noch einmal zurückzublicken in der Morgendämmerung.

Mit Narrandas Boten war auch Arthurs gute Laune weggeflogen. Stumm blickte er dem kleinen schwarzen Punkt in der Ferne nach. Die unerfreulichen Ereignisse im Reich der Wirklichkeit hatten ihn schlagartig eingeholt.

»Vielleicht ...«, sagte Josie unsicher.

Arthur fuhr sich in einer deprimierten Bewegung durch die Haare. »Sie sind nachtragend«, murmelte er. »Sie sind so verdammt nachtragend.«

Josie schwieg. Was sollte sie auch sagen? Er hatte ja recht! Hunderte von Jahren hatten die Sidhe Conall und seine Nachfahren büßen lassen. Und Arthurs Vater würde sich, stur, wie er war, niemals von seinem Bauvorhaben abbringen lassen.

Edna sah sie fragend an.

»Es gibt da ein Problem mit Arthurs Vater«, begann Josie und umriss Amy und ihrer Großmutter in kurzen Worten, was vorgefallen war. Sie war gerade fertig, als die Tür aufgeschlossen wurde. Dann trat, hastig den Gürtel seines karierten Hausmantels bindend, Aaron O'Reardon aus dem Haus.

»Hab ich doch richtig gehört! Ihr seid zurück! Gott sei Dank!« Ein erleichtertes Strahlen erhellte sein verschlafenes Gesicht. Er wollte eben Edna und Amy begrüßen, als Moma erschien. Ungekämmt, in ihrem zerknitterten rosa Morgenrock blinzelte sie mit kleinen Augen in den frischen Morgen, der den grauen Staub der Dämmerung inzwischen ganz abgeworfen hatte.

»Josie!« Mit ausgebreiteten Armen drängte sie sich am Professor vorbei, um ihre Enkelin in die Arme zu schließen.

Josie schmiegte sich an sie. Einige Sekunden standen sie so. Stumm und mit geschlossenen Augen. Dann richtete sich Moma auf. Sie strich Josie in einer liebevollen Geste eine kupferrote Strähne aus dem Gesicht und drehte sich zu Amy und Edna um.

Ihre Blicke trafen sich in einem warmen Strom spontaner Zuneigung. Dann traten die beiden Frauen aufeinander zu und nahmen sich bei den Händen. Man konnte förmlich sehen, wie ihre Augen über die Züge der anderen tasteten, wie erstauntes Erkennen ein Leuchten auf ihre Gesichter zauberte.

»Was für ein Augenblick!«, brach Moma das Schweigen. »Was für ein großartiger Augenblick, wenn einem das Leben so spät noch eine Schwester schenkt!«

»Und eine Großnichte«, mischte sich Josie ein und lächelte Amy zu, die verlegen neben ihr stand.

»Kommt!« Moma winkte die Mädchen zu sich und drückte sie ans Herz. Edna legte die Arme um die drei. Ihr feines Gesicht strahlte mit der aufgehenden Sonne um die Wette.

Wolf lehnte schwer atmend neben seinem Herrn, der ihm den Rücken kraulte und die Szene gerührt beobachtete. »Wollen wir nicht reingehen?«, sagte der Professor. »Ich denke, wir sollten das Wiedersehen mit einer Tasse Tee begießen.«

»Gute Idee«, sagte Arthur rau. Die ergreifende Begegnung der Frauen rührte ihn an, dennoch bedrängte ihn das Gefühl, dass dieser Moment eigentlich nur ihnen gehörte. Dankbar für den Vorschlag stapfte er schnurstracks ins Haus. Sein Großonkel folgte ihm lächelnd.

Als Josie, Amy und ihre Großmütter nachkamen, hatte Aaron O'Reardon schon Teewasser aufgesetzt und Arthur machte sich am Toaster zu schaffen. Wolf schnupperte an seinem frisch gefüllten Futternapf, begnügte sich jedoch mit etwas Wasser.

»Yummy!« Begierig sog Amy den heimeligen Röstgeruch von frischem Toast ein. »Ich komm um vor Hunger!«

»Ich auch!«, seufzte Josie und schnappte sich eine angebrochene Schachtel Ingwerkekse von der Anrichte. »Wer will noch?«

»Ich!«, kam es dreistimmig zurück.

Dann standen die vier Heimkehrer in der Küche und leerten in atemberaubender Geschwindigkeit die Packung, während Moma und der Professor das Frühstück vorbereiteten.

»Hmmm, Wahnschinn!«, murmelte Josie mit vollem Mund. »Ich hassche Ingschwer, aber jetscht würde isch schogar Bacon and Cabbatsch – mit Ingwerschosche essen.«

Der alte O'Reardon zwinkerte ihr zu. »*Bacon and Cabbage*? Ich kann mal nachsehen, ob noch was im Kühlschrank ist.«

Josie verschluckte sich. Nach einem heftigen Hustenanfall winkte sie prustend ab. »Danke. Ich warte doch lieber auf den Toast.«

Wenig später saßen sie um den ovalen Mahagonitisch im Speisezimmer. Die frühe Morgensonne verzauberte das Gemälde Conall O'Reardons mit einem goldenen Glorienschein. Josie neigte den Kopf. Bildete sie sich das ein …? Sie deutete auf das Bild. »Er lächelt. Findet ihr nicht auch, dass er lächelt?«

»Er hat auch allen Grund«, sagte Arthur und Josie hörte eine kleine Bitterkeit heraus. »Er hat sein Happy End.«

Josies Blick wanderte zu Wolf, der zu ihren Füßen lag und leise röchelte. Sie versuchte, gedanklich Kontakt zu ihm aufzunehmen, aber es gelang ihr nicht, selbst dann nicht, als sie die Drachenfibel berührte. Und wieder rumorte etwas in ihr, ein fernes Donnergrollen, das über dem lebhaften Tischgespräch nach und nach verebbte.

Als der Professor von Bernhard und Bianca hörte, horchte er auf. »Geradezu frappierend, wie sehr Elemente eurer eigenen Fantasie das Abenteuer beeinflusst haben, Bücher, die ihr gelesen habt, Filme, die euch beeindruckt haben.«

»Mein Glücksdrache«, sagte Josie überrascht. »Als wäre er aus der *Unendlichen Geschichte* direkt in mein Herz gesprungen.«

Moma lächelte ihr zu. »Was für ein schönes Bild – es zeigt, wie sehr Geschichten in uns nachwirken. Im Positiven wie im Negativen.«

Edna seufzte. »Wie wahr! Wir Autoren müssen sehr achtsam damit sein, was wir in die Köpfe und Herzen pflanzen.«

Es war schon fast Mittag, als Josie bleierne Müdigkeit überwältigte. Sie gähnte. »Leute! Ich bin hundemüde. Was haltet ihr davon, wenn wir uns für ein paar Stunden aufs Ohr hauen?«

Edna faltete ihre Serviette zusammen. »Was mich angeht. Gern.«

Auch Amy war froh, sich ausruhen zu können. »Und duschen!« sagte sie. »Zuerst duschen und umziehen. Und gleich morgen versuch ich, die schwarze Farbe aus den Haaren zu kriegen.«

Ihre Großmutter nickte erleichtert.

Arthur stand auf. »Und ich werd mich mal auf den Heimweg machen. Mum braucht mich und Brian ...« Er stockte.

Sein Großonkel räusperte sich. »Von Brian gibt es leider nicht Neues – jedenfalls gestern noch nicht. Allerdings stand in der Zeitung, dass durch die vielen Pressemeldungen der Denkmalschutz aufmerksam geworden ist. Wenn du mich fragst, wird es zumindest vorübergehend zu einer Baueinstellung kommen.«

Josie war sofort wieder hellwach. »Das wäre ja toll!«

Der Professor strich sich bedächtig über den Bart. »Nun ja, das kommt auf die Warte an. Ryans Geldgeber finden das ganz bestimmt nicht.«

»Dann kann ich mich ja auf eine super Stimmung daheim einstellen«, brummte Arthur.

»Wäre schön, wenn du zum Abendessen kommen könntest«, sagte der alte Herr »Ich werde Maude bitten, etwas besonders Gutes für uns zu kochen. Wir haben allen Grund zum Feiern.«

Während Arthur sich mit seinem Rad nach Galbridge aufmachte, nahm Josie Amy in ihr Zimmer mit. Der frische Duft von frischem Lavendel schwebte ihnen entgegen, als sie die Tür öffnete.

Josie sah sich um. »Rosalinde?«

»Rosalinde?«, wiederholte Amy.

»Ein wirklich lieber Hausgeist hier in Springwood Manor.« Kaum hatte Josie ausgesprochen, bereute sie es schon. »Verdammt!«

»Was ist?«

»Ich hätte es dir nicht sagen dürfen. Rosalinde ist eine Bean Tighe, man darf nicht über sie reden, wenn man sich ihre Freundschaft erhalten will.«

Amy gähnte. »Ich erzähl's ihr bestimmt nicht. Offen gestanden hab ich die Nase ziemlich voll von Geistern aller Art.«

Nachdem auch sie ausgiebig geduscht hatte, zog Josie die Vorhänge zu und sprang ins Bett, in dem sich Amy schon wohlig rekelte. »Hoffe, ich nehm dir nicht zu viel Platz weg!«, murmelte Amy und rollte sich zur Seite.

»Nee, ist ja breit genug«, erwiderte Josie und schob ihre Fibel und MoDains Fläschchen, die sie vor dem Duschen auf den Nachttisch gelegt hatte, zur Seite, um an ihre Bücher zu gelangen. Mit einer zärtlichen Handbewegung strich sie über den Einband ihres Lieblingsbuchs und schlug es zufällig auf.

Glücksdrachen haben eben Glück, las sie, *und mit ihnen die, denen sie gut sind.*

Oh ja!, dachte sie dankbar, der Glücksdrache in ihrem Herzen hatte sie nie im Stich gelassen. »*Die unendliche Geschichte* musst du unbedingt mal lesen«, sagte sie bewegt und legte das Buch zurück. Aber Amy antwortete ihr nicht, sie war bereits eingeschlafen.

Dann schloss auch Josie die Augen und ließ sich von den schillernden Bildern ihres Unterbewusstseins forttragen.

Als sie wieder aufwachte und verschlafen nach dem Wecker angelte, zeigte er fünf Uhr nachmittags. Amy grinste sie an. »Du röchelst im Schlaf.«

»Ich schnarche doch nicht!«

»Hab ich ja auch nicht gesagt. Du röchelst wie ein sattes Baby.«

Josie verzog den Mund und streckte sich. Auf dem Boden lagen ihre Klamotten, so, wie sie sie beim Ausziehen hatte fallen lassen. Sie warf einen bedauernden Blick zum Panel. Rosalinde war anscheinend nicht hier gewesen. Warum hatte sie auch ihren Mund nicht gehalten! Enttäuscht warf sie die Beine über die Bettkante, um aufzustehen, und erstarrte. Hektisch tasteten ihre Augen über Nachttisch und Bettvorleger. Dann hob sie auch ihre Bücher an, und ließ sie enttäuscht wieder sinken.

»Verdammt, meine Drachenfibel ist weg«, sagte sie tonlos. »Und das Zauberfläschchen auch.«

Amy sprang aus dem Bett, riss den Vorhang auf und durchwühlte ihre Samttasche, dann hob sie erschrocken den Kopf. »Meine auch!«

Josie nickte, als hätte sie nichts anderes erwartet. »Es ist vorbei.«

Amy setzte sich neben sie. »Ja, es ist vorbei. Und weißt du was? Ich bin heilfroh.«

Vom Fensterbrett flog ein schwarzer Schatten hoch, undeutlich hinter den weißen Stores, und doch wussten sie, wem er gehörte. Amy begann spontan, eine kleine Melodie zu summen. Purpurfarben schwebte sie durch den Raum. »Nie werden wir dieses Lied vergessen«, murmelte Josie und stimmte leise ein.

»Nie«, sagte Amy. »Nie im Leben. Aber eines ist blöd ...«

Josie blickte sie fragend an.

»Narranda«, murmelte Amy. »Zu gern hätte ich Narranda gesehen. So wie du. Leider hab ich ja nur die finstere Seite der Anderwelt kennengelernt.«

»Womöglich lag es an Ednas Story. Wer weiß, vielleicht kommst du ja eines Tages doch noch hin.« Josie lächelte tröstend.

Amy gab sich einen Ruck und sprang auf. »Aber jetzt seh ich mir erst mal Irland an!« Sie fischte eine helle Sommerhose aus ihrer Reisetasche und schlüpfte hinein. »Willkommen in der Welt der Dinge!«, sagte sie zu ihrem Spiegelbild, als sie kurz darauf eine weiße Bluse zuknöpfte. »Offen gestanden zieht es mich momentan nicht die Bohne auf die andere Seite. Ich sehne mich regelrecht nach der schnöden Realität – sogar nach dem stinklangweiligen Trott mit Schule, Hausaufgaben, Hundeausführen und so ...«

Josie verstand genau, was sie meinte.

Als sie in die Bibliothek kamen, saßen die Erwachsenen schweigend in der Sitzgruppe. Es lag etwas in der Luft. Etwas, das Josie die Kehle abschnürte. Unwillkürlich blickte sie zu dem Platz, an dem für gewöhnlich Wolf lag.

»Wo ist ...?« Sie hielt inne, als sie die umschleierten Augen des Professors bemerkte. »Ist er ...?«

Moma nickte stumm. Josie warf sich ins Sofa und weinte laut

auf. Amy kam ihr nach und nahm sie in die Arme. »Er hat es sich so sehr gewünscht«, sagte sie belegt. »Er ist jetzt da, wo es ihn immer hingezogen hat.«

»Er, er – wird mir so schrecklich fehlen!«, schluchzte Josie. »Er war ein wundervoller Freund.«

»Das war er wirklich«, erwiderte Aaron O'Reardon mit brüchiger Stimme. »Doch dies ist Teil seiner Geschichte. Wir müssen es hinnehmen.«

»Amy hat recht«, sagte Moma. »Wolf hat seine Erfüllung gefunden. Wir sollten nicht traurig sein, sondern uns für ihn freuen. Und in unseren Herzen wird er ohnehin immer lebendig bleiben.«

Josie fummelte ein Taschentuch aus der Hosentasche und putzte sich die Nase. »Habt ihr ihn schon ...«

Der Professor schüttelte unglücklich den Kopf. »Nein, ich habe ihn in seinen Korb gebettet, er sah so friedlich – ja, selig aus. Gleich morgen früh suchen wir einen schönen Platz für ihn im Garten.« Er wischte sich über die Augen. »In seinem Garten, in Conall O'Reardons Garten in Springwood Manor.«

Um ihre Lieben auf andere Gedanken zu bringen, klopfte Moma auf ein Fotoalbum, das sie mit nach Irland gebracht hatte. »Es gibt noch so viel zu erzählen. Was haltet ihr davon, wenn wir uns Bilder aus Deutschland ansehen? Edna und Amy wissen doch gar nicht, wie wir leben.«

»Darf ich auch einen Blick reinwerfen?«, erkundigte sich der Professor. »Mich interessiert das mindestens ebenso brennend.«

Da es auf der Couch eng wurde, setzte sich Josie an den Schreibtisch und schrieb eine E-Mail an ihren Vater, in dem sie ihm endlich mitteilen konnte, dass Amy und ihre Großmutter nun in Springwood Manor aufgetaucht waren und er sich keine Sorgen mehr zu machen brauchte. Wo die beiden gewesen waren, ließ sie offen. Da sie noch keinen Plan hatte, was sie Taddy erzählen und was sie ihm lieber verschweigen wollte, nahm sie so in Kauf, dass nach wie vor Fragen im Raum standen. Dafür erzählte sie ausführlich von der herzlichen Begegnung Momas mit ihrer Schwester und schrieb sich die Trauer um Wolf von der Seele.

Sie war gerade fertig, als O'Reardon zu ihr kam und eine Schublade öffnete. »Da ist sie ja wieder!« Erleichtert zog er eine ziemlich zerkratzte Lupe heraus. »Hatte sie einer von euch ausgeliehen? Ich hab sie gestern nicht finden können.«

Josie starrte ihm entgeistert nach, als er sich wieder ins Sofa sinken ließ, um mit dem Vergrößerungsglas die Einzelheiten auf den Fotos besser zu erkennen. Zweifelsohne. Es war definitiv dieselbe Lupe, die ihnen die Bandraoi gegeben hatte. Wie war das möglich?

Aber noch ehe sie weiter darüber nachdenken konnte, klopfte es und Maude, die trotz ihres freien Tages gekommen war, trat ein. Josie erkannte an ihren geröteten Augen, dass sie geweint haben musste. Wolf hatte ihr in der Küche oft Gesellschaft geleistet, auch für sie war sein Tod ein schmerzlicher Verlust.

»Dinnéir«, sagte die stämmige Haushälterin rau.

Der Professor hob seine Armbanduhr. »Arthur ist noch nicht da. Können wir mit dem Dinner noch warten?«

Maudes gegerbte Hände wischten über ihre Schürze, während sie etwas Irisches vor sich hin brummelte.

Der Professor stand seufzend auf. »Sie sagt, dann werden aus ihren Lammkoteletts Schuhsohlen. Na, dann kommt! Vielleicht ist Arthur ja noch im Krankenhaus. Schade, aber dann müssen wir wohl ohne ihn essen.«

Das Essen war köstlich, das Fleisch auf den Punkt gebraten und der frisch zubereitete Kartoffelbrei ein Genuss. Dennoch aßen sie ohne Appetit. Traurig schob Josie den Knochen ihres Koteletts an den Tellerrand, wie gern hätte sie ihn ihrem vierbeinigen Freund überlassen. Ob er jetzt wirklich bei seiner Nárbflaith war? Und als sie den Blick hob, schien ihr, als nickte ihr das Portrait Conall O'Reardons zu.

Nach dem Dinner entfachte der Professor in der Bibliothek ein behagliches Kaminfeuer und öffnete eine Flasche seines besten

Rotweins. Josie entging dabei nicht, dass er eine vertrocknete Schafgarbenblüte vom Flaschenhals abstreifte.

Das Bild des liebenswerten Trunkenboldes mit dem schiefsitzenden Zylinder tauchte vor ihr auf. Mit dem Gedanken an MoDain erlaubte ihr der Trauerschleier, der ihr Herz verhüllte, einen dankbaren Rückblick auf die fantastischen Abenteuer, die sie am Rand der Träume erlebt hatte. Sie hatte wahrhaftig mehr Glück als Amy gehabt! Sie hatte Freunde in der Anderwelt gefunden. Rosalinde, MoDain und Elvinia – nicht zu vergessen die tapferen Ratten. Und sie hatte Narranda mit eigenen Augen sehen dürfen. Vor allem aber hatte sie gelernt, ihrem Glücksdrachen zu vertrauen und ihrem Herzen zu folgen.

Der alte Herr hob sein Glas. »Sláinte! Trinken wir! Auch wenn wir Wolf schmerzlich vermissen, sollten wir darüber nicht die Freude über unsere glückliche Begegnung vergessen. Trinken wir auf uns, auf Menschen, die sich ohne das Wirken der anderen Seite nie kennengelernt hätten.«

Momas Rotweinglas klirrte sanft, als sie mit ihm anstieß. »Ja«, sagte sie lächelnd. »Unser aller Leben hat sich grundlegend verändert. Es ist so viel reicher geworden! Neben einer wundervollen Schwester und Großnichte habe ich noch etwas gefunden, das mir immer verwehrt war ...« Sie hielt verlegen inne.

Aaron O'Reardon nahm ihre Hand. »Das geht mir genauso, Dorothy.«

Amy und Josie warfen sich einen verstehenden Blick zu. Moma war die Erste unter ihnen, die ihr Liebesglück gefunden hatte. Josie dachte an die fatalen Schicksale ihre Ahninnen und eine tiefe Erleichterung erfüllte sie. Amy und sie waren nicht mehr dazu verdammt, diese unglückselige Tradition fortzusetzen. Und doch trugen sie das wundervolle Vermächtnis der Feen in sich, die Magie der Imagination, die sich eines Tages auch in ihren Töchtern entfalten würde.

Moma drückte die Hand des Professors. »Aaron wird uns nach

den Ferien in Deutschland besuchen. Und Weihnachten wollen wir hier in Irland verbringen. Bestimmt kommt Thaddäus auch her.« Sie wandte sich an Edna und Amy, die Arm in Arm auf dem Sofa saßen und verträumt in die Flammen blickten. »Und ihr kommt natürlich auch. Die ganze Familie!« Ihre Augen strahlten.

Der Professor zwinkerte Josie zu. »Ich denke, dass sich noch jemand freut, wenn ihr alle wieder in Springwood Manor seid.« Er hob den Kopf und horchte. »Und wie mir scheint, kann er dem gleich selbst Ausdruck verleihen.«

Draußen war eine Tür gegangen und nur einen Moment später platzte Arthur ins Zimmer. Voller Elan setzte er sich neben Josie.

Sein Großonkel zwinkert ihm zu. »Du siehst aus, als hätte dir eine gute Fee die Lottozahlen verraten!«

Arthur grinste. »Besser, viel besser! Stellt euch vor, der Chefarzt sagt, Brian hätte über Nacht eine Spontanremission gehabt.«

»Eine was?«, erkundigte sich Josie.

»Moment mal!« Der Professor beugte sich vor. »Hab ich das richtig verstanden? Brian soll ganz spontan gesund geworden sein?«

»Du sagst es!« Arthur strahlte. »Ich bin heute Nachmittag als Erstes zum Krankenhaus geradelt. In Brians Zimmer war ein Riesenauflauf. Und mein Bruder STAND mittendrin! Auf seinen eigenen zwei Beinen! Die Klinikärzte haben sich die Klinke in die Hand gegeben. Alle sind komplett aus dem Häuschen! So ein Fall kommt unter einer Million Querschnittslähmungen gerade einmal vor! Den ganzen Vormittag hatten sie ihn schon untersucht. CT, Röntgen, das ganze Programm.«

Josie sah ihn verständnislos an. »Und wie ...«

Arthur lehnte sich zurück. »Wie? Na ja, so wie der Chefarzt sagte – mit rechten Dingen ist es wohl kaum zugegangen.« Er grinste. »Also, Brian hat mir erzählt, er hätte in den Morgenstunden was absolut Irres erlebt. Ein Windstoß hätte das Fenster aufgestoßen und dann sei ein ganzer Schwall von Blättern reingeweht, und dazwischen lauter kleine Lichtpunkte – wie Glühwürmchen.«

»Elvinia«, murmelte Josie.

Arthur zog belustigt die Brauen hoch und erzählte weiter. »Brian sagt, im Nachhinein glaube er eigentlich, alles geträumt zu haben, obwohl alles ganz real und deshalb schrecklich unheimlich gewesen sei. Plötzlich habe er sich federleicht gefühlt, so, als ob er über dem Bett schweben würde, dann sei die Decke weggerutscht und die Blätter hätten angefangen, immer um ihn rumzuwirbeln. Vor lauter Panik hätte er die Augen zugekniffen. Und als er sie wieder geöffnet hat, sagt er, hätte er in einem Blätterhaufen gelegen und auf einmal seine Beine gespürt.« Arthur seufzte befreit. »Tja, und dann ist er einfach aufgestanden und ins Schwesternzimmer marschiert. Noch ziemlich wacklig, aber ganz selbstständig.« Er kämmte sich mit den Händen die Haare aus dem Gesicht. »Mann, ich kann's noch gar nicht glauben!«

Josie fiel ein Stein vom Herzen. »Gott sei Dank, dann haben die Sidhe Brian begnadigt.«

»Bestimmt hat sich Druid Dubh für ihn eingesetzt«, sagte Amy erlöst.

Moma lächelte. »Das sind ja wundervolle Nachrichten, Arthur! Deine Eltern müssen überglücklich sein.«

Über Arthurs Miene zog ein Schatten.

»Was Brian angeht – schon. – Mum hat heute gleich ein Dutzend Kerzen in der Krankenhauskapelle aufgestellt. Aber mein Alter hängt voll in den Seilen. Ich hab ihn nur kurz gesehen, er musste gleich wieder weg. Sie machen ihm jetzt von allen Seiten Feuer unterm Hintern. Die Presse hat die Sache voll hochgeschaukelt – und wie du schon gesagt hast ...« Er nickte seinem Großonkel zu. »Der Denkmalschutz will ein Gutachten über *Rath Doire* erstellen. Der Bau wird deshalb vorläufig eingestellt und jetzt will die Finanzierungsgesellschaft aussteigen, weil man sie nicht unterrichtet hat, dass das *National-Monument*-Gesetz die Hand auf dem Gelände hat. – Mum sagt, das könnte den Konkurs bedeuten.«

Arthur spielte unruhig an seiner Gürtelschnalle. Josie fiel sofort auf, dass es ein gewöhnlicher Jeansgürtel war. Von dem Gurt, den Myrddin ihm überreicht hatte, und dem magischen Schwert – keine Spur.

»Die finanzielle Seite ist natürlich höchst unerfreulich«, sagte der Professor. »Andererseits hat alles seinen Preis. Auch Sturheit und Bestechung. Und vielleicht täte es Ryan ganz gut, wenn ihm mal ein Coup misslingt. Du kannst sicher sein – ein Dickkopf wie dein Vater kommt ganz bestimmt wieder auf die Beine.«

»Das denke ich auch.« Arthur atmete tief durch. »Ich wünsche Dad ja wirklich nichts Schlechtes, aber über diesem verdammten Kino stand von Anfang an ein schlechter Stern.«

Edna räusperte sich. »Manchmal tut man Dinge, von denen man hier drin ...«, sie klopfte sich gegen die Brust, »ganz genau fühlt, dass man sie lieber bleiben lassen sollte. So ging es mir mit diesem vermaledeiten Drehbuch. Von Anfang an spukte dieser eine Satz in meinem Kopf herum. Fragt mich nicht warum! Ich weiß es nicht. Bedenke stets des Wortes Macht, und nutze es nie unbedacht!« Sie straffte sich. »Nun, in diesem Wissen werde ich das Script umschreiben.«

Moma nippte versunken an ihrem Glas. »Ich dachte eben, dass unser eigene Geschichte einen einmaligen Stoff für ein Buch oder eine Verfilmung abgeben würde.«

»Auf jeden Fall würde es ein Thriller«, sagte Arthur gut gelaunt. »Ein Thriller mit rundum Happy End.«

Josie schüttelte beklommen den Kopf. »Wolf ...«, sagte sie leise.

Arthur blickte sie ernst an. »Ich weiß, Maude hat es mir erzählt, als sie mir die Tür geöffnet hat. Aber ist das nicht auch ein Teil des Happy Ends? Ist es nicht genau das, was er wollte – auf Memoron mit seiner geliebten Nárbflaith in glücklichen Erinnerungen leben?«

Arthurs tröstende Worte verhalfen Josie zu einem kleinen Lächeln. »Sicher hast du recht. Wolf hat sein Happy End, so wie wir auch.«

Der Professor legte ein Stück Torf nach und lehnte sich in seinen Sessel zurück. »Mir gefällt Dorothys Idee, aus unserer Geschichte ein Buch zu machen. Wir alle haben die Geschehnisse beeinflusst – aber nicht nur wir, auch jahrhundertealte mythische Figuren sind darin zum Leben erwacht. Und ebenso hat sich die Prophezeiung Caliesins erfüllt.« Er blickte versonnen ins Feuer und zitierte: »Denn menschlich Herz, begabt mit rechtem Erbe, vermag Errettung bringen.«

Arthur nickte bedächtig. »Wir werden es wohl nie richtig verstehen. Manchmal kam ich mir vor wie eine Marionette, die ihren Puppenspieler nicht kennt.«

Josies Augen versanken in den Flammen. Sachte, beinahe unmerklich sickerte ein Gedanke zu ihr durch, nahm Gestalt an und gerann zu Worten, ein absurder, fantastischer Gedanke. »Das Vermächtnis der Feen«, murmelte sie, ohne dass sie hätte sagen können, wie sie darauf kam. »Vielleicht ist unser Buch schon irgendwo geschrieben worden.«

* Das Zitat auf S. 75 stammt aus:
William Butler Yeats, Die Gedichte. Neu übersetzt von Marcel Beyer,
Mirko Bonné, Gerhard Falkner, Norbert Hummelt, Christa Schuenke
Die Rechte an der deutschen Übersetzung von Marcel Beyer und
Mirko Bonné liegen beim Luchterhand Literaturverlag, München,
in der Verlagsgruppe Random House GmbH.

Endres, Brigitte:
Das Vermächtnis der Feen
ISBN 978 3 522 50140 8

Gesamtausstattung: Hauptmann & Kompanie
Innentypografie: Kadja Gericke
Schrift: Goudy
Satz: KCS GmbH, Buchholz/Hamburg
Reproduktion: immedia23, Stuttgart
Druck und Bindung: Friedrich Pustet, Regenburg

5 4 3 2 1° 10 11 12 13

www.planet-girl-verlag.de
www.brigitte-endres.de

Das Highlight für alle Fans von Dark Romance

Isabelle Metzen / Carla Miller / Kathleen Weise
Die purpurrote Schleife
128 Seiten · ISBN 978 3 522 50238 2

Ein altes Herrenhaus, geduckt im Schatten der Wälder. Ein geheimnisvoller junger Graf, der geradezu süchtig ist nach dem vollen Leben, und ein Mädchen mit reinem Herzen. Wird ihre Liebe Bestand haben in einem Netz aus dunklen Machenschaften, Verrat und Mord?

Bei diesem besonderen Leseerlebnis wechseln sich Graphic Novel und Erzählung ab und berichten im Zusammenklang von einer Liebesgeschichte voller Gefühl, Dramatik und dunkler Schatten. Die detailreichen Bilder laden zum Versinken ein, die atmosphärischen Erzählpassagen geben über den Plot der Graphic Novel hinaus viele spannende Hintergrundinfos und spinnen die Geschichte weiter.

www.planet-girl-verlag.de